Knaur.

Über die Autorin:
Carla Federico ist eine junge österreichische Autorin, die Geschichte und Philosophie studiert hat. Sie lebt heute als Fernsehjournalistin in Deutschland. Ihre große Leidenschaft fürs Reisen hat sie in zahlreiche Länder geführt, bevor sie sich für einen längeren Aufenthalt in Chile niederließ, dem Land, das sie zu diesem Roman inspirierte.
Mehr zu Carla Federico erfahren Sie auf: www. carla-federico.de

CARLA FEDERICO

Im Land
der Feuerblume

Roman

Knaur Taschenbuch Verlag

Besuchen Sie uns im Internet:
www.knaur.de

Originalausgabe Juli 2010
Copyright © 2010 by Knaur Taschenbuch.
Ein Unternehmen der Droemerschen Verlagsanstalt
Th. Knaur Nachf. GmbH & Co. KG, München

Redaktion: Kerstin von Dobschütz
Umschlaggestaltung: ZERO Werbeagentur, München
Umschlagabbildung: Gettyimages / Heritage Images;
Sylvia Fleischer / Bernardo Quintana
Satz: Adobe InDesign im Verlag
Druck und Bindung: CPI – Clausen & Bosse, Leck
Printed in Germany
ISBN 978-3-426-50439-0

2   4   5   3

Chile

PERU
BOLIVIEN

Arica
Iquique

Antofagasta

Isla San Félix
Isla San Ambrosio

Nevado Ojos
del Salado

Huasco
Coquimbo

CHILE

ARGENTINIEN

Valparaiso
San Antonio
Santiago
Rancagua
San Vicente

Archipélago Juan
Fernández

Talcahuano
Concepción

Lebu
Temuco

Siehe Karte S. 7

Südpazifik

Puerto Montt

Südatlantik

Falkland-Inseln

N

Punta Arenas
Magellanstraße

0   500 km

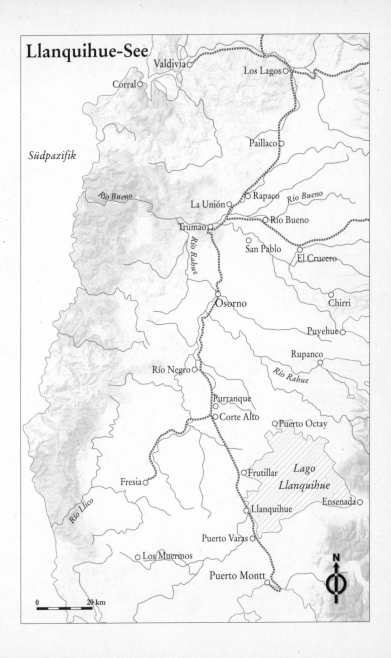

Llanquihue-See

Valdivia

Corral

Los Lagos

Südpazifik

Paillaco

Río Bueno

La Unión

Rapaco

Río Bueno

Trumao

Río Bueno

Río Rahue

San Pablo

El Crueero

Osorno

Chirri

Puyehue

Rupanco

Río Negro

Río Rahue

Purranque

Corte Alto

Puerto Octay

Fresia

Frutillar

Lago Llanquihue

Ensenada

Río Llico

Llanquihue

Puerto Varas

Los Muermos

Puerto Montt

N

0   20 km

PROLOG

CHILE, 1880

*D*u hast dich also entschieden, Elisa. Du liebst Cornelius.«

Nur zögerlich kamen Poldi die Worte über die Lippen. Sie waren ein paar Schritte gegangen und hatten eine kleine Anhöhe erreicht, von der aus man den ganzen Llanquihue-See überblicken konnte.

Elisa sagte nichts, sondern strich sich schweigend das Haar aus dem Gesicht. Es war nicht mehr glänzend rotbraun, sondern spröde und von grauen Strähnen durchzogen, tanzte aber immer noch so ungebärdig im Wind wie in lang vergangenen Jugendtagen.

Sie fühlte, dass Poldi sie von der Seite betrachtete, aber sie erwiderte seinen Blick nicht, sondern starrte hinaus auf den See.

Wie ein riesiges Fünfeck lag er vor ihnen: inmitten saftig grüner Wiesen und Gärten, goldgelber Ackerstreifen und dunkler Wälder, an deren sumpfigen Rändern die roten Copihue-Blumen erblühten. Der von den Anden abfallende Wind kräuselte die Oberfläche des Wassers, und dort, wo die verglühende Abendsonne die Wellen am Ufer traf, leuchtete es golden auf. An manchen Stellen reichten bizarre Landzungen tief in den See; an anderen spiegelte er die Felswände, die schroff und steil aus den Fluten aufzusteigen schienen; an wieder anderen schloss das grüne Kleid des Ufers nahtlos an das kräftige Blau des Wassers an.

In der Ferne erhoben sich die Berge: So klar war die Luft, dass man nicht nur die Vulkane Calbuco und Casa Blanca sehen konnte, sondern auch die vielgliedrige Andenkette, aus der der Cerro Tronador einsam gen Himmel ragte.

Der höchste der Feuerberge war jedoch der Osorno, zu dem Elisa in den letzten Jahrzehnten oft sehnsüchtig, ehrfürchtig oder ratsuchend hochgeblickt hatte. Manchmal schien er ihr zu grollen und versteckte sich hinter dichten Nebelwolken; dann wiederum zeigte er sich ihr in all seiner Pracht und stolzen Größe, unverwüstlich und unverrückbar wie ihr Wille, sich das Land zu eigen zu machen – und stets erhaben über Verzagtheit, Kummer und Furcht, die das Leben der deutschen Siedler nicht selten verdüstert hatten.

Nichts davon fühlte sie nun – nur diesen tiefen Respekt vor der Schönheit und Wildheit des Landes und Stolz auf das, was sie geschaffen hatten.

Ihr Blick glitt zu den Häusern der Siedlung. Anders als die flachen chilenischen Patios besaßen diese mit Alerce-Schindeln bedeckte Giebeldächer und Balkone. Die Wände waren, wie auch die der Scheunen und Ställe, der Vorratskammern und der Arbeitsschuppen, aus dem Holz der Araukarie errichtet – jener mächtigen Baumriesen, die bis heute den See säumten und deren Harz einen durchdringenden Duft verströmte. Elisa sog ihn ein und glaubte, die harte Rinde unter ihren längst verhornten Händen zu fühlen – wie einst in den mühevollen Tagen, in denen sie die Bäume gefällt und dem dampfend-feuchten Urwald fruchtbares Land abgerungen hatten.

Langsam drehte sie sich zu Poldi um.

»Wir haben so viel erreicht«, sagte Elisa leise. »Wir haben einen so langen Weg zurückgelegt.«

»Weißt du noch … damals im Hamburger Hafen, als wir beide …« Poldi brachte den Satz nicht zu Ende, sondern kicherte los. Auch in seinem Gesicht hatte die Zeit Spuren hinterlassen, doch der Klang seiner Stimme erinnerte Elisa an den frechen Knaben von einst.

Er ist dabei gewesen, ging ihr durch den Kopf, von Anfang an, auch damals, als ich Cornelius zum ersten Mal traf …

Aus dem Jugendfreund, der sie vor vielen Jahren auf der langen Reise nach Chile aufgemuntert und belustigt hatte, war später ihr Schwager geworden. Oft hatten sie Seite an Seite zusammen gearbeitet, um das urwüchsige Land zu bezähmen, aber es hatte auch Jahre gegeben, da die eigenen Nöte und Sorgen derart von ihr Besitz ergriffen hatten, dass sie zu wenig nach seinen gefragt hatte.

Jetzt war sie dankbar, dass sie mit ihm, der ihr oft wie ein kleiner Bruder gewesen war, hier stehen und Abschied nehmen konnte.

Poldi kicherte wieder. »Beinahe hätten wir das Schiff verpasst!«

Sie nickte, stimmte kurz in sein Lachen ein, wurde jedoch gleich wieder ernst. »Wir haben viel zu selten innegehalten, zurückgesehen, der Vergangenheit gedacht.«

Bilder stiegen vor ihr auf, Bilder eines harten Lebens und eines reichen, voller Mühsal, aber auch Willensstärke, voller Entbehrungen, aber auch vieler kleiner Errungenschaften.

Nicht immer hatte sie das bekommen, was sie sich gewünscht hatte, und doch war ihr Leben erfüllt gewesen: von reichlich Arbeit, reichlich Sorgen, reichlich Triumph. Und was an Glück gefehlt hatte, würde sie eben jetzt einfordern und festhalten und nicht mehr hergeben – spät zwar, aber nicht zu spät.

Sie seufzte wehmütig.

Zarte Schleier des Seenebels stiegen auf, umhüllten den Fuß des Osorno, nicht jedoch seinen Gipfel. Dieser ragte aus dem Dunst hervor, als würde er über der Welt schweben. Immer tiefer fielen die Sonnenstrahlen; dunkel und abgründig färbte sich das eben noch türkis schimmernde Wasser des Sees, grau seine eben noch glitzernde Gischt. Nur der Gipfel des Osorno badete satt im Licht und strahlte rötlich auf, als blute er.

»Du hast dich tatsächlich entschieden«, sagte Poldi wieder, und nach einer Weile fügte er hinzu: »Wenn es in meinem Leben so viel Klarheit geben würde wie in deinem – wie dankbar und froh wäre ich darüber! Du liebst Cornelius, nicht wahr? Du hast ihn immer geliebt.«

»Ja«, erwiderte Elisa leise. »Ja, ich liebe ihn. Und ich weiß jetzt endlich, was ich tun muss.«

ERSTES BUCH

Die Reise

1852

1. Kapitel

»Haltet den Dieb!«
Elisa öffnete träge die Augen. Ihre Lider waren schwer, die Stirn glänzte schweißnass. Die wenigen Schattenplätze im Hamburger Hafen waren vorhin heiß umkämpft gewesen, und sie hatte mit großer Mühe einen davon ergattert, doch mittlerweile brannte die Sonne senkrecht vom Himmel, so dass nirgendwo mehr Schutz vor ihrem gleißenden Licht zu finden war. Das Wasser schickte keine kühle Brise, sondern stand gräulich grün wie eine dicke, fischige Brühe.

»Haltet den Dieb!«
Die Stimme war trotz der Hitze erstaunlich lebhaft und riss Elisa aus ihrem Dösen. Bis vor kurzem hatte sie das Treiben im Hafen mit aufgerissenen Augen bestaunt, hatte ihren Blick nicht von den prächtigen Dreimastern, den ungeduldigen Auswanderern, den emsigen Hafenarbeitern lassen können. Doch die glühende Sonne hatte den Lärm zum Erliegen gebracht und sie schließlich schläfrig gestimmt.

Geschäftig waren im Augenblick nur die Makler, Befrachter und Reeder aus dem Hause Godefroy & Sohn, die die Seetüchtigkeit der Hermann III. überprüften und die Beladung vorbereiteten – jenes Schiffs, das sie selbst bald besteigen würde. An einer Gruppe dieser Männer, die eifrig gestikulierend aufeinander einredeten, sah Elisa einen kleinen Jungen vorbeiflitzen.

»Verflucht, so haltet ihn doch endlich fest!«

Nun erblickte sie auch den Mann, der ihm nachhetzte. Er trug trotz des heißen Tages einen fleckigen Frack – so wie die meisten Auswanderer ihr bestes Kleidungsstück gewählt hatten, wussten sie doch nicht, wann sie es wieder würden wechseln können. Wahrscheinlich zählte der Verfolger des Knaben zu diesen.

Fast hatte er ihn erreicht, wollte schon mit der Hand nach ihm greifen, da duckte sich der Junge wendig, schlug einen Haken und flüchtete sich in eine Menschentraube.

Elisa, die sich aufgerichtet hatte, um die Verfolgungsjagd besser beobachten zu können, musste grinsen. Sie wusste nicht, was geschehen war, aber das strenge, verbissene Gesicht des Mannes, der auch jetzt die Jagd nicht aufgab und rücksichtslos seine Ellbogen nutzte, um sich einen Weg durch die Menge zu bahnen, führte dazu, dass sie unwillkürlich für den Kleinen Partei ergriff.

»Hast du das gesehen?«

Sie wandte sich zu ihrem Vater, doch Richard von Graberg hatte weder die zornigen Rufe gehört noch auf den Jungen geachtet, der nun flink an der Mole entlanglief, sondern sich stattdessen in den dicken Packen Dokumente vertieft, den er mit sich herumtrug.

Elisa seufzte, wie sie ihn da so sitzen sah. Er musste den Inhalt all der Unterlagen, die für ihre Auswanderung nach Chile vonnöten waren, längst auswendig kennen – dennoch überprüfte er sie immer wieder, als verhießen diese Blätter Papier das letzte bisschen Sicherheit, das es auf dieser unsteten Welt noch gab. Der Überfahrtsvertrag, den sie mit dem Auswanderungsagenten geschlossen hatten, befand sich darunter, die Liste über sämtliche anfallende Preise sowie die geplante Abfahrtszeit, außerdem eine Zeichnung mit der genauen Route, die das Schiff nehmen würde, und schließlich ihre Aufent-

haltskarte für Hamburg, die für vierzehn Tage ausgestellt
worden war.

»Vater ... gleich geht es aufs Schiff – und dann brauchen wir
die Aufenthaltskarte nicht mehr«, sagte Elisa leise.

Richard von Graberg blickte unschlüssig hoch und kniff die
Augen zusammen, als würden sie ihm Schmerzen bereiten.
Elisa ahnte, dass er Schwierigkeiten beim Lesen hatte, auch
wenn er sich das nicht eingestehen wollte.

»Was heißt ›gleich‹? Das verspricht man uns nun schon den
ganzen Tag! Aber wer weiß, wie lange wir noch warten müssen.«

Sein Blick fiel auf die junge Frau, kaum älter als Elisa, die
schwerfällig und mit gebeugtem Rücken auf einer der Kisten
mit ihrem Gepäck hockte. Auch sie hatte dem flüchtenden
Jungen keine Beachtung geschenkt und erwiderte nun auch
Richards Blick nicht.

Wie eine welke Blume, ging es Elisa durch den Kopf.

»Vielleicht ... vielleicht kannst du Annelie etwas Wasser bringen?«, schlug der Vater zögernd vor.

Elisa unterdrückte mit großer Mühe einen empörten Aufschrei. Warum musste der Vater sie ständig an diese ungelieb-
te Begleitung erinnern?

Annelie.

Geborene Drechsler. Seit kurzem Annelie von Graberg, Richards zweite Ehefrau, die er drei Monate vor ihrer Abreise
aus Niederwalzen, einem kleinen Dorf zwischen Frankfurt
und Kassel, geheiratet hatte – sehr überstürzt, wie alle, vor
allem seine Tochter, fanden. Er hatte nicht einmal das Trauer-
jahr eingehalten.

Elisa kniff die Lippen zusammen.

Nicht sie sollte hier sein. Nicht Annelie.

Nicht mit ihr hatte sie sämtlichen Besitz zusammenpacken

und alles verschenken wollen, was sie auf der Reise nicht mitnehmen konnten – eine Reise, die lange, kräftezehrend und
gefährlich sein würde –, darunter die vielen Spitzendecken,
die ihre Großmutter geklöppelt hatte und die zu Lebzeiten
deren ganzer Stolz gewesen waren. Nicht mit ihr hatte sie
schließlich eines frühen Morgens aufbrechen wollen, als das
Gras noch taunass und der Frühlingshimmel noch diesig
gewesen war. Den ersten Teil der Wegstrecke hatten sie
auf einem Stellwagen zurückgelegt; dann war es mit der
Dampfeisenbahn weitergegangen, ein grollendes, spuckendes,
zischendes Ungeheuer, das Elisa ebenso Angst machte, wie es
sie faszinierte.

Es war ein spannendes Abenteuer – wenn es nicht Annelie
gewesen wäre, mit der sie schließlich spätabends Hamburg
erreichten. Von Mücken umsurrte Laternen beleuchteten den
Weg vom Berliner Bahnhof am Deichtor zu ihrer Unterkunft
in der Admiralitätsstraße. Zuvor hatten Polizisten sie in Empfang genommen, die den Bahnhof überwachten und dafür
Sorge zu tragen hatten, dass die Auswanderer nicht in die
Hände jener Betrüger fielen, die manch einem von ihnen mit
leeren Versprechungen den ganzen Besitz abschwatzten. Die
Polizisten waren es auch, die die Aufenthaltsgenehmigung
und die Einschiffungserlaubnis ausstellten. Stundenlang hatten sie sich anstellen müssen, ehe sie spät in der Nacht in
ihrem Logierhaus angelangt waren. Es bestand aus unver-
putzten Bretterwänden und knirschenden Holzdecken und
versprach die Stabilität eines Kartenhauses. Obendrein hatten
sie kein freies Bett mehr bekommen, sondern mit durchge-
legenen Matratzen vorliebnehmen müssen. Ein riesiger Laib
Schinken, den einer der anderen Gäste an seinem Bettende
aufgehängt hatte, war dicht über ihrem Kopf gebaumelt. Der
salzige Geruch hatte den Hunger in Elisas leerem Magen ver-

stärkt – und war doch deutlich angenehmer als der nach schweißigen Füßen und ungewaschener Kleidung.

Lange war sie wach gelegen und hatte sich vorgestellt, wie anders der Beginn ihrer langen Reise verlaufen wäre, wenn nur ihre Mutter sie dabei begleitet hätte. Wäre diese auch immer sofort erschöpft gewesen wie Annelie? Hätte sie auch ständig geseufzt, anstatt die vielen fremden Eindrücke begierig aufzusaugen, wie Elisa es tat?

Gewiss nicht!, dachte Elisa entschieden. Ihre Mutter war eine forsche, willensstarke Frau gewesen, kein bleiches Geschöpf wie Annelie, das schwer und reglos wie ein Mehlsack dahockte.

Ja, ihre Mutter hätte hier sein sollen. Nicht Annelie.

Immerhin, dachte Elisa widerstrebend, klagte sie bis auf ihr Seufzen meist nicht, so auch jetzt nicht.

»Es ist nicht nötig, dass Elisa Wasser bringt«, erklärte sie rasch auf Richards Aufforderung hin. »Ich … ich halte es aus …«

»Aber sie können uns hier doch nicht verdursten lassen!«, jammerte ihr Vater.

»Also gut«, murmelte Elisa widerwillig und erhob sich – allerdings nicht, um Annelie einen Gefallen zu tun. Vielmehr war ihr eigener Mund auch trocken. »Also gut … ich schaue, was sich machen lässt.«

»Hab Dank«, murmelte Annelie, aber Elisa erwiderte nichts, sondern warf lediglich einen letzten mürrischen Blick auf die junge Stiefmutter zurück.

Warum nur hat Mutter nicht so lange leben dürfen?, fuhr es ihr durch den Kopf.

Mit dieser hatte sie in den letzten Jahren all die »Intelligenzblätter« gelesen – nützliche Informationsbroschüren für Auswanderer. In einem dieser Blätter waren sie auf den Namen von Bernhard und Rudolph Philippi gestoßen – ein deutsches

Brüderpaar, das den weitgehend menschenleeren Süden Chiles erforscht und die dortige Regierung überzeugt hatte, man könne sich dieses wilde Land leichter untertan machen, wenn man deutsche Siedler zu sich holte, die für ihren Fleiß und ihre Genügsamkeit, ihr handwerkliches Können und ihre Erfahrung in der Landwirtschaft bekannt waren. Bernhard Philippi war schließlich zum Kolonisationsagenten in Deutschland ernannt worden.

Elisa kniff ärgerlich die Lippen zusammen, als sie sah, wie ihr Vater Annelie seine Jacke reichte, damit sie sie zusammenfalten und darauf bequemer sitzen konnte. Früher hatte seine Fürsorge ausschließlich ihrer Mutter gegolten, vor allem als deren Husten immer schlimmer geworden war, sie begonnen hatte, Blut zu spucken, und sie schließlich am Sterbebett Mann und Tochter das Versprechen abgerungen hatte, an den Reiseplänen festzuhalten.

Vor unterdrückter Wut rammte sie ihre Fersen in den Boden. Derart ins Grübeln vertieft, sah sie die Gestalt nicht kommen, mit der sie plötzlich unsanft zusammenstieß. Irgendetwas Spitzes, Hartes rammte sich in ihre Brust. Die Luft blieb ihr weg; das Blechgeschirr, das sie wie jeder Auswanderer an ihrem Gürtel trug – ein Trinkbecher, eine Butterdose, eine Ess- und eine Waschschüssel sowie Besteck gehörten dazu – klapperte.

»He!«, rief sie empört.

Als sie hochblickte, sah sie in das mürrische Gesicht des Mannes, der vorhin dem flüchtenden Knaben nachgejagt war. Dass er sie fast über den Haufen gerannt hatte, schien ihn nicht weiter zu stören. Anstatt stehen zu bleiben, sich zu entschuldigen und sich zu vergewissern, dass es dem Mädchen nach dem Zusammenstoß auch wohl erging, lief er weiter – und jetzt erkannte Elisa auch, warum sein eben noch grimmiges

Gesicht einen solch entschlossenen Ausdruck angenommen hatte.

Dort vorne war er wieder, der zerzauste Junge, dem es eben noch gelungen war, wendig durch die Menschenmenge zu flitzen, der dann aber mehr oder weniger im Kreis gelaufen war und sich jetzt von einer Reihe von Kisten aufgehalten sah, die auf die Verladung warteten.

Hektisch spähte er nach rechts oder links, um einen Fluchtweg zu entdecken, doch es war zu spät. Der finstere Mann hatte ihn eingeholt, packte ihn am Ohr und zerrte ihn so heftig zurück, dass der Knabe schrill aufkreischte.

»Hab ich dich endlich!«, knurrte der Mann.

Sein Griff wurde fester, der Junge kreischte wieder. Ganz gleich, was er sich zuschulden hatte kommen lassen – Elisa fand, dass er eine derart rüde Behandlung nicht verdiente.

»Ich bin kein Dieb!«, klagte der Junge. »Ich habe Ihnen nichts gestohlen. Bitte … Sie müssen mir glauben.«

Sein Gesicht war vor Schmerz und Empörung rot angelaufen.

Elisa konnte gar nicht anders, als zu den beiden zu eilen. »Er ist doch noch ein Kind!«, rutschte es ihr heraus.

Der Mann, der trotz seines nunmehr breiten Grinsens weiterhin mürrisch blickte, hörte nicht auf sie. Er nahm auch die dünne Frau nicht wahr, die nun vorsichtig an ihn herantrat.

»Lambert, nun lass ihn doch … Er hat wirklich nicht …«

»He, Sie da!«, schrie er. Er richtete sich an einen Hafenarbeiter, der eben eine der Kisten anhob, die dem Knaben den Fluchtweg versperrt hatten, sie nun aber wieder sinken ließ und müde hochblickte.

»Ja, Sie meine ich!«, brüllte der Mann, den die verhuschte Frau – offenbar seine Gattin – Lambert genannt hatte. »Ich habe diesen Streuner hier erwischt! War ganz allein unterwegs, der Bengel, und hat seinen Blick gar nicht von meiner Geldbörse nehmen können.«

»Aber ich habe sie nur angesehen, nicht gestohlen!«, jammerte der Junge.

»Weil ich rechtzeitig achtgegeben habe, ja! Möchte aber nicht wissen, wie viele ehrliche Reisende du schon um ihren hart verdienten Besitz erleichtert hast.«

»Keinen einzigen! Ich schwöre es! Ich wollte nur …«

Die dünne Frau schaltete sich wieder ein, ihre Stimme war jedoch kaum lauter als ein Flüstern. »Lambert, vielleicht solltest du …«

»Halt den Mund!«, schrie Lambert rüde. Elisa war sich nicht sicher, wem er da zu schweigen befahl, dem Knaben oder seiner Frau. Unhöflich fand sie es in jedem Fall, und es störte sie nicht minder als die Selbstgerechtigkeit, mit der er den Knaben anklagte – allein seiner Vermutung folgend, keinen konkreten Beweisen.

Der Mann, den er zu sich gerufen hatte, blickte unschlüssig in die Runde und zerknetete zwischen den Händen die Kappe, die er sich vom Kopf gezogen hatte.

»Bin nur ein Gehilfe des Hafenmeisters«, nuschelte er, ohne den Mund ordentlich zu öffnen.

»Aber das muss untersucht werden! Mein Name ist Lambert Mielhahn, und ich verlange das. Ich habe den Knaben schon eine Weile beobachtet, wie er durch den Hafen schlenderte und nach Diebesgut Ausschau hielt. Hätte ich nicht sorgsam darauf geachtet, so wäre ich jetzt meine Geldbörse los.«

Der Gehilfe des Hafenmeisters verzog abschätzend die Stirn. Das Unbehagen, in diese Sache zu geraten, war ihm deutlich anzusehen. Zugleich wagte er es nicht, sich der forschen Stimme von Lambert Mielhahn zu widersetzen.

»Was ist denn genau geschehen?«, fragte er. Zumindest glaubte Elisa, diese Frage aus seinem Mund zu hören – sicher war sie sich nicht, da er jede zweite Silbe verschluckte.

Lambert antwortete nicht, ließ nun zwar das Ohr des Knaben los, zog ihm aber ruckartig das Bündel weg, das er über den Schultern trug. Anstatt zu prüfen, ob sich darin womöglich zerbrechliche Gegenstände befanden, schüttelte er den Inhalt einfach in den staubigen Boden – und stieß einen Triumphschrei aus.

»Was habe ich gesagt! Ein Dieb ist er!«

Elisa trat näher. In dem Bündel hatte sich eine angeknabberte Wurst befunden, ein Schnupftuch – und eine silbrig glänzende Uhr.

Der Junge bückte sich schnell und versuchte hektisch, alles wieder an sich zu bringen.

»Nichts davon ist gestohlen!«, verteidigte er sich.

»Und woher hast du dann die Uhr?« Lambert Mielhahn klang nun nicht mehr nur vorwurfsvoll, sondern, wie es Elisa schien, nahezu höhnisch. Welch ein widerwärtiger Mann!, ging es ihr durch den Kopf. Seine schüchterne Frau wagte indessen kein Wort mehr zu sagen. Erst jetzt nahm Elisa die beiden Kinder wahr, die sie rechts und links an der Hand führte und die mit aufgerissenen Augen die Szene begafften.

»Die Uhr gehört meinem Großvater!«, rief der Knabe. »Ein Familienerbstück ist es! Und weil uns auf der Reise nach Hamburg das Geld ausgegangen ist, sollte ich sie hier verkaufen!«

»Ach, deinem Großvater?« So verächtlich wie Lambert klang, glaubte er ihm kein Wort.

»Ich lüge nicht!«, beharrte der Knabe.

Schweigend hatte sich der Gehilfe des Hafenmeisters den Wortwechsel angehört. Obwohl ihm immer noch deutlicher Widerwille anzusehen war, fühlte er sich bemüßigt einzugreifen. »Und wo ist dein Großvater ... deine Familie jetzt?«, fragte er gedehnt.

Der Junge blickte sich unsicher suchend um. Spitz traten seine Knochen unter den grauen Lumpen hervor. So schlaksig und mager wie er war, erinnerte er Elisa an die ausgehungerten Kinder ihres Dorfes. Am schlimmsten war es im Jahr der Kartoffelfäule gewesen, als manche der Kleinen am Hunger sogar gestorben waren. Auch wenn das nunmehr ganze fünf Jahre zurücklag, waren die folgenden Winter weiterhin hart gewesen.

Mitleid überkam sie.

»Nun lasst ihn doch gehen!«, sagte sie plötzlich laut und trat noch dichter hinzu. »Lasst ihn gehen«, wiederholte sie, »Er ist ...«

»Er ist doch nur ein Kind«, hatte sie sagen wollen. Aber dann dachte sie, dass das womöglich kein Gewicht hatte und er trotzdem für etwas bestraft werden würde, was er nicht begangen hatte.

»Er ist mein Bruder«, sagte sie – und ahnte noch im gleichen Augenblick, dass sie damit einen schweren Fehler begangen hatte.

Lambert Mielhahn schnaufte empört. Der Gehilfe des Hafenmeisters hingegen runzelte nachdenklich die Stirn. »Soso, dein Bruder.«

Er brachte beim Reden seine Zähne noch weniger auseinander als vorher, schien die Worte zu zermalmen, anstatt sie auszusprechen.

Der Junge stand steif da. Als Elisa seinen Blick suchte, wich er ihr aus, aber zumindest machte er keine Anstalten, ihr zu widersprechen.

»Und wie heißt er nun – dein Bruder?«, nuschelte der Mann.

»Äh …«, setzte Elisa hilflos an.

»Leopold«, sagte der Kleine schnell. »Ich heiße Leopold.«

»Genau«, bekräftigte sie rasch. »Und ich bin Elisa.« Sie hielt es für ratsamer, den Familiennamen vorerst zu verschweigen.

»Und wo sind eure Eltern?«, murmelte der Gehilfe des Hafenmeisters.

Suchend drehte sich Elisa um und deutete in Richtung ihres Vaters. Zum ersten Mal war sie erleichtert, dass er sich um Annelie kümmerte, anstatt nach der Tochter Ausschau zu halten und sich zu fragen, was sie mit einem fremden Rotzbengel zu schaffen hatte.

Der Hafenarbeiter runzelte seine Stirn noch mehr. Kurz schien es Elisa, dass sich seine Mundwinkel zu einem gutmütigen Lächeln verziehen wollten, doch ehe er sich entschied, den beiden Kindern Glauben zu schenken, schaltete sich der grimmige Lambert Mielhahn wieder ein: »Glauben Sie ihnen kein Wort! Um eine Ausrede ist das Diebespack doch nie verlegen.«

»Aber ich habe nicht …«, setzte Leopold an.

»Lambert, es ist doch nicht so wichtig«, stammelte die schüchterne Frau an seiner Seite. Nun, da sie sie aus der Nähe sah, nahm Elisa den müden Zug um ihre Augen wahr, die dunklen Wülste darunter, die herabhängenden Schultern. Alt war sie noch nicht, aber eine Jugend, in der sie gelacht und getanzt und sich des Lebens erfreut hatte, schien Ewigkeiten zurückzuliegen. Die beiden Kinder schmiegten sich noch enger an sie. Es waren ein Knabe mit dunklen Augen, die feucht glänzten, als wäre er den Tränen nahe, und ein Mädchen, das so zart war, dass man meinen konnte, ein einziger Windstoß würde genügen, um es umzufegen. Es hatte dünnes Haar, so blond, dass es fast weiß glänzte.

Lambert Mielhahn achtete weder auf seine Frau noch auf

Leopold, sondern wandte sich nun an Elisa. Er musterte sie so verächtlich, als wäre es ein schweres Verbrechen, die Schwester eines Jungen zu sein, den er für einen Dieb hielt. Dass sie seinem Blick standhielt und nicht das geringste Anzeichen von Furcht erkennen ließ, schien ihm nicht zu imponieren, sondern noch griesgrämiger zu stimmen. Das ermutigte sie nur, umso stolzer den Rücken zu straffen und umso entschiedener den Nacken zu recken.

»Ha!«, stieß er plötzlich aus und deutete auf die Kette, die Elisa um den Hals trug. »Woher hat sie solch edlen Schmuck? Der kann nicht ihr gehören! Gewiss ist sie eine Diebin wie ihr Bruder und hat ihn gestohlen!«

Elisas Hand fuhr an das Schmuckstück.

Die Kette ihrer Mutter.

Seit Generationen war diese ein Familienerbstück, das die Frauen der von Grabergs ihren Töchtern vermachten.

»Die wirst du nicht behalten können«, hatte die alte Zilly gespottet, ehe sie abgereist waren. Zilly war eine ihrer Mägde gewesen, die sich hingebungsvoll um die Kühe gekümmert hatte. Stets hatte Zilly nach Milch und Stall gerochen, auch wenn sie gerade nicht dort schuftete. Doch eines Tages hatten alle Tiere die schreckliche Klauenseuche bekommen, waren eins nach dem anderen verreckt, und der Vater hatte laut geklagt, warum Gott sie so erbarmungslos geißelte. Bis dahin hatte er immer die Fassung bewahrt. Zilly hatte auch geklagt, ja, hatte geweint wie ein Kind. Verloren war sie im Kuhstall auf und ab gewandert und hatte nicht verstanden, warum ihre vertraute Welt innerhalb weniger Tage eine andere geworden war. Doch auch wenn sie Richard von Grabergs Verzweiflung teilte, hatte sie nicht verstanden, warum er schließlich die Auswanderung beschlossen hatte. Mit üblen Geschichten lag sie Elisa in den Ohren – über jemanden, der den gleichen Plan gehegt hatte, dann aber wochenlang am Hafen auf die Einschiffung habe warten und schließlich seinen ganzen Besitz habe verkaufen müssen, um sich durchzubringen. »Und so wird es euch auch ergehen«, hatte sie gemahnt. »Am Ende gibst du die Kette deiner Mutter für ein Stück Brot her!«

Niemals!, hatte Elisa gedacht, und auch jetzt reagierte sie wütend. »Was fällt Ihnen ein!«, herrschte sie Lambert Mielhahn an.

Aus den Augenwinkeln nahm sie wahr, dass Leopold nicht länger trotzig blickte, sondern grinste. Der Gehilfe des Hafenmeisters blieb hingegen ernst – und ratlos. Mehrmals huschte sein Blick zwischen Elisa und Lambert hin und her.

»Kannst du mir erklären, warum du etwas so Teures besitzt?«, fragte er schließlich unbehaglich.

»Und warum sollte ich?«, fuhr Elisa auf. »Ich habe nichts Unrechtes getan, ich habe nur …«

Ihr Satz endete in einem empörten Aufschrei. Unbemerkt war Lambert Mielhahns Hand vorgeschnellt, hatte den schimmernden Anhänger ihrer Kette umfasst und sie mit der Absicht, das Schmuckstück genauer anzuschauen, von ihrem Hals gerissen. Elisa fühlte einen stechenden Schmerz in ihrem Nacken – vor allem aber blinde Wut, als sie ihren kostbarsten Besitz in dieser klobigen Hand sah. Prüfend hielt Lambert Mielhahn die Kette gegen das Sonnenlicht und schnalzte mit der Zunge, nachdem er zum Schluss gekommen war, dass sie aus echtem Gold bestand.

»Wie können Sie es wagen …«

Sie brachte den Satz nicht zu Ende. Sie versuchte, nach der Kette zu greifen, und als ihr das nicht gelang, weil Lambert um vieles größer war als sie und sie einfach wegzog, schnellte ihr Kopf nach vorne, und sie biss ihn in seinen dichtbehaarten Unterarm. Sie hörte seinen Schmerzensschrei erst, als sie schon Blut schmeckte. Die Kette fiel auf den dreckigen Boden; rasch bückte sie sich danach und umschloss sie mit ihrer Faust.

Ungläubig starrte Lambert Mielhahn auf seinen Arm, in dem ihre Zähne einen tiefen Abdruck hinterlassen hatten.

»Glauben Sie mir jetzt, dass das gemeines Diebespack ist?«, schrie er.

Seine Frau und seine Kinder duckten sich. Nur Leopold grinste weiterhin.

»Mädchen, Mädchen«, stammelte der Gehilfe des Hafenmeisters hilflos.

»Wir sind keine Diebe!«, beharrte Elisa. »Wir gehören zu den Auswanderern nach Chile.«

»Und wo sind dann eure Eltern?«, zischte Lambert, um triumphierend hinzuzufügen: »Minderjährige dürfen ohne Erlaubnis ihrer Vormünder nicht auswandern.«

Elisa drehte sich wieder zögernd nach ihrem Vater und Annelie um. Zwar wusste sie nicht, wie sie ihm erklären sollte, dass sie sich als Leopolds Schwester ausgegeben und einen Fremden gebissen hatte – dennoch hoffte sie inständig, er würde bemerkt haben, in welche Notlage sie geraten war, und eingreifen. Doch an dem Platz, wo sie bisher auf einer der Kisten gehockt hatten, war nichts von ihnen zu sehen.

»Wo ist denn euer Erlaubnisschein?«, fragte währenddessen der Gehilfe des Hafenmeisters.

Elisas Hand glitt zu dem Lederbeutel, den sie bei sich trug, doch noch ehe sie ihn durchkramte, wusste sie, dass es zwecklos war. Der Erlaubnisschein, den jeder Auswanderer vor der Einschiffung vorweisen musste, lag bei den übrigen Reisedokumenten – und diese wiederum trug Richard von Graberg bei sich, um sie stets aufs Neue zu kontrollieren.

In diesem Augenblick machte Leopold einen Satz nach hinten. Dass beide Männer misstrauisch auf Elisa starrten, wollte er offenbar zur Flucht nutzen, doch er kam nur ganze fünf Schritte weit.

Dann war Lambert, der eben noch vorwurfsvoll die Wunde an seinem Arm betastet hatte, schon hinter ihm her und packte ihn am Schlafittchen.

»Lassen Sie mich los!«, brüllte Leopold empört und trat mit den Füßen um sich.

»Ist noch ein weiteres Schuldeingeständnis nötig?«, fragte Lambert Mielhahn.

Der Gehilfe des Hafenmeisters seufzte ergeben.

»Also gut«, gab er nach. »Die Commerz-Deputation soll entscheiden, was mit den beiden geschieht.«

Elisa erblasste. Die Commerz-Deputation schickte vor jeder Einschiffung Sachverständige in den Hafen, die überprüften, ob es an Bord genügend Lebensmittel und Trinkwasser für die Überfahrt gab.

»Aber Sie wollen doch nicht …«, setzte sie an.

Wieder blickte sie sich nach ihrem Vater um, aber ehe sie unter den vielen Menschen, die am Hafen warteten, auf ein vertrautes Gesicht stoßen konnte, wurde nun auch sie am Kragen gepackt. Ihre Proteste verklangen ungehört. Der Gehilfe zerrte sie und Poldi in eine der länglichen Lagerhallen, um sie fürs Erste einzusperren.

2. Kapitel

Die Tür des kleinen Lochs, in das der Mann sie brachte, quietschte, als er sie hinter sich zuwarf. Der untere Teil war aus schwerem, dunklem Eichenholz gezimmert, in das Würmer kleine Löcher gefressen hatten; oben konnte man durch rostige Gitterstäbe in den Gang starren, in dem sich ähnliche Lagerräume aneinanderreihten.

Wieder quietschte es, als der Mann den schweren Schlüssel im Schloss umdrehte. Kurz hoffte Elisa, er würde ihn dort belassen; so könnte sie später versuchen, durch die rostigen Stangen zu greifen und ihn irgendwie zu erhaschen. Doch der gleiche Gedanke kam – mehrere schnaufende Atemzüge später – auch dem Mann. Wortlos steckte er den Schlüssel ein und trabte von dannen.

»Sie sprechen möglichst schnell mit jemandem von der Commerz-Deputation, ja? Wir sind unschuldig!«, rief Elisa ihm nach. Ihre Stimme war durchdringend, er konnte sie nicht überhört haben, aber er antwortete lediglich mit einem gleichgültigen Schulterzucken und schien erleichtert, dass die leidige Angelegenheit vorerst ausgestanden war.

Elisa sackte gegen eine der Wände, die kalt, feucht und von hauchdünnen Spinnennetzen übersät waren, und kämpfte gegen die Mutlosigkeit an, die über ihre Seele schwappte wie der muffige Geruch ihres Gefängnisses.

Leopold hatte sich gebückt und hob einen klammen und dreckigen Fetzen Stoff auf – vielleicht der kümmerliche Rest eines einstigen Kühlsegels, vielleicht eine der Segeltuchkappen.

»Gib acht!«, rief sie, als sie die Nägel entdeckte, die darunter verstreut lagen und die genauso rostig waren wie das Gitter.

Er trat zurück, schnupperte angewidert. Noch ein anderer Geruch lag in dem Lagerraum, durchdringender als der faulig-salzige Gestank von Meeresbracke.

»Riechst du das auch?«, fragte er. »Was ist das?«

Elisa blickte sich um. Nach den vielen Stunden in der grellen Sonne hatte sie zunächst nicht sonderlich mehr erkannt als Konturen. Nun gewöhnten sich ihre Augen an das trübe Licht.

In der hinteren Ecke standen mehrere Fässer nebeneinander. Eines war umgefallen, und eine dunkle Flüssigkeit troff daraus. Auf dem Boden hatte sich eine klebrige Pfütze gebildet.

»Ich glaube, das ist Eisenvitriol. Oder Karbolsäure. Man nutzt es zur Reinigung der Schiffe, vor allem von der Notdurft.«

»Dann wird bald jemand hier auftauchen und das Zeugs holen!«, rief der Junge eifrig. »Bevor das Schiff ablegt, meine ich!«

Elisa nickte; sie wollte den Zweifel nicht eingestehen, der sich in ihr ausbreitete. Nicht nur, dass die Fässer hier leer schienen – das »Zeugs«, wie Leopold es nannte, war also gewiss auch zur Genüge in anderen Lagerhallen vorrätig, weswegen niemand gezwungen sein würde, es von hier zu holen. Obendrein hatte der Gehilfe des Hafenmeisters keinerlei Eile an den Tag gelegt.

Elisa spähte in Richtung der Gitterstäbe; die schlurfenden Schritte des Mannes waren das Letzte gewesen, was sie von dort gehört hatte. Die Geräusche, die vom Hafen kamen – die Stimmen, die kreischenden Möwen, die plätschernden Wellen – klangen nur gedämpft durch die Holzwände und ließen sich kaum voneinander unterscheiden.

»Heißt du wirklich Leopold?«, fragte sie, um sich abzulenken.

Er zog die Stirn kraus. »Glaubst du, ich lüge?« Er klang gekränkt.

»Dann hätte ich dir wohl kaum geholfen«, beschwichtigte sie ihn hastig.

»Von Helfen kann wohl keine Rede sein, sonst wären wir nicht hier«, meinte er seufzend. »Du hast dich lediglich als meine Schwester ausgegeben – und *das* war eine Lüge.«

Damit hatte er zweifelsohne recht, doch darüber, was diese Lüge ihr eingebracht hatte, wollte sie lieber nicht nachdenken.

»Also ... Leopold ...«, setzte sie an.

»Meine Geschwister nennen mich Poldi.«

»Also ... Poldi ...«

Nachdem er das Tuch wieder hatte fallen lassen, war er steif im Raum stehen geblieben, sichtlich darum bemüht, nichts anzufassen. Nun trat er forsch zur Tür und rüttelte an den rostigen Stäben – vergebens. Als er die Hände wieder zurückzog, waren sie mit roten Streifen übersät.

»Das Schiff legt bald ab«, stellte Poldi fest. Seine Stimme kämpfte mit Panik – und eben diese stieg auch in ihr hoch, legte sich wie ein Kragen um ihren Hals, der immer enger zu werden drohte und ihr die Luft abschnürte.

Ruhig versuchte sie dagegen anzuatmen.

»Wollt ihr auch nach ... Chile?«, fragte sie.

Sie hatte den Namen des Landes bis jetzt nur sehr selten ausgesprochen, als wäre er zu kostbar, um ihn leichtfertig in den Mund zu nehmen, ja, als verlangten die ungeheuerliche Ferne und die ungeheuerliche Fremde ähnliche Ehrfurcht wie ein Gebet.

Poldi nickte knapp. »Eigentlich haben wir uns für Neu-York

entschieden. Der Eider-Hans aus unserem Dorf ist dorthin gegangen. Er hat sogleich Arbeit gefunden, schrieb er in einem Brief. Für die Eisenbahn würde er jetzt arbeiten. Und er verdient so viel, dass er kein hartes Schwarzbrot mehr essen muss. Pasteten kann er sich jetzt leisten, und zwar aus feinstem Weizenmehl.« Er schmatzte genießerisch mit den Lippen, ehe er fortfuhr. »Die Fahrt dorthin dauert auch nur fünfzig Tage, nicht so lange wie nach Chile. Aber mein Großvater reist mit uns. Und er ist weit über sechzig.«

Elisa wusste, was er meinte. In einem der Amtsblätter, die sie und ihre Mutter über Monate sorgfältig durchforstet hatten, war zu lesen gewesen, dass in Nordamerika keine Menschen willkommen waren, die mehr als sechzig Jahre zählten. Doch obwohl in ihrer eigenen kleinen Familie alle im passenden Alter gewesen wären, hatten auch sie sich für Chile entschieden und nicht für Neu-York. Die meisten würden dorthin gehen, hatte ihre Mutter gesagt, und längst seien die Fremden dort nicht mehr so erwünscht wie einst. Die Lobeshymnen auf die neue Heimat, die in den Briefen stünden, müsste man mit Vorsicht genießen. Gar manche Auswanderer hätten von einem Schlaraffenland geschwärmt – und wären nach wenigen Monaten nach Deutschland zurückgekehrt, mit nichts anderem als dem, was sie auf dem Leibe trugen, und nur um eine äußerst missliche Erfahrung reicher.

»Und wer außer deinem Großvater reist sonst noch mit dir?«, fragte Elisa.

Unruhig begann Poldi, in dem engen Raum auf und ab zu gehen.

»Fritz und Lukas, das sind meine Brüder. Die Christl, das Katherl und das Lenerl, das sind meine Schwestern.«

Insgesamt drei Söhne!, ging es Elisa durch den Kopf. Wie würde ihr Vater diese Familie beneiden!

Sämtliche Brüder, die ihre Mutter geboren hatte, waren nicht älter als ein Jahr geworden. Jeden Sonntag nach der Messe hatten sie ihr Grab besucht, und jedes Mal beklagte Richard von Graberg, dass er keinen gesunden Stammhalter hatte. Elisa wusste, dass er stolz auf sie war, dass er sie liebte, aber sie hatte immer den Eindruck, dies geschehe, obwohl und nicht weil sie ein Mädchen war und dass er sich insgeheim fragte, warum gerade diese einzige Tochter unter seinen Kindern groß geworden, die Knaben jedoch alle gestorben waren.

Ob er Annelie womöglich auch deswegen so bald nach dem Tod der Mutter geheiratet hatte?

Vor dem Aufbruch nach Chile hatte er wieder laut bedauert, keine Söhne zu haben: Die Regierung des fernen Landes, so hieß es in den Amtsblättern, versprach jedem einwandernden Familienvater Land in der Größe von acht »Cuadras«, wie es hier genannt wurde, das war ungefähr ein Hektar, und obendrein vier weitere für jeden Sohn. Auch die Rationen all dessen, was sie für die Kultivierung des Bodens brauchen würden – Sämereien, Gerätschaften und Ochsen –, fielen reicher aus, wenn Söhne vorzuweisen waren.

Nun, wenigstens alle anderen Rechte und Pflichten waren dieselben: Sechs Jahre würden sie steuerfrei bleiben und vom ersten Tag an als chilenische Bürger behandelt werden, vorausgesetzt sie leisteten den Eid auf die chilenische Verfassung.

Poldi hatte nicht bemerkt, wie sehr die Erwähnung seiner Brüder sie beeindruckt hatte.

»Nach Neu-York hätten wir auch aus einem anderen Grund nicht gehen können«, berichtete er eben. »Weil man nämlich schon vorher das Geld für die Überfahrt hätte aufbringen müssen. Für Chile hingegen gibt's ein Darlehen von der Regierung. Die wollen uns wirklich gern in ihrem Land haben, nicht wahr?«

Elisa nickte.

»Trotzdem schade!«, rief Poldi. »Ich hätte gerne Pasteten mit Weizenmehl probiert. Was es wohl in Chile zu essen gibt?«

Elisa zuckte mit den Schultern. Ihre Neugierde auf das, was Poldi zu erzählen hatte, nahm merklich ab, nun, da Minute um Minute verrann und es im Gang totenstill blieb. Erneut spähte sie nach draußen.

»Diese Abgeordneten der Commerz-Deputation werden doch kommen und uns freilassen?«

»Natürlich werden sie das!«, erklärte Elisa hastig, und bevor er berechtigten Zweifel bekunden konnte, fügte sie hinzu: »Wovon ... wovon habt ihr gelebt, bevor ihr hierher aufgebrochen seid?«

»Mein Vater war ein Waffenschmied mit eigener Schmiede«, berichtete Poldi stolz, aber als er fortfuhr, klang er kleinlauter: »Die Schmiede war allerdings schon alt und baufällig, er hätte neue Gerätschaften benötigt, und die konnte er sich nicht leisten. Irgendwann hat er so wenig Geld verdient, dass er beschlossen hat, in den Steinbrüchen zu arbeiten und später für die Eisenbahn. Doch damit, hat meine Mutter immer gesagt, könne man keine Familie ernähren, sondern gerade mal einen erwachsenen Mann. Und ihr ... warum geht ihr nach Chile?«

Elisa trat ungeduldig von einem Fuß auf den anderen. Ihr Vater musste sie längst vermissen, würde sicher begonnen haben, nach seiner Tochter zu suchen. Der Gedanke daran beruhigte sie jedoch keineswegs, sondern wühlte sie noch mehr auf. Gewiss würde er nie auf die Idee kommen, ausgerechnet in dieser Lagerhalle nach ihr zu suchen!

»Vor einigen Jahren«, erzählte sie, um nicht daran zu denken, »sind erstmals neun hessische Handwerkerfamilien nach Chile ausgereist. Und eine von ihnen war mit der Base meiner Mutter bekannt. Sie hat uns einen Brief von diesen Auswanderern gezeigt.«

Dieser Brief hatte nicht so begeistert geklungen wie mancher Bericht aus Nordamerika – jedoch viel aufrichtiger als diese. Die Reise habe sehr lange gedauert, aber schließlich seien sie sicher in Corral, dem Hafen Valdivias, eingelaufen. Die Arbeit, die sie erwartet hatte, sei hart, aber es gäbe hier tatsächlich Land für jedermann: Die meisten Gebiete seien von dichtem Urwald bedeckt, doch wenn man diesen erst abgeholzt hätte, könnten fruchtbare Ländereien entstehen.

Der Vater hatte bis zuletzt daran gezweifelt, ob Chile das richtige Ziel für sie sei – so wie er immer zweifelte, ehe er eine Entscheidung traf.

»Mein Vater hat es lange aufgeschoben«, sagte sie zu Poldi, »aber nach dem letzten Hungerwinter …«

Sie brach ab. Bis jetzt waren die Laute von draußen gedämpft hereingedrungen, Stimmen der Auswanderer und die Befehle derer, die die Schiffe kontrollierten. Nun plötzlich aber schwollen die einzelnen Wortfetzen an, wurden zu tosendem Lärm. Alle schienen gleichzeitig zu reden, alle sich gleichzeitig zu erheben und in eine Richtung zu strömen.

Elisa und Poldi starrten sich entsetzt an, begriffen beide im Bruchteil eines Augenblicks, dass das nur eines bedeuten konnte: Das Schiff war von den Inspektoren nun endlich freigegeben worden und konnte von den Passagieren bestiegen werden.

Im nächsten Augenblick schälte sich schon eine Stimme aus dem Gewirr der vielen und erteilte strikte Befehle, wo man Aufstellung zu nehmen habe, ehe es an die Zuteilung der Beiboote ging.

Elisa stürzte zum Tor, rüttelte daran, obwohl sie längst wusste, dass es zwecklos war. Auch ihre Hände wurden nun schmutzig-rot vom Rost.

»Du meine Güte!«, schrie Poldi. »Es geht aufs Schiff. Und uns haben sie vergessen!«

Diesmal widersprach Elisa seiner Befürchtung nicht.

»Zu Hilfe!«, schrie sie laut, obwohl sie gegen den Lärm kaum ankam. »Wir sind hier eingesperrt! Zu Hilfe!«

Pastor Zacharias Suckow blieb unvermittelt stehen. Schon mehrmals hatte er Anstalten gemacht, keinen Schritt weiterzugehen, doch bislang war es Cornelius immer wieder gelungen, ihn mit sich zu zerren. Nun widersetzte er sich endgültig dem fordernden Griff.

»Ich kann mir nicht helfen«, erklärte der Pastor trotzig, »aber ich habe kein gutes Gefühl.«

Cornelius seufzte und suchte, wie so oft in den letzten Tagen, nach dem geeigneten Zuspruch, um den Onkel voranzutreiben. Nicht nur das war in diesem Augenblick eine Herausforderung. Auch galt es, der immer dichter werdenden Menschenmenge bestmöglich auszuweichen. Hafenarbeiter und Schauerleute zerrten Güter- und Gepäckwagen mit sich, Seeleute hantierten fluchend mit Tauen, neugierige Zuschauer kamen aus allen Teilen Hamburgs, um ebenso fasziniert wie mitleidig die Auswanderer zu bestaunen.

Bunt gemischt war dieses Völkchen: Gebrechliche und Schwache befanden sich darunter, rüstige Männer und Frauen, neugierige Jugendliche und kleine Kinder. Die Hitze hatte sie bis eben noch müde gestimmt, doch seit durchgedrungen war, dass es nun an die Einschiffung ging, waren sie allesamt wieder erwacht. Ein Drängen und Schreien hatte begonnen, ein Fluchen und Jauchzen, ein Singen und Klagen, ein Lachen und Weinen. Die einen waren aufgeregt, die anderen verängstigt.

»Achtung!«, ertönte eben ein lauter Ruf hinter ihnen. Gerade noch rechtzeitig konnte Cornelius seinen Onkel zur Seite ziehen und somit vermeiden, dass ihn die Männer mit dem Gerät rammten, das sie hinter sich herzogen. Es war groß und schwer und bestand aus diversen Schläuchen und Wasserbehältern.

»Schau nur!«, rief Cornelius und versuchte, mitreißend zu klingen. »Das ist ein Destillierapparat zur Herstellung von Trinkwasser. Ich nehme an, sie bringen ihn jetzt aufs Schiff.«

Der Onkel hörte nicht auf ihn. »Ich kann mir nicht helfen, aber ich habe kein gutes Gefühl.«

Was eigentlich nicht verwunderlich war, ging Cornelius durch den Kopf. Pastor Zacharias fühlte sich nur dann wohl, wenn er entweder auf der Kanzel stand und vollmundig predigte, bis ihm der Schweiß aus allen Poren brach, oder wenn er vor einem randvoll gefüllten Glas Portwein saß und eine fette Zigarre in den Händen drehte.

Cornelius musterte ihn von der Seite und unterdrückte nur mühsam ein Seufzen. Der Onkel machte ein so verzweifeltes Gesicht, als würde er gleich losheulen wollen. In seiner Gegenwart kam sich Cornelius – obwohl doch erst dreiundzwanzig Jahre alt – oft würdig, abgebrüht und lebenserfahren vor wie ein Greis, wohingegen Zacharias Suckow, der längst graue Haare und ein dichtes Netz aus Falten bekommen hatte, sich wie ein kleines Kind benahm, das zum ersten Mal in seinem Leben der großen, gefährlichen Welt mit all ihren Tücken ausgeliefert war.

Wenn er sich doch nur ein wenig zusammenreißen würde!, durchfuhr es ihn – ein Gedanke, den er sich sogleich wieder verbat.

Es war nicht immer leicht, an der Seite von Pastor Zacharias Suckow zu leben – aber im Grunde seines Herzens war er ein gutmütiger Mensch, und er, Cornelius, hatte ihm viel zu verdanken, unendlich viel.

»Wie lange haben wir nun nichts mehr zu essen bekommen?«, klagte Zacharias, als hätte ihm der Hunger schon ein Loch in den Leib gerissen, obwohl er diesen rundlich und wohlgenährt wie immer vor sich her schob.

»Jetzt, da es aufs Schiff geht, werden wir unser Abendmahl dort einnehmen«, versuchte Cornelius, ihn aufzumuntern.

»Möchte nicht wissen, welchen Fraß sie uns vorsetzen werden«, murrte Pastor Zacharias.

Vor einigen Tagen hatte er Gleiches befürchtet – als sie im Logierhaus eintrafen, wo sie die Tage bis zur Abreise verbringen würden. Steinhartes Brot hatte er prophezeit, sauren Wein und zähes Fleisch, so es denn überhaupt welches geben würde. Cornelius hatte dagegengehalten, dass sie schließlich ordentlich für jeden Tag bezahlten – und recht behalten: Die Suppe, die ihnen serviert worden war, war kräftig und gut gewürzt; der Rinderbraten weich und saftig. Erbsen und Kartoffeln gab es dazu und hinterher ein dickes Stück Schmandkuchen mit Bohnenkaffee, Zucker und Milch. Auch beim Frühstück am nächsten Tag war keine Rede davon, dass man ihnen den bitter schmeckenden Zichorienkaffee der armen Leute vorsetzte, wie Pastor Zacharias zuvor klagend verkündet hatte.

Aber anstatt angenehm überrascht zuzugeben, dass das Leben, das gerade in so unruhigen Bahnen verlief, vielleicht doch nicht schnurstracks ins Verderben führen würde, sofern man denn das erforderliche Geld aufbringen könnte, hatte er nur umso lauter geseufzt. Dass dies seine Henkersmahlzeit sei! Dass er sie gar nicht richtig genießen könne! Dass er sich niemals hätte von seinem Landesbischof überreden lassen dürfen, in die Wildnis zu gehen!

So sprach er stets von Chile, als hätte das Land keinen Namen. Genauso wie er die dortigen Menschen nicht als solche betrachtete, sondern als Tiere, die in den Bäumen hausten wie die Affen.

Dabei waren es gute Christenmenschen, wenngleich katholische, und genau darin läge das Problem, wie der Landesbischof ihm erklärt hatte.

Cornelius war dabei gewesen, als sie bei einem Glas Portwein zusammentrafen und der Bischof dem Pastor seine Sorgen darlegte: dass die chilenische Regierung in Deutschland Familien anwerben lasse, die den Süden des Landes erschließen sollten. Und dass diese entweder erfahrene Bauern oder Handwerker sein und obendrein der katholischen Kirche angehören müssten.

Ersteres war leicht zu erfüllen. Letzteres nicht. Mehrere katholische Bischöfe, insbesondere die aus Fulda und Paderborn, Trier und Regensburg, erhoben Einspruch gegen die Auswanderung ihrer Schäfchen – schließlich wollten sie ihre Kirchengemeinden nicht schwinden sehen –, so dass der Kolonisationsagent Philippi schließlich auf diese Bedingung verzichtete und flugs begann, Auswanderer unter den Protestanten zu sammeln.

»Anders als unsere katholischen Amtsbrüder halten wir die Mitglieder unserer Gemeinden nicht in Deutschland fest«, hatte der Bischof Pastor Zacharias erklärt, »aber da Chile ein durch und durch katholisches Land ist, müssen wir unseren Brüdern und Schwestern doch einen Führer in ihrem Glauben mitgeben.«

Pastor Zacharias hatte schweigend zugehört – was ungewöhnlich genug war –, zunehmend größere Schlucke Wein genommen, ein immer verwirrteres Gesicht gemacht und am Ende schließlich ungläubig begriffen, dass das Anliegen ihm galt.

»Bedenken Sie«, meinte der Bischof, »die chilenische Regierung hat sämtlichen einwandernden Priestern, Lehrern und Ärzten ein Gehalt versprochen. Auch wenn Sie nicht der gewünschten Konfession angehören – so einfach werden sie das Versprechen nicht zurücknehmen. Sie müssten nicht nur mit einem Hungerlohn rechnen, wenn Sie sich zu der Reise entschließen könnten.«

»Ich?«, rief Pastor Zacharias, und auf den Schreck hin brauchte er erst einmal eine Prise Schnupftabak, obwohl er für gewöhnlich dicke Zigarren bevorzugte. Schnupftabak, so klagte er, würde unerträglich in der Nase brennen. An diesem Abend allerdings konnte es wohl gar nicht stark genug brennen. »Ich soll in die Wildnis gehen?«, stammelte er schließlich mit krächzender Stimme.

Fortan sprach er ständig von der »Wildnis«. An jenem Abend genauso wie in den Wochen, die folgten und in denen der Bischof hartnäckig sein Anliegen wiederholte. Pastor Zacharias wurde zunehmend wankelmütiger, wenn er versuchte, Gegenargumente vorzubringen. Nicht, dass er der Vorstellung von der Wildnis mit der Zeit etwas Gutes abgewinnen konnte, doch er war viel zu gutmütig, zu bequem und zu konfliktscheu, um der Entschiedenheit des anderen mehr entgegenzusetzen als fahrige Ausflüchte, die ihm irgendwann ausgingen.

»Siehst du?«, sagte Cornelius. »Du musst nur noch ein kleines Stückchen gehen. Dort hinten können wir uns endlich anstellen.«

»Endlich?«, rief Pastor Zacharias, sichtlich entrüstet, dass für Cornelius nur lästige Wartezeit war, was er als letzte Galgenfrist betrachtete.

»Ich gehe erst mal nirgendwo hin«, erklärte er trotzig. »Seit dem Frühstück habe ich nichts zu essen bekommen. Wenn man mich nicht ohnmächtig aufs Schiff schaffen will, brauche ich eine Stärkung.«

Er machte allerdings keine Anstalten, sich diese selbst zu organisieren, sondern hockte sich auf eine der Kisten. Auch wenn er sich dem Bischof schließlich gebeugt hatte, weil er Streit fürchtete – im Kleinen leistete er immer noch Widerstand. Aus jeder Nichtigkeit, die auf der Reise schieflief, formte er ein Hindernis, das ihm selbige schier unmöglich machte; jede Beschwerlichkeit wurde zur unerträglichen Überforderung.

»Vorhin habe ich gesehen, wie einige Mitarbeiter des Sankt-Raphael-Vereins Suppe an die Auswanderer verteilten«, meinte Cornelius. »Ich … ich hole dir am besten davon.«

Cornelius verkniff sich zu sagen, dass diese Fürsorge den Ärmsten unter den Auswanderern galt – denjenigen, deren letzte Mahlzeit schon viel länger zurücklag als das Frühstück. Ehe sein Onkel etwas entgegnen konnte – schale Suppe mit zähem Fleisch war gewiss nicht nach seinem Geschmack –, eilte er davon, um sich dessen Klagelieder nicht länger anhören zu müssen.

Cornelius schwankte nun schon seit Tagen dazwischen, sich wegen Zacharias Suckows Zustand Sorgen zu machen oder sich darüber zu ärgern. Manchmal fluchte er innerlich über ihn – um sich im nächsten Augenblick vorzuhalten, dass dessen Angst vor der Fremde doch verständlich war. Er selbst schmeckte im Übrigen nichts davon. Über das Ziel ihrer Reise hatte er wenig nachgedacht; die einzige Gewissheit, die in ihm brannte, war, dass er hier in Deutschland nicht bleiben konnte. Pastor Zacharias hing an der Heimat, obwohl er seit langem verwitwet war, kaum Freunde besaß und seine wenigen Laster – nicht nur Portwein und Zigarren gehörten dazu, auch das Glücksspiel und das Bedürfnis, sich von seiner

Gemeinde bewundern zu lassen – auch anderswo würde aus-leben können. Cornelius hingegen wusste schon lange nicht mehr, was Heimat überhaupt bedeutete; vielleicht hatte er es nie gewusst.

Kurz vor ihrer Abfahrt war er auf den Friedhof geschlichen, um dort ein letztes Mal an den Gräbern jener beiden Menschen zu stehen, die sein Leben am entschiedensten geprägt hatten. Da war die Frau, die er schlimm gekränkt hatte, anstatt ihr zu beteuern, dass er sie liebte, der er die Schuld daran gab, nicht studieren zu können, und die ihm nun, da sie tot war, doch unendlich fehlte.

»Es zählt nicht mehr«, sprach er. »Es zählt nicht mehr in dem fremden Land, in das ich gehe. Dort weiß man nichts von mir ... von dem Makel meiner Geburt.«

Ernst und gefasst hatte er diesen Abschied hinter sich gebracht. Viel mehr weh wurde ihm ums Herz, als er an Matthias' Grab stand.

»Keine Revolution lohnt es, dafür zu sterben, schon gar nicht eine, die scheitert.«

Jene Worte, die er dem Freund einst gesagt hatte, fielen ihm wieder ein. Damals, als Matthias noch gelebt hatte, hatte er sich als der Klügere gefühlt, der Nüchternere, der Überlegtere. Nun fragte er sich erstmals, ob er nicht einfach nur der größere Zauderer, der größere Feigling gewesen war – und ob Matthias, dem er bei ihrer letzten Begegnung vorgehalten hatte, dass Heldenmut bloß die Kehrseite von Todessehnsucht sei, nicht den einzig richtigen Weg gewählt hatte, um mit dem Ende ihrer Träume zu leben – ganz anders als er. Die Reise in die Ferne war ihm in diesem Augenblick als Flucht erschienen.

Er schüttelte den Kopf, um die düsteren Gedanken zu vertreiben; derart darin versunken, sah er nicht den großgewachsenen, wenngleich vom Alter etwas gebeugten Mann auf sich zustürzen. Er blickte erst hoch, als dieser unmittelbar vor ihm stand und ihm flehend ins Gesicht starrte.

»Verzeihung … Verzeihung, dass ich Sie aufhalte. Aber ich bin auf der Suche nach meiner Tochter. Wir haben hier auf die Einschiffung gewartet, doch vor etwa einer Stunde ist sie spurlos verschwunden.«

Cornelius sah sich um. Die Menschenmenge drängte sich zu den Stegen, wo die Beiboote warteten; teilweise vergebens versuchten Matrosen und Hafenarbeiter, sie zu dirigieren. Es war schwer, darin ein einzelnes Gesicht auszumachen.

»Es tut mir leid«, sagte er, »aber ich habe niemanden gesehen. Vielleicht ist sie schon aufs Schiff gegangen.«

Der Mann wartete nicht, bis er den Satz vollendete, sondern lief schon auf den nächsten zu, um ihn zu befragen.

Cornelius ging weiter. Sein Onkel Zacharias hätte sich wohl gefreut, wenn sein Neffe verloren gegangen wäre, und hätte darin den erwünschten Aufschub der drohenden Reise gesehen.

Der Gedanke an den Pastor erinnerte Cornelius daran, dass er einen Teller Suppe für ihn hatte auftreiben wollen, doch als er sich umblickte, sah er, dass dies ein ganz und gar nutzloses Unterfangen war. Die Diakonissen und die Abgesandten vom Sankt-Raphael-Verein hatten ihre Arbeit in dem Augenblick ruhen lassen, als der Befehl zur Einschiffung ertönte.

Er wollte schon zurück zu seinem Onkel gehen, als er ein längliches Lagerhaus erblickte. Suppe war dort nicht zu erwarten, vielleicht aber wurden hier Essensvorräte gelagert, von denen er etwas stibitzen konnte. Als er das Gebäude betrat, schwappten ihm allerdings keine wohlduftenden Gerüche entgegen, nur der Gestank nach Tran, Fäulnis und einer undefinierbaren Lauge.

Er wich zurück, wollte das Gebäude augenblicklich wieder verlassen, doch in diesem Augenblick hörte er verzweifelte Rufe.

»Hilfe! Man hat uns hier eingesperrt! Kommt uns zu Hilfe!«

Es waren ein Knabe und eine junge Frau, auf die er stieß, als er den verzweifelten Rufen folgte – die in den kleinsten und ohne Zweifel schmutzigsten Raum dieser Lagerhalle gesperrt waren.

Das Mädchen stürzte auf ihn zu, kaum dass sie seiner ansichtig wurde. »Gott sei Dank!«, rief sie aus. »Jemand hat uns gehört.« Hastig, sich fast an den Worten verschluckend, setzte sie hinzu: »Bitte! Können Sie uns befreien? Wir sind gefangen und …«

Seine Augen hatten sich dem schlechten Licht angepasst. Ihr Haar war kastanienbraun, nur einige Strähnen glänzten kupferrot; am Morgen hatte sie es wohl zu einem festen Zopf geflochten, doch der hatte sich längst gelöst, und an den Schläfen kräuselten sich einige Locken. Schweißnass war ihr Gesicht, und über die Stirn verlief eine dunkle Schliere.

»Bitte!«, setzte sie hinzu. »Ich bin Elisa von Graberg.«

Eine Adelige?

Sein Blick glitt ungläubig über ihre Gestalt, aber er wurde nicht recht schlau aus ihr. Sie trug keine Handschuhe, und ihre Hände wirkten so rissig und braun, als wären sie harte Arbeit gewohnt. Zugleich waren sie feingliedrig und lang, und für einen Augenblick stellte er sich vor, wie sie gekonnt über die Tasten eines Klaviers huschten. Ihre hochgeschlossene helle Bluse unter einem weinroten Cape und ihr grauer Rock waren faltig und fleckig; Staub und Spinnweben klebten daran, aber ohne Zweifel war es ein feiner, weicher Stoff, und auch der dünne Spitzenrand am Kragen zeugte von mehr Eleganz als Bauernlumpen. Die Haut ihrer Wangen war weiß und glatt; auf der Nase jedoch saßen einige Sommersprossen.

Flehentlich blickte sie ihn an, während der Knabe an ihrer Seite ungeduldig auf den Boden stampfte.

»Nun lassen Sie uns doch frei!«, rief er. Was dann folgte, war eine wirre Geschichte, die Cornelius nicht recht verstand. Von Diebespack war die Rede, das sie aber nicht wären, von einem Lambert Mielhahn, der vielmehr Elisa fast bestohlen hätte. Ja, er hätte ihr einfach die Kette entrissen, und doch wären nun sie hier, nicht Lambert, obwohl er es so viel mehr verdiente, ein so unfreundlicher, widerwärtiger Zeitgenosse, wie er sei.

Cornelius musterte auch den Jungen flüchtig. Anders als Elisa von Graberg trug er graue Lumpen, die schon so oft geflickt worden waren, dass es ein Wunder war, warum sie ihm nicht vom Leibe rutschten. In seinem kurzgeschorenen Haar hingen die gleichen Spinnweben wie an Elisas Bluse – nur dass es schon vorher vor Dreck gestarrt haben musste. An manchen Stellen war es nicht blond, sondern grau.

»Bitte warten Sie nicht länger! Es geht doch jetzt aufs Schiff!«, nahm nun wieder die junge Frau das Flehen auf. »Und wir … wir gehören zu den Auswanderern!«

Cornelius zuckte hilflos mit den Schultern. »Ich würde wirklich gerne helfen. Doch ich habe nicht den passenden Schlüssel.«

Er deutete auf das Schloss.

Der Knabe stampfte wieder trotzig auf; das Mädchen biss sich auf die Lippen, offenbar um nicht zu zeigen, wie nahe sie den Tränen war.

»Aber ich kann jemanden suchen!«, beteuerte er schnell. »Beschreibt mir doch, wie der Mann aussah, der euch hier eingesperrt hat!«

Als er wenig später wieder ins Freie trat, war er mutlos. Männer, die mal hier oder da zupackten, die die Auswanderer herumscheuchten, die Kisten verluden oder lediglich darüber wachten, gab es zuhauf. Wie sollte er den Betreffenden finden, nachdem obendrein die Beschreibung der beiden sehr ungenau ausgefallen war?

»He, Sie!«, rief er schließlich kurz entschlossen einem Mann zu, der damit beschäftigt war, die Auswanderer in einer langen Reihe zu ordnen.

»He, Sie!«, wiederholte er, als der Mann nicht auf ihn hörte, und legte diesmal mehr Gewicht in seine Stimme. Endlich drehte sich der Mann um, doch seine Stirn war abweisend gerunzelt, als Cornelius sein Anliegen vorbrachte. Ob er selbst die beiden eingesperrt oder zumindest von einem Kollegen davon gehört hatte, ließ sich nicht erkennen.

»Hab damit nichts zu schaffen!«, beschied er Cornelius knapp.

»Aber man kann doch Auswanderer nicht einfach hier festhalten, schon gar keine Kinder! Wenn ihre Eltern …«

»Nun, Sie schauen mir nicht wie ein Vater aus«, meinte der Mann, und sein Blick glitt abfällig über Cornelius' Gestalt. Er war großgewachsen, aber schmächtiger als viele der hart arbeitenden Männer hier.

»Nun hören Sie …« Cornelius sah den Schlüsselbund, der am Gürtel des Mannes klapperte. »Gerade weil es nicht Ihre Sache ist, können Sie doch einfach aufsperren, und …«

Er kam nicht weiter. Eine Stimme unterbrach ihn, schnaufend und ungeduldig. »Cornelius!«, rief sein Onkel, so klagend, als hätte er ihn auf dem Sterbebett im Stich gelassen. »Was treibst du denn? Denkst du gar nicht an mich?«

Cornelius fuhr herum. Pastor Zacharias' Gesicht war noch eine Spur röter und aufgedunsener als vorhin.

»Lässt mich in der Sonne sitzen!«, quengelte er. »An einem Herzschlag hätte ich sterben können!«

Es klang nicht so, als wäre dies seine schlimmste Befürchtung. Lieber tot umfallen als in die Wildnis gehen, hatte er schon vor Wochen verkündet. Doch sein Leib war zu wohlgenährt, um ihm diesen Gefallen zu tun.

»Du musst mir helfen, Onkel«, sagte Cornelius hastig.

»Du lässt mich einfach allein, und …«

»Onkel Zacharias!«, unterbrach Cornelius ihn scharf, und weil er nur selten so streng mit ihm sprach, verstummte Pastor Zacharias augenblicklich und starrte ihn mit weit geöffneten Augen an. »Onkel, da drinnen sind zwei arme Seelen gefangen«, begann Cornelius und deutete auf die Lagerhalle. Erfahrungsgemäß erhielt man mehr Aufmerksamkeit von ihm, wenn man nicht von Menschen, sondern von armen Seelen sprach. Und erfahrungsgemäß wurde er umso hellhöriger, wenn man übertrieb. »Schlimmes Unrecht hat man ihnen angetan. Sie drohen zu verdursten und sind schon ganz schwach. Das junge Fräulein ist noch tapfer, aber ich weiß nicht, wie lange sie noch aushält.«

Cornelius schlug sich pathetisch mit der Faust auf die Brust, um aus einer unangenehmen Lage eine nahezu tragische zu machen. Es wirkte sofort. Entsetzen breitete sich in Zacharias' Gesicht aus, wenngleich ihm der Verzicht auf Wasser nicht so bitter schien wie der auf Wein. Er schmatzte sehnsüchtig.

»Warten Sie!«, rief Cornelius, als der Hafenarbeiter, den er angesprochen hatte, sich schweigend zum Gehen wandte. »Mein Onkel ist Pastor. Zacharias Suckow ist sein Name. Und er kann bezeugen, dass die beiden Gefangenen treue und rechtschaffene Schäfchen seiner Gemeinde sind.«

Der Mann drehte sich um; er blickte zweifelnd, genauso wie nun auch Zacharias.

»Kann ich das wirklich?«, fragte er unsicher.

Cornelius nickte entschlossen. »Ja, du kannst!«, sagte er so streng wie vorhin.

Prompt glättete sich die gerunzelte Stirn des Pastors. »Natürlich kann ich!«, meinte er.

»Es ist nämlich so«, wandte sich Cornelius eifrig an den Hafenarbeiter, »die beiden gehen jeden Sonntag zum Gottesdienst.«

»Wirklich jeden!«, rief Zacharias.

»Und auch ihre Eltern sind ehrbare, strebsame und bescheidene Christenmenschen!«

»Sehr strebsame!«, sekundierte der Onkel. »Sehr bescheidene!«

»Sie frönen keinem Laster! Nicht der Trunksucht, nicht der Eitelkeit, nicht der Habgier!«

»Nein! Keinem einzigen Laster!«

Zacharias richtet sich zur ganzen Größe auf, so wie er das jeden Sonntag bei der Predigt tat, wenn er hoch zur Kanzel schritt, um seine Gemeinde über Gottes Willen zu belehren. Für diese Augenblicke, da er sich ereifern konnte, bis ihm Schaum in die Mundwinkel trat und sein Kopf so rot anschwoll, dass man meinte, er würde platzen, lebte er. Nun gut, nicht nur für diese, sondern vor allem auch für das Mittagsmahl danach. Und dennoch: Ein guter Prediger war er, das konnte niemand in Abrede stellen, nicht zuletzt, weil er in dieser Stunde die Schäfchen in ausreichendem Abstand auf den Kirchenbänken sitzen sah und sie ihn nicht mit den Nöten und Sorgen ihres Lebens behelligen konnten.

»Sie können solch ehrbare Leute doch nicht einsperren!«, rief Cornelius.

»Genau!«, rief Pastor Zacharias. »Wohin kämen wir denn, wenn die Gerechten und Anständigen im finsteren Kerker sitzen müssen, während andernorts die Frevler neue Untat aushecken.«

Cornelius kämpfte darum, ernsthaft zu nicken, anstatt zu grinsen.

Ungläubig blickte der Mann zwischen ihnen hin und her. Schwerlich war auszumachen, von welchem der beiden er sich mehr genarrt fühlte. Doch auch wenn Pastor Zacharias' pathetischer Tonfall ihn sichtlich daran zweifeln ließ, dass er richtig im Kopf war, glitten seine Augen kundig über ihrer beiden Kleider – und schienen schnell auszumachen, dass, ganz gleich, welche Posse sie ablieferten, ehrbare, wohlgeborene Männer vor ihm standen.

Verdrießlich spuckte er schließlich aus. »Wenn ihr für sie bürgt …«, setzte er an.

»Mit der Heiligkeit meines Amtes, ja!«, rief Pastor Zacharias begeistert.

»Ein bisschen weniger könnte es auch sein …«, nuschelte der Mann in seinen Kragen.

Diesmal konnte sich Cornelius das Grinsen nicht verkneifen. Der andere bemerkte es gottlob nicht, sondern war damit beschäftigt, den Schlüssel hervorzukramen und damit in die Lagerhalle zu stapfen.

Pastor Zacharias aber stieß ihn an. »Kannst du mir jetzt sagen, worum es eigentlich geht?«

Cornelius musste lachen, als er in das verwirrte Gesicht seines Onkels sah.

»Ich denke, es war auf jeden Fall eine gute Tat«, meinte Cornelius, »aber mehr erzähle ich dir später.«

In seiner Verwirrung vergaß Pastor Zacharias, nach dem Teller Suppe zu fragen, den er ihm eigentlich in Aussicht gestellt hätte. Wieder musste Cornelius lachen, doch diesmal blieb ihm der Laut in der Kehle stecken.

Eben war der Hafenarbeiter mit der jungen Frau und dem Knaben aus der Halle gekommen – und im gleichen Augenblick kam ein Fremder auf sie zugestürzt, die Hände drohend erhoben. »Wie?«, schrie er ihnen schon von weitem zu. »Sie lassen sie frei? Was fällt Ihnen ein! Das dürfen Sie nicht!«

3. KAPITEL

So erleichtert Elisa auch war, dem stickigen Gefängnis entronnen zu sein, so heftig war der Schreck, als sie plötzlich Lambert Mielhahn auf sich zukommen sah. Gerade hatte sie sich bei dem Fremden bedanken wollen, der sich für sie eingesetzt hatte, um dann eilends nach ihrem Vater zu suchen, doch nun stellte sich ihnen dieser widerwärtige Mann erneut wütend in den Weg.

Der Arbeiter, der aufgesperrt hatte, duckte sich. Ihr Retter hingegen blickte fragend von Poldi zu ihr.

Ehe einer die Lage erklären oder Lambert sein wütendes Geschrei fortsetzen konnte, war Poldi von einem Knäuel aus schmutzigen Händen und nackten Füßen umgeben. Elisa hatte die Kinderschar nicht kommen sehen, ihre Augen vielmehr vor der blendenden Sonne abgeschirmt. Doch nun schienen alle gleichzeitig auf ihn einzureden – zwei Burschen, etwas größer als er, hager und ebenfalls mit geflickter Kleidung, und drei Mädchen, von denen das jüngste gerade mal laufen konnte und sich jammernd an einer der größeren Schwestern festklammerte.

»Wo bist du gewesen?«

»Mutter hat uns geschickt, damit wir dich suchen!«

»Sie hat sich schrecklich geärgert!«

»Wie kannst du dich nur allein im Hafen herumtreiben?«

So klangen die Kinder – offenbar seine Geschwister – wild durcheinander. Poldi grinste. »Eingesperrt waren wir!«, prahlte er. Nicht mehr der Schrecken über das eben Erlebte klang durch seine Stimme, sondern Stolz. »Und das alles nur wegen ... dieses Mannes!«

Er fuhr herum und deutete auf Lambert Mielhahn. Zu Elisas Erstaunen hatte sich dessen Miene völlig gewandelt. Eben noch erzürnt und sichtlich bereit, Poldi erneut am Schlafittchen zu packen, musterte er die Kinderschar nun fassungslos – und verlegen.

»Das gibt's doch nicht! Die Steiner-Kinder!«, stieß er aus. Poldi allein war ihm wohl fremd gewesen – im Rudel seiner Geschwister zeigte sich aber, dass er dessen Familie kannte.

»Für einen Dieb hat er mich gehalten!«, setzte Poldi empört hinzu.

Wieder tönten die Geschwister wild durcheinander. Der älteste Bruder wandte sich direkt an Lambert Mielhahn, doch Elisa konnte nicht verstehen, was er ihm vorhielt, weil der zweite der Söhne Poldi gerade auf die Schultern schlug und lautstark den Mut lobte, sich mit dem Mielhahn Lambert anzulegen. Eines der Mädchen schrie dazwischen, dass sie nun endlich die Eltern suchen sollten, ein weiteres wollte wortreich die Jüngste beschwichtigen, und diese wiederum brach nun endgültig in verzweifeltes Geheule aus.

Inmitten dieses wüsten Treibens, das – wie Elisa fand – die Unruhe, die im Logierhaus und nun am Hafen herrschte, bei weitem in den Schatten stellte, ertönte plötzlich ein schriller Pfiff. Augenblicklich erstarb das Rufen der Kinder. Nicht zum ersten Mal schienen sie jenen Laut zu hören – und sie wussten ganz genau, was er von ihnen verlangte. Alle fuhren sie gleichzeitig herum, um sich entsprechend ihrer Größe in einer Linie aufzureihen, und standen alsbald nebeneinander wie Orgelpfeifen. Nach den zwei älteren Brüdern war Poldi der dritte, dann folgten die Mädchen. Das Jüngste klammerte sich zwar haltsuchend an die größere Schwester, aber es hatte zumindest zu weinen aufgehört.

»Was geht hier vor?«

Die Stimme der Frau, die den schrillen Pfiff ausgestoßen hatte, war ebenso energisch wie sämtliche ihrer Bewegungen. Christine Steiner, so erfuhr Elisa in diesem Augenblick, war eine Frau, die gerne und viel sprach und selten still sitzen konnte. Mit wogendem Busen kam sie auf ihre Schar zugelaufen, wohingegen die Schritte der beiden Männer, die ihr folgten – ihr Mann und ihr Schwiegervater –, um vieles gemächlicher gerieten. Ihre braunen Augen glänzten zwar warm, bewegten sich aber so flink, dass ihnen wohl kaum je auch nur die kleinste Untat ihrer Kinder entging. Ihre Lippen, eigentlich breit und rund, wurden schmal – so wie die von Poldi, wenn er empört war. Das dunkelblonde Haar, das sie zu einem großen Dutt gebunden hatte, war an manchen Stellen zu Grau verblichen, die Haut des runden Gesichts um die Augen gerunzelt und um das Kinn schlaff. Irgendwann musste sie eine schöne Frau gewesen sein – heute war sie in jedem Fall eine, die genau wusste, was sie wollte, und es insbesondere ihren Kindern einzutrichtern imstande war.

Sie schritt die Reihe entlang wie ein General, der sorgsam darauf achtet, ob jeder Soldat sein Gewehr richtig geschultert und seine Stiefel geputzt hat.

»Also!«, fragte sie noch einmal, während sämtliche Kinder ihrem Blick auswichen und betreten auf ihre Fußspitzen starrten. »Was geht hier vor? Und wo hast du gesteckt, Poldi?«

Mittlerweile waren auch Großvater und Vater näher gekommen, doch keiner von ihnen schaltete sich ein. Es war offensichtlich, wer hier das alleinige Kommando führte.

Lambert scharrte indessen unruhig mit dem Fuß auf der Erde

und trat dann nach vorne. »Ich wusste nicht, dass es dein Jüngster ist, Steiner Christine«, sagte er. Es klang nicht so, als täte ihm sein Missverständnis von Herzen leid, eher griesgrämig, weil er zu viel Zeit damit verschwendet hatte. »Hab geglaubt, dein Sohn wär' ein Dieb. Ist aber auch kein Zustand, dass er sich allein im Hafen rumtreibt.«

Lautlos waren seine Frau und die beiden Kinder hinzugetreten, der schüchterne Knabe und das weißblonde Mädchen. Beide sahen nicht so aus, als würden sie dergleichen auch nur ansatzweise wagen.

»Was mein Sohn treibt, ist deine Sache nicht!«, fuhr Christine ihn schrill an. Ihr Busen wogte wieder, diesmal nicht wegen des schnellen Laufens, sondern vor Empörung. »Was fällt dir ein, ihn für einen Dieb zu halten?«

Zunächst schien es, als würde Lambert sich unter ihrer lauten Stimme ducken, doch dann richtete er sich zur vollen Größe auf. Seine Kiefer rieben aufeinander.

»Würdest du ein Auge auf deine Kinder haben, wie's einer anständigen Mutter ziemt, dann wäre das alles nicht geschehen«, zischte er.

»Was?«, schrillte Christine. »Soll ich etwa keine anständige Mutter sein? Sechs von acht habe ich groß gekriegt, ohne dass sie mir am Hunger oder der Lungenkrankheit starben.« Ihr Blick glitt auf Lamberts Kinder, als wollte sie sagen: »Deine ängstliche, maulfaule Frau hingegen hat nur zwei geboren.«

Die Feindseligkeit, die durch ihre Stimme klang, war viel älter als dieser Tag. Wahrscheinlich, so vermutete Elisa, stammten sie aus dem gleichen Dorf. Die meisten Aussiedlerfamilien schlossen sich zusammen, wenn sie die Reise zu einem der norddeutschen Häfen antraten. Nur sie waren allein gekommen. Niemand aus ihrem Dorf hatte sich mit den von Grabergs zusammentun wollen, die – auch wenn sie nun gleichfalls verarmt waren und selbst auf dem Felde arbeiten mussten – nicht zum einfachen Bauernvolk und darum nicht zu ihresgleichen gezählt wurden.

»Eine Tracht Prügel hätte er verdient«, ereiferte sich Lambert.

»Du sagst mir nicht, wann ich mein Kind zu schlagen habe!«, tönte Christine zurück. Sie trat auf Poldi zu, packte ihn und zog ihn an sich. Sein spitzes Gesicht ersoff fast in ihrem dicken, wogenden Busen.

Legst du dich mit ihm an, legst du dich mit mir an, schien diese Geste besagen zu wollen – und Lambert gab nach.

»Mach doch, was du willst!«, murrte er; dann stapfte er wütend davon. Hastig folgten ihm seine Frau und die beiden Kinder. Elisa war sich nicht sicher, ob das weißblonde Mädchen nicht etwa gelächelt hatte. Doch womöglich hatte nicht Schadenfreude dazu geführt, dass ihre Mundwinkel zuckten, sondern nur Erleichterung, dass die Wut des Vaters heute anderen galt und nicht ihr.

»Stell dir vor«, rief Poldi empört, der sich gerade von seiner Mutter befreite. »In ein stinkendes Loch hat er uns einsperren lassen, und wenn nicht …«

Christine hörte nicht auf ihn. Ihre Miene, eben noch feindselig, wurde streng. Sie wartete, bis Lambert in der Menge verschwunden war, dann hob sie die Hand und versetzte Poldi eine schallende Ohrfeige, die ihn taumeln ließ. »Wag's nicht, noch einmal davonzulaufen«, setzte sie hinzu. Poldi hielt sich die Wange und heulte auf. Doch als Christine ein weiteres Mal drohend die Hand hob, verstummte er augenblicklich und reihte sich wieder bei seinen Geschwistern ein. Halb spöttisch, halb ehrfürchtig bestaunten diese ihn.

Als Christine sich an Elisa wendete, klang ihre Stimme viel weicher.

»Hab Dank, Mädchen! Weiß zwar nicht, was du getan hast. Aber hast meinen Lümmel wohl aus einer Notlage befreit.«

»Das war nicht ich!«, erklärte Elisa rasch. »Das war …«

Sie drehte sich um und suchte nach dem Mann mit den schönen, feingliedrigen Händen, dem braungewellten Haar und dem Blick, der ihr zunächst sanft und traurig erschienen war, dann aber zielstrebig und entschlossen. Seine Anwesenheit hatte sie sofort beruhigt, und zugleich war sie ein wenig nervös geworden, als seine warmen Augen forschend über ihre Gestalt gehuscht waren: Sie hoffte, dass die Anzeichen von Verarmung, die sie selbst ebenso entschlossen zu verbergen versuchte wie ihr Vater, ihm nicht allzu deutlich ins Auge gefallen waren. Doch nun konnte sie nicht mehr prüfen, welchen Eindruck sie bei ihm hinterlassen hatte. Mit Bedauern musste sie feststellen, dass er nicht mehr an ihrer Seite stand und sie kein weiteres Wort mit ihm wechseln konnte. In dem Trubel hatten er und der dickliche Pastor sich unauffällig entfernt, ohne ihren Dank abzuwarten.

Stattdessen kam ihr Vater auf sie zugelaufen, aufgeregt, ungeduldig und ein wenig überfordert wie immer.

»Elisa, da bist du ja! Ich suche dich schon seit einer halben Ewigkeit! Hast du nicht gehört, dass es nun aufs Schiff geht?«, rief er ihr zu.

»Aufs Schiff, ja«, murmelte sie, und dann überwog die Erleichterung, dass das kräftezehrende Warten endlich ein Ende hatte, sogar die Enttäuschung, den hilfreichen Fremden nicht mehr fragen zu können, ob auch er die Reise auf der Hermann III. antreten und sie sich auf dem Schiff wiedersehen würden.

Wenn Elisa sich jenen Moment vorgestellt hatte, da sie das Schiff besteigen würde, so hatte sie stets tiefe Ehrfurcht gefühlt. Ein besonders feierlicher Augenblick würde das sein, von der Wehmut des Abschiednehmens ebenso geprägt wie von Abenteuerlust und Neugierde. Sie hatte sich vorgenommen, den Moment, da sie womöglich das letzte Mal heimatlichen Boden unter sich fühlte, ganz bewusst zu begehen.

Doch nun, da es so weit war, ging alles ganz schnell vorüber. Irgendwie bahnten sie sich ihren Weg durch das Gewühle und Geschubse; dann waren sie schon bei der steinernen Treppe angekommen, die zu einem hölzernen Steg führte. Kleine Boote waren daran angebunden, die sie zum Schiff, das auf der Reede vor Anker lag, bringen würden. Das Gedränge war so heftig, dass ein kleines Kind beinahe ins Wasser fiel. Entsetzt schrie Elisa auf, doch gerade noch rechtzeitig packte es die Mutter am Kragen.

Im nächsten Augenblick saß sie schon im Boot, und anstatt ihre Gedanken an den Abschied zu verschwenden, kämpfte sie lediglich um ausreichenden Sitzplatz.

Die anderen Passagiere sprachen aufgeregt über den Dreimaster. 130 Fuß lang, 35 Meter breit und ebenso hoch sei er, wurde getuschelt, doch als Elisa nach dem Schiff Ausschau hielt, war seine Ansicht von Köpfen versperrt.

Vier Matrosen ergriffen die Ruder. »Sett aff!«, kommandierte einer von ihnen, woraufhin sich das Boot in Bewegung setzte.

Elisa hörte ein Kind kichern, wahrscheinlich das gleiche, das eben noch fast ertrunken wäre. Sie wagte nicht, nach ihm zu spähen, sondern klammerte sich mit beiden Händen an das rauhe Holz der schmalen Bänke. Das Schaukeln wurde so stark, dass sie das Gefühl hatte, ihr aufgewühlter Magen würde im Leib auf und ab springen, doch irgendwann wurden die spitzen Wellen runder, die Fahrt zügiger, und nach einer Weile erreichten sie den Dreimaster. Vom Hafen aus hatten sie das

Schiff heute Morgen beeindruckt gemustert, doch nun galt ihr Blick nicht den wuchtigen Segeln, sondern einzig der Strickleiter, die man herabgelassen hatte und auf der die Passagiere hochklettern sollten. Elisa klammerte sich noch fester an das Holz der Bank. So unsicher die Nussschale ihr eben vorgekommen war – noch gefährlicher schien es ihr, diese zu verlassen. Erst als sie sah, dass auch Annelie blass geworden war, fasste sie Mut. Annelie mochte sich die Schwäche erlauben, aller Welt ihre Furcht zu bekunden – sie hingegen würde das tapfere Mädchen sein, auf das die Mutter stets große Stücke gehalten hatte und eigentlich auch der Vater, wenn er nicht gerade damit beschäftigt war, sich nach einem Sohn zu sehnen oder die zarte zweite Ehefrau zu trösten.

So war sie die Erste in dem Boot, die die Leiter bestieg. Zwei Männer hielten sie straff, weswegen sie unter ihrem Gewicht weniger schaukelte, als sie befürchtet hatte. Die Hanfstricke bissen sich zwar schmerzhaft in ihre Handflächen, doch in Windeseile war sie hinaufgestiegen und wurde von zwei Matrosen am Arm gepackt, die ihr über die Reling halfen.

Annelie folgte als Nächste, langsamer und zögerlicher als Elisa, doch mit zusammengepressten, entschlossenen Lippen. Als sie oben ankam, war sie noch bleicher, aber immerhin war kein Wort der Klage laut geworden.

Im Gesicht des Vaters stand diese Angst nicht, als er nachkam – jedoch tiefes Misstrauen, als er sich umblickte. »Das Gepäck«, murmelte er, »die Koffer …«

Diese befanden sich noch im kleinen Beiboot, doch anstatt mit eigenen Augen überprüfen zu können, wie sie sicher auf das Schiff gewuchtet wurden, baute sich ein Schrank von einem Mann vor ihnen auf und trieb sie auf eine Tür zu. Sein Hut, ein Südwester, war steif in die Stirn gedrückt.

»Vorwärts! Schnell!«, befahl er ihnen. »Wenn hier alle rumstehen, gibt's hinterher ein solches Durcheinander, dass keiner mehr seine Kajüte findet.«

Der zaudernde Ausdruck, der so oft in Richard von Grabergs Gesicht gestanden hatte, schnitt ihm auch jetzt tiefe Furchen in die Stirn.

Doch ehe Elisa etwas zu sagen wusste, zupfte Annelie ihn vorsichtig am Ärmel. »Es wird schon alles seine Richtigkeit haben. Wir kriegen unsere Koffer sicherlich später.«

Es waren die ersten Worte, die Elisa seit Stunden aus ihrem Mund hörte – und sie klangen erstaunlich energisch.

Der schrankförmige Mann mit dem Südwester drängte sie nicht nur auf die Tür zu, sondern dort eine schmale Holztreppe hinab, deren Stufen sich irgendwie weich anfühlten, so als würde sich das Holz im salzigen Meerwind langsam auflösen.

In einen Gang ging es, derart niedrig, dass ihr Vater den Kopf einziehen musste. Die fünfte Kajüte von rechts wurde ihnen zugewiesen.

Dies war eine der Bedingungen gewesen, die Richard von Graberg gestellt hatte. Auch wenn er sich schließlich bereit erklärt hatte, seine Heimat zu verlassen – er würde es nicht mit Scharen von namenlosen Menschen im düsteren Zwischendeck tun, wo für diese ein Massenlager aufgeschlagen war, sondern er wollte eine eigene Kajüte im oberen Deck. Obwohl ihnen das Geld auch ohne diesen Luxus knapp geworden war, hatte er lieber die Reise um Monate verschoben, anstatt sich mit weniger zu begnügen, und schließlich die 100 Taler – mehr als der doppelte Preis als für einen Platz im Zwischendeck – zusammengespart.

Ehe der schrankförmige Mann sie allein ließ, überprüfte er ihre Namen.

»Richard Maximilian von Graberg, sein Eheweib Anna Aurelia von Graberg, seine Tochter Elisabeth Maria von Graberg«, las er von einer Liste ab.

Richard nickte bestätigend, während Elisa zusammenzuckte. Immer noch hatte sie sich nicht daran gewöhnt, dass Annelie den gleichen Namen wie sie trug.

Annelie ließ sich mit hängenden Schultern auf eine der Kojen fallen. Es gab zwei übereinander, beide so schmal, dass man sich würde hüten müssen, sich nicht einmal zu oft umzuwälzen. In der Nische gegenüber befand sich eine dritte Schlafstatt – eine dünne Matratze auf einem Bett aus Stroh, immerhin jedoch mit einem frischen Leinenlaken bezogen, die wie Polster und Decke reinlich weiß waren. Die ärmeren Passagiere im Zwischendeck wurden nicht mit so einem Luxus bedacht. Vorhin hatte Elisa gesehen, dass sie nicht nur das Essgeschirr mitbringen mussten, sondern auch eigene Matratzen, Kissen und Decken. Sie beugte sich hinunter und strich prüfend über das Laken. Der Stoff war hart, aber ohne Flicken.

Nicht weit über ihrer Bettstatt befand sich eine kleine Luke. Das Bild dahinter verschwamm vor ihren Augen und vermittelte lediglich eine Ahnung davon, wo das Meer aufhörte und der Himmel begann, denn das Glas war nicht durchsichtig, sondern dick und grün.

Als Elisa sich wieder umdrehte, sah sie, dass Annelie ihren Kopf auf die Hände stützte und erstmals herzerweichend stöhnte.

»Wolltest du uns nicht vorhin etwas zu trinken bringen?«, wandte sich Richard an Elisa. »Wir könnten eine Stärkung gebrauchen.«

Es lag Elisa auf den Lippen, das Ansinnen zurückzuweisen, doch dann besann sie sich eines Besseren und nutzte die Gelegenheit, dem engen Raum zu entkommen, in dem sie noch genügend Zeit würde verbringen müssen.

Im Gang lärmten und drängten mehrere Offiziere und Matrosen; weitere Passagiere strömten von Deck und wurden in ihre Kajüten auf dem Oberdeck gebracht. Fragen schwirrten durch die Luft – wann das Schiff ablegen würde, wann es die erste Mahlzeit gäbe, wo sich frisches Wasser finden ließe, mit dem man sich reinigen könnte, wo sich der Abort befände?

Elisa konnte nicht lange über die eigenen Schritte entscheiden, sondern überließ sich schließlich dem Drängen und Schieben. Inmitten einer Menschentraube zog es sie zu der Treppe, die zum Zwischendeck hinabführte.

Die Luft war dort schon jetzt zum Schneiden; es roch nach Ausdünstungen von Menschen und nach nicht mehr ganz frischen Lebensmitteln. Obwohl für die Zeit der Reise volle Versorgung versprochen wurde, war in den Amtsblättern der Rat an die Auswanderer ergangen, sich den einen oder anderen Laib Speck oder eine Flasche Schnaps einzustecken, falls die Mahlzeiten nicht reichlich genug ausfielen.

Elisa rümpfte die Nase. Manch einer hatte sich diesen Rat wohl zu sehr zu Herzen genommen und auch verdorbene Reste auf das Schiff gebracht, und es bestand keine Aussicht, dass frische Luft diese Wolke vertrieb. Neben den zwei offenen Treppen an den beiden Enden des schmalen Ganges gab es nur wenige Luftfänge – kaum größer als ein Rattenloch –, jedoch keine Fenster. Entsprechend trüb war auch das Licht.

Elisa blickte sich um. Gemäß den Vorschriften befanden sich jeweils nur zwei Schlafkojen übereinander und nicht drei oder vier, wie es auf früheren Schiffen noch üblich gewesen war, doch diese waren um vieles breiter und mussten Platz für insgesamt vier Passagiere bieten. An die drei Dutzend solcher Kojen reihten sich aneinander, so dass kaum Platz dazwischen war.

Elisa wich der Kante eines der niedrigen Tische aus, die vor den Kojen in den Boden festgenagelt worden waren und die deswegen auch bei starkem Seegang nicht verrutschen würden. Immer schmaler wurde nun der Gang, verstellt von Kisten und Säcken mit Gepäck. An den Rändern der Kojen wurde das Kochgeschirr aufgehängt, daneben die Kleider. Beinahe schlug sie sich ihren Kopf an einem riesigen Laib Schinken an – ähnlich dem, der in den Nächten im Logierhaus über ihrem Kopf gebaumelt war. Ob der Besitzer womöglich derselbe war? Sie konnte sich allerdings nur noch an den durchdringenden, würzigen Geruch erinnern, nicht mehr an ein Gesicht.

»Elisa!«

Poldi winkte ihr vom Ende des Kojenganges zu – und zumindest dieses Gesicht hatte sie noch ganz genau im Kopf. Lächelnd schritt sie auf ihn zu. Poldi schien eben entdeckt zu haben, dass man in den Kojen nicht nur schlafen, sondern auch herumklettern konnte. Was ihm jedoch mit einem Satz gelang – auf das obere Bett zu springen –, war für die drei kleinen Schwestern eine Unmöglichkeit: Die älteste nahm es mit einem Lächeln hin, die zweite mit einer gerunzelten Miene; die dritte hingegen jammerte und greinte wieder einmal herzerweichend.

»Christl! Lenerl! Katherl!«, rief einer der älteren Brüder mahnend. Er hatte unverkennbare Ähnlichkeit mit Poldi, das gleiche weißblonde Haar, das wie ein Igelfell von seinem Kopf abstand, die Sommersprossen und die kecke Stupsnase, doch ihm fehlten das spitzbübische Lächeln und das Funkeln in den Augen. Ernst und streng sah er vielmehr drein, und genauso klang auch seine befehlende Stimme. Das heulende Mädchen – Elisa wusste nicht, welcher der genannten Namen zu ihm gehörte – schloss schlagartig den Mund.

Nicht allen musste Ruhe erst befohlen werden. Während die Kinder es nicht aushielten, still zu stehen, saßen ihr Vater und Großvater schweigend auf dem Bett, beide mit gekrümmtem Rücken und hängendem Kopf, und bis auf die Tatsache, dass des einen Haar weißer war als das des anderen, glichen sie einander wie Zwillingsbrüder.

Sie blickten auch dann nicht hoch, als Christines keifende Stimme ertönte, die zu Elisas Erstaunen jedoch nicht den unruhigen Kindern galt, sondern jemand ganz anderem.

»Wenn sie tatsächlich noch frei sein sollte«, Christine deutete auf eine leere Koje, »dann haben wir das größere Recht darauf. Ich habe sechs Kinder, du nur zwei. Und was machst du überhaupt hier? Ich habe vorhin ganz genau gesehen, dass euch zwei Kojen weiter vorne zugeteilt wurden.«

Aus dem Halbschatten erhob sich Lambert Mielhahn. Unwillkürlich trat Elisa zurück, doch der Mann, der ihr vorhin solche Schwierigkeiten bereitet hatte, achtete gar nicht auf sie.

»Du schreibst mir nicht vor, wo ich und die Meinen zu betten haben!«, gab er zurück.

»Und du besetzt nicht eine Koje, die ich für meine Familie brauche!«

Wie keifende Rohrspatzen klangen sie.

»Was ist denn los?«, wandte sich Elisa an Poldi, der nicht aufhören konnte zu grinsen. Mit raschen Worten erklärte er, dass man eben den Passagieren im Zwischendeck die Kojen zugeteilt hatte, eine jedoch frei geblieben war, und auf diese hatten sowohl seine Mutter als auch Lambert Anspruch erhoben.

»Such dir doch eine andere!«, kreischte Christine. »Dort vorne!«

»Wie oft soll ich es denn noch sagen? Ich nehme die Nummer zehn nicht. Die ist gleich am vorderen Mast, und jeder weiß, dass es dort am stärksten schaukelt.«

»Und warum sollte es mich kümmern, wenn du im Schlaf aus dem Bett rollst?«, fauchte Christine. »Du kannst dir nicht einfach die Koje aussuchen, die dir passt.«

»Und wer hindert mich daran? Du etwa? Warum steht eigentlich euer ganzes Gepäck hier herum? Hast du nicht gehört, dass es klare Anweisungen darüber gibt, wo es zu verstauen ist? Und zwar keinesfalls hier zwischen den Schlafstellen! Das ist sogar strengstens verboten!«

»Genau wie du auch schon sagtest: Wer hindert mich daran?«

Sie maßen sich mit giftigen Blicken. In dem von Lambert stand nicht nur Ärger, sondern auch Ungläubigkeit, dass eine Frau ihn so heftig anging. Seine eigene hatte schweigend die blassen Kinder an sich gezogen. Er drängte sie nun beiseite, um vollendete Tatsachen zu schaffen, indem er sein Bündel einfach in die freie Koje legte.

»Wir nehmen die Koje«, stellte er fest.

Elisa sah, dass Christine heftig Atem holte und zum Widerspruch ansetzte.

Doch die Worte, die dann ertönten, stammten nicht aus ihrer Kehle.

»Das glaube ich nicht.«

Die Stimme war dunkel und tief. Alle fuhren herum, selbst die bislang müden und gleichgültigen Steiner-Männer, die Christine allein für ihre Rechte hatten kämpfen lassen. Ein weiterer Passagier kam eben den düsteren Mittelgang entlang, und Elisa war nicht die Einzige, der ein überraschter Ausruf entfuhr, als sie erkannte, dass diese Person ganz allein unterwegs war.

Die dunkle, energische Stimme glich der eines Mannes. Doch es war eine Frau, die sich aus dem trüben Licht schälte. Sie trug einen ähnlichen Haarknoten wie Christine, aber während er bei jener am Hinterkopf thronte, saß er bei ihr im Nacken. Ein dunkles Netz hielt ihn zusammen – und dunkel war auch die enganliegende Haube, die sie nun abnahm.

»Mit Verlaub!«

Ihre Worte klangen höflich, ihr Verhalten war es nicht. Rüde drängte sie sich einfach zu der freien Schlafkoje und nahm sie für sich allein in Beschlag, indem sie ihr dunkles Cape aufknöpfte und es auf der Matratze ausbreitete. Dann öffnete sie das Täschchen, das sie mit sich trug, zog ein gehäkeltes Kissen hervor – kaum größer als eine Handfläche und wohl kaum tauglich, den Kopf beim Schlafen ausreichend zu stützen – und legte es ans Kojenende. Zuletzt folgte ein zusammengerolltes Kleid, ebenfalls dunkel wie die übrige Kleidung und mit einem wärmenden Pelzbesatz verbrämt. Sie breitete es über das Cape, in der Absicht, das eine Kleidungsstück als Leintuch, das andere als Decke zu benutzen. Als Letztes kramte sie nach einem Büchlein mit dunklem Ledereinband. Im ersten Augenblick hielt Elisa es für eine Bibel – später sollte offenbar werden, dass die fremde Frau dergleichen nicht las, sondern sich eine ganz andere Lektüre mitgenommen hatte.

Kaum hatte sie ihre Sachen geordnet, griff sie sich prüfend an den Knoten im Nacken und steckte eine der farblosen Strähnen, die sich gelöst hatte, wieder fest. Es war Elisa unmöglich, ihr Alter zu bestimmen. Ihre Bewegungen wirkten entschlossen und zeugten von einem Selbstbewusstsein, das von hohem Rang kündete. Wäre sie allerdings adelig, ging es Elisa durch den Kopf, so schliefe sie kaum hier im Zwischendeck. Ihre Haut wiederum war – wenngleich um die Augen ein wenig gerunzelt – so weiß und glatt, dass sie gewiss noch nie im Leben in praller Sonne hatte schuften müssen.

Eben drehte sie sich um und musterte den Kreis, der sich um

sie gebildet hatte. Christine und Lambert, eigentlich entzweit durch den Zank um die Koje, waren nun gleichermaßen überrumpelt, dass eine Dritte sie ihnen einfach weggeschnappt hatte.

»Gestatten«, die Fremde blickte über die misstrauischen Mienen hinweg, »Juliane Eiderstett, geborene Baronin von Kriegseis. Als Letztere verarmt, deswegen zur Ehe mit einem Bürgerlichen genötigt.«

Die Scham, die der Frau fehlte, färbte Elisas Wangen rot. Ihr Vater gehörte auch zum veramten Adel, aber er hätte sich eher die Zunge abgebissen, als dergleichen offen zu bekunden, und hätte sie selbst jemals unter ihrem Stand heiraten müssen, so hätte man nie offen den monetären Zwang zugegeben. Jene Frau Eiderstett aber tat es ganz selbstverständlich und ohne dass man sie danach gefragt hatte.

Christine fasste sich als Erste wieder. »Und wo ist er dann – Ihr Mann?«

Frau Eiderstett verstaute mit aller Langsamkeit ihre Tasche unter der Koje, richtete sich dann wieder auf und drehte sich um, als würde sie nach jemandem suchen. »Wie es aussieht, ist weit und breit nichts von ihm zu sehen, oder?«, fragte sie leichthin. »Dann muss das wohl bedeuten, dass er nicht auf dem Schiff ist.«

Christine errötete sichtbar, als Jule sie herausfordernd angrinste. Poldi konnte es sich nicht verkneifen loszukichern, weil jemand es gewagt hatte, seine strenge Mutter zu verspotten. Elisa hingegen fragte sich, was das zu bedeuten hatte: War Juliane Eiderstett Witwe und reiste darum allein? Oder schickte sie – was ungewöhnlich genug war – der Mann ins fremde Land voraus?

Lambert Mielhahn bekümmerte das nicht weiter; etwas ganz anderes erschien ihm offenbar viel skandalöser als die Tatsache, dass sie ohne Gatten unterwegs war. »Und wie kommt es, dass Sie eine ganze Koje für sich allein beanspruchen?«, knurrte er.

»Das war mit dem Kapitän so abgesprochen«, erklärte Frau Eiderstett bereitwillig. »Auf vielen Schiffen sind Männer und Frauen, so sie denn allein reisen, strikt getrennt. Das war mir nicht wichtig – jedoch, dass ich mit keinem Mann das Bett teilen muss. In meiner Ehe musste ich das lange genug. Wenn Sie aber die Kojen rund um die meine in Beschlag nehmen – nun, das stört mich nicht.«

Poldi kicherte wieder los, und wie vorhin war Christine zu verdattert, um ihn mit strengem Blick oder gar einer neuerlichen Ohrfeige zu strafen. Juliane Eiderstett hingegen hob einladend und auch ein bisschen hoheitsvoll die Hand, als gewähre sie den Steiners, den Mielhahns und allen anderen, die hier das Zwischendeck bezogen, einen großen Gefallen, mit ihr reisen zu dürfen.

Lambert öffnete den Mund; gewiss lag ihm eine unflätige Bemerkung auf den Lippen. Doch er wurde vom lauten Rufen eines Matrosen unterbrochen. Sie hatten keine Zeit, sich länger mit Frau Eiderstett zu beschäftigen, denn alle Passagiere mussten sich an Deck versammeln, um dort die Zählung abzuwarten.

Die Menschen schoben sich hin und her, die einen vor Aufregung rotwangig, andere wie erstarrt. Gedrängt, gehüpft, geschlagen wurde in dem einen Knäuel, während sich anderswo Passagiere zitternd an die Reling klammerten, als wäre das Stückchen Boden, auf dem sie standen, fortan das einzig Vertraute und als würden sie sich nicht mehr davon lösen wollen.

Cornelius wich manchem Ellbogen aus und versuchte, niemandem auf die Zehen zu steigen, was nicht immer möglich war. Kaum hatte einer der Offizianten mit der Zählung begonnen, schoben sich viele in dessen Nähe, als gelte es einen Preis unter jenen zu gewinnen, deren Name als Erstes auf der Liste abgehakt war. Um den festen Stand nicht zu verlieren, musste er energisch auftreten, und bald war ihm heiß vor so viel Enge, so viel Hast, so viel Erregung.

Nachdem auch er dem Schreiber des Offizianten seinen Namen und den des Onkels zugebrüllt hatte – über mehrere Köpfe hinweg, denn dichter war nicht an ihn heranzukommen –, wollte er sich wieder einen Weg zurück zu der Kajüte bahnen, die er sich mit seinem Onkel teilte. Doch schließlich resignierte er vor dem Gedränge, das niemandem seinen eigenen Willen ließ, kämpfte nur mehr darum, nicht zu arg zwischen Leibern eingequetscht zu werden – und noch mehr darum, in dem Gewühle nicht in Panik zu geraten. Es erinnerte ihn an den Tag, als Matthias starb, und er klammerte sich förmlich an alle Einzelheiten, die ihn von diesem unterschieden – die Möwen, die über ihren Köpfe kreischten, die grunzenden Stimmen zweier Männer, die bereits jetzt, da das Schiff noch nicht einmal abgelegt hatte, mit Wein, Bier und gebranntem Wasser handelten, und schließlich die Matrosen mit ihren dunkelblauen, weißgestreiften Uniformen, die darauf warteten, den Anker zu lichten und sich die Zeit bis dahin mit grölendem Gesang vertrieben.

Als die Zählung endlich vorüber war, riefen sie die kräftigeren Männer zusammen, die ihnen – nun, da der Wind günstig stand – dabei helfen sollten, die Segel beizusetzen und die Flagge zu hissen.

Niemand richtete die Bitte an Cornelius, so dass er, weil er nicht untätig bleiben wollte, schließlich selbst auf einen der Matrosen zutrat und fragte, ob er helfen könne.

Der Mann musterte ihn grinsend. Auch wenn er sich möglichst gerade hinstellte und einen entschlossenen Eindruck machte – dass er einer war, der sein bisheriges Leben häufiger in der Studierstube als auf dem Feld verbracht hatte, schien unverkennbar.

»Das schaffen wir auch ohne dich, Bübchen.«

Schulterzuckend trat Cornelius wieder zurück.

Pastor Zacharias hatte sich der Zählung verweigert, sich stattdessen in die Koje gelegt und erklärt, sein Herz würde der Aufregung des Abschiednehmens nicht standhalten. Unmöglich könne er zusehen, wie vertrautes Land in der Ferne immer kleiner werden und schließlich verschwinden würde. Er hatte sich in Essigwasser gewundene Tücher auf die Stirn gelegt, als litte er am Fieber, und beschwerte sich lauthals über den Gestank, der auf dem Schiff herrschen würde. Cornelius fand, dass das Essigwasser scheußlicher roch als die salzige Meeresbrise hier auf Deck, aber das hatte er nicht laut gesagt.

Langsam wurde es lichter, und obwohl der Weg nach unten nun frei gewesen wäre, entschied er sich anders und zog es vor, den Onkel seinen Essigtüchern zu überlassen und sich selbst ein Plätzchen an der Reling zu ergattern. Ein Ruck ging durch das Schiff, als es sich in Bewegung setzte, zunächst so langsam, als würde es sich um sich selbst drehen. Ein Fischkutter fuhr an ihnen vorbei, und die zwei Männer darauf grölten Unverständliches in ihre Richtung. Doch wirkte er zunächst noch zu schwerfällig, um ihn einzuholen, so gewann der Dreimaster rasch an Fahrt, und nach wenigen Augenblicken hatten sie zum Fischkutter aufgeschlossen. Von den hohen Wellen wurde dieser nun wie eine Nussschale hin und her gebeutelt, was die beiden Männer nicht davon abhielt, weiter zu grölen und zu lachen. Waren sie erleichtert, weil sie in vertrauten Gewässern bleiben konnten? Oder neidisch auf das Abenteuer der anderen?

»Ich … ich wollte dir noch danken …«

Die Stimme traf ihn unvermittelt. Er hatte Elisa von Graberg nicht kommen sehen und wusste darum nicht, wie lange sie schon hinter ihm stand. Nun trat sie ebenfalls an die Reling. Ihr Griff umklammerte das Geländer, als ihr Blick nach unten auf das Wasser glitt, das dunkel und unergründlich tief wirkte. Nur dort, wo das Schiff es durchschnitt, spritzte weiß die Gischt.

»Du bist vorhin so schnell verschwunden«, setzte sie an. »Es blieb gar keine Zeit, noch etwas zu sagen. Ich wusste auch nicht, ob ihr überhaupt …«

Sie sprach zögerlich, schien sich nicht sicher, ob sie das vertrauliche Du gebrauchen durfte. Erst jetzt ging ihm auf, dass er sich ihr gar nicht vorgestellt hatte.

»Wo ist dein Bruder? Er heißt Poldi, nicht wahr?«

»Eigentlich ist er gar nicht mein Bruder: Das habe ich nur gesagt, um ihm zu helfen. Aber er heißt Poldi, ja.«

»Und ich Cornelius Suckow«, erwiderte er knapp.

Steif standen sie nebeneinander. Ihr Zopf hatte sich noch weiter aufgelöst. Wind zauste ihre Strähnen, riss sie senkrecht nach oben und peitschte sie danach in ihr Gesicht. Rasch griff sie danach, um sie wieder zu ordnen, doch die Meeresbrise erwies sich als ausdauernder, so dass sie es schließlich aufgab. In der frischen Luft glühten ihre Wangen, und das Licht, das langsam milder wurde und vom schrillen, stechenden Gelb zum warmen Rot verblasste, glänzte in ihren Augen.

Wie alt sie wohl sein mochte? Sechzehn, vielleicht siebzehn Jahre?

»Ihr seid also auf den Weg nach Chile … du und dein Onkel.«

Sie biss sich auf die Lippen, das Rot ihrer Wangen verstärkte sich. »Wie dumm, das zu sagen!«, brach es aus ihr heraus. »Wärt ihr denn auf der Hermann III., wenn ihr nicht nach Chile aufbrechen würdet?«

Sie schüttelte den Kopf, als wäre sie nicht zum ersten Mal erbost über die eigene Unbeherrschtheit, mit der die Worte über ihre Lippen sprudelten. Er lachte und fand es als einer, der stets jede Silbe abwägte, erfrischend.

»So ist es!«, rief er, und es klang ungewohnt befreit.

Kurz huschte ein Lächeln über ihre Lippen. »Wir werden zu den ersten Deutschen dort gehören, nicht wahr?«, meinte sie.

»Vor uns sind kaum ein Dutzend Schiffe nach Chile aufgebrochen.«

Sie sprach mit leisem Gruseln in der Stimme, doch in ihren Augen glänzte es noch stärker, als sie zu den Möwen blickte, die haarscharf am Wasser vorbeiflogen.

»Soweit ich weiß, haben noch nicht viele Auswanderer Chile als neue Heimat erwählt«, setzte er an. »Aber zuvor gab es immer wieder Männer unseres Volkes, die dorthin reisten. Im 16. Jahrhundert hat Kaiser Karl den Augsburger Fuggern das Land verliehen, auch wenn diese es nie für sich beanspruchten. Und wenig später sind zwei deutsche Abenteurer im Gefolge der spanischen Eroberer dorthin gereist. Bartholomäus Blümlein und Peter Lisperger. Sie haben Wein angebaut und Land erschlossen und schließlich eine Stadt gegründet. Viña del Mar.«

Er brach ab, weil er nicht wusste, ob sie das hören wollte, doch sie lauschte interessiert, wenngleich ein wenig verwirrt.

Plötzlich hörte er Matthias' spöttische Stimme in seinem Ohr: Du liest zu viel, Cornelius. Die Revolution muss man sich erkämpfen, nicht erlesen.

Aber das Lesen, hatte er dann geantwortet, ist die beste Waffe in diesem Kampf.

Matthias hatte dieser Kampf das Leben gekostet und ihn in gewisser Weise seine Bücher. Nur wenige hatte er mitgenommen, die meisten in der Bibliothek seines Onkels zurückgelassen, und das fremde Chile war zwar reich an fruchtbarem, noch unbesiedeltem Land, gewiss jedoch nicht reich an Büchern. Wieder dachte er an Matthias, und diesmal musste er lächeln. Wenn der den überstürzten Aufbruch vielleicht auch zur Flucht degradiert hätte, so hätte es ihm doch gefallen, dass der nachdenkliche, besonnene Freund einer Zukunft entgegenging, in der das Können von Bauern und Handwerkern gefragter war als sämtliche Studien der Welt.

Sein veränderter Gesichtsausdruck war Elisa von Graberg nicht entgangen. »Warum lächelst du?«, fragte sie.

»Es ist nichts«, sagte er rasch. »Ich dachte nur …«, er zögerte, verschwieg Matthias' Namen, um stattdessen fortzufahren: »Es gibt noch einen anderen Deutschen, der lange vor uns nach Chile aufgebrochen ist. Adalbert von Chamisso. Er hat den Süden bereist, und ich habe das Buch gelesen, in dem er darüber berichtet. Es scheint ein faszinierendes Land zu sein, mit zerklüfteten Bergen, wie wir sie nicht kennen, und türkisblauen Seen, Gletschern und Vulkanen, Urwäldern und Steppen, mit fremdartigen Tieren und Pflanzen.«

Der Wind hatte sich gedreht. Er blies ihr das Haar nicht mehr ins Gesicht, sondern fort davon.

Starr war ihr Blick nun auf den Hamburger Hafen gerichtet, der immer kleiner wurde.

»Wir werden lange keinen festen Boden mehr unter den Füßen haben.«

Er nickte. Auf der Reise über zwei Ozeane würden sie immer wieder Küsten zu sehen bekommen. Aber erst im Hafen von Corral würden sie diese wieder betreten.

»Hast du Angst?«, fragte er unvermittelt.

Die Türme der Sankt-Katharinen-Kirche und des Michels würden bald nicht größer sein als Bauklötze.

»Nein«, sagte sie entschieden. »Nein, ich habe keine Angst. Ich habe so lange auf diesen Moment gewartet.« Sie zögerte kurz, schien sich nicht sicher, ob sie ihm derart Vertrauliches sagen durfte, entschied sich aber dann doch dazu. »Meine Mutter ist letztes Jahr gestorben. Und mit ihren letzten Worten hat sie mir aufgetragen, dass ich aus Hessen weggehen solle. Deine Zukunft ist nicht hier, sagte sie. Deine Zukunft ist im fernen Chile.«

Ihr starrer Blick wurde versonnen. Wahrscheinlich sah sie ihre Mutter vor sich, und auch Cornelius dachte an die Menschen, die er zurückließ und die er wahrscheinlich nicht wiedersehen würde. Allerdings stiegen nur die feindseligen Gesichter seiner Verwandtschaft vor ihm auf, die ihn – von seinem Onkel ausgenommen – nie besser behandelt hatten als einen dahergelaufenen Pferdeknecht.

Da sah er plötzlich ein kleines Mädchen im schwindenden Hafen stehen. Mit seiner Mutter war es hierhergekommen, um die großen Schiffe und das Spektakel der Abreise zu bestaunen. Nicht größer als eine Hand wirkte es aus dieser Entfernung, und doch war ihm, er könnte das aufgeregte, lachende Gesicht genau erkennen.

Das Mädchen winkte ihnen zu, voller Hoffnung, voller Unschuld, als wäre es keine gefährliche Reise, zu der sie aufbrachen, sondern ein aufregender Ausflug, für den es ihnen alles Gute wünschen wollte. Er spürte eine Bewegung neben sich, bemerkte dann, dass auch Elisa das Mädchen gesehen hatte und nun gleichfalls die Hand hob, um ihm zuzuwinken.

Erstmals ließ sie das Geländer los, an das sie sich bis jetzt geklammert hatte, und als das Schiff sich etwas neigte, rutschte sie aus und drohte zu fallen.

Rasch griff Cornelius zu und packte sie an ihrer Hand, die warm war und seinen festen Griff erwiderte.

»Ich muss besser aufpassen!«, rief sie erschrocken.

Sie ließ ihn nicht mehr los. Hand in Hand standen sie, gaben sich gegenseitig Halt und hatten somit alle Freiheit, dem Mädchen zuzuwinken. Dieses lachte und jauchzte, bis nur mehr ein winziger Punkt von ihm zu sehen war, und schließlich war auch der vom Horizont verschwunden.

4. Kapitel

Das Deck war immer noch randvoll, als der Lotse, der im Hamburger Hafen mit an Bord gegangen war, das Schiff in die offene See führte. Als er es danach auf dem Lotsenkutter, der bis dahin neben der Hermann III. gesegelt war, wieder verließ, setzte lautes Rufen und Winken ein. Die Matrosen rannten schwitzend und rufend auf dem Deck hin und her, um – wie Elisa später erfuhr – die Segel so zu stellen, dass der Wind einen Teil von diesen von vorne, in die anderen wiederum von hinten blies, damit das Schiff kurze Zeit stillstand. Mit offenen Mündern starrten nun alle auf das winzige Boot, das – von zwei Matrosen gerudert – vom Kutter ausgesetzt wurde, um den Lotsen von Bord zu holen. Es wurde von riesigen Wellen hin und her geschleudert und drohte jeden Augenblick umzuschlagen.

Elisa schrie wie viele andere entsetzt auf; Poldi dagegen, der sich im Kreise seiner vielen Geschwister das Schauspiel nicht entgehen ließ, lachte laut. Wieder andere schlossen ganz nüchtern Wetten ab, ob das Boot das Schiff heil erreichen würde oder nicht – so wie in den nächsten Tagen auf so vieles Wetten abgeschlossen wurden, vor allem darüber, ob die Reise nur 100 Tage, wie erhofft, oder 150 Tage, wie befürchtet, dauern würde.

Das Boot legte schließlich an der Seite der Hermann III. an, nahm den Lotsen, der sich an einem Tau herunterließ, auf und wurde sicher zum Kutter gerudert. Erneut rannten nun die Matrosen hin und her, verbissen die einen, fluchend andere, um die Segel neu zu stellen. Alsbald wurden sie vom Wind gebläht, und das Schiff legte an Tempo zu.

Langsam begann sich das Deck zu leeren; in der einsetzenden Dämmerung blies der Wind immer schärfer, schien das Meer immer abgründiger und schwärzer. Schließlich verstummten auch die Möwen, die zum Land zurückflogen. Elisa folgte Cornelius ins Innere; Schweigen hatte sich über sie gesenkt, nachdem er vorhin ihre Hand losgelassen hatte, und auch jetzt nickte er ihr nur kurz, wenngleich lächelnd zu, als sie vor der Kabine, die er mit seinem Onkel teilte, voneinander schieden. Elisa erwiderte das Lächeln schüchtern und mit leisem Bedauern, dass sie nun von ihm gehen musste – doch dann tröstete sie sich, dass sie noch viel Zeit miteinander verbringen würden, und beeilte sich, in die eigene Kajüte zu kommen.

In den ersten Tagen ihrer Reise ließ die Erregung über den Aufbruch ebenso nach wie der Schmerz über den Abschied, den die meisten von ihnen wohl für immer von der Heimat genommen hatten. Was zunächst neu und fremd war, gehörte alsbald zum Gleichmaß des Schiffsalltags. Nie wieder war das Deck so voll wie am ersten Tag, und was man anfangs noch ausführlich diskutierte und betuschelte, wurde schließlich zur Gewohnheit.

Elisa lernte damit zu leben, beim Schlafen fortwährend hin und her zu rollen und am Morgen ganz schwindelig aufzuwachen. Sie kämpfte gegen das wackelige Gefühl in ihren Beinen an und versuchte, sich ihre Laune nicht verderben zu lassen, weil sich ihr Magen in der ersten Woche so flau anfühlte, als hätte sie etwas Verdorbenes gegessen. Immerhin nahm ihre Übelkeit nicht gleiche Ausmaße an wie bei Annelie, die sich, sobald das Schiff die hohe See erreicht hatte, fortwährend übergab und jeden Bissen verweigerte. Hilflos starrte Richard auf seine junge Frau hinab, die leichenblass in der Koje lag. Elisa hingegen gab vor, dass sie deren Elend nicht bemerkte, obwohl sie sich insgeheim des Mitleids nicht erwehren konnte. Sie wünschte Annelie aufrichtig, dass sie endlich wieder etwas zu sich nehmen konnte, zumal die Mahlzeiten viel besser waren als erwartet.

Noch am Abend, nachdem das Schiff ablegt hatte, wurden sie zum ersten Mal vom schrankförmigen Steward abgeholt und in den Speiseraum geführt, wo sich – wie fortan jeden Tag zum Frühstück, Mittagessen und Nachtmahl – die Passagiere der ersten und zweiten Klasse versammelten. Es gab stets Fleisch, erstaunlich weiches Brot und starken Wein, der für Elisa auf Wunsch ihres Vaters mit Wasser vermischt wurde. Am dritten Tag ihrer Reise wurden außerdem frische Schellfische, Meerzunge und Butte in einer kräftigen Pfeffersauce serviert: Man hatte sie einem belgischen Fischerboot abgekauft – ein Matrose, so wurde grinsend erzählt, sei fast über die Reling gefallen, als er den Korb entgegengenommen hatte –, und das saftige, weiße Fleisch der Fische war so weich, dass es förmlich auf der Zunge zerging.

»Nun gut, man kann es essen«, hörte Elisa eine vertraute Stimme hinter sich. Als sie herumfuhr, sah sie, dass erstmals auch Pastor Suckow mit seinem Neffen in den Speisesaal gekommen war, anstatt sich die Mahlzeiten in die Kajüten bringen zu lassen wie bisher. Cornelius zwinkerte ihr vertraulich zu, und als sie den Blick erwiderte und zurücklächelte, hatte sie plötzlich ein flaues Gefühl im Magen – diesmal nicht vor Übelkeit, sondern von der Aufregung, die von ihr Besitz ergriff und die sie sich nicht genau erklären konnte. Sie fühlte, wie ihr glühende Röte ins Gesicht stieg, und beugte sich rasch wieder über den Teller. Sie waren beim Dessert angekommen – gekochte Catherinenpflaumen, zu denen ein Glas Portwein aus Madeira gereicht wurde – als Cornelius den Pastor aus dem Speisesaal lotste und dabei wie zufällig an ihrem Tisch vorbeikam.

»Sieh nur, Onkel Zacharias! Das ist Elisa von Graberg, die du gerettet hast.«

»Gerettet, wovor?«, fragte ihr Vater verwirrt, dem sie verschwiegen hatte, was sie im Hamburger Hafen erlebt hatte.

»Vor den Fängen des Teufels sozusagen«, bekannte Zacharias ernsthaft, um sich Richard von Graberg zunächst wortgewaltig vorzustellen und dann zu beteuern, wie sehr er sich freue, die Bekanntschaft von Landsleuten zu machen. In der wilden Fremde, wo ihnen ein entbehrungsreiches Leben bevorstünde – sehnsüchtig ging sein Blick bei diesen Worten zu den Catherinenpflaumen –, müssten sie schließlich zusammenhalten. Ehe Richard etwas erwidern konnte, fuhr ein Ruck durch das Schiff; es neigte sich leicht, und Zacharias fiel fast über den Tisch. »Herrgott, ich wusste es, wir gehen unter!«

»Ach was!«, lachte Cornelius, der geistesgegenwärtig nach einem Portweinglas gegriffen hatte, das umzufallen drohte. »Wir gehen nicht unter, sondern besser zurück in die Kajüte.«

In den nächsten Tagen saßen die von Grabergs und die Suckows manchmal nebeneinander. Hatte der Steward ihnen anfangs noch feste Plätze an den länglichen Tischen, die wie die Bänke am Boden festgenagelt waren, zugewiesen, wählten sich die Passagiere alsbald selbst die Leute, mit denen sie während der Mahlzeiten am liebsten plauderten.

Wenn er nicht gerade in Panik verfiel, dass das Schiff sank, sprach Pastor Zacharias vor allem über das Essen. Dass es nach wie vor vorzüglich blieb, war ihm kein Trost: Nach den frischen Fischen war Ochsenfleisch serviert worden, Zunge und Beefsteak – Letzteres auch zum Frühstück, zu dem es neben Brot und Butter täglich frische Eier gab.

»Wir werden uns daran gewöhnen!«, rief Zacharias. »Und

wenn dann der Proviant ausgeht, wird es umso bitterer sein zu darben.«

Niemand konnte ihm diese Sorge nehmen, und nachdem man ihm anfangs noch beherzt widersprochen hatte, waren bald alle nicht minder an seine Klagen gewöhnt wie an das stete Schaukeln des Schiffs, so dass sie unbeachtet blieben. Sosehr Elisa sich heimlich über den ängstlichen Pastor amüsierte – so sehr bedauerte sie es auch, dass er nie von der Seite seines Neffen wich. In seiner Gegenwart war Cornelius zwar stets höflich, aber zurückhaltend, und sie fragte sich insgeheim, ob sie jemals wieder unter vier Augen miteinander reden würden wie an dem Tag, da sie Hand in Hand an der Reling gestanden waren und Abschied von Hamburg genommen hatten.

Diese Art von Zurückhaltung kannten die Steiner-Kinder nicht. In den ersten, meist sonnigen Tagen verbrachte Elisa viel Zeit mit ihnen auf dem Deck. Sie selbst versuchte, der seekranken Annelie und dem ständig besorgten Vater aus dem Weg zu gehen, Poldi, Fritz, Lukas und ihre jüngeren Schwester der Enge des Zwischendecks zu entfliehen, wo sich der Alltag – in viel trüberem Licht, größerer Enge und fehlender Privatheit – mühseliger gestaltete als in den Kajüten der ersten und zweiten Klasse.

In grässlichen Farben malten sie ihre täglichen Mahlzeiten aus, und als sie merkten, dass Elisa ein schlechtes Gewissen bekam, weil die eigene Kost so viel besser ausfiel, machte sich insbesondere Poldi den Spaß, sein Grauen mit Würgen und Schlucken und Husten und gespielten Krämpfen darzustellen.

»Du kannst dir nicht vorstellen, wie unser Kaffee aussieht, Elisa! Eigentlich ist das gar kein Kaffee, sondern ein bräunliches, übelriechendes Gesöff. Das sieht ein bisschen so aus, als hätte man es bei den Aborten abgeschöpft, und …«

»Poldi!«, rief Fritz dazwischen. Er war stets darum bemüht, die jüngeren Geschwister im Zaum zu halten. Bei einem eher stillen Bruder wie Lukas gelang ihm das gut – mitnichten aber bei Poldi.

»Ich sag doch nur, wie es ist!«, rief Poldi, um sich dann wortgewaltig dem Schiffszwieback zu widmen. »Eine bimssteinartige Masse ist das, die man in heißes Wasser tauchen muss, damit man sie überhaupt kauen kann. Und die Butter, die man darauf streicht, war vom ersten Tag an ranzig.«

Elisa verzog angewidert ihr Gesicht.

»Und das Ochsenfleisch ist völlig versalzen«, fuhr Poldi grinsend fort. »Trotzdem ist es schade, dass wir nicht mehr davon bekommen, dann wären wir endlich einmal satt. Stell dir vor, Elisa: Jeweils ein Steward gibt am Sonnabend die Ration an die einzelnen Familien aus. Für eine ganze Woche muss die dann reichen. Und wir haben ausgerechnet den geizigsten Steward zugeteilt bekommen und kriegen immer am wenigsten.«

»Jetzt übertreib mal nicht«, schaltete sich Fritz wieder ein, »gestern am Sonntag gab es immerhin Schiffspudding.«

»Schiffspudding!«, rief nun die jüngste Steiner-Tochter, die Fritz auf dem Arm trug und die zwar Katharina hieß, aber von allen nur »das Katherl« genannt wurde.

Sie mochte ungern gehen, sondern ließ sich entweder von den Brüdern oder von ihrer Schwester Magdalena tragen, die – wenn sie nicht gerade mit den Geschwistern stritt – immer ein wenig verträumt vor sich hin blickte. Christl dagegen, das älteste Mädchen und nur einen halben Kopf kleiner als Poldi, starrte meist auf Elisas Kleid, das aus viel feinerem Stoff gemacht war als der graue Lumpen, den sie trug. Einmal, als sie dachte, dass Elisa es nicht bemerkte, hatte sie über den Stoff gestrichen – halb ehrfürchtig, halb neidisch.

»Was ist Schiffspudding?«, fragte Elisa.

»Wir mussten ihn selbst zubereiten!«, rief Poldi.

»Na, na«, schaltete sich Christl ein. »Du hast gar nichts zubereitet! Du bist nur danebengestanden und hast gewartet, bis du deinen Anteil kriegst. Wir hingegen – Magdalena und ich – hatten all die Arbeit.«

»Ihr habt mich nur nicht gelassen.«

»Aus gutem Grund!«

»Pah! Wenn ich wollte, könnte ich ihn genauso gut zubereiten wie ihr. Also: Man muss Mehl und Pflaumen mit Butter ankneten …«

»Unsinn!«, schaltete sich Christl wieder ein. »Die Pflaumen kommen erst später dazu; zuerst muss man die Butter weich rühren.«

»Ist doch gleich, in welcher Reihenfolge man alles zusammenmischt. Hauptsache, viele Pflaumen sind dabei! Und natürlich auch Rum. Der fertige Teig wird in einen Sack gegeben und dieser zugebunden. Wie eine riesengroße Wurst sieht das aus. Und wenn diese Wurst lange genug im siedenden Wasser gelegen ist, so wird sie aufgeschnitten, in Scheiben geschnitten und der Pudding mit Sirup übergossen. Eine ganze Flasche von diesem Sirup haben wir bekommen!«

»Hast du nicht eben erzählt, dass euer Steward der geizigste sei und ihr von allem immer viel zu wenig kriegt?«, fragte Elisa zweifelnd.

Fritz verdrehte seine Augen und nickte, aber Poldi rief begeistert: »Köstlich schmeckt das!«

»Köstlich!«, rief das kleine Katherl dazwischen und lachte.

Poldi indes wechselte erneut das Thema.

»Stell dir vor, Elisa, die Kinder vom Mielhahn trauen sich nicht aufs Deck. Sie liegen den ganzen Tag in ihrer Koje und tun so, als würden sie schlafen.«

Elisa blickte sich um und sah tatsächlich weit und breit nichts von den blonden, schmalen Wesen, die sich am Hamburger Hafen ängstlich an ihre nicht minder ängstliche Mutter festgeklammert hatten.

»Viktor heißt der Knabe«, raunte Poldi ihr zu, ehe sie danach fragen konnte, »und Margareta das Mädchen, aber alle rufen sie Greta.« Er kicherte spöttisch. »Feiglinge! Alle beide!«, fügte er hinzu.

»Na, na«, schaltete sich Fritz abermals ein. »Du weißt nicht, ob sie sich nicht trauen oder einfach nicht dürfen, weil es ihnen Lambert Mielhahn verbietet.«

Poldi achtete nicht auf den Einspruch. »Aber am merkwürdigsten ist diese Frau Eiderstett. Sie liest den ganzen Tag in einem Buch und ist tatsächlich ohne Mann und ohne Kinder unterwegs!«

»Ohne Mann und ohne Kinder!«, äffte Katherl ihn nach und lachte, ohne den Sinn dieser Worte zu verstehen.

Christl zwickte sie in ihren nackten Fuß. »Nun sei doch still«, schimpfte sie, woraufhin die Kleine nicht länger lachte, sondern weinte und Fritz Christl rügte und diese schmollte.

Poldi achtete nicht darauf, erzählte vielmehr nun ausschweifend – ob Elisa es nun hören wollte oder nicht –, wie sich die seekranken Menschen im Zwischendeck erbrachen, einer von ihnen in seinen Nachttopf, und ebendieser Nachttopf sei heute Morgen zufällig vor Lambert Mielhahns Koje gerutscht und der hineingestiegen. Lambert Mielhahn hätte sich zunächst furchtbar geekelt und dann lauthals nach dem Schuldigen geschrien, doch natürlich hatte sich niemand gemeldet.

»Geschah ihm recht!«, schloss Poldi.

Katherl hatte zu weinen aufgehört und Christl zu schmollen, und beide schmückten diese Geschichte, die sie von allen am meisten zu faszinieren schien, lautstark aus.

So wild gingen ihre Worte durcheinander, dass Elisa kein einziges mehr davon verstehen konnte und lachen musste. Mit dieser lebhaften Schar an der Seite würde ihr auch auf einer so langen und eintönigen Reise, wie sie ihnen bevorstand, ganz gewiss nie langweilig werden.

Eines Morgens, kaum eine Woche war seit dem Aufbruch vergangen, klopfte es an der Tür. Es klang so leise, dass Elisa kurz glaubte, sie habe sich getäuscht. Sie richtete sich auf und warf einen Blick auf Richard und Annelie. Ihr Vater war nicht aufgewacht, sondern schlief tief und fest. Eine Falte hatte sich in seiner Stirn eingegraben. Seine Sorgen verfolgten ihn offenbar bis in den Traum. Annelie lag zusammengerollt wie eine Katze da. Hastig streifte Elisa ihre Nachthaube ab und zog sich einen Umhang über – wie alle anderen Passagiere schlief sie in ihrer Kleidung.

Wieder klopfte es, und diesmal raunte eine Stimme: »Elisa …«

Ihr Herz tat einen freudigen Satz, als sie sie erkannte.

Nachdem sie leise die Tür geöffnet hatte, war es tatsächlich Cornelius, der vor ihr stand. Seine Augen waren noch etwas verquollen vom Schlaf, sein Haar ungewohnt verstrubbelt, aber seine Stimme klang aufgeregt. »Komm … komm schnell, das musst du dir anschauen!«

Sie schloss die Tür und hastete mit ihm aufs Deck. Die frische Morgenluft, die sie traf, machte sie rasch richtig wach. Der Zopf, den sie unter der Nachthaube getragen hatte, löste sich auf, und die Strähnen tanzten ihr in das Gesicht.

»Schau nur!«, rief er, als sie die Reling erreicht hatten, und deutete Richtung Norden.

Elisa stand und starrte. »Wie schön!«, entfuhr es ihr ehrfürchtig.

Gestern Abend hatten sie den Kanal passiert: Zunächst waren

85

sie nahe genug an Frankreich vorbeigekommen, um in der Ferne das Lichtermeer von Calais und dessen berühmte Türme sehen zu können. Danach dauerte es nicht lange, bis sich rechts die englische Küste zeigte und die beiden Leuchttürme von Dover sichtbar wurden. Ausführlich hatte der Steward beim Abendessen davon berichtet, dass dies der Lieblingsort von Königin Victoria sei.

Später war es zu finster gewesen, um mehr von England zu sehen, nun aber trat aus dem Morgennebel eine schroffe Küstenlandschaft hervor, strahlend weiß und derart funkelnd, dass es in den Augen schmerzte.

»Wie schön!«, rief Elisa wieder. »Es hat geschneit!« Prüfend hob sie ihre Nase; die Morgenbrise war zwar frisch, aber nicht beißend. »Merkwürdig! Es ist doch gar nicht kalt genug für Schnee.«

Cornelius lächelte. »Das ist auch kein Schnee, das ist Kreide. Deswegen heißt die Küste Kreideküste.«

Elisas Wangen wurden glühend rot vor Scham über ihre Unwissenheit. Argwöhnisch drehte sie sich um, um zu sehen, ob noch jemand ihren peinlichen Irrtum vernommen hatte, doch das Deck war ziemlich leer. Einige Männer waren damit beschäftigt, es zu kehren und Taue einzuziehen. Sie gehörten nicht zur Schiffsmannschaft, sondern waren Passagiere, die nicht genügend Geld für die Überfahrt hatten und sie sich mit Aushilfsarbeiten verdienten. Nicht weit von ihnen lagen dick in Decken vermummt ein paar junge Frauen – Mägde, die in der Küche arbeiteten und die lieber im Freien froren, als die üblen Gerüche im Orlopdeck, wo sie untergebracht waren, hinzunehmen.

»Wenn ich es nicht anders gelesen hätte, ich hätte es auch für Schnee gehalten!«, sagte Cornelius schnell. »Und was glaubst du, was mein Onkel bei diesem Augenblick ausgerufen hätte?

Wahrscheinlich hätte er die Hände über den Kopf zusammengeschlagen und laut über schlimme Schneestürme geklagt, die nun zu befürchten seien, oder über riesige Eisberge, die alsbald vor uns aufragen und das Schiff aufschlitzen.«

Sie wusste nicht, ob er das nur sagte, um ihre Verlegenheit zu mindern, oder ob er es ernst meinte, aber sie fühlte sich befreit genug, um aufzulachen.

Nicht lange, und er stimmte in ihr Lachen ein, für eine kurze Weile zumindest, dann presste er abrupt die Lippen aufeinander.

»Ich habe lange nicht mehr gelacht.« Er klang nun nicht mehr belustigt, sondern traurig.

Sie wandte sich zu ihm, während sie ihre Haare zu bändigen versuchte, und betrachtete sein Gesicht. Wie bei ihrer ersten Begegnung fielen ihr die Ebenmäßigkeit und die Feinheit seiner Züge auf, vor allem der warme Blick seiner braunen Augen, der zugleich irgendwie erloschen wirkte.

»Warum nicht?«, fragte sie.

Er zögerte, schien damit zu ringen, es ihr anzuvertrauen. »Ich habe einen Freund verloren«, brach es schließlich aus ihm hervor. »Einen guten Freund – er hieß Matthias. Er ist viel zu früh gestorben, und viel zu grausam …« Er schüttelte den Kopf, als könne er auf diese Weise die schmerzvollen Erinnerungen loswerden, die in ihm hochstiegen. »Und es gab so vieles, was ich tun wollte, aber nicht tun konnte, weil ich …«

Er brach ab, senkte rasch seinen Blick. Es lag ihr auf der Zunge, nachzubohren und Sinn in die wirren Andeutungen zu bringen. Doch sie verkniff es sich, ihn zu bedrängen. Wenn sie sich erst länger kannten, dann würde er sich ihr noch anvertrauen – und hier auf dem Schiff würden sie für lange Zeit auf engstem Raum zusammenleben. Sie blickte wieder auf die Kreideküste. Der Morgennebel hatte sich gelichtet; noch schroffer, noch hoheitsvoller hoben sich die weißen Klippen vom dunklen Meer und dem blauen Himmel ab. Die Kreide glitzerte, als hätte man Juwelen über der Küste verstreut. Schwarze Vögel flogen durch die klare Luft. Der Anblick war so schön, so unglaublich schön, dass er beinahe weh tat. Cornelius schien Ähnliches zu fühlen. Er sagte nun nichts mehr, ergriff nur schweigend ihre Hand, so wie an dem Tag der Abreise. Der melancholische Ausdruck war nicht ganz von seinem Gesicht verschwunden, aber in seinen Augen schien sich der Glanz der Küste zu spiegeln.

Elisa drückte seine Hand; jenes flaue Gefühl, das sie so oft überkam, wenn sie ihn sah und er lächelte, überkam sie auch jetzt, doch diesmal flatterte es nicht unangenehm in ihrem Bauch, sondern verwandelte sich rasch in wohlige Wärme. Sie hatte das Gefühl, stundenlang so stehen zu können, sich ihm vertraut und nah zu fühlen, ganz ohne weitere Worte. Seit dem Tod ihrer Mutter hatte sie sich nicht mehr so glücklich und so geborgen gefühlt.

Immer wieder sahen sie im Laufe des Tages die englische Küste – gegen Abend lag die Insel Wight mit ihren steilen Klippen in ganzer Länge vor ihnen. Wieder gab es am Abend frischen Fisch zu essen – englischen Fischern abgekauft, die mit ihren Booten zur Hermann III. segelten.

Am nächsten Tag stand der Wind so günstig wie noch nie. Das Schiff nahm an Tempo zu, lief zehn bis zwölf deutsche Meilen in vier Stunden und ließ rasch den Kanal hinter sich. Kein Land war nun mehr zu sehen, und auf dem offenen Ozean erwartete sie eine unruhige See.

Selbst jene Passagiere, die bislang von der Seekrankheit verschont geblieben waren, kämpften nun mit Übelkeit.

Elisa musste sich zwar nicht erbrechen, konnte jedoch nicht einmal ans Essen denken; mehrere Stunden blieb sie mit flauem Gefühl im Magen in der Koje liegen – bis sie in der Kajüte schließlich zu ersticken glaubte. Kaum war sie an Deck gewankt, schnappte sie nach frischer Luft wie eine Ertrinkende. Die Übelkeit ließ etwas nach, doch aus dem Druck auf den Schläfen wurden Kopfschmerzen. Schaudernd blickte sie auf die dunklen Fluten, die sie umgaben. Weiß spritzte die Gischt hoch, wo der Bug des Schiffs das schwarze Wasser zerriss. Zum ersten Mal machte ihr das weite Meer Angst, gab ihr das Gefühl, ganz allein auf dieser Welt und einem wankelmütigen Schicksal ausgeliefert zu sein, das ihnen an einem Tag eine glatte, liebliche See schenken konnte, am anderen aber grauenhafte Stürme, aus denen sie womöglich nicht lebend hervorgehen würden.

Suchend blickte sie sich nach Cornelius um, doch er kam heute nicht an Deck; wahrscheinlich musste er dem leidenden Onkel beistehen.

Nur Poldi leistete ihr für kurze Zeit Gesellschaft. Obwohl auch er ziemlich grün im Gesicht war, erzählte er ihr sensationslüstern das Neueste. Jemand hätte sich im Zwischendeck erbrochen, und weil ausgerechnet in diesem Augenblick das Schiff in Schräglage geraten sei, sei das Erbrochene durch den Raum geschaukelt wie ein Pfannkuchen.

Nur mühsam rang Elisa sich ein Lächeln ab.

Fritz, der dem jüngeren Bruder gefolgt war, entging das nicht. »Lass Elisa ihn Ruhe!«, mäßigte er Poldi. »Und außerdem: Mutter möchte nicht, dass du bei dieser unruhigen See an Deck bist. Du sollst wieder runterkommen.«

Eine Weile zögerte Poldi es hinaus, dann fügte er sich widerstrebend.

Der Nieselregen, der bald darauf einsetzte, trieb auch Elisa wieder hinein. Von dem unruhigen Schaukeln wurde sie im Gang hin und her geworfen.

»Geben Sie acht, Fräulein!«, rief ihr der schrankförmige Steward lächelnd zu; die stürmische See machte ihm nichts aus, im Gegenteil, er schien geradezu aufzublühen.

Endlich hatte sie ihre Kabine erreicht. Sie wartete einen Moment ab, bis das Schiff halbwegs ruhig über das Wasser glitt, dann riss sie die Tür auf.

»Es hat zu regnen begonnen und …«, setzte sie zu berichten an, brach jedoch unvermittelt ab. Sie riss die Augen auf, erstarrte. Die Übelkeit, die wieder in ihr hochgestiegen war, schwand augenblicklich. Etwas anderes ballte sich in ihrem Magen zusammen – Verwunderung, Erschrecken zunächst, dann Zorn und Eifersucht.

»Nein!«, stammelte sie.

Richard war herumgefahren, aber ihn bemerkte sie gar nicht. Ihr Blick war starr auf Annelie gerichtet. Bis jetzt hatte diese stets sämtliche Kleider getragen. Nun war sie offenbar dabei, ihre Wäsche zu wechseln. Nur ein Mieder trug sie – und durch dieses zeichnete sich das runde Bäuchlein ganz deutlich ab.

»Nein!«

Diesmal schrie Elisa es nicht, sondern hauchte es nur.

Annelie war schwanger.

Eine Weile starrte sie sie nur schweigend an. Dann wich Elisa zurück und flüchtete aus dem engen Raum.

»Elisa!«

Sie war bereits die Hälfte des Ganges entlanggelaufen, als der Vater ihr nachgeeilt kam. Kurz dachte sie daran, ihn einfach zu missachten und weiterzulaufen, doch dann keimte Hoffnung auf klärende Worte auf, eine Hoffnung wider besseres Wissen: dass er Annelie nur aus Mitleid geheiratet hatte, aber nicht, weil er unbedingt einen Sohn wollte. Dass es nichts gab, was ihm fehlte, wo er doch so stolz auf seine Tochter war. Dass er sich insgeheim schämte, so früh nach dem Tod ihrer Mutter wieder geheiratet zu haben.

Doch nichts davon kam, nur ein zögerliches, unsicheres: »Jetzt weißt du es.«

Elisa war stehen geblieben und drehte sich langsam zu ihm um. Er hielt seinen Kopf gesenkt. »Ich wollte es dir schon früher sagen. Aber es bot sich keine Gelegenheit. Ich hatte befürchtet, du würdest dir Sorgen machen …«

Etwa um Annelie?

Elisa lachte bitter auf – verlachte nicht nur ihn, vor allem sich selbst. Wie naiv musste sie gewesen sein, nicht mit dergleichen zu rechnen! Schließlich war Annelie eine junge und gesunde Frau, wenn auch nicht sonderlich kräftig. Doch Elisa hatte sich nicht gegen das gewappnet, was ihr jetzt nicht als Lauf der Natur erschien, sondern als schlimmste Beleidigung, ja Affront gegen ihre verstorbene Mutter!

Richard hob zögerlich seinen Kopf. »Annelie fühlt sich nicht wohl. Ich weiß nicht, ob es an dem Kind liegt oder an der unruhigen See. Ich wollte gerade den Schiffsarzt holen, aber … aber es ist wohl besser, dass sie nicht allein bleibt. Tust du es für mich? Bittest du ihn, zu uns zu kommen?« Er hielt inne, schien erst jetzt zu bemerken, dass sie mit den Zähnen knirschte und die Hände aneinanderrieb. »Elisa, was hast du denn?«

Dass er erst verspätet bemerkte, was sie fühlte, ließ sie endgültig die Fassung verlieren.

»Mutter ist noch nicht einmal ein Jahr tot!«, brach es aus ihr hervor.

Er zuckte zurück, nicht nur von den Worten getroffen, sondern auch von ihrer Unbeherrschtheit.

»Aber Elisa … Das Leben geht weiter, für mich, für dich, für uns alle. Deine Mutter hätte das so gewollt. Und dass wir nach Chile gehen ... das war doch auch ihr Entschluss ... vor allem ihrer ...«

Ja eben!, wollte Elisa schreien. Und darum sollte jetzt sie auf dem Schiff sein, nicht Annelie! Doch anders als vorhin brachte sie keinen Ton mehr hervor.

»Hol den Arzt«, wiederholte Richard; er klang nicht streng, eher nörgelnd. »Sie braucht jetzt unsere Unterstützung. Auch deine, Elisa.«

»Es war nicht meine Entscheidung, dass sie ein Kind bekommt«, entfuhr es ihr. »Soll sie doch ...«

Sie biss sich auf die Lippen, ehe sie den Satz zu Ende brachte; sie wusste nicht, was sie gesagt hätte – wahrscheinlich etwas Bitterböses, Kränkendes, etwas, was sie nicht einfach wieder hätte zurücknehmen können.

Richard tat, als hätte er ihre Worte nicht gehört. »Jetzt geh!«, sagte er ungeduldig.

Seine Miene, ansonsten nachdenklich und zögernd, wurde schroff. Sie glaubte die Kälte zu spüren, die von ihm ausging; vielleicht aber war es die eigene, die sich in ihr ausbreitete. Sie biss sich abermals auf die Lippen, um nicht zu weinen, trotzdem konnte sie die Tränen nicht zurückhalten. Kaum hatte sie sich umgedreht, quollen sie ihr aus den Augen. Blind vor Trauer um ihre Mutter, vor Wut auf Annelie und vor Enttäuschung über ihren Vater, lief sie fort.

5. Kapitel

Es gab gute Tage, und es gab schlechte, und meist entschied es sich schon am Morgen, welcher bevorstand. Sobald Greta Mielhahn die Augen aufschlug und sich aufrichtete, warf sie einen ersten Blick auf die Miene ihres Vaters und versuchte, darin zu lesen, wie er gelaunt war.

Sie hatte gelernt, auf sämtliche Kleinigkeiten zu achten. Nichts entging ihr: weder die gerunzelte Stirn noch der verkniffene Mund, weder der Blick, der manchmal starr, manchmal fahrig geriet, noch die Stimmlage, entweder bedrohlich heiser oder vor lauter Schreien kieksend. An guten Tagen war das Gesicht von Lambert Mielhahn eine ausdruckslose Maske; an schlechten waren seine Mundwinkel nach unten gezerrt, und auf seinen Schläfen pochte eine Ader. Ein besonders schlimmes Zeichen war es, wenn er über seinen Bruder sprach. Sobald auch nur dessen Name fiel, duckte sich Greta.

Seit Beginn der Reise hatte er ihn Gott sei Dank noch nie erwähnt, doch heute fühlte sich der Vater sichtlich unwohl. Sein Gesicht war nicht nur blass, sondern glänzte grünlich; auf seiner Stirn stand Schweiß, und als er morgens den Abort aufgesucht hatte – so verkündete er es eben klagend –, hatte er sich übergeben müssen. Die unruhige See wäre daran schuld, der Kapitän, der das Schiff nicht anständig zu steuern wüsste, vor allem aber Gustav. Nur seinetwegen hätte er diese verfluchte Reise überhaupt antreten müssen! Als er den Namen aussprach, setzte er eine Grimasse auf, als habe er ein Stück vergiftetes Essen zu sich genommen.

Greta spürte, wie ihre Mutter zusammenzuckte. Nie sprach Lambert Mielhahn von seinem Bruder Gustav, ohne dass er unendlich zornig war. Nun, eigentlich war er immer zornig; Hader, Neid und Verbitterung saßen stets auf seinen Schultern. Aber wenn es um Gustav ging, so verlangten diese Gefühle augenblicklich nach einem Opfer, auf das er sie abladen konnte.

Greta spürte ihre Mutter nicht nur zusammenzucken, sondern auch unmerklich von ihr abrücken. Wenn es galt, die kalte Wut von Mann und Vater zu erdulden, kämpfte jeder in der Familie für sich allein. Nie hatte sich Emma Mielhahn schützend vor Greta oder ihren Bruder Viktor gestellt. Und umgekehrt wussten sich die Kinder immer schnell zu verstecken, wenn es die Mutter traf.

Greta blickte sich unauffällig im Zwischendeck um. Ihr Vater würde sich nicht gehen lassen, wenn er sich beobachtet fühlte, doch er war nicht der Einzige, der heute an Seekrankheit litt. Die meisten wanden sich stöhnend auf ihren Kojen, vom eigenen Elend zu sehr gefangen, um das eines anderen auch nur zu bemerken. Die sonderliche Juliane Eiderstett war zwar nicht grün im Gesicht und hatte mit gutem Appetit ihr Frühstück verspeist, doch nun las sie konzentriert in ihrem Buch, und Greta hatte keine große Hoffnung, dass sie die Lektüre unterbrechen würde, falls ihr Vater zu toben begänne. Frau Eiderstett hatte am ersten Tag auf dem Schiff zwar dem Vater getrotzt – aber damals war es immerhin um die Koje, folglich um ihre eigene Angelegenheit gegangen.

»Alles nur seinetwegen!«, schrie Lambert auf. »Alles nur seinetwegen!«

Greta blickte starr auf ihre Hände. Diese Worte hatte sie oft gehört, aber sie hatte lange gebraucht, um zu verstehen, womit der Onkel ihren Vater so erzürnt hatte. Offenbar ging es um den Landbesitz des Großvaters, zu dem nicht nur ein prächtiges Anwesen gehörte, sondern viele Wälder. Gustav war der Erbe, der »Alleinerbe«, wie Lambert ihn oft bitter titulierte, und sein spitzer Tonfall ließ keinen Zweifel offen, dass er ihn nicht für den rechtmäßigen hielt. Greta konnte sich kaum an das Gesicht ihres Onkels Gustav erinnern und noch weniger an das ihres Großvaters. Seit dessen Ableben und der ungerechten Verteilung seiner Besitztümer waren viele Jahre vergangen, doch Lamberts Wut über seine Zurückweisung vergällte unvermindert ihrer aller Leben. Wenn man ihn reden hörte, so konnte man meinen, er würde erst seit gestern darüber grollen, dass sein Bruder alles bekam, er hingegen in Armut leben musste – solch schlimmer Armut, dass er schließlich gezwungen war, seine Heimat zu verlassen.

Plötzlich ertönten trippelnde Schritte. Sie kamen nur zaghaft näher und führten doch unweigerlich zu ihrer Koje.

Nicht jetzt, versuchte Greta, ihren Bruder zu beschwören. Bitte nicht jetzt! Bleib fern!

Doch sie sagte es nicht laut – und Viktor reagierte nicht auf ihren stummen Befehl. Emma rückte noch weiter von Greta weg; sie hockte nun am Kopfende des Betts.

Warum hatte sie nicht besser auf Viktor aufgepasst? Warum hatte er sich überhaupt von ihrer Koje entfernt?, dachte Greta still. In ihrem Gesicht regte sich nichts, als sie mit aufgerissenen Augen auf Viktor starrte.

Und dann war es schon zu spät.

»Wo bist du gewesen?«, fauchte Lambert Viktor an.

Sag nichts!, dachte Greta.

»Bei den Steiner-Mädchen«, brach es aus Viktor hervor.

Dummkopf!, schimpfte Greta still. Weißt du nicht, was du anrichtest?

Manchmal konnte sie sich des Gefühls nicht erwehren, dass Viktor das alles mit Absicht tat, dass er wider besseres Wissen des Vaters Zorn heraufbeschwor und somit auch die Schläge, um wenigstens einen Funken Trotz zu wahren.

Sie hörte Emma schnaufen, aber ansonsten gab die Mutter keinen Ton von sich.

»Bei den Steiner-Mädchen, soso …« Der Vater erhob sich. »Und wie oft habe ich dir gesagt, dass wir mit dieser Brut nichts zu tun haben? Bist du etwa selbst ein Mädchen, weil du mit Mädchen spielst?«

Greta blickte sich erneut hilfesuchend um, aber wie befürchtet nahm niemand sie wahr. Frau Eiderstett las weiterhin seelenruhig in ihrem Buch.

Lauf weg, lauf weg! Versteck dich irgendwo! Vielleicht vergisst er es …

Doch inzwischen hatte der Vater Viktor gepackt. Greta schloss die Augen.

Trotz ihrer Furcht um den Bruder war sie irgendwie auch erleichtert, dass es ihn traf – nicht sie.

Elisa stolperte tränenblind durchs Schiff. Am liebsten hätte sie sich in irgendeinem dunklen Winkel verkrochen, um nie wieder zurück in die Kajüte zu gehen. Aber zum einen gab es nicht viele Plätze auf dem Schiff, wo sich keine Menschen tummelten und man unbeobachtet blieb; zum anderen wagte sie es nicht, den Befehl ihres Vaters, den Schiffsarzt zu holen, zu missachten. Es war das eine, Richard zu zürnen, aber etwas ganz anderes, sich ihm zu widersetzen. Ersteres war ein vertrautes Gefühl, Letzteres hatte sie noch nie gewagt.

So blieb sie stehen, atmete tief durch und fragte einen der Stewards, wo sie den Schiffsarzt finden würde.

»Zwischen den Kajüten der ersten und zweiten Klasse«, entgegnete er knapp. Sein Mund zuckte dabei irgendwie verächtlich – eine Regung, die sie sich nicht erklären konnte. Galt sie etwa ihren verweinten Augen?

Rasch wischte sie sich die Tränen von den Wangen und beeilte sich dann, zu dem gesuchten Raum zu kommen.

Zaghaft klopfte sie zunächst an die Tür; erst als keine Antwort kam, trommelte sie kräftiger auf das Holz. Immer noch tat sich nichts. Anstatt erneut zu klopfen, presste sie ihr Ohr an die Tür, und es war ihr, als würde sie ein Schnarchen vernehmen.

Wie merkwürdig! Ob es von einem Kranken stammte, der sich in einer der Kojen auskurierte? Erst jetzt fiel ihr auf, dass der Steward an ihrem ersten Tag auf dem Schiff zwar den Schiffsarzt erwähnt hatte, der ihre Reise begleiten würde, sie diesen aber seitdem nie zu Gesicht bekommen hatten. Kapitän, Steuermann und andere wichtige Stabsmitglieder hatten sich bei den Passagieren der ersten und zweiten Klasse vorgestellt – nicht aber der Mann, der für ihr aller Wohlbefinden Verantwortung trug. Sie kannte nicht einmal seinen Namen.

Als immer noch niemand auf ihr Klopfen reagierte, öffnete Elisa entschlossen die Tür – und wich entsetzt zurück. Der Raum war nicht sonderlich größer als ihre Kajüte; auf der einen Seite befand sich ein wurmstichiger Schrank aus dunklem Nussholz, auf der anderen waren drei Krankenkojen übereinander angebracht – nicht nur viel schmaler als ihre eigene Schlafstatt, sondern völlig verdreckt: Gelbliche und rötliche Flecken verunstalteten das weiße Leinen.

Gott sei Dank waren sie allesamt leer. Hier, so war Elisa sich gewiss, würde kein Kranker genesen. Aber der Zustand der Kojen war nicht das Schlimmste. Das Schlimmste war der Mann, der in der Mitte des Raums über einem Tisch gebeugt schlief. Seine fleckige Uniform, die ihm am Nacken zu eng war, und das klebrige Haar, das ihm über das aufgedunsene Gesicht fiel, verströmten einen üblen Geruch.

Elisa fühlte, wie etwas gegen ihre Füße stieß. Mit einem leisen Aufschrei fuhr sie zurück und erkannte eine leere Branntweinflasche, die offenbar vom Tisch gefallen war und nun über den Boden rollte, je nach Wellengang mal in die eine, mal in die andere Richtung.

Der Schiffsarzt war ein Trunkenbold!

Sie wollte keinen Augenblick länger in diesem dreckigen Loch verbringen und wich noch weiter zurück, doch in diesem Augenblick hörte sie neben dem Schnarchen des Schiffsarztes noch einen anderen Laut – viel heller, viel verzweifelter, viel eindringlicher. Es klang wie ein Schluchzen und kam von der Mitte des Raums. Sie trat auf den Tisch zu, beugte sich hinab. Was sie dort unter der runden Platte sah, erschreckte sie noch mehr als der üble Zustand der Kajüte und der betrunkene Schiffsarzt.

»Cornelius!«

Sie wusste nicht mehr genau, in welcher Kajüte er mit seinem Onkel untergebracht war. Also lief sie einfach den Gang auf und ab und rief mehrmals seinen Namen. Es war ihr niemand sonst eingefallen, an den sie sich hätte wenden können. »Cornelius! Cornelius!«

Es schien Ewigkeiten zu dauern, bis sich endlich eine der Kajütentüren öffnete und Pastor Zacharias Suckow seinen Kopf hervorstreckte. Er war nicht ganz so blass wie in den letzten Tagen und schien sich, entgegen seiner Klagen, an die unruhige See gewöhnt zu haben.

»Ach, das junge Fräulein, dessen Namen ich mir nicht merken kann, aber das ich aus tiefstem Höllenschlund gerettet habe!«, rief er aus. »Mein Neffe und ich spielen gerade eine

Partie Schach, oder besser gesagt: Wir würden spielen, wenn die Figuren nicht ständig verrutschten, was für ihn allerdings ein Vorteil ist, denn so kann er der See die Schuld geben, wenn er verliert, nicht mir. Ich würde freilich lieber beim Schach verlieren, als auf der See unterwegs sein, denn am Ende ist das Meer siegreicher als wir alle, bringt unseren armseligen Kahn zum Kentern wie eine Nussschale, und dann …«

Elisa stürzte auf ihn zu. »Ich … ich suche …«

Cornelius erschien hinter seinem Onkel. »Spielst du auch Schach, Elisa?«, fragte er belustigt.

»Cornelius, du musst sofort …«

Vor Aufregung versagte ihr die Stimme. Doch er sah an ihrer Miene, dass etwas Schlimmes passiert sein musste. Sein Onkel anscheinend auch, denn der stieß nun ein gequältes »Oje, oje, oje!« aus und verschwand rasch wieder im Inneren der Kajüte, ohne nachzufragen. Am liebsten war ihm wohl, gar nicht erst zu wissen, was sie so verstörte.

»Du musst mitkommen!«

Elisa drehte sich um und eilte zurück zum Krankenzimmer, erleichtert, dass Cornelius ihr augenblicklich folgte.

»Elisa, was ist denn?«

Sie musste ihm nichts sagen. Nachdem er den Raum betreten hatte, sah er selbst, was sie so erschreckt hatte.

Als sie wenig später ins Zwischendeck hinabstiegen, fochten Christine Steiner und Juliane Eiderstett gerade einen heftigen Streit aus. Frau Eiderstett kniete auf dem Boden und machte sich an irgendetwas zu schaffen; Christine stand, die Hände in den Hüften gestützt, daneben und blickte kopfschüttelnd auf sie herab. Ein ungewohntes Bild, denn bis jetzt, so hatten auch die Steiner-Kinder immer berichtet, zog die Mutter es vor, die sonderliche Frau Eiderstett zu missachten – auch wenn sie heimlich mit anderen Frauen darüber tuschelte, warum sie wohl allein reiste.

»So kann man kein Essen zubereiten!«, verkündete Christine eben verächtlich.

»Aber Sie sehen doch, dass ich es kann!«, gab Juliane zurück. Elisa trat näher und erkannte, dass Frau Eiderstett in einer Zinnschüssel verschiedene Zutaten verrührte, die sie offenbar als Ration zugeteilt bekommen und zu diesem Zweck angespart hatte. Mit einem Hirschfänger schnitt sie Speck klein; darunter mischte sie zerstoßenen Schiffszwieback, und schließlich kamen zwei Eier hinzu. Das Ganze ergab eine halbwegs feste Masse, die sich zu Fladen formen ließ.

»Das werden Frikadellen!«, erklärte sie nicht ohne Stolz. »Schiffsfrikadellen sozusagen!«

Christine rümpfte die Nase.

»Und wo wollen Sie das jetzt braten?«, fragte sie – sichtlich enttäuscht, dass sich die bräunliche Masse tatsächlich formen ließ.

»Na, in der Kombüse natürlich!«

»Die darf aber nur von Köchen betreten werden!«, höhnte Christine.

»So?«, die andere erhob sich. »Das wollen wir doch sehen.«

»Frau Eiderstett ...«

»Warum so förmlich? Mir wär's lieb, Sie würden schlichtweg Jule zu mir sagen, so nannte man mich schon als Kind. Am allerliebsten wäre mir, Sie würden überhaupt nichts zu mir sagen und mich in Ruhe lassen.«

Christine verdrehte die Augen, verkniff sich jedoch tatsächlich jedes weitere Wort. Die drei Steiner-Mädchen hatten den Streit aus sicherer Entfernung beobachtet. Erst als Jule sich umdrehte, sprangen sie auf und folgten ihr mit schleichenden Schritten. »Mörderin! Mörderin!«, stieß Christl zischend aus.

Ihre Wangen waren dunkelrot vor Aufregung. Wahrscheinlich war es das erste Mal, dass sie dieses böse Wort in den Mund zu nehmen wagte – angestachelt von Poldi, den Elisa kichernd auf seiner Koje sitzen sah.

Jule fuhr herum, doch in diesem Augenblick erstarrten die Mädchen, als hätten sie nie auch nur einen Schritt in ihre Richtung gemacht, und Christl setzte das unschuldigste Lächeln auf.

Kaum aber hatte sich Jule wieder umgedreht, so tönte es erneut raunend: »Mörderin! Mörderin!«

Kein zweites Mal machte sich Jule die Mühe, die Kinder streng zu mustern.

»Ach, so erklärt ihr es euch also, dass mein Gatte nicht an Bord ist!«, rief sie ein wenig amüsiert. »Ihr denkt, ich habe ihn umgebracht! Was wäre euch denn am liebsten: dass ich ihn vergiftet, erdrosselt oder erdolcht habe?«

Poldi kicherte immer noch, aber Christl biss sich verlegen auf die Lippen.

»Nun, ich kann euch versichern, dass …« Jule brach ab. Eben hatte sie Elisa und Cornelius entdeckt, und das spöttische Lächeln schwand von ihren Lippen.

»Ich für meinen Teil habe noch niemanden gemeuchelt«, meinte sie. »Ihr beide aber schaut mir aus, als wärt ihr gerade dem Tod höchstpersönlich begegnet.«

Elisa warf Cornelius einen hilfesuchenden Blick zu. Vorhin war es seine Idee gewesen, im Zwischendeck Hilfe zu holen.

»Willst du etwa Lambert Mielhahn zur Rede stellen?«, hatte Elisa entsetzt gefragt.

Cornelius hatte den Kopf geschüttelt. »Wir sollten mit Christine Steiner reden. Sie scheint die Mielhahns zu kennen. Vielleicht kann sie Greta beruhigen und Viktor …«

Greta hatte eigentlich nicht den Eindruck gemacht, man müsste sie beruhigen. Elisa war sie sogar viel zu ruhig erschienen, wie sie da mit aufgerissenen Augen unter dem Tisch hockte, den blutüberströmten, reglosen Bruder an sich gepresst. Ewigkeiten hatte es gedauert, bis sie ihnen erzählt hatte, was geschehen war: dass der Vater Viktor halb tot geprügelt hatte, dass der es zwar noch bis hierher geschafft hatte, dann aber ohnmächtig zusammengebrochen war und dass ihr nichts anderes eingefallen war, als sich hier vor dem strengen Vater zu verstecken – ob der schnarchende Schiffsarzt nun nach Branntwein stank oder nicht.

»Also«, fragte Jule ungeduldig. »Ist euch der fürchterliche Klabautermann über den Weg gerannt?«

»Viktor …«, brach es aus Elisa heraus. Sie blickte sich suchend um. Emma Mielhahn lag in der Koje und hatte sich ihre Wolldecke über das Gesicht gezogen. Von Lambert war nichts zu sehen. Obwohl sie unendlich wütend auf ihn war, war sie zugleich erleichtert. Es war das eine, ihn im Stillen zu verfluchen, etwas ganz anderes aber, ihn zur Rede zu stellen.

»Viktor … Viktor rührt sich nicht mehr. Er blutet aus der Nase … und aus dem Mund …«

Elisa brach ab. Täuschte sie sich, oder hatte Emma die Decke noch höher gezogen?

»Hab mir vorhin ja schon nichts Gutes gedacht, als der Vater ihn rausgezerrt hat«, meinte Jule und klang verdrießlich. »Zumindest hat er nicht gewagt, ihn vor unseren Augen zu verdreschen.«

»Er ist ohnmächtig«, schaltete sich Cornelius ein, »und er atmet nur mehr ganz schwach. Ich habe kaum einen Puls gefühlt, und …«

»Greta hat ihn zum Schiffsarzt gebracht!«, fiel ihm Elisa ins Wort. »Aber der ist völlig betrunken! Er schläft tief und fest und hat die beiden gar nicht bemerkt.«

Jule stellte die Zinnschüssel mit den sonderlichen Frikadellen ab. »Na großartig!«, stieß sie aus. »Eigentlich wollte ich heute Koch spielen, und stattdessen muss ich nun ein Schiffsarzt sein! Was ist?«, fuhr sie Cornelius und Elisa ungeduldig an, die überrascht waren, ausgerechnet von der schroffen Frau Eiderstett Hilfe zu erhalten. »Kommt ihr mit oder bleibt ihr hier?«

Mit entschlossenen Schritten stieg sie nach oben, und Cornelius und Elisa folgten ihr rasch, wenn auch unsicher darüber, was sie von Frau Eiderstett erwarten durften. Immerhin zeigte sich diese hilfsbereit, wohingegen Christine Steiner, die der Erzählung kopfschüttelnd gelauscht hatte, keine Anstalten machte, sie zu begleiten.

Juliane Eiderstett schien die Krankenstube nicht zum ersten Mal aufzusuchen; sie kannte den Weg und betrat sie schließlich so resolut, als stünden ihr sämtliche Räume auf dem Schiff zur Verfügung.

In der Zwischenzeit hatte sich nichts geändert: Immer noch kniete Greta neben ihrem Bruder unter dem Tisch, immer noch schnarchte der betrunkene Schiffsarzt. Vergebens hatten Elisa und Cornelius vorhin versucht, Greta zu trösten. Auch als sie ihr beteuerten, dass sie jemanden holen würden, der ihrem Bruder helfen könnte, hatte sie sie nur mit großen Augen angestarrt. Als sich Jule nun zu Viktor kniete, versteifte sie sich.

»Atmet er noch?«, fragte Jule knapp. Weder nickte Greta noch schüttelte sie den Kopf.

Jule schüttelte Viktor vorsichtig an den Schultern, und da er sich nicht rührte, zog sie ihn behutsam unter dem Tisch hervor, hob ihn hoch und trug ihn auf eine der Kojen. Dass diese völlig verdreckt war, schien ihr noch die geringste Sorge zu bereiten. Sie beugte sich über ihn und zog ihm die Lider über die Augen, um die Pupillen des Knaben eingehend zu mustern.

»Kein starrer Blick«, stellte sie fest. »Er weicht dem Licht aus – das ist gut.«

Sie hatte die Worte kaum gesagt, als ein Stöhnen ertönte – so leise, dass Elisa es kurz für einen Sinnestrug hielt. Doch dann sah sie, wie ein Ruck durch Viktors Leib ging und er seinen Kopf Jules Griff zu entziehen versuchte. Als sie ihn losließ, kniff er die Augen rasch wieder zusammen. »Na also!«, verkündete Jule stolz.

»Gott sei Dank, er lebt!«, stieß Cornelius aus.

»Er wird ein ordentliches Schädelbrummen davontragen, aber keine ernsten Verletzungen.«

»Aber er blutet doch so schlimm!«, warf Elisa ein.

»Aus der Nase, nicht aus dem Ohr. Letzteres wäre schlimmer; es könnte ein Zeichen dafür sein, dass sein Schädel gebrochen ist. Er hat jede Menge Schrammen abbekommen«, Jule tastete vorsichtig über die Wangenknochen, »aber da ist nichts, was nicht auch von selbst heilen würde. Wir können natürlich versuchen, seine Schmerzen zu lindern.«

Viktors Gesicht hatte sich bei jeder ihrer Berührungen verzerrt. Still war Greta zu ihm getreten, berührte ihn jedoch nicht, sondern blickte so starr wie vorhin auf den Bruder herab. Elisa war nicht die Einzige, die das Mädchen beobachtete. Erst jetzt bemerkte sie, dass Christine Steiner dem Schicksal der Mielhahn-Kinder doch nicht gleichgültig gegenüberstand und sie ihnen nachgekommen war, auch wenn sie Distanz wahrte und in der offenen Tür stehen blieb.

Jule achtete nicht auf sie, sondern trat auf den dunklen Holzschrank zu, um Lade für Lade zu öffnen.

»Was haben wir denn hier …«, murmelte sie vor sich hin.

»Einen Schröpfschnepper und Schröpfgläser … Pah, was soll

ich damit? Zwei Lanzetten und zwei zinnerne Injektionsnadeln, mhm … die helfen dem Knaben nicht. Ach, und hier: eine Aderlassbinde und eine Beinschiene.«

Prüfend hielt sie alles hoch, war aber mit nichts zufrieden.

»Sie können doch nicht einfach …«, setzte Christine empört an.

Jule warf einen kurzen Blick auf den Schiffsarzt. »Denken Sie, dieser Trunkenbold geht auf mich los, wenn ich in seinen Sachen stöbere?«, fragte sie spöttisch. »Haben Sie etwa Angst um mich?«

Christine schnaubte nur.

Jule beugte sich vor, um eine der unteren Laden zu öffnen. Sie klemmte, und Elisa kniete sich rasch zu ihr, um ihr dabei zu helfen, sie gewaltsam aufzuziehen. Als sie sich vorbeugte, rutschte ein Medaillon aus Jules Bluse und baumelte vor ihrer Brust. Elisa verbat sich, es zu aufdringlich anzustarren, aber ein kurzer Blick genügte, um das Porträt von zwei kleinen blonden Mädchen zu erkennen.

Jule nahm das Medaillon und schob es wieder unter die Bluse.

»Ach, das …«, meinte sie knapp, denn Elisas Blick war ihr nicht entgangen, »meine beiden Mädchen …«

Elisa entging Christines überraschter Ausruf nicht, auch wenn diese die Frage herunterschluckte, die ihr gewiss auf den Lippen lag: So hatte Jule also nicht nur einen Mann gehabt, sondern auch zwei Töchter?

Doch warum war sie allein auf dem Schiff? Waren ihre Angehörigen womöglich gestorben? Verbarg sie unter ihrer harten Art einen tiefen Kummer?

»Rotwein, Zucker, Sago, Hafergrütze, Perlgraupen …«, zählte Jule auf, »Schonkost für die Kranken. Gibt es denn hier keine anständige Bordapotheke?«

Hinter ihnen grunzte der Schiffsarzt im Schlaf, aber rührte sich weiterhin nicht. Jule schüttelte missbilligend den Kopf, richtete sich wieder auf und stellte sich auf die Zehenspitzen, um nun auch die oberste Schublade zu erreichen.

Elisa drehte sich zu Viktor um. Unruhig warf der seinen Kopf hin und her, stöhnte wieder. Zumindest kam aus seiner Nase kein frisches Blut mehr. Greta berührte ihren Bruder immer noch nicht, aber Elisa sah, dass sie Cornelius' Hand genommen hatte und wie er ihr tröstend über den Kopf streichelte.

»Was Eltern Kindern antun können …«, murmelte er traurig.

»Bist früher auch geschlagen worden?«, fragte Jule, ohne das geringste Mitleid zu zeigen.

Er schüttelte rasch den Kopf und senkte den Blick, woraufhin Jule ihn nicht weiter bedrängte.

»Na endlich!«, rief sie, als sie den Inhalt der obersten Schublade inspizierte. »Hier haben wir alles: Chinin-, Alaun- und Calomelpulver und Rizinusöl. Und vor allem das könnte ich brauchen: Castoröl!«

In der Schublade fand sie auch eine Leinenbinde, die sie rasch mit dem Öl tränkte. Dann trat sie wieder zu Viktor und säuberte behutsam seine Wunden. Er verkrampfte sich, schrie auf.

»Still!« Es war das erste Wort, das Greta seit langem sagte, und es klang kaum lauter als ein Hauch. »Still, du musst still sein!«

Ob Viktor sie überhaupt gehört hatte? Elisa hatte den Eindruck, dass er nun seine Zähne zusammenbiss und die klagenden Laute unterdrückte.

»Habe gleich gewusst, dass der Schiffsarzt ein Taugenichts ist«, grummelte Jule. »Längst hätte er dafür Sorge tragen müssen, dass man an die Mannschaft und die Passagiere Zitronensaft und Essig verteilt. Jeder Dummkopf weiß, dass man auf diese Weise viele Krankheiten verhindern kann.«

»Aber wie kann es sein, dass der Kapitän ihn gewähren lässt?«, rief Elisa.

»Hier wurde mehr als nur eine Vorschrift missachtet. Drei Krankenbetten gibt's – bei über hundert Passagieren sollten es jedoch mindestens vier sein. Ich habe mich vor Antritt der Reise ganz genau erkundigt, der Kapitän, der die Verantwortung für das Schiff trägt, aber scheinbar nicht! Wahrscheinlich ist dieser Trunkenbold hier nicht einmal ein ordentlicher Sanitätsoffizier oder Chirurg, sondern hat nur einen kurzen praktischen Kurs im Hospital gemacht, wo man gerade mal lernt, wie man Wunden verbindet, zur Ader lässt oder einen Beinbruch schient. Pah! Den wenigen Hausverstand, den's braucht, um damit was anzufangen, säuft er sich weg. So, junger Mann, das wär's fürs Erste. Bist du stark genug, aufzustehen?«

Viktor krümmte sich mit schmerzverzerrter Miene. Cornelius ließ Gretas Hand los und beugte sich über ihn. »Ich trage ihn!«, entschied er.

Behutsam nahm er den Knaben und verließ als Erster den Raum. Greta folgte mit starrem Blick, wohingegen Jule keine Anstalten zu gehen machte.

»Was tun Sie denn da?«, rief Christine empört.

Jule stöberte noch einmal in den Schubladen, zog das ein oder andere Fläschchen und Päckchen heraus und klemmte es sich unter die Arme. »Wundwasser, Spanisches Fliegenpflaster, Bittersalz – na immerhin! Und was haben wir hier noch? Gebranntes Magnesia, Rhabarberpulver, Fenchel- und Leinsamen. Alles Dinge, die man künftig brauchen kann.«

Sie konnte all die Arzneien nicht mehr halten, so dass sie

schließlich ihr Schultertuch abnahm und es zu einem Bündel verknotete.

»Sie wollen das einfach alles mitnehmen?«, fragte Christine fassungslos.

»Sie reden Ihren Kindern doch ein, dass ich eine Mörderin bin. Dann wird es Sie wohl kaum erschüttern, wenn ich mich nur wie eine Diebin verhalte.«

Christine schüttelte missbilligend den Kopf, sagte aber nichts mehr, sondern folgte Cornelius und den Mielhahn-Kindern nach unten.

Elisa war neben Jule stehen geblieben: »Sie … Sie scheinen viel von Medizin zu verstehen.«

»Ach was!«, rief diese aus. »Es könnte noch viel mehr sein! Mein Onkel war Arzt, und am liebsten wäre ich auch einer geworden, aber man erlaubte es mir nicht, ich bin ja nur eine Frau, und Frauen sind ja alle dumm, oder etwa nicht?« Sie lachte spöttisch auf. »Ob dumm oder nicht, ich habe heimlich alle Bücher in seiner Bibliothek studiert und das Wichtigste daraus abgeschrieben.«

Sie schloss die Schubladen und nahm das Bündel mit den Arzneien an sich.

Das also enthielt das Buch, in dem sie schon am ersten Tag gelesen hatte, schoss es Elisa durch den Kopf. Es war gar keine Bibel.

Unwirsch trat Jule gegen die leere Branntweinflasche, so dass sie an der holzgetäfelten Wand aufschlug und dort mit leisem Klirren zerbrach. Als sie den Raum verließen, schnarchte der Schiffsarzt immer noch.

Es gab gute Tage, und es gab schlechte Tage, doch heute war etwas geschehen, was noch nie geschehen war: Aus einem schlechten Tag war ein guter geworden.

Sie war nicht allein, stellte Greta staunend fest. Diese Frauen waren da, die beiden älteren und die junge, und sie kümmerten sich um sie. Nun gut, auf Frauen konnte man sich nicht restlos verlassen. Ohne Zweifel waren sie freundlich und sorgten sich um Viktor – aber Frauen waren es ja doch, Frauen wie ihre Mutter Emma, die kaum aufblickte, als sie zurück ins Zwischendeck kamen.

Aber dann war ja noch … *er* da, der junge Mann, der Viktor trug, der sie getröstet hatte. Das hatte noch nie jemand für sie getan. Ihr Vater schlug zu, ihr Bruder wimmerte, die Mutter versteckte sich – liebevoll über ihren Kopf gestreichelt hatte keiner.

Cornelius.

Er hieß Cornelius. Und Cornelius ließ sich auch nicht aus der Fassung bringen, als ihr Vater auf ihn zustürzte: »Was machen Sie mit meinem Sohn?«

Cornelius hielt seinem Blick stand, ohne zu zittern, wie der Bruder es immer tat, ohne zurückzuweichen, wie es sich die Mutter angewöhnt hatte. »Die Frage ist doch eher, was Sie mit ihm machen. Sie hätten ihn totschlagen können – ist es das, was Sie wollen?«, fragte er kühl.

Und das Erstaunliche geschah: Der Ärger, der das Gesicht des Vaters verzerrte, schwand und machte Verlegenheit Platz. Er drehte sich um und musste bemerken, wie nun viele Passagiere ihre Köpfe hoben, ihn vorwurfsvoll anstarrten. Vorhin, als er auf Viktor eingeprügelt hatte, hatte sich niemand darum geschert – aber nun trug dieser Mann ihn auf dem Arm.

Cornelius.

Er hieß Cornelius.

»Das ist nicht Ihre Sache«, murrte der Vater.

Nun trat eine der Frauen zu ihm – die, die sich Jule nannte und die keinen Ehemann hatte. »Sie haben recht«, sagte sie, um sich gleich darauf zu berichtigen: »Will sagen, Sie *hätten* recht, wenn wir uns nicht auf einem Schiff befänden, auf dem wir uns gegenseitig auf die Zehen treten. Ich habe keine Lust, Ihrem Sohn beim Verbluten zuzuschauen, man sieht doch lieber Erfreulicheres im Leben. Ohrfeigen Sie ihn, wenn Sie meinen, es sei notwendig, ihn zu bestrafen, aber hüten Sie sich davor, ihn wieder bewusstlos zu schlagen. Sonst kriegen Sie's mit mir zu tun.«

Greta sah, wie ihr Vater nach Luft schnappte, doch noch ehe er ein Wort hervorbringen konnte, stapfte Jule seelenruhig zurück zu ihrer Koje und ließ sich dort nieder. Eine andere fühlte sich bemüßigt, noch eins draufzusetzen.

Christine Steiner trat vor den Vater. »Sie hat recht«, erklärte sie, nicht nur vorwurfsvoll, wie Greta schien, sondern auch triumphierend, weil sie den verhassten Lambert vor allen anderen bloßstellen konnte. »Das ist kein Umgang mit einem Kind.«

»Wollt ihr mir etwa drohen, ihr Weiber?«, stieß Lambert knurrend aus.

Immer mehr glotzten ihn unverhohlen an. Greta konnte ihren Augen kaum trauen, aber selbst ihre Mutter hatte sich aufgerichtet und blickte mit einem Ausdruck tiefster Verwirrung auf den Gatten.

»Ach, verflucht noch mal!«, knurrte der, dann stürmte er nach oben, weil er den Blicken nicht standhielt. Greta konnte sich nicht erinnern, dass ihr Vater jemals davongerannt war.

Behutsam legte Cornelius Viktor auf die Koje. Ihre Mutter machte Platz und senkte rasch wieder ihren Blick.

»Du musst keine Angst mehr haben.« Cornelius streichelte wie vorhin in der Kammer des Schiffsarztes über ihren Kopf. Greta schloss die Augen, überließ sich dem ungewohnten, wohligen Gefühl, das sich in ihr ausbreitete und sie wärmte. Ja, sie war noch nie von einem Mann getröstet worden. Und es war noch nie geschehen, dass aus einem schlechten Tag ein guter geworden war.

6. Kapitel

Die Reise nahm ihren Lauf und brachte wenig Abwechslung; ein Tag glich dem anderen. Die Stimmung in der Kajüte der von Grabergs blieb gedrückt. Als Elisa an jenem Tag, da sie von Annelies Schwangerschaft erfahren hatte, ohne Schiffsarzt zurückkehrte, schien Richard erzürnt. Doch noch ehe er etwas sagen konnte, beteuerte Annelie, dass es ihr gut ginge und sie keinen Arzt brauchte. Das blasse Gesicht kündete von etwas anderem, aber Richard fügte sich ihrem flehentlichen Blick und schwieg – wie fortan auch Elisa. Manchmal redeten sie über das Essen, manchmal darüber, wie lange die Reise wohl noch dauern würde – doch nie über Annelies Kind. Elisa entfloh der Enge der Kajüte, wann immer es möglich war, und wenn sie dorthin zurück musste, erzählte sie nicht, was sie erlebt hatte.

Etwa eine Woche nachdem sie den Kanal passiert hatten, entdeckte sie gemeinsam mit Cornelius und den Steiner-Kindern eine Masse regenbogenfarbiger, gallertartiger Geschöpfe, die dicht unter der Wasseroberfläche am Schiff vorbeischwammen. Poldi deutete so aufgeregt auf diese Masse, dass schließlich sogar die Matrosen darauf aufmerksam wurden. Einer von ihnen ließ an einem Strick einen Eimer herunter und fing ein paar der sonderlichen Tiere, die aus der Nähe betrachtet wie Pilze aussahen.

»Nicht anfassen!«, brüllte der Mann, doch dafür war es schon zu spät. Neugierig hatte Poldi seine Hand in den Eimer gestreckt – und zuckte sogleich mit schmerzverzerrtem Gesicht wieder zurück. »Au!«, klagte er. »Das sticht und brennt wie Brennnessel!«

Er schüttelte die Hand, die sich rötete, und sprang wie verrückt im Kreis, um den Schmerz zu ertragen. Fritz schüttelte finster den Kopf. »Bist selbst schuld.«

Auch der ansonsten zurückhaltende Lukas lachte, und Elisa und Cornelius warfen sich rasch einen verschwörerischen Blick zu. Seit sie sich gemeinsam Viktors und Gretas angenommen hatten, fühlte sie sich nicht mehr so verlegen, wenn sie sich begegneten, und trotzdem konnte sie nicht verhindern, dass ihr Röte ins Gesicht schoss.

Poldis Hand brannte noch tagelang. Von den sonderlichen Tieren sahen sie jedoch keines mehr, stattdessen jede Menge fliegende Fische in der Größe eines Herings. Diese wiederum wurden von Delphinen verfolgt, die sich mitunter in ziemlich weiten Sprüngen über dem Wasser erhoben.

Einmal fand sich das Schiff in einer riesigen Schar Schweinefische wieder, ein jeder von ihnen an die sechs Fuß lang, deren Mund – wie es ihr Name verhieß – dem Rüssel eines Schweins glich. Vergebens versuchten die Matrosen, welche zu fangen – mehr Glück hatten sie bei einem Sonnenfisch, der ganz flach auf dem Wasser zu liegen schien. Nachdem sie ihn an Deck gezogen hatten, erschlug ihn einer der Matrosen mit der Axt, das hieß: Er probierte es zumindest, denn am Ende lebte der Fisch immer noch, und die Axt war krumm.

»Das kannst du dir sparen!«, rief ein anderer. »Die Haut des Sonnenfisches ist so hart wie ein Panzer, und darunter findest du keinerlei Fleisch – nur ein bisschen Fett um die Lunge, und das schmeckt grässlich.«

So warf man den Fisch wieder ins Wasser. Elisa war sich allerdings nicht sicher, ob er die Tortur überleben würde.

Nach und nach litten sie an der Hitze. Die Schwalben, die – wie als letzter Gruß von Europa – manchmal über das Schiff hinweggeflogen waren, blieben fern. Der Steward erzählte, dass sie bald an der Insel Madeira vorbeisegeln würden, doch als das geschah, war es Nacht, und niemand konnte den Anblick der Küste erhaschen.

»Wann werden wir wohl endlich wieder Land sehen?«, fragten sich nun die Passagiere immer wieder – die einen bang, die anderen stoisch, wieder andere hoffnungsfroh.

Hatte zunächst ein jeder sämtliche Kleidung getragen, die er besaß, versuchte man nun, so viel wie möglich davon loszuwerden. Selbst unter ihrer dünnen Leinenbluse schwitzte Elisa wie noch nie in ihrem Leben, und besonders unerträglich war die Luft, wenn Windstille herrschte. Das Zwischendeck verwandelte sich in einen glühenden Backofen, und selbst Emma Mielhahn, die stets in ihrer Koje lag, kam erstmals mit Viktor und Greta aufs Deck, desgleichen Annelie, die sich an einem einzigen Tag die Haut so sehr verbrannte, dass sie am Abend Blasen warf.

Andere Frauen waren robuster. Jule suchte sich an Deck ein ruhiges Plätzchen und las in ihrem Büchlein; Christine stopfte mit den Töchtern Strümpfe – genau genommen, stopfte nur Magdalena mit ihr; Christl maulte über die Arbeit, und das Katherl summte vor sich hin. Auch die Matrosen vertrieben sich die Zeit, indem sie die Segel flickten oder die Masten und Rahen anmalten. Vornehmere Herren spielten Whist oder Schach, einfachere Männer fanden Spaß an Hahnengefechten – ein blutiges Schauspiel, das Elisa verabscheute und dem sie meist aus dem Weg ging.

Viel lieber kam sie nach dem Abendessen, wenn es schon dunkel war, noch einmal an Deck, um die nun kühlere Luft zu genießen, dem Meeresleuchten zuzusehen oder sich den gestirnten Himmel von Cornelius erklären zu lassen, der ihr meistens Gesellschaft leistete.

»Das hier ist der Orion, das schönste Sternbild überhaupt«, berichtete er eines Abends. »Er ist nur vom Spätherbst bis zum Frühling zu sehen, denn wenn das Sternbild Skorpion im Osten aufzieht, muss Orion den Himmel im Westen verlassen.«

»Du weißt über so viele Dinge Bescheid«, murmelte sie voller Bewunderung. »Sicherlich hast du viel gelesen.«

Unscharf erinnerte sie sich an Zeiten, da sie gemeinsam mit der Mutter Gedichte gelesen hatte – damals, als sie noch nicht arm gewesen waren, der Kampf ums Überleben noch nicht alles, was Freude, Unterhaltung, Belustigung brachte, verdrängt hatte.

»Ich wäre gerne Pastor geworden«, sagte Cornelius leise, »so wie mein Onkel.«

Sie drehte sich zu ihm. »Und warum bist du es nicht geworden?«

Kurz verdunkelte sich sein Gesicht, und sie spürte, wie jene Traurigkeit ihn überkam, die sie so oft an ihm beobachtete. Manchmal wirkte er einfach nur melancholisch, manchmal so voller Schmerz. »Einer wie ich durfte nicht Pastor werden«, sagte er erstickt.

»Einer wie du?«, fragte sie überrascht

»Es … es hat mit meiner Mutter zu tun …« Er schien darum zu kämpfen, möglichst schnell und nüchtern zu sprechen. »Aber das ist nicht wichtig … nicht mehr. Matthias hat immer gesagt, ich solle etwas lernen, was man im Leben gebrauchen kann, die hohe Theologie aber gehöre ganz sicher nicht dazu. Vielleicht hatte er recht.«

Seit jenem Morgen, da sie die Kreideküste passiert hatten, war Matthias' Name nicht mehr gefallen. Elisa wusste nicht, woran Cornelius' Freund gestorben war – so wie sie im Grunde fast gar nichts über Cornelius wusste. Sie verbrachten viele Stunden zusammen, und er war ihr so vertraut, dass sie ihn schmerzlich vermisste, wenn sie ohne ihn war. Aber sie hatte nicht sonderlich mehr über ihn erfahren, als dass er mit seinem Onkel nach Chile reiste und dass er um seinen Freund Matthias trauerte.

»Deine Mutter …«, begann sie, »du hast von deiner Mutter gesprochen. Warum kommt sie nicht mit nach Chile?«

»Weil sie tot ist«, sagte er knapp, »wie Matthias.«

Sie öffnete den Mund, um eine weitere Frage zu stellen, glaubte sich so nahe davor, dass er ihr endlich mehr von sich erzählte und von dem Kummer, der ihn bedrückte.

Doch ruckartig wandte er sich ab und sagte schnell: »Aber wir wollen nicht zurückschauen, sondern lieber nach vorne.«

Elisa schwieg, legte nur vorsichtig ihre Hand auf seine Schultern. Dann schauten sie weder nach vorne noch zurück, sondern hoch zum funkelnden, weiten Sternenhimmel.

Die Hitze wurde von Tag zu Tag drückender. Selbst in der Nacht kühlte es nicht mehr ab, und schon lange vor dem Morgen begann Elisa, sich unruhig auf der Koje zu wälzen, erwachte schließlich schweißüberströmt und glaubte in der dumpfen Luft, die wie eine schwere Glocke über ihnen allen hing, kaum Atem schöpfen zu können. Sie litt an Schwindel und Kopfschmerzen und beeilte sich, so schnell wie möglich an Deck zu kommen. Doch kaum brachen sich erste Sonnenstrahlen durch das diesige Dämmerlicht, brannten sie so unbarmherzig auf die Passagiere herab, dass jeder Schattenplatz heiß umkämpft war. Man bestach sich mit Branntwein und Essen und wenn es nicht half, so zögerte manch einer nicht, die Fäuste einzusetzen. Im Zwischendeck, von dem man ansonsten stets Lachen und Plaudern und Streiten und Stöhnen gehört hatte, blieb es auffällig still; selbst die Steiner-Kinder lungerten träge herum.

Eine willkommene Abwechslung war es, als sie die Nordhälfte der Erdkugel überschritten und der Kapitän zur Äquatortaufe lud. Gemäß altem Brauch wurden sämtliche Matrosen und Passagiere so nass gemacht, bis sie keinen trockenen Faden mehr am Leibe trugen. Für kurze Zeit erwachte wieder Leben an Bord – da gab es ein Gejohle und Gelächter und Gekreische, als Eimer zu Wasser gelassen und die Tropfen schließlich in alle Richtungen gespritzt wurden. Einige der ehrwürdigen Frauen runzelten zwar die Stirn und erklärten spitz, dass es unanständig wäre, zeigten sich doch die Konturen der jungen Mädchen unter der nassen Kleidung. Aber auch ihnen war anzusehen, dass sie sich an der Erfrischung insgeheim labten.

Am Abend fand ein kleiner Ball statt – zumindest wurde das Fest vom Kapitän so genannt. Die Matrosen hatten ihr Sonntagsgewand angelegt: farbige Hemden und schneeweiße Hosen. Ein Schustergeselle, der auch am sonntäglichen Gottesdienst für die Musik sorgte, spielte Violine – doch wie bei der Messe schuf er weniger liebliche Musik, als vielmehr unerträgliches Gekrächze. Lauthals beschimpft wurde der Mann. Selbst die Ratten würden vom Schiff springen, hörte er nicht endlich mit dem Spiel auf. An Tanz war nicht zu denken; die einzige Verrenkung, die ein jeder machte, war, sich die Ohren zuzuhalten.

Am nächsten Tag setzte Tropenregen ein, der zwei ganze Wochen lang anhielt. Das Wasser, das in Sturzbächen vom Himmel kam, war nahezu heiß, und alsbald waberte eine derart dampfende Wolke über dem Schiff, die es unmöglich machte, sich trocken zu halten. Stets tropfte es von Elisas Gesicht – sie wusste nicht, ob es Schweiß oder Regen war.

»Wenigstens haben wir frisches Wasser«, gewann Frau Eiderstett der steten Qual etwas Gutes ab.

In der Tat war das Trinkwasser in den Tagen vor dem Regen
immer fauliger geworden, da der Destillierapparat, den man
mit an Bord genommen hatte, nicht richtig funktionierte.
Die Vorräte hatten sich mit Meerflugwasser vermischt, und
wer davon trank, wurde bald durstiger als zuvor. Nun gab
es frisches Wasser in Fülle, gleichwohl Christine prophe-
zeite, dass auch das bald faulen würde. »Keine ordentlichen
Fässer gibt es hier!«, klagte sie. »Gut ausgebrannt sollten sie
sein, mit eisernem Verband! Doch stattdessen ist das Holz
morsch.«

Während es in den ersten Wochen ihrer Reisen jeden Tag etwas
Neues zu entdecken gegeben hatte, fand man nun stets etwas
Neues zu beklagen. Die einen vermeinten, in der schwülen
Hitze umzukommen – andere, die in der Nähe der Luken
untergebracht waren, klagten hingegen über rauhen Hals und
steten Husten. Außerdem wurde das Essen immer schlechter. Für die Passagiere in den Kajüten wurden Bier und Kaffee knapp; statt frischem Fleisch gab es geräucherten Speck,
statt Schwarzbrot das kaum genießbare Schiffsbrot. Immerhin wurde unter Erbsen, Bohnen und Kartoffeln noch Butter
gerührt – ein Luxus, von dem die Menschen auf dem Zwischendeck nur träumen konnten. Das erklärte Cornelius eines
Tages ungewöhnlich streng seinem Onkel, als dieser das dürf-
tige Abendmahl beklagte. »Wir könnten es viel schlimmer treffen!«, kam es schroff, woraufhin Pastor Zacharias halb verlegen, halb trotzig schwieg.

Tatsächlich erfuhr Elisa von den Steiner-Kindern Tag für Tag,
welchen Fraß sie vorgesetzt bekamen. Graupen mit Zwetsch-
gen standen da auf dem Speiseplan, wobei in den Graupen
Flöhe schwammen. Die Kartoffeln keimten, und im dunklen

Schiffszwieback waren viereckige Stückchen zu sehen, aus denen irgendwann weiße Würmer hervorkrochen.

Fritz, Lukas und Poldi machten sich einen Spaß daraus, die Maden zu zählen – was die jüngeren Schwestern alles andere als lustig fanden. Christl fing zumindest regelmäßig zu heulen an und weigerte sich, das Brot zu essen.

Frisch waren nur die Äpfel, die im Schiffsbauch gelagert wurden, sich bislang ausgezeichnet gehalten hatten, nun aber langsam zur Neige gingen. Regelmäßig wurde am Heck die Angel ausgehängt – aber nicht immer war die Ausbeute an Fischen reichlich, und viele bargen kaum Fleisch, nachdem die Gräten entfernt waren. Annelie konnte nicht einmal dieses wenige herunterbringen. Obwohl sie sich das Klagen verkniff, sah Elisa ihr an, dass sie in ihrem Zustand noch mehr als alle anderen an Schwüle und Hitze litt. Mitleid keimte in ihr auf. Sie erzählte von einem Mann, der sich aus einem alten Segeltuch eine Hängematte genäht hatte, sie des Nachts auf dem Oberdeck aufhängte und dort schlief – offenbar deutlich besser als im dumpfigen Inneren des Schiffs.

»Vielleicht könntest du eine Nacht durchschlafen, wenn wir das auch tun würden!«, wandte sie sich ausnahmsweise an Annelie, die, abgemagert und erschöpft, einen schrecklichen Eindruck bot.

»Unmöglich!«, rief Richard jedoch sofort. »Nachts ist es für uns verboten, das Deck zu betreten! Das hat der Kapitän doch schon zu Beginn der Reise bekanntgegeben!«

Annelie ergab sich seufzend seinen Worten. Und auch Elisa begehrte nicht dagegen auf, blieb jedoch weiterhin bis spät abends an Deck, um sich von Cornelius weitere Sternzeichen erklären zu lassen. Ganz gleich, wie sehr sie unter den Mühen der Reise litt – in seiner Nähe waren sie viel leichter zu ertragen.

Drei Monate nachdem sie in Hamburg abgelegt hatten, ließ der Tropenregen endlich nach. Die Stimmung blieb dennoch getrübt – nicht nur wegen des schlechten Essens und der Langeweile, sondern vor allem aus Furcht. Selbst der freche Poldi wurde etwas blass um die Nase, wenn sie über das sprachen, was ihnen in den nächsten Tagen bevorstand: die Durchquerung der Magellanstraße.

Manch einer stieß ein Stoßgebet aus oder schlug die Hände zusammen, wenn die Sprache darauf kam. Andere diskutierten es nüchterner, jedoch nicht frei von Sorgenfalten: Was war gefährlicher – die Umrundung des berüchtigten Kap Hoorn, wo schlimme Stürme drohten? Oder die Durchquerung der heimtückischen Meeresenge zwischen dem südamerikanischen Festland und Feuerland mit den vielen bedrohlichen Klippen? Der Kapitän hatte sich nach langem Abwägen für Letzteres entschieden, jedoch keinen Augenblick lang Zweifel daran gelassen, dass diese Reiseroute nicht wenige Gefahren bot.

Pastor Zacharias ließ sich von düsteren Prophezeiungen anstecken, die auf der Hermann III. kursierten, und schnappte ständig nach Luft, als würde er bereits jetzt in den Fluten um sein Leben kämpfen. »Unser Schiff wird an den Klippen zerschellen! Umkommen werden wir alle, qualvoll ersaufen! Und … ach herrje! Anders als Jonas wird kein Wal mich auffressen und später wieder heil ausspucken! Und wisst ihr auch, warum?« Sie waren alle zum Abendmahl versammelt, und er starrte Cornelius und die von Grabergs aus rotgeäderten Augen an, weil er seit Tagen schlecht schlief und deswegen übermüdet war. »Weil es nicht Gott war, der mich auf diese elende Reise schickte! Es kann nämlich unmöglich der Wille des Allmächtigen sein, dass ich irgendwo fernab von der Heimat auf dem Meeresgrund liege! Ach herrje!«

Er wurde noch verzweifelter, als am nächsten Tag ihm unbekannte Vögel auftauchten und das Schiff umkreisten – ein Zeichen, dass Land in der Nähe war, natürlich kein rettendes, sondern lebensfeindliches. Als wären die Ahnungen, die sie alle umtrieben, nicht schlimm genug, passierten sie – wie als schlechtes Omen – ein preußisches Kriegsschiff, das die Magellanstraße, von Valparaíso kommend, bereits hinter sich hatte und dessen Blessuren sie von weitem erkennen konnten: Zwei Masten waren gebrochen; traurig hingen die Segel über der Reling und streiften die Wasseroberfläche.

Kaum hatte sich die Nachricht herumgesprochen, stürmten alle an Deck, selbst Pastor Zacharias, den man so gut wie nie unter freiem Himmel antraf. Obwohl das Kriegsschiff längst wieder im Nebel verschwunden war und sein Anblick nun so unwirklich erschien wie der eines Geisterschiffs, schlugen viele ein Kreuzzeichen, und Pastor Zacharias begann zitternd, ein paar Psalmen zu beten.

»Wie – das jagt euch bereits Angst ein?«, traf sie unvermittelt das Lästern eines Matrosen, der sich nicht von der Panik anstecken ließ. »Der Mast ist hinüber, nun gut, aber wenigstens ist dieses Schiff nicht gesunken. Bei der letzten Reise sind wir an einem Wrack vorbeigesegelt, das war erst ein Anblick! An den Balken, wo sich vor nicht langer Zeit verzweifelt die Mannschaft festgeklammert hatte, hingen kleine Muscheln und Schnecken.«

Raunen brandete auf, und es mischten sich ein paar spitze Schreie darunter, als sich wenig später der Nebel lichtete und der weiße Himmel begann, Schneeflocken zu spucken. Sie waren wässrig und schmolzen sofort, kaum dass sie das Schiff trafen. Dennoch konnte es kein deutlicheres Zeichen geben, dass sie – nachdem schon die Nächte immer kälter und schneidender geworden waren – nun endgültig die warm-feuchten

Gefilde hinter sich ließen und in eine unwirtliche, bedrohliche Welt eintraten.

»Vor allem eine gottverlassene Welt!«, verkündete Pastor Zacharias und beeilte sich, das Deck zu verlassen und in die etwas wärmere Kabine zurückzukehren, nicht ohne Elisa mit sich zu winken.

»Komm, Mädchen!«, forderte er sie auf. »Du brauchst sicher auch etwas zur Stärkung.«

Bislang hatte er sich kaum an sie gewandt, doch in seiner Not war ihm wohl jede Gesellschaft recht.

Elisa folgte ihm bis zur Kajüte, blieb dann aber zögernd in der offenen Tür stehen. Seufzend goss Pastor Zacharias zwei Gläser Schnaps randvoll, aber ehe er Elisa eines reichen konnte, ging Cornelius, der ihnen gefolgt war, dazwischen.

»Onkel Zacharias!«, rief er ärgerlich. »Willst du etwa eine junge Dame zur Trinksucht verführen, nur weil du selbst nicht von diesem Laster lassen kannst? Im Übrigen werden deine Kopfschmerzen davon nicht besser!«

Zacharias stellte das zweite Glas ab, hob das seine aber entschlossen an seine Lippen. »Ich habe keine Angst vor Kopfschmerzen, sondern vor dem Ertrinken!«, verkündete er trotzig, ehe er den Schnaps mit einem Zug leerte. Schon wollte er zur Flasche greifen, um sich erneut einzuschenken.

»Das reicht!«

Während Elisa verlegen den Kopf senkte, trat Cornelius rasch auf ihn zu und zerrte die Flasche aus seiner Hand.

»He!«, grummelte Zacharias empört.

»Wenn du betrunken bist, Onkel, dann wirst du das Schaukeln des Schiffes noch heftiger spüren. Du wirst noch viel mehr Angst haben und keinerlei Willensstärke, dagegen anzugehen. Also hör jetzt auf zu trinken! Woher hast du überhaupt den Branntwein?«

Zacharias murmelte etwas Unverständliches, nahm jedoch den Kampf um die Flasche nicht auf, sondern verschränkte die Arme vor der Brust.

Cornelius reichte Elisa die Flasche. »Bring sie deinem Vater! Er scheint mir ein vernünftiger Mann zu sein, der genau weiß, wann Schluss zu sein hat. Ein Gläschen zur Stärkung und zum Aufwärmen wird ihm vielleicht guttun.«

Elisa hatte die Tür der Kajüte kaum hinter sich zugezogen, als sie eine Stimme traf.

»Jetzt ist aber genug herumgewandert, junge Dame!«

Der schrankförmige Steward kam auf sie zugeschritten und packte sie am Ellbogen. »Ein Sturm zieht auf, und in dieser Gegend ist das noch bedrohlicher als anderswo. Alle Passagiere müssen in ihren Kajüten oder im Zwischendeck bleiben!«

Er führte Elisa den Gang entlang. Der Boden schwankte etwas stärker unter ihren Füßen als vorhin.

»Ein starker Sturm?«, fragte sie, und ihre Sorgen galten weniger sich selbst als Cornelius. Wie würde er den Onkel nur beruhigen können, wenn der davon erfuhr?

Der Steward grinste. »Keine Angst, junge Dame, der Kapitän bringt uns schon heil durch. Nur in der Kajüte bleiben, das ist alles!«

Vor dieser Kajüte ließ er sie nun stehen und eilte weiter. Elisa öffnete die Tür und hob triumphierend die Branntweinflasche hoch – in den letzten Wochen ein rares Gut. Ihr Vater trank zwar nicht gerne dieses »scharfe Gesöff«, wie er es nannte, aber seit einiger Zeit schwärmte er oft vom Kräuterschnaps seiner Mutter, der den flauen Magen beruhigen würde.

Elisa wollte schon »Sieh nur!« ausrufen, als sie plötzlich Annelies Stimme vernahm, wie diese eindringlich bat: »Sag es ihr nicht! Richard, ich bitte dich, sag es ihr nicht!«

In den letzten Wochen hatte Annelie kaum gesprochen, und die wenigen Worte waren nicht lauter als ein Flüstern geraten. Manchmal hatte Elisa verstohlen ihren Leib gemustert, der zunehmend runder geworden war, aber sie hatte ihrem heimlichen Ärger darüber nicht nachgegeben.

Elisa ließ die Schnapsflasche wieder sinken und trat in die Kajüte. »Was sollst du mir nicht sagen?«

Richard fuhr herum. »Da bist du ja, endlich! Der Kapitän hat befohlen, dass alle Passagiere …«

»Das weiß ich bereits«, unterbrach sie ihn rasch. »Aber was meinte Annelie? Was sollst du mir nicht sagen?«

Sie blickte von ihm zu Annelie, und diese schlug sichtlich verlegen die Augen nieder.

»Was hast du da überhaupt?«, fragte der Vater und deutete auf die Flasche.

»Branntwein«, erklärte Elisa. »Ein Geschenk von Cornelius … für dich.«

Richard nahm wortlos die Flasche entgegen, doch die Worte des Dankes, die Elisa erwartete, blieben aus. »Ich werde ihn zurückbringen«, erklärte er stirnrunzelnd.

Erneut wanderte Elisas Blick zu Annelie; die Spannung, die sich zwischen ihnen ausbreitete, war nahezu körperlich spürbar. Annelie schüttelte nun unmerklich den Kopf – eine Geste, die Elisa nicht verstand.

»Warum willst du den Branntwein denn nicht annehmen?«, fuhr Elisa ihren Vater ungeduldig an. »Wie gesagt, er ist ein Geschenk, und …«

»Elisa«, ein langes Seufzen folgte, und kurz schien Richard darum zu ringen, ob er fortfahren sollte. »Elisa, ich weiß, dass du viel Zeit mit diesem jungen Mann verbringst.«

»Mit Cornelius Suckow, ja. Er ist ein …«

War es möglich, dass er sich den Namen nicht gemerkt hatte – oder sprach er ihn mit Absicht nicht aus?

»Er mag ein netter Mann sein«, sagte Richard, »gewiss auch ein kluger Kopf, und er scheint sehr höflich zu sein. Er kümmert sich um seinen Onkel, er hat gute Manieren, er ist hilfsbereit …«

Die Aufzählung schien kein Ende zu finden, und obwohl nur lobende Worte gefallen waren, ahnte Elisa, dass er etwas anderes sagen wollte. Annelie kaute nervös auf ihren Lippen, und da erst begriff Elisa, dass sie und Richard gerade über Cornelius gesprochen hatten.

»Aber, Elisa«, fuhr ihr Vater eben fort. »Elisa, trotz allem scheint er mir … nicht sonderlich … kräftig zu sein.«

Unwillkürlich ballte Elisa ihre Hände zu Fäusten.

Sie hatten über ihn gesprochen. Sie hatten sich angemaßt, ein Urteil zu fällen.

»Richard«, sagte Annelie leise.

»Was willst du damit sagen?«, entfuhr es Elisa schrill.

»Elisa, hör mir zu! Cornelius Suckow ist kein Bauer! Er ist kein gelernter Handwerker! Und sein Onkel Zacharias scheint ja selbst davon überfordert zu sein, Messer und Gabel zu halten. In Chile aber werden kräftige Männer gesucht, die anpacken können.«

»Und du denkst, Cornelius kann das nicht?«

»Wenn ich an die älteren Steiner-Söhne denke, Lukas und Fritz … schau dir nur an, wie …«

Langsam war in ihr die Wut hochgestiegen, noch von der Hoffnung bezwungen, dass er unmöglich meinen konnte, was er andeutete. Doch als er seine Worte auch noch bekräftigte, ja, die tüchtigen Steiner-Söhne gar zu loben begann, brach sie sich endgültig die Bahn.

»Du hältst Cornelius für einen Schwächling? Willst du mir das sagen?«, schrie sie ihn an, wie sie noch nie ihren Vater anzuschreien gewagt hatte. Er zuckte zurück, eher verblüfft als zornig.

»Ich meine doch nur, dass du nicht so viel Zeit mit ihm verbringen sollst«, stammelte er. Seine Unsicherheit war es, die den letzten Damm bersten ließ.

»Du willst mir den Umgang mit Cornelius verbieten?«, schrie Elisa weiter. »Hast du mich etwa seinerzeit gefragt, ob Annelie die rechte Frau für dich ist? Cornelius machst du schlecht, aber schau dir doch an, wie schwach und dünn *sie* ist! Sie kriegt kaum den Mund auf. Seit Beginn der Reise ist ihr ständig übel. Wie soll *sie* denn mit anpacken können, wenn sie doch nicht einmal …«

Richards Gesicht rötete sich, seine Lider flackerten. »Sie erwartet ein Kind!«, unterbrach er sie. Seine Stimme klang ungewohnt hart und scharf.

Elisa ahnte, dass sie kein weiteres Wort mehr sagen sollte, aber sie sprudelten einfach aus ihr heraus.

»Cornelius ist ein junger, gesunder Mann, und ausgerechnet er soll in Chile nichts taugen? Aber mit einem Neugeborenen und seiner schwächlichen Mutter werden wir die harte Anfangszeit ganz mühelos überstehen, ja? Wer von uns beiden hat sich da den falschen Gefährten erwählt?«

Sie hörte das Klatschen, ehe sie den Schlag fühlte. Ein brennender Schmerz breitete sich aus, ihre Wange glühte. Sie konnte sich nicht erinnern, dass ihr Vater ihr jemals ins Gesicht geschlagen hatte, und er schien darüber nicht minder entsetzt. Fast verwundert blickte er auf seine Hand, deren Abdrücke sich rot auf ihrer Wange abzeichneten.

Elisa spürte, wie Tränen in ihre Augen schossen, wollte jedoch nicht, dass ihr Vater sie weinen sah – oder gar Annelie.

Sie drehte sich um und stürmte hinaus. Der Boden wankte noch stärker als vorhin, durch die Ritzen pfiff der Wind. Schneidende Kälte umfasste sie.

»Elisa!«, rief Richard ihr nach. »Elisa, bleib hier! Niemand darf die Kajüte verlassen! Komm zurück, ich bitte dich!«

Trotz seines Rufens machte er keine Anstalten, ihr zu folgen und sie, notfalls mit Gewalt, zurückzuholen. So lief sie weiter und immer weiter, als hätte sie ihn nicht gehört.

Annelie knetete unruhig ihre Hände. Die erzwungene Untätigkeit seit Beginn der Reise war schwer zu ertragen, doch heute hatte sie das Gefühl, regelrecht daran zu ersticken. Sie war nicht gewohnt, nichts zu tun. Seit Kindesbeinen an hatte es stets Arbeit gegeben, in der Küche, im Stall, auf dem Feld, und selbst an den langen Winterabenden hatte sie genäht, gesponnen und gewoben, bis ihre Augen tränten. Sie liebte es zu kochen, alles andere hingegen war ihr oft mühselig, und sie hatte manchmal davon geträumt, einmal ruhig sitzen zu dürfen, so lange zu schlafen, wie sie wollte, und nicht ständig aufzuspringen, um zu schuften. Nun, da sie seit Monaten in der Koje lag, genoss sie das Ruhen mitnichten, sondern fühlte sich jeden Tag noch müder und elender. Dass in ihrem Leib ein Kind heranwuchs, schenkte weder Freude noch Kraft, sondern schien beides regelrecht aus ihr herauszusaugen.

»Bitte, Richard …«, setzte sie an. »Sei nicht so hart mit ihr!«

Seit über einer Stunde ging er nun unruhig auf und ab. »Du solltest nach ihr suchen!«, forderte sie ihn auf. »Dann kannst du dich mit ihr aussprechen.«

Ihre Finger taten weh, so fest rieb sie sie aneinander. Weiß und spitz traten die Knochen hervor.

»Sie hat die Kajüte einfach verlassen, obwohl sie wusste, dass sie das nicht darf! Ich laufe ihr nicht nach! Sie muss von selbst zurückkommen!«

Der Ausdruck seines Gesichts war eher verwirrt als ärgerlich. Sie kannte diesen Ausdruck gut. Früher hatte sie Richard von Graberg stets nur aus der Ferne gesehen – sie selbst war noch ein kleines Kind gewesen, sein Hof noch nicht verarmt, und alle hatten mit ehrfurchtsvoll gesenkter Stimme über ihn gesprochen. Nur ihre Schwester hatte immer ein wenig neidisch geklungen und schließlich, als das Gut verkommen war, sehr schadenfroh: »Jahrelang haben sie die Nase hoch getragen«, hatte sie gehöhnt, »und jetzt sind sie auch nichts Besseres als gewöhnliche Bauersleute.«

Annelie selbst schmeckte nichts von dieser Schadenfreude, nur Mitleid. Mochte Richard von Graberg auch verarmt sein – vornehm wirkten er und die Seinen noch immer. Ihr eigener Vater schrie und fluchte ständig und schlug fortwährend irgendeines seiner Kinder. Keinen einzigen ruhigen Winkel gab es im ganzen Haus, obwohl sie sich insgeheim so danach sehnte. Die von Grabergs hingegen – nicht nur Richard, sondern auch seine verstorbene Frau Elisabeth – sprachen bedächtig, schritten nach wie vor hoheitsvoll und langsam zum sonntäglichen Gottesdienst und schenkten Annelie die Ahnung eines besseren, weil stilleren und friedlicheren Lebens.

Annelie setzte sich ächzend auf. In ihrem Leib grummelte es, Galle stieg ihr bitter die Kehle hoch.

»Bleib liegen!«, rief Richard. »Du musst dich schonen!« Er klang besorgt, aber er trat nicht näher, um ihre Hand zu halten.

»Bitte«, flehte sie. »Mein Magen ist ganz flau. Hol mir doch ein Stück Brot.«

Sie hatte keinen Hunger, aber ihr fiel kein besserer Vorwand ein, um ihn fortzuschicken und allein zu sein. Nur so konnte sie ihren Plan umsetzen – einen Plan, den er niemals gutgeheißen hätte.

»Aber …«

»Ich weiß, dass wir in der Kajüte bleiben müssen. Doch die See scheint noch so ruhig zu sein. Wenn tatsächlich ein Sturm über uns hereinbricht, wird es keine Gelegenheit mehr geben, etwas zu essen zu holen, und ich sterbe vor Hunger.«

Er folgte ihr widerstrebend, so wie er meistens augenblicklich tat, worum sie ihn bat, und oft fragte sie sich, woher sie diese Macht über ihn nahm. Nach dem Tod seiner Frau war er täglich zu deren Grab gegangen. Beim ersten Mal hatte sie ihn noch zufällig getroffen; in den darauffolgenden Wochen hatte sie es hingegen sorgsam so eingerichtet, immer zur selben Zeit auf dem Friedhof zu erscheinen. Mitgefühl und Respekt hatten sie dazu getrieben – ganz sicher keine Berechnung, wie ihr später die neidische Schwester vorhielt. Eines Tages hatte sie Mut gefasst, einen Strauß Blumen gepflückt und ihm überreicht. Sein Gesicht hatte sich kurz aufgehellt, nicht nur, weil sie ihm Trost spendete, sondern weil sie ihm so bestimmt erklärte, dass er die Blumen nun aufs Grab legen und ein Gebet sprechen müsse, danach aber den Friedhof verlassen und sich etwas Gutes tun sollte, versuchen, das Schöne zu sehen, anstatt sich in der Trauer regelrecht zu vergraben. Seine Frau hätte sicher auch gewollt, dass das Leben für ihn weiterging.

Bis heute wunderte sie sich, dass sie die Worte so entschlossen hatte vorbringen können, anstatt vor üblicher Schüchternheit zu vergehen.

Nachdem Richard die Kajüte verlassen hatte, stand sie langsam auf. Eine Weile musste sie warten, bis der Schwindel aus ihrem Kopf wich und sie klar sehen konnte, dann öffnete sie die Tür. Sie lauschte in beide Richtungen, und als sie weder

Stimmen noch Schritte hörte, huschte sie in den Gang. Abermals grummelte es in ihrem Magen; ächzend stützte sie den schweren Leib. Dennoch setzte sie Fuß vor Fuß, entschlossen, Elisa zu suchen, endlich einmal allein mit ihr zu reden und um Verständnis für ihren Vater zu werben. Annelie konnte mit der Verachtung der Stieftochter leben, aber sie wollte nicht zum Keil werden, der sich zwischen das Mädchen und Richard drängte; sie hatte das nie gewollt.

Zunächst war es nur Mitleid gewesen, das sie Richard von Grabergs Nähe suchen und sie stets aufs Neue liebe Worte finden ließ – doch schließlich war auch Not hinzugekommen, pure Not, die sie befiel, wenn sie sich vorstellte, ihr ganzes Leben an der Seite ihres schreienden Vaters und ihrer nicht minder lauten Brüder verbringen und arbeiten zu müssen. Armut ertrug sie, aber nur ohne Geschrei. Und dann war ihr eines Tages aufgegangen, wie sie dem Geschrei entgehen konnte. Der vermeintlich stolze Richard von Graberg war nach dem Tod seiner Frau nicht nur ein Schatten seiner selbst, sondern überaus leicht zu verwirren und dankbar für jeden entschlossenen Ratschlag. In seinen Adern floss adeliges Blut, doch er schien völlig verloren – und leicht lenkbar, trat man ihm mit festem Willen entgegen. Sie schmeichelte sich bei ihm ein, begleitete ihn auf Spaziergängen, passte ihn am Sonntag nach der Messe ab. Nicht lange, und sein Blick leuchtete, wenn er sie sah – dieser Blick, in dem zugleich so viel Zaudern stand, so viel Unsicherheit, so viel Furcht vor dem Leben.

Elisa war ganz anders als er – forsch und entschlossen und klar in allem, was sie tat. Annelie fühlte tiefe Bewunderung für sie und tiefe Trauer, weil es ihr nicht gelang, sich mit dem Mädchen gut zu stellen.

Annelie spürte, wie ihre Beine zitterten. Nach dem langen Liegen waren sie schwach und gefühllos, und kurz befürchtete sie, dass sie unter ihr wegsacken würden. Ächzend blieb sie stehen und lehnte sich an die Wand, als das Schiff plötzlich derart schlingerte, dass sie quer durch den Gang stolperte und schließlich schmerzhaft gegen die gegenüberliegende Wand prallte. Sie schrie auf und umfasste instinktiv ihren Leib. Vor einigen Tagen hatte sie das Kind zum ersten Mal gefühlt, aber jetzt verhielt es sich ganz ruhig. Als sie über den geblähten Bauch strich, war er ihr einfach nur lästig. Sie hatte versucht, sich auf das Kind zu freuen, und konnte doch nicht aufhören, mit diesem Schicksal zu hadern: Warum hatte sie ausgerechnet jetzt an dieser Last zu tragen? Wo war die leichtfüßige, behende, fleißige Annelie von früher geblieben? Sie hatte sich an Richards Seite ein besseres Leben erhofft – und fühlte sich nun langsam verwelken.

»Elisa!«, rief sie schwach. »Elisa!«

Sie kam kaum gegen das Stöhnen des Windes an. Immerhin hatte das Wanken des Schiffes nachgelassen, und so ging sie weiter. Ihre Schritte gerieten nun ein weniger sicherer und führten sie zum Abstieg. Der drohende Sturm hatte dem üblichen Treiben im Zwischendeck kein Ende gesetzt. Sie hörte ein Lachen und Toben, ein Lamentieren und Kinderschreien. Irgendjemand würgte, einige schienen Gebete zu murmeln, wieder andere kicherten.

»Elisa!«, rief sie wieder.

Sie musste die Stieftochter finden, musste versuchen, sie irgendwie mit Richard zu versöhnen! Oft war sie kurz davor gewesen, ein offenes Gespräch mit Elisa zu suchen, ihr zu beteuern, dass sie ihr weder den Vater wegnehmen wollte noch das Gedenken an die Mutter beflecken … ja, dass sie zusammenhalten müssten. Doch sie hatte es nicht gewagt, hatte vielmehr Angst, ihr lästig zu fallen.

Das Licht des Ganges wurde trüber, und als sie sich entlang

der Wände tastete, spürte sie dünne Rinnsale daran heruntertropfen. Sie zuckte zusammen, als ein dumpfes Knirschen erklang und sich durch den ganzen Schiffskörper zog. Wieder rumpelte es, und obwohl sie diesmal darauf vorbereitet war und sich festzuhalten versuchte, polterte sie erneut gegen die Wand – nein, eigentlich gegen eine Tür, die nicht ordentlich verschlossen war und die unter der Wucht ihres Leibes nachgab. Nur mühsam konnte Annelie sich am Rahmen festhalten. Um ein Haar wäre sie in den Raum gestolpert. Sie blickte sich um: Offenbar war es einer der Lagerräume, der sich zwischen erster und zweiter Kajüte befand, nicht weit von der Kombüse entfernt, von der sich durchdringende Gerüche nach Angebranntem ausbreiteten.

Etwas Dunkles lag in der Ecke, vielleicht die verbliebenen Vorräte an Steinkohle und Holz. Als das Schiff Hamburg verlassen hatte, war der Raum wahrscheinlich noch randvoll damit gewesen. Einige Fässer standen daneben – gefüllt mit Brennöl für die Laternen.

Annelie wollte wieder zurück in den Gang treten und weiter nach Elisa suchen. Doch in diesem Augenblick ertönte abermals das Knirschen, noch bedrohlicher, noch dumpfer als vorhin. Das Schiff wankte nicht einfach, es schien förmlich umzukippen. Der Ruck, der durch das Schiff ging, fiel so abrupt aus, dass ihre Hände vom Türrahmen glitten. Sie fiel nach hinten, bemerkte erst in diesem Moment zwei hölzerne Stufen, die nach unten führten. Schmerzhaft rammten sie sich in ihren Leib, als sie darüber rollte. Ihr Kopf schlug auf einer Kante auf. Als sie endlich liegen blieb, hatte sie das Bewusstsein bereits verloren.

Nachdem Annelie mühsam die Augenlider geöffnet hatte, war alles um sie herum schwarz. Sie wusste nicht, wo sie war, hatte vielmehr das Gefühl, kopfüber im Nichts zu hängen, und als sie ihre Hand ans Gesicht führte, spürte sie unter dem rechten Auge verkrustetes Blut. Ein Schmerz durchzuckte zuerst ihren Kopf, dann den Leib – und brachte die Erinnerung an das zurück, was geschehen war. Sie war gefallen … in diesen Lagerraum … und dann ohnmächtig geworden. Für wie lange wohl? Und was hatte sie wieder zu sich kommen lassen? Der krampfartige Schmerz in ihrem Leib, das unruhige Schlingern oder der Lärm?

Nahezu ohrenbetäubend war das Krachen, von dem sich nicht sagen ließ, ob es von oben oder unten kam. Es klang, als wären hundert Leute darum bemüht, mit Brecheisen und Äxten das Schiff kurz und klein zu schlagen und mit ihm sämtliches Mobiliar. Zwischendurch ertönte immer wieder ein dumpfes Knarren, als würde ein Stöhnen durch den Rumpf des Schiffs gehen – ein nicht ganz so durchdringender, aber umso bedrohlicherer Laut.

»Hilfe …«, krächzte Annelie. »Hilfe …«

Unmöglich konnte sie gegen diesen Lärm ankommen!

Über ihr ertönte Getrampel. Es musste von den Matrosen stammen, denn schließlich waren alle Passagiere aufgefordert worden, in der Kajüte zu bleiben. In den letzten Wochen hatte sich Annelie oft am gleichmäßigen Gesang der Seemänner erfreut. »Ahoi, ahoi, ahoi«, erklang es dann in ihrer Kajüte. Die Schreie, die sie nun ausstießen, verhießen jedoch Panik. Eine Stimme war besonders laut; vielleicht war es der Kapitän, der durch das Sprachrohr brüllte, um auf diese Weise gegen den heulenden Wind, die brausende, zischende See und das Knarren und Krachen im Gebälk anzukommen.

Annelie lauschte konzentriert, um aus einem der Befehle herauszuhören, wie es um das Schiff stand und wie heftig der Sturm war, doch ehe sie auch nur ein Wort verstand, erhielt sie einen so kräftigen Stoß, dass sie mehrere Male um die eigene Achse rollte.

Entsetzt schrie sie auf, als sie fühlte, wie sich zwischen ihren Beinen eine warme Lache ausbreitete. Hatte sie vor Schreck Wasser gelassen oder blutete sie?

Heftige Krämpfe setzten ein. Der Schmerz schien sie in Stücke zu zerreißen, und als er endlich abebbte, war ihr Gesicht nass vor Schweiß.

Stöhnend versuchte sie, sich aufzurichten, aber da ihr das nicht gelang, tastete sie mit den Füßen nach einer Wand, gegen die sie sich stützen konnte. Sie dachte an den Ratschlag des Stewards, welche Position man bei einem Sturm einzunehmen hatte: Quer in der Koje sollte man sich setzen, den Rücken gegen die Wand und die Füße gegen jenes Brett gestemmt, das die Koje umfasste. Käme es noch schlimmer, so könnte man sich in die Mitte der Koje legen und zwei Stricke um den Leib binden, wobei man den einen rechts, den anderen links straff befestigen müsste.

Nun, es gab hier keine Koje und keine Stricke, und noch ehe Annelie Halt fand, erhielt sie einen neuen Stoß, rollte wieder quer durch den Raum und hielt sich erneut schluchzend vor Schmerz den Leib. Die Nässe zwischen den Beinen fühlte sich nicht mehr warm an, sondern klamm. Immerhin stieß sie mit ihren Händen gegen Widerstand; offenbar war sie gegen die Wand gerollt, und sie versuchte, sich aufzusetzen. Es tropfte vom Gebälk, mit der Zeit immer stärker, und nun hörte sie auch das Prasseln des Regens. Oder war es etwa das Getrippel von Ratten?

»Hilfe«, wimmerte sie.

Richard würde sie mittlerweile gewiss suchen, aber nie auf die Idee kommen, dass sie ausgerechnet in diese Vorratskammer geraten war. Und niemand würde ihm bei der Suche helfen, denn jedes einzelne Mannschaftsmitglied war damit beschäftigt, das Schiff heil durch den Sturm zu bringen ... den Sturm, vor dem sie sich so gefürchtet hatte. Jetzt war eine andere Furcht größer – die Furcht um ihr Kind.

Neuerliche Krämpfe quälten sie, sie biss sich auf die Lippen, fühlte, wie Blut aus ihr rann und mit ihm sämtliche Lebenskraft.

Vor lauter Schmerzen glaubte sie, abermals in Ohnmacht zu sinken, sehnte sich beinahe danach, sich diesem schwarzen Nichts hinzugeben, als sie plötzlich inmitten des Knarrens und Ächzens und Getrampels einen hellen Laut hörte. Waren es das Echo ihres eigenen Gestöhnes oder tatsächlich Kinderstimmen?

Sie spitzte die Ohren, hörte es wieder.

»Poldi, das dürfen wir nicht!«, rief ein Knabe. »Die Sturmglocke hat schon geläutet. Wir müssen zurück ins Zwischendeck und uns dort in die Koje legen, so wie es der Steward gesagt hat!«

»Unsinn!«, erwiderte eine zweite Stimme. »Wir können immerhin noch gerade stehen. Pass auf, wir zählen, wie lange wir uns aufrecht halten können, ohne uns festzuhalten, und wer es am längsten schafft, hat gewonnen!«

»Bist du verrückt, den Hals können wir uns brechen!«

»Lukas, du bist ein Feigling! Du klingst schon wie Fritz! Der ist auch so ein Spielverderber, der uns keinen Spaß gönnt!«

»Und was ist so lustig daran, sich den Hals zu brechen? Komm, lass uns endlich zurück ins Zwischendeck gehen!«

Holzsplitter drangen in Annelies Handflächen, als sie sich damit abplagte, sich an der klammen Wand hochzuziehen; ihre Fingernägel brachen ab. Die Krämpfe wurden so übermächtig, dass sie glaubte, ihr Leib sei ein einziger großer Knoten, der sich immer stärker zusammenzog und ihr sämtliche Luft abrang. Verbissen kämpfte sie gegen die Ohnmacht an. Die Kinder waren ihre einzige Rettung.

»Hilfe!«, presste sie über die Lippen.

Das war zu leise. Sie nahm sämtliche Kraft zusammen.

»Hilfe!«, diesmal schrie sie. »So helft mir doch, bitte!«

7. Kapitel

Nach dem Streit mit ihrem Vater hatte Elisa im Zwischendeck Unterschlupf gefunden. Zunächst hatte sie hier bleiben wollen, doch als das Schiff noch stärker schlingerte, der Sturm immer lauter brauste und das Knarren über und unter ihr zunehmend beängstigender wurde, fühlte sie das Brennen ihrer geröteten Wange, wo der Schlag ihres Vaters sie getroffen hatte, kaum mehr, sondern wollte nur mehr an den vertrauten Ort zurück. Doch als sie die schmale Treppe nach oben stieg, kam ihr ein Matrose entgegen.

»Nichts da! Nichts da!«, fuhr er sie an. »Jeder bleibt, wo er ist.«

Er drängte sich an ihr vorbei und lief schreiend den Gang auf und ab. »Alle Luken werden geschlossen! Geben Sie auf Ihre Kinder acht, und bleiben Sie in den Kojen liegen!«

Das Klagen der meisten wurde lauter, irgendeine Frau schlug ihre Hände mehrmals über dem Gesicht zusammen, ein anderer kicherte nervös, wieder andere schwiegen betreten. Sogar Emma Mielhahn zog ihre Kinder fest an sich. Viktors Gesicht war nach wie vor von blauen Flecken übersät – Elisa war sich nicht sicher, ob diese von den alten Faustschlägen des Vaters rührten oder neue hinzugekommen waren. Zumindest waren keine frischen Blutkrusten zu erkennen.

Rasch ging sie zurück zur Koje der Steiners, wo sie auch die letzte Stunde verbracht hatte.

»Wo ist Poldi?«, fragte sie besorgt. Nicht lange zuvor hatte sie ihn noch mit Lukas herumbalgen sehen. Doch dann hatte sie

Christl, die sich die gleiche Art Zopf wünschte, wie sie ihn trug, die Haare geflochten und nicht mehr auf den jüngsten Steiner-Sohn geachtet. Anders als ihre wilden Strähnen waren Christls dünne Haare leichter zu bändigen.

»Wo ist Poldi?«, fragte sie wieder. »Und Lukas ist auch nicht hier!«

Fritz fluchte laut über die jüngeren Brüder, wollte sich auf die Suche nach ihnen machen, wurde aber von dem Matrosen ebenfalls daran gehindert.

»Wie ich schon sagte: Jeder bleibt, wo er ist.«

Ratsuchend blickte er zu seiner Mutter, doch die war damit beschäftigt, missmutig auf Jule zu schielen. Unberührt vom Sturm und der Angst der anderen Passagiere las sie in ihrem Buch.

»Ihre Sorgen möchte ich haben! Wahrscheinlich würde sie auch dann noch seelenruhig lesen, wenn wir kentern!«

Christl kicherte, Magdalena ausnahmsweise auch. Doch das Lachen verstummte sofort, als es über ihnen bedrohlich knirschte. Alle duckten sich, nur Jule las ungerührt weiter.

»Und immer noch erzählt sie nichts über ihren Mann und die beiden Töchter«, murrte Christine. »Möchte wirklich wissen, was sie zu verbergen hat. Und den Schiffsarzt hat sie bestohlen. Auch wenn der ein Lump ist, so bleibt's doch eine Untat! Ich möchte nur zu gerne wissen …«

Plötzlich brach sie ab. Diesmal war es kein Knirschen, kein Ächzen oder das Geräusch zersplitternden Holzes, das sie zusammenzucken ließ, sondern ein schriller Ruf, der all diese Laute übertönte.

Abrupt sprang Christine auf, fand jedoch keinen festen Stand, sondern fiel förmlich in die nächste Koje – ausgerechnet in die von Jule. Diese hob erstmals den Kopf. »Können Sie sich nicht festhalten?«

Christine achtete nicht auf die Verfemte. »Mein Gott, Poldi!«, schrie sie auf.

Elisa war ihrem Blick gefolgt und sah sie nun auch: Poldi und Lukas und zwischen ihnen, auf ihren Schultern gestützt, Annelie. Sie war kaum fähig, noch einen weiteren Schritt zu machen. Kreidebleich war ihr Gesicht, an der Wange etwas aufgeschrammt. Das Haar fiel ihr in die Stirn, und ihre Hände waren von Rissen und Kratzern übersät. Das Schlimmste war das viele Blut, das aus ihrem Leib sickerte. Längst hatte sich ihr Rock damit vollgesogen. Eine rote Pfütze breitete sich unter ihr aus, wurde immer größer.

Elisa schrie auf und presste die Hand vor den Mund.

Poldi und Lukas konnten sie nicht länger stützen, und mit einem gequälten Stöhnen brach Annelie auf die Knie.

»Das Kind …«, stammelte sie, »das Kind …«

Elisa wollte zu ihr eilen, konnte es jedoch nicht. Wie starr blickte sie auf die Stiefmutter. »Sie ist schwanger«, murmelte sie. »Sie ist …«

Christine erreichte Annelie als Erste, verscheuchte ihre Söhne und beugte sich über sie. Gerade noch rechtzeitig fing sie sie auf, ehe ihr Rumpf schwer auf den Boden krachte. »Wir müssen sie zum Arzt schaffen!«

»Das geht doch nicht!«, rief Elisa verzweifelt. »Der Sturm! Und außerdem ist der Arzt ein Trunkenbold!«

Endlich konnte sie sich aus der Starre lösen. Sie eilte zu Annelie, doch deren Gesicht war so schmerzverzerrt, dass sie nicht wagte, sie anzufassen. Womöglich würde eine falsche Berührung ihr Leiden noch verstärken. Christines und Elisas Blicke trafen sich – beide hilflos.

»Worauf wartet ihr?«, klang es da energisch hinter ihnen. Jule hatte ihr Buch zur Seite gelegt und war aufgestanden. »Zwei kräftige Männer braucht's«, rief sie befehlend. »Legt sie in meine Koje und haltet ihr die Beine hoch; sie darf nicht mehr Blut verlieren, sonst wird sie noch ohnmächtig.«

»Es ist viel zu früh ...«, stammelte Annelie, »viel zu früh.«

Es waren Fritz und sein Vater Jakob, die Annelie schließlich zu Jules Koje trugen.

Einige der anderen Passagiere waren näher getreten, doch sie wichen rasch zurück, als Christine sie fortjagte. »Hier gibt's nichts zu glotzen! Und ihr«, sie wandte sich an die Töchter, obwohl diese sich ohnehin nicht rührten, »ihr bleibt in eurer Koje!«

Jule beugte sich über Annelie und fühlte ihren Puls. »Wievielter Monat?«, fragte sie.

»Der fünfte«, flüsterte Annelie. »Ich glaube, der fünfte ...«

Sie brach ab. Eine Woge des Schmerzes erfasste sie, ihr Körper krümmte sich; nicht länger stöhnte sie nur, sondern schrie auf, spitz und schrill. Nie hatte Elisa jemanden so schreien gehört – so voller Weh, Not, Angst. Sie wollte ihr die Hand reichen, wollte ihr zeigen, dass sie bei ihr war, doch plötzlich wankte der Boden. Sie stolperte zwei, drei Schritte, fiel gegen etwas Hartes, Eckiges.

»Licht aus!«, schrie eine Stimme. Es war jener Matrose, der vorhin schon lauthals die Befehle des Kapitäns verkündet hatte.

»Sind Sie verrückt geworden?«, rief Christine empört. »Wir brauchen Licht, um dieser armen Frau ...«

Er hörte gar nicht auf sie, sondern eilte von Lampe zu Lampe, um sie zu löschen. »Wenn eine von diesen umfällt, brennt es bald lichterloh!«

Augenblicklich war es stockdunkel. Das Letzte, was Elisa sah, war, dass Jule sich über Annelies Leib beugte.

Mühsam hatte sie sich aufgerappelt, rieb sich die schmerzenden Glieder. Jetzt erst bemerkte sie, dass Annelie nicht länger schrie. Vielleicht, weil sie in Ohnmacht gesunken war, vielleicht aber, weil der Sturm mittlerweile so stark war, dass er alles und jeden übertönte.

Zumindest blieb es nicht stockdunkel. Elisa war sich nicht sicher, woran das lag: weil ihre Augen sich an die Finsternis gewöhnten, irgendjemand doch eine der Lampen entzündete oder der heftige Wind einen Balken wegriss. Jedenfalls erstanden aus der Schwärze Konturen, und kaum konnte sie wieder etwas erkennen, sah sie eine Kiste auf sich zurasen. Gerade noch rechtzeitig warf sie sich zur Seite. Mit einem lauten Knirschen schlug die Kiste gegen eine Koje, die heftig erzitterte.

»Hört alle her!«, ertönte hinter ihr plötzlich eine laute Stimme. »Hört alle her!« Es war Fritz Steiner, der das Kommando übernahm. »Die Stricke, mit denen die Kisten und Koffer festgebunden sind, werden womöglich reißen. Jeder der Männer überprüft sein Gepäck und bindet es notfalls noch fester! Die Frauen bleiben mit den Kindern in der Koje und halten sie mit beiden Händen fest!«

Zu Elisas Erstaunen fügten sich alle anderen; kein Widerspruch wurde laut – vielleicht, weil es ohnehin zwecklos war, gegen das Wüten des Sturms anzurufen. Selbst Lambert Mielhahn trat zu seinem Koffer, um die Stricke zu überprüfen. Emma hingegen hatte ihre Kinder wieder losgelassen und sich unter der Decke verkrochen. Die beiden Kleinen klammerten sich aneinander – Viktor mit kalkweißem Gesicht, Greta mit einem Grinsen. Zumindest schien Elisa das so, als ihr Blick kurz über sie schweifte; womöglich irrte sie sich aber auch. Unmöglich eigentlich, dass das Mädchen in dieser Stunde lachte.

Rasch trat sie zu Jules Koje, um Annelies Hand zu ergreifen. Sie bemerkte, dass Jule mittlerweile ihre Röcke hochgeschoben hatte und sich zwischen ihren Beinen zu schaffen machte. Annelies gequälter Leib bäumte sich auf, und ihre Fingernägel gruben sich tief in Elisas Fleisch.

»Gib ihr ein Stück Holz, damit sie sich nicht die Zunge abbeißt!«, wies Jule sie an.

Noch ehe sich Elisa rühren konnte, war Christine zur Stelle, um das Gewünschte zu bringen. Annelie schüttelte jedoch den Kopf, als sie das Holz vor ihren Lippen hielt.

»Richard …«, brachte sie mühsam hervor; Elisa konnte sie kaum verstehen. »Richard soll wissen, dass …«

Sie kam nicht weiter, denn im nächsten Moment erklang abermals ein ohrenbetäubendes Krachen: Unwillkürlich ließ Elisa sie los, duckte sich und barg ihren Kopf zwischen den Händen. Als sie sich wieder aufrichtete, erkannte sie, dass die Pfosten einer der Kojen entzweigebrochen waren – zu morsch war das Holz, um das heftige Schlingern des Schiffs zu überstehen. Doch nicht nur, dass die Menschen, die in dieser Koje lagen, herausgefallen waren; die Wucht des Pfostens hatte vielmehr die Bretter brechen lassen, die – über die unteren Balken gelegt – das Zwischendeck vom Orlopdeck trennten. Ein Loch ragte nicht weit vor Elisa auf, und das verängstigte Schreien, das nun das Zwischendeck erfüllte, wurde von den Rufen von unten, wo die Ärmsten der Passagiere schliefen, verstärkt.

Zwei weitere Frauen fielen aus dem Bett, weil sie vor lauter Schreck vergessen hatten, sich festzuklammern.

Wild ging das Gebrüll durcheinander, lauter noch als Knirschen und Windgeheule, als Jule sich plötzlich erhob und durch den Raum schrie: »Hat sich jemand von euch das Genick gebrochen? Falls nein, müsst ihr nicht schreien. Falls ja, ist derjenige zu tot, um schreien zu können. Also sind wir jetzt alle wieder ruhig, ja?«

Ihre herrischen Worte verfehlten die Wirkung nicht. Tatsächlich klappte mancher Mund verblüfft über ihre Härte zu.

»Richard«, stammelte Annelie wieder, »Richard soll wissen, was passiert ist. Er soll …«

»Bei Geburten, ob sie nun schiefgehen oder nicht, sind Männer nicht dabei«, ging Jule dazwischen.

Elisa sah, wie Christine den Kopf schüttelte: »Siehst du denn nicht, dass sie schreckliche Angst hat?«

»Willst du ihn etwa holen?«, fragte Jule.

Ob die beiden bemerkten, dass sie in der Panik zum vertraulichen Du übergegangen waren?

Elisa erhob sich schnell. »Ich kann das tun«, erklärte sie, erleichtert, dass sie sich anders nützlich machen konnte, als nur Annelies Hand zu halten. Hilflos fühlte sie sich dabei – zumal Jule im Gegensatz zu ihr viel besser zu wissen schien, was zu tun war.

Annelie nickte schwach, ihre Hand fiel kraftlos auf das Bett. »Ja bitte … Elisa … bitte hol ihn.«

Elisa wartete Jules Zustimmung nicht ab, sondern tastete sich vorsichtig in Richtung Aufstieg vor, immer darauf bedacht, sich an einem der Bettpfosten festzuhalten.

Als sie Stufen erreichte, schwappte ihr übler Geruch entgegen. Sie würgte, als sie bemerkte, dass er von Kot und Urin stammte, die ihr von den sechs Aborten entgegenflossen.

Weit und breit war nichts von dem Matrosen zu sehen, der sie vorhin zurückgehalten hatte, und sie konnte mit dem Aufstieg beginnen.

Die erste Stufe war glitschig. Nun, da es keine Pfosten mehr zum Festhalten gab, stützte sie sich rechts und links gegen die Wand. Wurde das Schaukeln schlimmer? Oder bildete sie sich das nur ein? Immerhin rutschte sie nicht aus, stieg höher und höher. Doch weder erhaschte sie nun frischere Luft noch mehr Licht, und als sie oben ankam, erkannte sie auch, warum. Jemand hatte die Einstiegsluke zum Zwischendeck geschlossen.

Verzweifelt hämmerte sie dagegen. »Ist da jemand?«, schrie sie gegen das Heulen des Sturms an. »Aufmachen!«

Niemand kam zu Hilfe, aber als sie noch fester gegen das Holz trommelte, sah sie, dass sich der Verschlag einige Fingerbreit auftat. Sie musste nur ihr ganzes Gewicht gegen die Luke stemmen – dann konnte sie das Brett vielleicht zur Seite schieben. Sie ächzte und stöhnte, während sie sich abmühte. Holzfasern drangen tief in ihre Haut, Tropfen klatschten in ihr Gesicht, aber sie achtete nicht darauf, und dann war es endlich geschafft. Tief atmete sie die frische, salzige Luft ein, doch sie konnte sie nicht lange genießen. Im nächsten Augenblick rollte eine Welle jenes Wassers heran, das sich im Gang der ersten und zweiten Klasse gesammelt hatte, und klatschte über ihrem Kopf zusammen. Es fühlte sich an, als würde ein kräftiger Mann auf sie einschlagen. Nie hatte sie geahnt, dass die Wucht des Wassers derart schmerzhaft sein konnte. Ihr Kopf brummte, sie glitt zwei Stufen zurück. Regelrechte Sturzbäche fluteten nach unten. Sie kämpfte sich hoch, wuchtete sich in den Gang. Wieder traf eine Welle sie, diesmal hielt sie jedoch rechtzeitig die Luft an. Auch als sie endlich aufrecht stand, schien das Wasser von allen Seiten zu kommen. Wie durch einen Schleier hindurch sah sie Menschen rennen. Die Tür zum Deck stand weit offen – wahrscheinlich hatte der Sturm sie herausgerissen, woraufhin das Wasser ungehindert ins Innere fließen konnte. Später würde sie erfahren, dass zum gleichen Zeitpunkt einer der Matrosen vom mittleren Mastbaum auf die mit Blech beschlagene Kajüte gefallen war und dass der Kapitän den Steuermann an das Steuer festbinden ließ, um das Schiff trotz hoher Wellen zu navigieren. Die

Kompasslampe erlosch, und das Großsegel schlug mitsamt dem ganzen Baum in die entgegengesetzte Richtung.

»Vater!«, schrie sie. In ihren Ohren rauschte es. Das Meerwasser brannte in ihrem Gesicht und auf ihren wunden Händen.

»Vater!«

Schon mehrmals hatte sie gespürt, wie ein heftiger Ruck durch das Schiff ging, jetzt war ihr, als würde es tatsächlich kentern. Der Boden wurde ihr unter den Füßen weggerissen. Sie griff ins Leere, wusste nicht mehr, wo oben und unten war, rollte haltlos durch den Gang, immer weiter auf den Ausgang zum Deck zu. Schon glaubte sie, ins Freie zu fallen, über die Reling geschleudert zu werden, das schwarze Wasser über sich zusammenbrechen zu fühlen.

Plötzlich griffen Hände nach ihr, fingen sie auf. Sie hatte vergessen zu atmen, schnappte nun erst nach Luft. Ihre Kehle fühlte sich wie verätzt an, sie musste das salzige Wasser geschluckt haben.

»Mein Gott, Elisa, wo warst du nur?« Es war die Stimme ihres Vaters, die auf sie einredete, doch es waren nicht seine Hände, die sie aufgefangen hatten. Cornelius hielt sie, hielt sie fest und geborgen. Sie klammerte sich an ihn, fühlte für einen kurzen Augenblick weder Schmerzen noch Kälte, nur tiefe Erleichterung und Wohligkeit.

»Ich habe dich gesucht. Herr Suckow hat mir schließlich geholfen«, rief ihr Vater. »Und Annelie ist auch fort. Weißt du, wo sie ist?«

Sie wollte antworten, brachte jedoch nur ein Krächzen zusammen. Wortlos deutete sie in Richtung Zwischendeck, und ohne weitere Fragen stürmte Richard nach unten. Cornelius ließ sie nicht los, als sie ihm folgten. Mehrmals wurden sie im Gang hin und her geworfen; wahrscheinlich war ihr Körper längst von blauen Flecken übersät, doch sie schafften es, die glitschigen Stufen hinunterzuklettern, ohne sich sämtliche Knochen zu brechen.

Als sie unten ankamen, hatte Elisa das Gefühl, dass das Schiff nicht mehr ganz so stark schaukelte und das Stöhnen des Windes nicht mehr so ohrenbetäubend toste wie vorhin. Hatte der Sturm endlich nachgelassen?

Richard stürzte auf die Koje zu, in der Annelie lag, und schrie ihren Namen. »Was ist passiert? Was, um Gottes willen, ist passiert?«

Elisa sah, dass er Annelies Hand genommen hatte und sie fest drückte. Annelie reagierte kaum; sie schaffte es nicht, den Kopf zu heben, obwohl sie sich sichtlich darum bemühte. Ihre Lippen waren wund gebissen; ihr Gesicht noch bleicher als zuvor.

»Das Kind hat sie verloren, aber sie selbst lebt noch. Ich weiß aber nicht, wie lange«, meinte Jule knapp.

Elisa versagten die Beine. Sie war sicher, dass sie gefallen wäre, hätte Cornelius sie nicht weiterhin festgehalten.

Jule musterte ihn abschätzig. »Wenn ihr es noch einmal nach oben schafft, ohne über das Schiff geschwappt zu werden und zu ersaufen, so wäre jetzt die Gelegenheit, deinen Onkel zu holen. Die Arme hat mehrmals nach einem Pfarrer verlangt. Und für das Seelenheil ist er zuständig – nicht ich.«

Elisa hatte sich nicht geirrt, der Sturm war tatsächlich schwächer geworden. Helles Licht traf sie von oben; der dunkle Himmel schien sich aufzuklären. Das Ächzen und Knirschen des Schiffskörpers, das vorher noch so klang, als würde er gewaltsam auseinandergerissen, war kaum lauter als ein Seufzen.

Dennoch stürzten ihnen immer noch Wassermassen entgegen,

als sie hinaufstiegen. Die hölzernen Stufen hatten sich längst damit vollgesogen; und diesmal konnte Elisa es nicht verhindern, auszurutschen und nach hinten zu kippen. Sie wähnte sich fallen, stieß einen Aufschrei aus, doch dann fing Cornelius sie auf. Dicht standen sie aneinandergepresst, länger als eigentlich notwendig. Erst in diesem Augenblick konnte sie wirklich fassen, was geschehen war.

»Es ist meine Schuld, dass Annelie ihr Kind verloren hat«, brach es aus ihr heraus. »Nicht nur, aber auch meine«, berichtigte sie sich.

Eben noch hatte sie sich vor Furcht und Grauen wie erstarrt gefühlt; nun bebten ihr die Beine. Tränen quollen ihr aus den Augen.

»Was redest du nur?«, rief Cornelius entsetzt. »Du hast großartig geholfen, und dass sie eine Totgeburt …«

Sie schüttelte heftig den Kopf. »Insgeheim habe ich mir gewünscht, dass sie verschwindet. Sie und das Kind.«

Er ließ sie nicht los, sondern presste sie fester an sich. Obwohl Jule verlangt hatte, er möge seinen Onkel holen, drängte er nicht zur Eile.

»Manchmal hegt man finstere Gedanken«, sagte er leise. »Gewiss, es wäre so viel leichter zu leben, wäre man von ihnen befreit. Und dennoch: Es sind nur Gedanken. Du hättest deiner Stiefmutter nie willentlich Böses angetan. Und vor allem zählt, dass sie lebt!«

»Aber das Kind …«, immer noch schüttelte sie heftig den Kopf. Ihre Zähne klapperten vor Kälte und Aufregung. »Ich war so zornig, als ich erfahren habe, dass sie guter Hoffnung ist. Mein Vater hat mich zum Schiffsarzt geschickt, und ich habe ihm so böse Worte an den Kopf geworfen. Bitterböse. Und jetzt …«

»Ich weiß, was in dir vorgeht, Elisa, ich weiß es ganz genau …«

Er brach ab, und sie löste sich von ihm, um ihm ins Gesicht zu sehen. Sein Haar, ansonsten so sorgfältig gekämmt, war zerzaust. Sie wollte gar nicht daran denken, wie ihres aussehen musste, fühlte die Strähnen nur nass und klebrig über ihren Rücken hängen.

»Ja«, bekräftigte er, »ich weiß, wie es ist, wenn man sich schuldig fühlt, weil man einem Menschen schlimmes Unrecht angetan hat. Ich habe … ich hatte …«

Wieder machte er eine kurze Pause, ehe er mit gepresster Stimme fortfuhr: »Einst hatte ich einen schlimmen Streit mit meiner Mutter, sie hieß Cornelia. Wir standen uns eigentlich sehr nah, wir beide waren wie eine verschworene Gemeinschaft, nur mein Onkel Zacharias zählte noch dazu. Und dennoch: Manchmal hatte ich eine unendlich große Wut auf sie. Denn ich … ich kenne meinen Vater nicht. Meine Mutter war nicht verheiratet, als sie mit mir schwanger wurde. Er hat ihr offenbar die Ehe versprochen – doch sie dann schmählich im Stich gelassen. Ich bin ein Bastard, nichts als ein Bastard.« Er brachte das Wort nur zischend über seine Lippen, mit Verachtung, mit Wut und mit Kummer. Elisas Tränen versiegten. Ihr eigenes Leid, so tief es auch war, war frisch und heftig. Doch die Gefühle, die in ihm gärten, mussten ihn schon seit vielen Jahren verbittern. Die Last, an der er zu tragen hatte, war so viel schwerer als ihre. Er tat ihr unendlich leid, und unwillkürlich hob sie ihre Hand, legte sie auf seine Wange. Er wich nicht zurück, aber er senkte den Blick, als er fortfuhr.

»Ich wäre gerne Pastor geworden wie mein Onkel. Aber weil ich unehelich geboren worden bin, hat man mir die Ausbildung zum Pastor verwehrt. Und da … da habe ich meine Mutter verflucht. Ich habe scheußliche Dinge zu ihr gesagt, unverzeihliche Dinge. Kurze Zeit später hat es mir unendlich leidgetan. Ich wollte mich mit ihr aussprechen, sie um Vergebung bitten. Doch in der Zwischenzeit ist sie gestorben. Es kam ganz plötzlich, ohne Vorwarnung, sie wirkte nicht krank. Sie hatte nur ein schwaches Herz, hat der Arzt gesagt, und dieses Herz hat eines Tages ausgesetzt.«

Seine Stimme klang erstickt. Ihre Hand wanderte von seiner Wange über den Hals zu seiner Schulter. Sie spürte, wie er zitterte. »Ja, ich konnte mich weder von ihr verabschieden noch meine bösen Worte zurücknehmen. Aber das war nicht alles. Anstatt zu trauern, war ich immer noch wütend – so, als ob es ihre Schuld sei, dass sie so plötzlich gestorben ist. Ich bin an ihrem Grab gestanden und habe geschrien, warum sie sich einfach aus dem Staub macht. Stell dir das nur vor! Mein Onkel hat versucht, mich zu beschwichtigen – er war für mich da, so wie er eigentlich immer für mich da war. Er hat meine Mutter damals aufgenommen, als sie mit mir schwanger ging, die restliche Familie hat sie verstoßen, genauso wie mich. Doch ich war taub für seine Worte. Ich habe einfach weiter geschimpft und geflucht ... an ihrem Grab.«

Eben noch hatte er sie gestützt; nun nahm sie seinen Kopf zwischen die Hände, zog ihn zu sich, hielt ihn fest. »Es tut mir so leid«, murmelte sie.

»Deine Stiefmutter ... sie lebt«, sagte er, »du kannst mit ihr reden, dich mit ihr aussöhnen. Es ist nicht zu spät ... so wie bei mir.«

»Deine Mutter hat sicherlich geahnt, dass deine bösen Worte nur im Ärger gefallen sind. Wenn ihr euch wirklich so nahegestanden seid, wie du sagst, dann wird sie insgeheim gewusst haben, dass du sie liebst und dass du es bitter bereust.«

Eine Weile verharrte er schweigend in ihrer Umarmung. Elisa hatte keine Ahnung, wie viel Zeit verging. Es zählte nichts, weder die Kälte, die ihr in den Gliedern steckte, noch das Wasser, in dem sie knöcheltief stand, nur, dass sie ihm so nah war – so nah wie nie zuvor. Und dass sie genau das wollte: für ihn da sein. Ihm ihr Innerstes anvertrauen und alles über ihn erfahren. Trost geben und empfangen.

Doch plötzlich löste sich Cornelius abrupt von ihr. Schritte erklangen von oben, angestrengtes Schnaufen und schließlich verzweifelte Klagen: »Das Wasser! Mein Gott, das viele Wasser! Wir sinken! Wir werden alle ertrinken.«

Elisa errötete, als sie Pastor Zacharias erkannte, und trat rasch von Cornelius fort. Doch Zacharias Suckow war derart von Ängsten zerfressen, dass ihm die innigliche Umarmung entgangen war. »Wir sinken!«, stöhnte er wieder. »Das viele Wasser!«

»Ach, Onkel, wir sinken doch nicht! Das Wasser kommt von oben, nicht von unten. Das Schiff leckt nicht.«

»Lieber Himmel!«, Pastor Zacharias schüttelte den Kopf. »Ich dachte, das Jüngste Gericht wäre über uns hereingebrochen. So wird es schließlich in der Offenbarung des Johannes geschildert: ›Und der Tempel Gottes im Himmel wurde geöffnet, und die Lade seines Bundes wurde in seinem Tempel gesehen; und es geschahen Blitze und Stimmen und Donner und ein Erdbeben und ein großer Hagel.‹« Er schlug mit lautem Klatschen die Hände über dem Kopf zusammen.

»Es hat aber nicht gehagelt«, warf Cornelius ein.

Pastor Zacharias ging nicht darauf ein. »Und du warst nicht hier«, wandte er sich vorwurfsvoll an seinen Neffen. »Du bist einfach verschwunden und hast mich allein gelassen. Ich dachte schon, der Sturm hätte dich über Bord gefegt.«

»Es geht mir gut, Onkel, wirklich, das Schlimmste ist ausgestanden. Aber wir brauchen dich, Onkel.«

In knappen Worten erzählte er, was geschehen war, und obwohl der Pastor nicht den Eindruck machte, er täte es gerne, folgte er ihnen schließlich ins Zwischendeck.

Dort roch es säuerlich. Wieder hörte Elisa Pastor Zacharias schnaufen, diesmal nicht aus Furcht vor dem Ertrinken, sondern weil er Annelie erblickte, mit leichenblassem, eingefallenem Gesicht, als wäre sie geschrumpft und die Haut eine viel zu große Hülle für den schmächtigen Körper. Am Fußende der Koje lag ein blutiges Bündel. Elisa versuchte, darüber hinwegzublicken, und auch Annelie sah es nicht an. Sie hatte die Augen geschlossen und murmelte etwas – vielleicht ein Gebet. Pastor Zacharias schlug hastig ein Kreuzzeichen. Elisa war sich nicht sicher, ob es Annelies Seelenheil galt oder vielmehr ein Stoßgebet in eigener Sache einleitete.

Jule verdrehte die Augen. »Es scheint, dass der Sturm vorbei ist, na Gott sei's gedankt!«, rief sie ungeduldig. »Also können wir jetzt wieder an Deck gehen, ja? Für mich gibt's hier nichts mehr zu tun, und ich brauche dringend frische Luft.«

Sie wartete keine Antwort ab, sondern stapfte Richtung Aufstieg, doch da stellte Christine Steiner sich ihr entgegen. Bislang war ihr Blick immer verächtlich und misstrauisch gewesen, wenn er Juliane Eiderstett getroffen hatte, nun allerdings nickte sie anerkennend.

»Das muss man dir lassen«, erklärte sie und blieb unwillkürlich beim vertraulichen Du, »du hast wirklich kundige Hände. Wie du Frau von Graberg geholfen hast …«

Jule schaute auf besagte Hände. »Die sind nicht kundig, sondern vor allem blutig«, stellte sie schroff fest.

Christines Blick wurde wieder ein bisschen verächtlich. »Es wäre viel leichter, mit dir auszukommen, wenn wir mehr von dir wüssten.«

»Ich dachte, ihr seid euch sicher, dass ich eine entlaufene Mörderin bin?«, rief Jule laut und drehte sich einmal im Kreis herum. Alle glotzten sie nun an, selbst Pastor Zacharias, der zögernd zu Annelie getreten war, wandte sich um.

»Nun, ich muss euch enttäuschen – eine Mörderin bin ich nicht. Aber wenn ihr schlecht von mir denken wollt, das könnt ihr gerne haben.« Ihre Stimme wurde laut und schrill, auf dass auch wirklich jeder sie vernehmen konnte. »Ich reise allein, weil ich meinem Mann davongelaufen bin. Ich hatte keine Lust mehr, mit dem werten Herrn Fabrikbesitzer, den nur das Geld interessiert, zu leben. Und ich hatte auch keine Lust, die beiden Rangen aufzuziehen, die ich ihm geboren habe. Zwei Mädchen waren's. Hübsch anzuschauen beide. Aber vom Schauen allein wird man weder klug noch glücklich, noch frei. Das alles aber will ich sein. Darum habe ich mein Bündel gepackt, bin nach Hamburg gefahren und heimlich aufs Schiff gegangen. Muss meine Familie eben ohne mich zurechtkommen.«

Der letzte Ton, der aus ihrem Mund trat, klang wie ein Lachen. Dann trat sie an Christine vorbei und ging endgültig an Deck.

Kaum waren ihre Schritte verklungen, setzte Getuschel ein. Die einen kicherten nervös, die anderen spotteten, wieder andere schimpften empört – so auch Christine Steiner.

»Was für ein unmögliches Weibsbild!«, stieß sie aus. Poldi grinste, Fritz prüfte, ob die Kisten alle noch ganz waren, und die Mädchen kamen aus dem Bett geklettert.

Auch Lambert Mielhahn erhob sich aus der Koje, wie Elisa nun sah.

»Was für ein unmögliches Weibsbild!«, echote er – wie immer mit Christine Steiner einig, wenn es um Juliane Eiderstett ging.

»Kein schöner Anblick, was? Hätte allerdings noch viel schlimmer kommen können.«

Cornelius zuckte zusammen, als die näselnde Stimme ihn traf.

Er fuhr herum und sah einen Matrosen das Deck betrachten. Eben noch hatten sämtliche Mitglieder der Besatzung ihre Kräfte darauf verwendet, das Schiff heil durch den Sturm zu bringen, nun standen sie tatenlos herum, die einen erschöpft, die anderen erleichtert, wieder andere mit einem Ausdruck tiefster Verwirrung, als wäre das eben Durchstandene nur ein böser Traum gewesen. Immer mehr Passagiere strömten an Deck, um die Spuren der Zerstörung zu mustern und um frische Luft zu schöpfen.

Der Drang war auch bei ihm übermächtig gewesen, nachdem er seinen Onkel zurück in die Kabine gebracht hatte. Pastor Zacharias hatte sich alle Mühe gegeben, Annelie von Graberg Trost zu spenden; als es nicht recht fruchtete, Annelies Blick vielmehr starr auf die Decke gerichtet blieb, hatte er schließlich die Passagiere dazu aufgefordert, ein Gebet zu sprechen, und es selbst mit ungewöhnlich fester Stimme begonnen. Danach freilich hatte ihn nichts mehr im Zwischendeck halten können.

»In der Tat«, bekräftigte der Matrose neben Cornelius seine Worte. »Manch einen hat's auf hoher See übler getroffen als uns.«

»Noch übler?«, fragte er.

Sein Blick ging über das Deck: Drei Masten gab es mit jeweils einer Rah. Der mittlere war gebrochen und die Rah in Fetzen zerrissen, die anderen beiden hatte der Sturm nicht gänzlich geknickt, aber sie wirkten schief. Die Vorstenge war zur Hälfte über Bord gefallen, und das Wasser stand knöcheltief.

Der Matrose zuckte mit den Schultern: »Wir hätten auch sinken können – und zumindest das ist nicht geschehen.«

Seine Lippen waren rissig, ein Auge war blau, als wäre er geschlagen worden – wahrscheinlich nicht von einer Faust, sondern von einem Holzbalken, der sich aus der Verankerung gelöst hatte.

»Ja, wir hätten sinken können …«, murmelte Cornelius geistesabwesend.

Die frische Luft belebte ihn; die Erinnerung an die letzten Stunden beschworen kurze, blitzartige Bilder herauf, die in keinem Zusammenhang zu stehen schienen, nur von Kälte, Nässe, Stolpern, Rutschen kündeten. Das Einzige, was ihm wirklich erschien, war die Umarmung mit Elisa. So verloren hatte sie gewirkt, so verzweifelt, verwirrt und traurig – und zugleich so lebendig.

Er watete über das Deck; bis zu den Knien sog sich seine Hose mit Wasser voll, doch es störte ihn nicht. Sie hatten den Sturm überlebt – und kurz hatte er das Gefühl, damit alles Gefährliche, Tragische, Düstere seines Lebens abstreifen, durchatmen, den Blick nach vorne richten, weitermachen zu können.

In der Nähe des gebrochenen Masts traf er mit Juliane Eiderstett zusammen. Sie blickte nachdenklich auf die zerstörte Rah und schien ihn gar nicht wahrzunehmen. Doch als er näher trat, fragte sie unvermittelt: »Was ist, willst auch du sämtliche Häme und Verachtung über mich ergießen?«

Verwirrt blickte er sie an und hatte keine Ahnung, wovon sie redete. »Warum sollte ich?«

»Du hast es doch gehört. Ich bin eine, die Mann und Kinder verlassen hat.«

Er sprach, ehe er darüber nachdachte: »Und ich bin einer, der seine Mutter verflucht hat, weil sie ihn unehelich geboren hat, und der sich nicht rechtzeitig mit ihr aussöhnen konnte. Und obendrein bin ich einer, der zugesehen hat, wie sein bester Freund gestorben ist.«

Dass er Elisa vorhin den letzten, schlimmen Streit mit Cornelia anvertraut hatte, schien irgendetwas verändert zu haben. Er wusste nicht recht, was, nur, dass auch alles andere, was ihn bekümmerte, ans Tageslicht drängte. Obwohl Jule nicht nachfragte, ja, nicht einmal sonderlich an ihm interessiert zu sein schien, konnte er nicht mehr aufhören, weiterzureden. Die Worte sprudelten förmlich aus ihm hervor.

»Matthias … mein Freund hieß Matthias. Seine Hoffnung auf eine neue Welt war so groß, eine ganz andere Welt, eine freie Welt, in der niemand geduckt gehen muss, sondern jeder mit aufrechter Haltung, in der nicht zählt, als wessen Kind man geboren ist, sondern, was man kann und was man aus seinem Leben macht. ›Das ist unser Jahr‹, sagte er. ›Das ist das Jahr der Freiheit.‹ 1848 war das. Er war so euphorisch, so aufgeregt, so lebendig, er hat mich damit angesteckt. ›Was kümmert es dich, dass du nicht Pastor werden darfst, weil du ein Bastard bist?‹, hat er mir lachend entgegengerufen. ›Es wird doch jetzt alles anders.‹ Doch das Einzige, was anders geworden ist …«, er brach ab, schüttelte den Kopf; die Worte, eben noch so schnell und sorglos verkündet, schienen sich in seiner Kehle zu verknoten.

»Ja?«, fragte Jule, eher ungeduldig als neugierig.

»Die Oktoberdemonstration vor der Nationalversammlung. Es war in Berlin. Ich hätte an seiner Seite stehen müssen, aber ich war der Erste, der geflohen ist, als die Soldaten kamen … als sie das Feuer eröffneten. Ich habe von der Ferne zugesehen, wie er erschossen wurde. Aber selbst dann bin ich nicht an seine Seite zurückgekehrt, sondern habe mich versteckt, bis Ruhe eingekehrt war. Erst später habe ich mich wieder zu ihm getraut. Viel zu spät.«

Er fühlte, wie Tränen hochstiegen, doch er schluckte sie hinunter. Kurz konnte er es hören – das Getrampel der Pferde, die Schreie, die Schüsse. Doch dann verstummte alles, und das

Einzige, was blieb, war Jules gleichmütige, etwas verächtliche Stimme.

»Wenn dein Freund tot ist, du aber lebst, warst du offenbar der Klügere.«

»Der Klügere? Ich war feiger.«

»Ach was!«, stieß sie aus. »Zu leben braucht mehr Mut, als zu sterben. Und mit Schuld zu leben, aber sich nicht von ihr zerfressen zu lassen, sondern trotz allem seiner Wege zu gehen – das braucht am meisten Mut.«

Kurz wusste er nicht, von welcher Schuld sie sprach, aber dann fiel ihm ein, was sie vorhin erzählt hatte – dass sie ihren Mann und ihre zwei Töchter einfach zurückgelassen hatte, um ein neues Leben zu beginnen.

»Machen Sie sich nicht manchmal … Vorwürfe?«, fragte er.

Sie zuckte mit den Schultern. »Auf jeden Fall suhle ich mich nicht in Selbstmitleid. Man ist, wer man ist. Man tut, was man tun muss. Und sollte man zum Schluss kommen, man hat es falsch gemacht, so macht man es beim nächsten Mal besser. Das ist alles.«

»Das ist alles«, echote er. Es klang so schlicht, so einfach, was sie sagte … und so ehrlich. Unwillkürlich dachte er an Elisa. Manchmal erschien sie ihm erwachsen, manchmal noch wie ein trotziges Mädchen – doch immer war sie geradeheraus, unverstellt, aufrichtig. Sie machte niemandem etwas vor, auch sich selbst nicht; sie zeigte, was sie fühlte, und sprach aus, was ihr auf den Lippen lag.

Er straffte die Schultern.

»Es ist sinnlos, zu fliehen«, sagte Jule unvermittelt.

»Was?«

»Will sagen: Wenn deine Reise nach Chile eine Flucht ist, wirst du dort nicht glücklich werden. Man kann vor allem davonlaufen – nur nicht vor sich selbst.«

»Aber die Reise ist keine Flucht«, brach es aus ihm hervor, und zum ersten Mal glaubte er, was er sagte. »Nein, es ist keine Flucht«, bekräftigte er sich, »es ist ein Neuanfang.«

Jule hatte verlangt, dass Annelie eine Weile ruhig liegen müsse, weswegen sie über Nacht im Zwischendeck blieb. Am nächsten Tag war der schrankförmige Steward dem Vater dabei behilflich, sie zurück in die Kajüte zu tragen – das hieß: Eigentlich trug der Steward sie, und Richard trabte hilflos hinterher. In der Kajüte angekommen, deckte er sie mit drei Laken zu, und obwohl Annelie murmelte, dass ihr warm genug wäre, fragte er immer wieder, ob er noch weitere Decken holen sollte. Ihr zunehmend ausdrücklicheres Nein überhörte er. Schließlich forderte Annelie ihn auf, etwas zu essen zu holen. Sie sah nicht aus, als hätte sie großen Appetit; vielleicht, so vermutete Elisa, wollte sie ihm nur das Gefühl geben, zu etwas nütze zu sein.
Elisa trat verlegen von einem Bein auf das andere, sobald sie mit Annelie allein war. Sie wusste nicht, was sie sagen sollte.
»Es tut mir so leid«, stammelte sie schließlich, »ich wollte nicht …«
Annelie sah langsam auf. Ihre Wangen waren nach wie vor eingefallen und grau, aber ihr Blick ebenso fest wie ihre Stimme. Keinerlei Zittern verriet ihren Schmerz. »Du hattest recht, Elisa«, erklärte sie nüchtern. »Du hattest ja so recht. Es war die falsche Zeit, ein Kind zu bekommen. Ich wollte es nicht, noch nicht, ich hatte schreckliche Angst. Ich habe mich nur gefreut, weil dein Vater …« Sie brach ab; ihr Blick löste sich von Elisa, schweifte suchend durch den Raum. »Jule sagt, es wäre ein Sohn geworden«, murmelte sie schließlich.
»Es tut mir leid«, murmelte Elisa wieder. Sie starrte auf den Boden, und als sie ihren Blick wieder hob, hielt Annelie ihre

Augen fest geschlossen, als würde sie schlafen. Als Richard kurz danach mit einem Stück Brot zurückkehrte, hielt Elisa ihn davon ab, Annelie zu wecken.

Bis zum Abend hatte sich die See völlig beruhigt. Weder Windhauch noch Wellen kräuselten das Meer; es lag vor ihnen wie ein glattes, graues Tuch.

8. KAPITEL

Während des Sturms hatte die Natur ihr grausamstes Gesicht gezeigt, nun enthüllte sie ihr schönstes und ehrfurchtgebietendstes.

Schon als sie die Magellanstraße durchquerten, sahen sie die Küste – windumtoste Strände und weites Ödland, Hügel, die mit schwarzem Gestrüpp überwuchert waren, und Lagunen, in denen rosa Flamingos stakten, Muschelbänke und kleine Inseln voller Moos und Schlingpflanzen. Als sie die Strecke zwischen Feuerland und Patagonien hinter sich ließen und den Pazifischen Ozean erreichten, entfernten sie sich wieder etwas vom Land, doch die Küste blieb in Sichtweite, und das fremde Chile gewann ein Antlitz. Dieses galt es zu erforschen, vorsichtig und ängstlich, neugierig und gespannt, hoffnungsvoll und staunend. Weiß und grün – das waren die vorherrschenden Farben von Chiles Süden: Weiß war das Eis, das in kleinen Brocken auf der Wasseroberfläche trieb, von jenen Gletscherzungen stammend, die weit ins Meer hineinreichten. Bei Nebel schimmerte es kalt und blau, wie Edelsteine hingegen funkelte es, wenn Licht darauf fiel. Ebenso viele Schattierungen wies das Grün der Wälder auf: saftig und dunkel, wo Bäume hoch und dicht beisammenstanden, heller und sandig dort, wo Wiesen es hüfthoch durchbrachen. Nicht mehr ganz so schroff war die Küste, jedoch weiterhin bergig, und das Meer drängte sich oft nicht breiter als ein Fluss tief ins Land hinein. Meist hingen dichte Wolken über den Bergspitzen, doch wenn der Himmel sich aufklarte, so reckten sie sich stolz in die Höhe, nicht wenige von glitzerndem Schnee gekrönt.

Schon als sie in die Nähe der Magellanstraße kamen, hatten Vögel das Schiff umkreist. Nun kamen sie in Schwärmen und wurden jedes Mal mit begeistertem Geschrei begrüßt – waren sie doch Zeichen, dass sie nicht länger den endlosen Weiten des Ozeans ausgeliefert waren.

Die ersten Vögel glichen Raben und krächzten wie diese. Fritz Steiner behauptete, dass sie zur Gattung der Seeschwalben zählten. Zu ihnen gesellten sich bald Albatrosse mit ihren spitzen, kräftigen Schnäbeln und sehr langen, schmalen Flügeln – sie waren besonders ausdauernd, wie Fritz zu berichten wusste: Weite Strecken konnten sie überbrücken und zehrten Kraft aus den kurzen Pausen, wenn sie sich auf der Wasseroberfläche niederließen.

Am faszinierendsten waren die Pelikane mit den großen Säcken unter ihren Schnäbeln. Poldi versuchte, dem Katherl einzureden, dass sie darin kleine Kinder entführten, doch anstatt vor Furcht zu vergehen – wie Poldi offenbar bezweckte –, schüttelte sich das Katherl vor Lachen.

Alle verbrachten sie nun viel Zeit im Freien – nur Annelie blieb weiterhin meist in der Kajüte und Richard mit ihr. Elisa war nicht sicher, wer eigentlich Erholung brauchte. Annelie, bislang stets müde und blass, erwies sich nun als erstaunlich zäh. Die Trägheit und Übelkeit, die sie während der Schwangerschaft so quälend heimgesucht hatten, waren mit dem totgeborenen Kind gegangen. Erstmals schlief sie die Nächte durch und aß mit gutem Appetit – ganz anders als Richard, der verwirrt und geistesabwesend vor den vollen Tellern hockte. Er bekundete seinen Kummer nie, doch der Verlust des Kindes musste für ihn ein noch härterer Schlag als für Annelie gewesen sein. Seine Hoffnung auf einen Sohn

währte schon so viel länger und hatte schon so viele Rück-
schläge erfahren müssen. Elisa brachte es jedoch nicht über
sich, ihm zu sagen, wie leid es ihr täte. Ein unsichtbarer Bannkreis schien um ihn gezogen, der es nicht nur unmöglich
machte, die rechten Worte zu finden, sondern auch, ihm
ins Gesicht zu blicken. Die Ohrfeige hatte sie ihm verziehen, und er sprach kein schlechtes Wort mehr über Cornelius – dennoch fühlte sie sich in seiner Gegenwart beklom-
men und war jedes Mal erleichtert, wenn sie von ihm fliehen
konnte.

An den Anblick des Landes mit seinen Fjorden und Gletschern gewöhnten sie sich schließlich – umso faszinierender
war ein Finnwal, der eines Tages neben dem Schiff auftauchte und es für einige Stunden begleitete. Sein wuchtiger Leib
tauchte alle paar Augenblicke mit dem Rücken aus dem Wasser und schoss dann wieder unter die Oberfläche. Die Kinder
deuteten lachend und kreischend auf ihn, bis ihre Aufmerksamkeit von etwas anderem angezogen wurde: kleinen Fischen, die regelrecht über dem Wasser zu fliegen schienen.
Zwei Tage später, als der Finnwal die Gesellschaft längst aufgegeben hatte, sahen sie erstmals – mit weißen Bäuchen und
etwas kleiner und schneller – Schwertwale.

Poldi prahlte, alles über die Tiere zu wissen, vor allem, was sie
äßen, nämlich Tintenfisch, Pinguine und Robben. »Am liebsten die ganz kleinen, die Kinderrobben sozusagen.«

»Das ist nicht wahr!«, schrie Christl entsetzt. Sie hatte diese
Tiere, deren Schwärme sie schon in der Magellanstraße auf
den Klippen gesehen hatten, zu ihren liebsten auserkoren.
»Du lügst!«

Poldi grinste. »Sie zerfleischen sie mit ihren scharfen Zähnen!«, verkündete er eindringlich.

»Du lügst!«, kreischte Christl wieder.

»So ist die Natur«, schaltete sich Jule Eiderstett ein, »jeder muss selbst sehen, wie er überlebt.«

Selten richtete sie das Wort an die Kinder. Die Erwachsenen mieden sie ohnehin. Einzig mit Fritz Steiner stand sie manchmal zusammen und lauschte, wenn der über die verschiedenen Tierarten zu berichten wusste.

»Du scheinst viel von der Natur zu verstehen«, stellte sie fest, ausnahmsweise nicht schroff, sondern ehrlich bewundernd.

Auch Elisa hatte darüber schon gestaunt – und erfuhr erst jetzt, woher er dieses Wissen nahm. »Als wir noch in Württemberg lebten, bin ich am Sonntag oft nach Stuttgart ins Museum gegangen«, bekundete er knapp. »Und ich habe das eine oder andere Buch gelesen.«

Poldi verdrehte die Augen, sichtlich nicht verstehend, dass man daran Spaß finden könnte.

Doch Jule fragte ernsthaft: »Alexander von Humboldt etwa? Der hat den südamerikanischen Kontinent erforscht, aber soweit ich weiß, nicht Chile.«

»Aber Poeppig und Meyen haben es in seiner Nachfolge getan. Und Reiseberichte verfasst.«

»Und Charles Darwin ist 1834 mit Fitz Roy die patagonische Küste entlanggesegelt. Eine ›grüne Einöde‹ hat er sie genannt.«

»Ich weiß«, sagte Fritz. »Ich habe auch Darwin gelesen.«

»Wenn das Christine wüsste«, murmelte Jule, und Elisa, die aus dem Erstaunen über dieses Gespräch nicht herauskam, war nicht sicher, ob sie damit Fritz' Interesse an diesem Wissenschaftler meinte oder die Tatsache, dass er mit der von seiner Mutter Verfemten zu reden bereit war.

Elisa selbst konnte mit den Namen der Naturwissenschaftler nichts anfangen. Viel mehr interessierten sie sämtliche Gespräche, wenn es um ihre Zukunft in dem fremden Land ging.

Hatte es zunächst gegolten, die Mühsale der Reise zu überstehen, malten sie sich nun alle ihre Ankunft im Zielhafen Corral aus, die in ein, zwei Wochen zu erwarten war.

»Danach werden wir Land bekommen, viel Land!«, schrie Poldi. »Und unser Haus wird größer sein als zu Hause. Das hat Mutter versprochen.«

»Aber dieses Haus muss erst gebaut werden«, knurrte der ältere Bruder.

»In den Auswandererjournalen stand, dass Chile das schönste Land Südamerikas ist«, meinte Elisa. »Es gibt keine giftigen Tiere und keine gefährlichen Krankheiten. Und auch keinen Hagelschlag, keine Erdbeben und keine Missernten.«

»Das Klima gleicht dem Italiens«, fügte Fritz hinzu, »und der Boden soll sehr fruchtbar sein.«

Elisa entging nicht, dass sich seine Stirn unmerklich runzelte und sein Blick starr auf die bewaldete Küste gerichtet war. Mochten sie sich über den Anblick des Lands erfreuen – sonderlich einladend wirkte es wahrlich nicht, vielmehr so unberührt, als habe es noch kein Mensch jemals betreten und als müsste jeder, der es täte, erst die Feindseligkeit der Natur überwinden.

Doch rasch wandten sie sich wieder den Vorzügen Chiles zu.

»Die Steuern sind nicht hoch«, wusste ausnahmsweise auch der ansonsten so wortkarge Lukas beizusteuern. »Und es gibt keine Kriege.«

»Niemals?«, fragte Elisa erstaunt.

»Nun, früher schon«, sagte Fritz. »Vor über dreißig Jahren haben die Chilenen gegen die Spanier gekämpft. Sie haben sie besiegt, seitdem ist Chile ein unabhängiges Land, und …«

Plötzlich verstummte er und fuhr herum; alle taten es ihm gleich, erschrocken über das Geschrei, das hinter ihrem Rücken unerwartet losgebrochen war. Es war eine Frau, die da plärrte, mit jedem Atemzug verzweifelter, und sie schlug sich laut die Hände auf die Brust.

»Da hat eine Mutter offenbar nicht ordentlich auf ihr Kind achtgegeben, und es ist im Meer ersoffen«, knurrte Jule, weniger über die mangelnde Achtsamkeit erbost als über die Tatsache, dass sie in ihrer Unterhaltung gestört wurde.

Das Schreien verstummte nicht. Immer mehr der Reisenden drehten sich um – halb neugierig, halb ängstlich und ärgerlich. Einige Matrosen liefen zusammen, steckten die Köpfe zusammen, tuschelten. Einer von ihnen trat schließlich zu der Frau und versuchte, sie dazu zu bewegen, wieder nach unten ins Zwischendeck zu gehen. Das Schreien hörte zwar auf, aber die Frau wehrte sich mit Händen und Füßen.

»Keine zehn Pferde bringen mich da wieder hinein!«, rief sie. »Ich will doch nicht sterben!«

Betroffen blickten sich alle an.

»Was ist los?«, rief Jule dem Matrosen forsch zu, der händeringend von der Frau abließ.

Er zuckte nur mit den Schultern.

Im nächsten Augenblick kam eine weitere Frau den Niedergang heraufgestürzt, lief über das Deck bis zur Reling und hielt sich am Geländer fest wie eine Ertrinkende. Weit reckte sie den Kopf nach vorne, als könnte sie auf diese Weise möglichst reine, nicht verpestete Luft erhaschen. Elisa musterte sie eingehend. Sie schien blass, die Augen waren verquollen.

»Was soll das?«, rief Jule ärgerlich. »Kann endlich jemand sagen, was geschehen ist?«

Der Matrose zuckte abermals mit den Schultern.

»Die Männer der beiden Frauen sind erkrankt«, setzte er nuschelnd an, »'s wird gesagt, dass wir die Blattern an Bord haben.«

Ob es tatsächlich die Blattern waren, konnte keiner sagen – doch dass auf dem Schiff eine Krankheit ausgebrochen war, die sich für manchen geschwächten Reisenden als tödlich erwies, wurde leider offensichtlich.

Binnen zweier Tage starben drei Passagiere an einem unbekannten Fieber; es wurde von Übelkeit begleitet und roten Flecken, wobei Letztere – wie Jule nüchtern feststellte – womöglich kein Symptom waren, sondern nur Folge der hohen Temperatur, die die Körper heimsuchte.

Für die ersten beiden Toten zimmerte der Schiffszimmermann einen Sarg.

Für den Dritten machte er sich, überzeugt, dass es bei diesen Toten nicht bliebe, die Mühe nicht mehr: Stattdessen nähte man den Leichnam in eine Decke ein und versenkte ihn im Meer.

Um vier Uhr morgens und in aller Stille geschah das; bis auf den Steward und die Angehörigen war niemand zugegen, weil jedermann die giftigen Dämpfe fürchtete, die vom Toten ausgehen könnten. Der Steward war es auch, der später die Todesfälle ins Schiffjournal eintrug – das zumindest berichtete er Jule, als diese ihn eingehend zum Zustand der Leiche befragte. Die meisten anderen mieden ihn, weil er den Toten so nahe gekommen war.

Jule schien wenig besorgt, vielmehr neugierig. »Möchte zu gerne wissen, welche Krankheit das ist«, murmelte sie. Eben hatte sich herumgesprochen, dass weitere Passagiere erkrankt waren und dass nun erstmals der Schiffsarzt ins Zwischendeck gekommen war, um die Leidenden zu untersuchen.

»Der Trunkenbold?«, fragte Jule herablassend.

»Ja!«, rief Poldi, und in seinen Augen funkelte nur Sensationslust, jedoch keinerlei Furcht vor der unbekannten Krankheit. »Der Kapitän hat ihm sämtliche Branntweinflaschen weggenommen, und er hat ihm angedroht, er würde ihn eigenhändig mit solch einer Flasche erschlagen, treffe er ihn in diesen schweren Tagen noch mal mit selbiger an.«

Selbst nüchtern, auch das sprach sich bald herum, konnte der Schiffswart die Krankheit nicht benennen. Er fühlte den Puls, ließ die Temperatur messen und betrachtete eingehend die Zungen der Betroffenen – was ihn immerhin zum Urteil brachte, dass es sich weder um Typhus noch Ruhr handelte.

»Gott sei's gedankt!«, schrie eine der Frauen, die eben noch laut bekundet hatte, sie würde lieber an Deck erfrieren, als unten im Zwischendeck elend zu sterben. »Gott sei's gedankt!«

»Was freust du dich denn so?«, fuhr Jule sie an. »Sterben tun sie doch trotzdem. Sollen die Toten mit den Worten vor Petrus treten: Gottlob bin ich an einer unbekannten Krankheit verreckt und nicht an Typhus?« Etwas leiser, so dass es nur Cornelius und Elisa hören konnten, fügte sie hinzu. »Ich würde die Kranken mit Mercurialsalbe einschmieren lassen, am besten auch die Balken und Bretter, und obendrein würde ich Essigwasser verspritzen.«

Ob der Schiffsarzt eine solche Maßnahme anordnete, wussten sie nicht – nur, dass dieser wenig später auf das Deck kam, um, wenn schon keinen Branntwein, so wenigstens etwas frische Luft zu erhaschen. Seine Haut war bleich und aufgedunsen, und er ging nicht in geraden Schritten, sondern wankte hin und her. Einmal glaubte Elisa, ihn bereits der Länge nach hinfallen zu sehen, doch gerade noch rechtzeitig bekam Cornelius ihn am Schlafittchen zu packen und riss ihn hoch.

»Wie schön!«, höhnte Jule. »Wie schön, dass wir einen solch kundigen Arzt an Bord haben!«

»Ich verstehe nicht, wie diese Seuche ausbrechen konnte«, jammerte der Arzt; seine Zunge stieß schwer gegen seine Zähne. »Es gab doch im Hamburger Hafen eine Gesundenuntersuchung.«

»Pah!«, machte Jule. »Da wurde doch nur drauf geachtet, ob die Menschen an Favux oder Trachom leiden könnten.«

»Vielleicht ist es das!«, rief er.

»Pah!«, machte Jule wieder. »Was für ein Unsinn! Wenn Sie sind, was Sie zu sein vorgeben, dann sollten Sie wissen, dass ein Trachom die Entzündung des Auges ist und Favus der Erbgrind!«

Der Schiffsarzt zuckte mit den Schultern.

»Vielleicht ist es einfach nur eine Mischung zwischen Schwächung, Seekrankheit und der Reaktion auf das ungewohnte Klima«, schlug er vor. Dann beeilte er sich, das Deck zu verlassen. Vielleicht hatte er irgendwo doch noch einen geheimen Vorrat an Branntwein.

Am Abend erkrankten weitere zwei Passagiere.

»Wirklich, Onkel ...« Cornelius' Stimme wurde eindringlicher. »Du solltest jetzt für die Unglücklichen da sein. Sie brauchen dich!«

Er versuchte nunmehr schon seit Stunden, zu Zacharias durchzudringen, auch als es längst Abend geworden war. Der Pastor hatte sich ein in Essigwasser getränktes Tuch aufs Gesicht gelegt, als wäre er selbst krank, doch als der Neffe nicht nachgab, zog er es schließlich fort und setzte sich auf.

»Ich möchte nicht wissen, welche giftigen Miasmen ...«, begann er nörgelnd.

»Willst du die Kranken ohne Segen von dieser Welt scheiden lassen? Und wenn du dich schon nicht in ihre Nähe wagst, solltest du wenigstens für die Toten beten! Es ist doch abscheulich seelenlos, wenn sie frühmorgens nur im Beisein des Stewards und der Familie im Meer versenkt werden.«

Pastor Zacharias schüttelte sich vor Grauen.

»Wir kommen doch bald an«, seufzte er. »Das hat der Kapitän doch gestern Abend verkündet, nicht wahr?«

In der Tat hatte der Kapitän nach weiteren Todesfällen beschlossen, dass sie nicht den eigentlichen Zielhafen – Corral – anlaufen würden, sondern den von Ancud, der etwas südlicher auf der Insel Chiloé lag, im Übrigen der erste Hafen, den man nach Umsegelung des Kaps Hoorn oder der Durchquerung der Magellanstraße erreichen konnte. Als Cornelius es Zacharias erzählt hatte, hatte dieser aufgejubelt. Nicht einmal Cornelius' Einwurf, dass sie nicht wüssten, wer und was sie auf Chiloé erwartete, konnte die Freude, bald vom Schiff zu kommen, schmälern. Was Cornelius ihm sicherheitshalber verschwiegen hatte, war, dass Ancud inmitten schroffer Küsten und Klippen lag. Nicht wenige Schiffe, die den Hafen anlaufen wollten, gerieten in Seenot.

»Onkel Zacharias!«, versuchte er es noch einmal. »Auch wenn wir Land betreten – denkst du, dass die Priester der Katholiken nur darauf warten, unsere Toten zu bestatten? Mitnichten! Du bist nach Chile geschickt worden, weil es kaum protestantische Pastoren gibt! Du bist für das Seelenheil der Menschen an Bord verantwortlich! Wenigstens eine zusätzliche Messe solltest du lesen, und …«

Cornelius hielt inne. Wüstes Protestgeschrei hatte ihn unterbrochen – nicht aus dem Mund seines Onkels, wie es eigentlich zu erwarten stand, sondern von draußen. Zunächst hielt Cornelius es für das verzweifelte Geheul eines Angehörigen. Doch die Wortfetzen, die schließlich zu ihnen drangen, kündeten von einem wilden Streit.

Pastor Zacharias starrte ihn an, ängstlich und zugleich erleichtert über die Ablenkung.

»Bleib hier!«, befahl Cornelius knapp.

»Ich rühre mich ganz gewiss nicht freiwillig von der Stelle!«
Rasch legte sich er wieder auf die Koje und presste das Essigtuch auf sein Gesicht.

Cornelius lugte nach draußen auf den Gang. Einer der Stewards und einer der Matrosen standen an dessen Ende – der eine fuchtelnd und mit hochrotem Gesicht, der andere mit geballten Fäusten.

»Nur über meine Leiche!«, schrie der Steward. »Während meiner Wache wird das nicht gemacht!«

»Aber der Kapitän wünscht es so!«, hielt der andere dagegen.

»Dann soll er es mir selbst sagen!«

Cornelius trat näher und bemerkte erst jetzt den großen Sack, den der Matrose in seinen klobigen Händen hielt.

»Was geht hier vor?«

Widerwillig fuhren die beiden zu ihm herum, augenblicklich geeint in der Überzeugung, dass es einen Passagier nichts anginge.

Cornelius ließ sich davon jedoch nicht einschüchtern. Er deutete auf den Sack: »Was ist da drin?«

Der Steward presste seine Lippen aufeinander, doch der Matrose knurrte schließlich: »Wir müssen das Schiff ausräuchern. Wir gehen alle drauf, wenn wir die giftigen Dämpfe nicht verjagen. Tag für Tag krepieren mehr an dieser elenden Krankheit. Auch die Besatzung hat's mittlerweile erwischt. Es muss etwas getan werden!«

»Von wegen!«, schnaubte der Steward. »Abfackeln will er uns alle! Aber ohne Zustimmung des Kapitäns werde ich ihm meine Erlaubnis nicht geben.«

»Das Schiff ausräuchern?«, fragte Cornelius verwundert. In den letzten Tagen waren verschiedene Maßnahmen diskutiert worden, die Krankheit einzudämmen – so auch, sämtliche

Kranke ins unterste Orlopdeck zu legen, doch von einer Ausräucherung war nicht die Rede gewesen.

»Ja doch!«, meinte der Steward missmutig. »Man kann Weinessig nehmen oder Wacholderbeeren. Oder – was dieser Narr hier tatsächlich vorhat – es mit Teer versuchen. Doch wenn man das wirklich machen will, so bedarf's verschiedener Vorsichtsmaßnahmen. Man kann nicht einfach hingehen …« Er brach ab. »Verdammt noch mal!«

Während er auf Cornelius eingeredet hatte, hatte sich der Matrose unbemerkt von dannen geschlichen. Eben stürzte er auf den Niedergang zum Zwischendeck zu und verschwand prompt in der Luke.

»Verdammt noch mal!«, schrie der Steward wieder. »Er will doch nicht …«

Er lief ihm nach, Cornelius folgte rasch. »Bleiben Sie stehen! Sie können ohne Zustimmung des Kapitäns …«

Vor Aufregung verfehlte der Steward eine der Stufen und fiel fast über die Leiter. Gerade noch rechtzeitig konnte er sich festhalten. Cornelius folgte ihm langsamer. Als er endlich im Zwischendeck ankam, sah er den Steward auf den Matrosen zustürmen, der ein Teerfass aus dem Sack gezogen hatte und es öffnete.

Der scharfe Geruch des Teers stieg Cornelius durchdringend in die Nase.

»Hören Sie sofort auf damit!«, brüllte der Steward.

Die Passagiere hatten sich aus ihren Kojen erhoben und kamen misstrauisch näher.

»Womit soll er aufhören?«, fragte Jule Eiderstett.

»Abfackeln will er uns alle!«, plärrte der Steward. Sein Schädel war so rot, als würde er gleich platzen.

Der Matrose schüttelte den Kopf: »Das ist nicht wahr! Retten will ich euch vielmehr, ihr solltet mir dankbar sein! Wenn wir das Schiff nicht ausräuchern, gehen wir alle an der Krankheit zugrunde!«

Er tauchte die Fackel tief in den schwarzen Teer. Die Steiner-Kinder husteten. Ihre Mutter Christine blickte ausgerechnet die verfemte Jule hilfesuchend an, als könnte diese entscheiden, was zu tun wäre.

»Er hat keine Einwilligung des Kapitäns!«, rief der Steward. »Und außerdem: Kein Passagier darf im Zwischendeck anwesend sein, wenn es wirklich ausgeräuchert wird. Er handelt eigenmächtig …«

Erneut ging er auf den Matrosen los, um ihn an seinem Werk zu hindern, doch plötzlich wurde er von kräftigen Männerhänden zurückgerissen. Es war Lambert Mielhahn, der sich ihm unbemerkt genähert hatte und ihn nun vom Matrosen wegzerrte.

»Uns sterben lassen willst du, nicht wahr? Die armselige Brut im Zwischendeck zählt ja nichts! Wenn es uns dahinrafft wie die Fliegen, so sitzt ihr gemütlich in euren Kajüten und fresst den Braten, den wir schon so lange nicht mehr bekommen.«

Gemurmel erhob sich – bei den einen klang es zustimmend, bei den anderen zweifelnd.

Nunmehr ungehindert tauchte der Matrose die Fackel in den Teer und entzündete sie mit einem Luntenfeuerzeug. Als das Feuer aufloderte, zuckte nicht nur Cornelius zurück. Der Mann schwang die Fackel wie eine Waffe. »Lasst mich einfach meine Arbeit tun, ja? Der Rauch wird die Krankheit vertreiben! Es ist zu unser aller Schutz!«

»Den Teufel wirst du!«, schrie der Steward. Von Lamberts Angriff überrascht, hatte er sich zunächst von ihm fortzerren lassen, doch nun begann er, sich zu wehren, und schlug wild um sich. Lambert erwies sich als nicht weniger hartnäckig. Nachdem es ihm nicht mehr gelang, den anderen mit festem

Griff zu bändigen, schlug er mit Fäusten auf ihn ein. Irgendeine der Frauen schrie auf.

»Hör auf, Lambert!«, zischte Christine Steiner. »Bist du verrückt geworden? Du kannst doch nicht ...«

Doch Lambert Mielhahn war wie von Sinnen. Nachdem der Steward unter der Wucht seiner Schläge zu Boden gegangen war, trat er mit seinen Füßen in dessen feisten Leib, das Gesicht verzerrt von einem Hass, der viel unerbittlicher, viel glühender schien, als dieser Anlass es gebot.

»Hör auf!«, schrie Christine wieder, und schon sah Cornelius Jakob Steiner und die älteren Brüder aufspringen, um Lambert zurückzuhalten.

Es war zu spät. Der Steward – wenngleich ansonsten wehrlos – strampelte wild mit den Füßen und traf eine der Kisten. Nach dem Sturm waren sie neu festgebunden worden, doch die Stricke erwiesen sich nach der langen Reise als spröde. Ein leichter Aufprall genügte, der Strick riss, und eine Kiste schlitterte über den Holzboden. Hastig sprangen alle zurück – nur der Matrose nicht. Als die Kiste mit ganzer Wucht gegen sein Schienbein prallte, schrie er auf und ließ vor Schreck und Schmerz die Teerfackel fallen.

Cornelius stürzte hin, wollte sie noch austreten, zuckte jedoch vor der Hitze des Feuers zurück. Die Kiste hatte das Teerfass umgestoßen; dessen sämiger Inhalt troff heraus und brannte alsbald lichterloh.

Greta lachte, als die Flammen höher schlugen, knisternd und lodernd. Aus einzelnen Feuerzungen wurde ein waberndes Meer, das in sämtliche Richtungen Wellen schlug. Die Flammen krochen über den Boden, kletterten dann an den Seiten hoch bis zur Decke.

Noch faszinierender als jene heiße, rot-gelbe, gierige Feuersbrunst war für Greta das Entsetzen, das sie Menschen ergriff. Die einen standen still, die anderen tobten ziellos herum. Manch einer schlug sich fassungslos die Hände vor das Gesicht, um sich vor dem Rauch zu schützen, der die Kehle verätzte. Andere waren geistesgegenwärtiger und drängten nach oben. Nicht alle erreichten unbeschadet das Oberdeck. Einige stolperten und blieben mit schmerzverzerrtem Gesicht liegen, von Fußtritten und Fausthieben getroffen. Andere kehrten freiwillig um, weil sie nach der ersten Panik nicht ihren ganzen Besitz kampflos den Flammen überlassen wollten. Unweigerlich stießen sie mit jenen zusammen, die nach oben flüchteten, woraufhin ein heilloses Durcheinander entstand, bei dem keiner mit Flüchen und dem Einsatz seiner Ellbogen sparte.

Alte gingen zu Boden, Kinder wurden von ihren Müttern getrennt, Frauen weinten, und Männer starrten sich so hasserfüllt an, als wollten sie sich gegenseitig erwürgen.

Manche der Gesichter waren Greta fremd, andere vertraut – aber alle hatten sie etwas gemein: pure, nackte, alles durchdringende Todesangst. Und jene Angst ließ sie sämtliche Beherrschung verlieren.

Greta lachte wieder.

Sie selbst durfte niemals laut werden, hatte vielmehr gelernt, dass sie am besten durchkam, wenn sie sich tot stellte, wenn sie nicht weinte, nicht klagte, nicht schrie …

Die Mutter hatte das schließlich auch gelernt.

Als Greta sich zu ihr umdrehte, saß Emma steif im Bett und rührte sich nicht. In ihren Augen spiegelten sich die Flammen – ansonsten war ihr Blick leer, als wäre kein Leben mehr in ihrem Leib. Floh sie nicht, weil das Feuer sie schon eingekreist hatte? Oder blieb sie trotzig sitzen, weil sie dem Vater zumindest dieses eine Mal nicht gehorsam sein wollte?

Erst jetzt fühlte Greta Lamberts Griff an ihrem Arm. Er hatte sie gepackt, genauso wie den Bruder. Viktor ließ sich wie eine leblose Puppe mitzerren. In seinem Blick stand die gleiche Leere wie bei Emma – weder Angst wie bei den Passagieren noch die bösartige Schadenfreude, die von ihr selbst Besitz genommen hatte.

»Nun komm schon!«, brüllte ihr Vater, der nun keine Hände mehr frei hatte, die Mutter an. »Komm!«

Emma rührte sich noch immer nicht. Hatte sie ihn etwa nicht gehört? Es war schwer, irgendetwas zu verstehen. Das brennende Holz knirschte und knarrte, über, unter, neben ihnen, das Feuer prasselte und spuckte Funken.

Greta lachte weiterhin. Nicht mehr lange, und das ganze Zwischendeck würde in sich zusammenbrechen. Es war kaum etwas zu sehen, so dicht und schwarz stand der Rauch. Er biss in ihre Augen, ließ sie tränen, das Geschrei wurde heiser und erstickt.

Nur eine bewahrte sich ihre klare, ruhige, befehlende Stimme.

»Kein Gedränge und keine Hast!«, hörte sie Juliane Eiderstett Anweisungen geben. »Geht ganz ruhig nach oben! Und lasst eure Koffer und Kisten hier! Ihr könnt euren Besitz nicht retten!«

Manche hörten auf sie, andere nicht.

Als der Vater sie zum Aufstieg schubste, drehte sich Greta ein letztes Mal um. Christine Steiner rief nach einem ihrer Bälger. Als sie es endlich erblickt hatte, beugte sie sich herunter und umarmte das kleine Katherl; Greta konnte sich nicht erinnern, dass die eigene Mutter sie jemals so inniglich an sich gezogen hatte.

Nun lachte und hustete sie zugleich. Derart mit den Kindern beschäftigt, hatte Christine nicht bemerkt, dass der alte Steiner noch in seiner Koje lag. In Angst und Panik hatte er sich dorthin verkrochen, als wäre dies der einzig sichere Ort. Jakob Steiner, der seinem Vater bis aufs Haar glich, obwohl er doch so viel älter war, und den Greta kaum jemals etwas sagen gehört hatte, schrie laut und verzweifelt: »Nun komm, Vater! Komm!«

Ähnlich panisch hatte Lambert Emma angeschrien.

Der alte Steiner rührte sich nicht, selbst dann nicht, als die Koje Feuer fing. Sein Mund stand weit geöffnet, aber es kam kein Laut heraus.

Und auch Emma schrie nicht, sondern saß ganz ruhig da. Aus der Entfernung konnte Greta nicht genau sagen, ob sich nicht doch etwas Furcht in ihren ausdruckslosen Blick geschlichen hatte. Doch eines erkannte sie, erkannte es nur allzu gut: dass der Mund ihrer Mutter verzerrt war. Sie schien zu lachen – genau wie sie selbst.

9. Kapitel

Elisa träumte von Cornelius. Zunächst wusste sie nicht, wer es war, der an ihrer Seite ging und ihre Hand hielt, nur, dass es sich gut anfühlte, nicht allein zu sein. Durch einen dunklen Wald stapften sie, wo die Bäume so dicht und hoch standen, dass kaum Licht auf den schlammigen Boden fiel. Elisa hätte sich restlos verloren gefühlt, wäre sie in dieser menschenleeren Wildnis auf sich allein gestellt gewesen, doch es gab die Hand, die sie führte, es gab Cornelius, der bei ihr war. Sie war so glücklich, dass sie im Schlaf lächelte. Doch plötzlich zog zwischen den dichten Bäumen und dem Gestrüpp Nebel auf, der alles verschluckte. Sie sah nichts mehr, stolperte blind weiter, klammerte sich immer fester an seine Hand – bis sie auf einmal nicht mehr zu spüren war. Er war fort. Cornelius war fort.

Sie schrie seinen Namen, als sie mit enger Kehle erwachte, und stellte erleichtert fest, dass sie in keinem dunklen Wald irrte, sondern wohlbehalten in ihrer Koje lag. Doch dann sah sie den Nebel aus ihrem Traum – nur dass es nicht länger Nebel war, sondern Rauch.

Auch Annelie hatte ihn bereits gerochen. Er war von den Ritzen des Bodens hochgestiegen, und weil sie in der unteren Koje lag, war sie rasch davon eingehüllt worden. Wie nun auch Elisa, schnupperte sie prüfend. »Was ist das?«

Endgültig fielen Schlaf und dunkle Träume von Elisa ab. Sie warf einen angstvollen Blick auf ihren Vater, der sich verwirrt die Augen rieb. Im nächsten Augenblick brach Lärm aus:

Spitze Schreie kamen vom Zwischendeck; hektische Schritte tönten vom Gang. Richard sprang aus der Koje, doch noch ehe er selbst die Tür aufreißen konnte, wurde sie geöffnet.

Der schrankförmige Steward fiel förmlich in die Kajüte. »Es brennt!«, schrie er. »Schnell! Wir müssen alle runter vom Schiff! Zu den Rettungsbooten!«

Annelie hustete und warf Elisa einen angstvollen Blick zu. Richard indes blieb fassungslos stehen.

»Nun kommen Sie schon!«, brüllte der Steward. Er packte ihn an den Schultern und wollte ihn mit sich ziehen. »Zu den Booten!«

»Aber ich kann doch nicht … unser sämtliches Reisegepäck …«

Eben noch war Richard von Graberg wie erstarrt gewesen, doch jetzt wehrte er sich erstaunlich heftig gegen den Übergriff des Stewards. Gar mit Fäusten schlug er auf ihn ein, um sich aus dem festen Griff zu wenden. Die Verwirrung in seinem Gesicht hatte Panik Platz gemacht.

Der Steward wich zurück.

»Meinetwegen«, knurrte er, »wenn Sie lieber verbrennen wollen – ich halte Sie ganz gewiss nicht auf.«

Sprach's und war schon auf dem Weg zur nächsten Kajüte. Dass er sich ihrem Schicksal gegenüber als so gleichgültig erwies, brachte Richard wieder zu Sinnen.

»Zieht euch warm an!«, rief er.

Annelie war schon aufgestanden und in ihren Mantel geschlüpft. Elisa tat es ihr gleich, obwohl ihre Hände so heftig zitterten, dass sie ihr Cape nicht zubinden konnte. Richard hingegen drehte sich suchend um. »Ich weiß gar nicht …«, stammelte er, »wo meine Sachen …«

»Nimm die Decke!«, befahl Annelie knapp, ehe sie nach draußen stürmte. Verwundert sah Elisa ihr nach – wie konnte es sein, dass ausgerechnet die sonst so stumme, ängstliche, schwächliche Frau am schnellsten von ihnen handelte?

»Vater …«

Er hatte sich die Decke um die Schultern geworfen. »Zu den Booten, du hast es doch gehört.«

Hastig liefen sie den Gang entlang, und Elisa hatte das Gefühl, dass es mit jedem Schritt heißer wurde. Die einzelnen Rauchfäden verwoben sich zu einer dicken, beißenden Wolke. Elisa konnte kaum mehr etwas sehen, spürte nur die Ellbogen derer, die an ihr vorbeirannten, und stolperte fast über ein plärrendes Kind.

»Mutter! Mutter!«, schrie es.

»Komm mit!«, sagte Elisa und wollte es an der Hand ziehen. »Ich bring dich zu den Booten.« Doch da plärrte das Kind noch lauter und schlug wild um sich.

»Ich kümmere mich darum.« Sie hatte nicht bemerkt, dass ein Matrose sich ihr genähert hatte, das Kind über seine Schultern warf und mit ihm im dichten Rauch verschwand.

»Weiter!«, drängte Annelie.

Nach einigen Schritten passierten sie die Kabine von Cornelius.

»Cornelius! Pastor Zacharias!«, rief Elisa.

Die Tür stand offen, doch als sie hineinblicken wollte, um sich zu vergewissern, dass die beiden schon geflohen war, zog Annelie sie mit sich.

»Wir haben keine Zeit!« Ihr Griff war fest, und Elisa überließ sich ihrer Führung. Wenig später stolperten sie ins Freie. Die Nachtluft, die sie empfing, war kalt, aber frisch, das Himmelszelt schwarz. Hatten sich die Sterne hinter dunklen Wolken verborgen oder stand der Rauch bereits so dicht über dem Schiff, dass er ihr Leuchten verschluckte? Glatt und ruhig lag die See vor ihnen, wie ein dunkler Spiegel des Himmels, in dem sich nichts von ihrer Not einschrieb, von dem Geschrei, dem Gedränge. Elisa erhielt einen Schlag in die Magengrube, stürzte fast und klammerte sich noch fester an Annelie.

»Cornelius! Pastor Zacharias!«

Weit und breit war keiner der beiden zu sehen, doch nun beobachtete Elisa, wie sich Poldis schlaksige Gestalt durch das Gewühle kämpfte. »Elisa!«, schrie er.

»Steigt ins Boot!«, befahl Richard und stieß sie unsanft in die andere Richtung, noch ehe der Junge sie erreichen konnte.

Hektisches Treiben herrschte an der Reling. In Windeseile hatte man die Rettungsboote von ihren Verankerungen losgebunden und sie umgedreht. Einige Matrosen waren bereits damit beschäftigt, das erste aufs Meer zu lassen. Andere trieben mit knappen Befehlen Passagiere auf die Boote, wieder andere mussten sie zurückdrängen, sobald sie voll waren.

»Elisa!« Poldi klang panisch.

Elisa riss sich von ihrem Vater los; sie hörte nicht, was er ihr verzweifelt nachbrüllte, sondern stürzte auf Poldi zu, der ihr inmitten des Tumults mager und klein erschien.

»Hast du Cornelius gesehen?«

Ihre Frage erreichte ihn nicht. »Meine Mutter ... meine Brüder ...«, stammelte er zitternd.

Wirr liefen die Menschen durcheinander. Warme Leiber pressten sich an Elisa, nahmen ihr die Luft zum Atmen, rissen sie mit. Sie strampelte verzweifelt, um sich aus der Enge zu befreien, und begann nun selbst, die Ellbogen schonungslos einzusetzen. Wenigstens gelang es Poldi, sich in ihrer Nähe zu halten.

»Magdalena, Christl, das Katherl ... sie sind doch noch unten ... im Zwischendeck.«

Elisa hielt nach allen Richtungen Ausschau, doch es war zu

182

dunkel, um vertraute Gesichter zu erkennen. Sie würde weder Cornelius und seinen Onkel finden noch die Steiners.

»Komm!«, meinte sie knapp, packte Poldi an der Hand und zog ihn mit sich.

Zunächst folgte er ihr, doch als sie auf eines der Rettungsboote zusteuerte, in dem bereits Annelie und Richard Platz genommen hatten, wehrte er sich heftig.

»Ich kann doch nicht ... ich muss doch zu meiner Familie ...«

Sie verstärkte den Griff und zog ihn unbarmherzig weiter. Schließlich kam ihr einer der Matrosen zu Hilfe: Er packte zunächst Poldi, um ihn unsanft ins Boot zu stoßen, dann sie. Sämtliche Glieder schienen zu bersten, als sie auf dem harten Holz aufschlug. Sie hatte sich kaum aufgerappelt, als das Boot bereits hochgezogen und über der Reling herabgelassen wurde.

»Elisa ... Gott sei Dank ...« War das die Stimme ihres Vaters oder die von Annelie?

Beide saßen nicht weit von ihr entfernt. Mittlerweile war auch Poldi wieder auf die Beine gekommen.

»Ich muss zu meiner Familie!«

Das Boot schaukelte heftig, als er zunächst wild in die eine Richtung sprang, dann in die andere.

Elisa packte ihn wieder und zog ihn zu sich: »Du bleibst jetzt sitzen!«, schrie sie ihn an.

Seine Augen waren vor Schreck geweitet; obwohl er sich nicht mehr rührte, schaukelte das Boot noch heftiger. Gekreische setzte ein, und Elisa hätte sich am liebsten die Ohren zugehalten.

Wo waren nur Cornelius und sein Onkel?

Suchend blickte sie sich um.

»Poldi, sieh doch mal!«

Sie deutete auf ein anderes Boot, das nicht weit von ihnen entfernt zum Wasser gelassen wurde.

Cornelius hatte sie dort nicht gesehen, jedoch die Steiners. Lukas und Christl klammerten sich aneinander, daneben saßen Fritz, das Katherl und Magdalena, schließlich Christine und ihr Mann Jakob. Christine schien sie schon etwas länger entdeckt zu haben, denn sie winkte heftig und rief ihnen etwas zu. Elisa konnte ihre Worte nicht verstehen, sah jedoch, wie sich Erleichterung in ihrem Gesicht ausbreitete, sobald sie Poldi entdeckt hatte.

Sie zog ihn noch enger an sich. »Es geht ihm gut!«, versuchte sie, über den Lärm hinweg zu brüllen. Zu dem panischen Gekreisch war das Tosen des Feuers gekommen, das Knacken und Krachen des Holzes, als Teile des Schiffs in sich zusammenbrachen. Unerträglich heiß wurde die Luft.

»Wo ist Großvater?«, rief Poldi ängstlich.

Im nächsten Augenblick machte das Boot einen Ruck; Poldi schrie auf, als er seine Familie nicht länger sehen konnte, und Elisa hatte das Gefühl zu fallen, tiefer, immer tiefer, in bodenlose Schwärze. Wieder fuhr ein Ruck durch das Boot, ging ihr durch Mark und Bein, dann schlug kaltes Wasser über ihr zusammen. Prustend schüttelte sie den Kopf, um erst nach einer Weile zu gewahren, dass es bei dieser einen Woge bleiben würde. Das Boot schaukelte zwar nach wie vor heftig, aber sie hatten die Wasseroberfläche sicher erreicht.

»Elisa, geht es dir gut?«, hörte sie den Vater rufen.

Das nasse Haar klebte auf ihrem Gesicht. Erst als einer der Matrosen das Ruder ergriff und sie mit einigen kräftigen Zügen vom brennenden Schiff fortmanövrierte, hatte sie das Gefühl, wieder atmen zu können.

»Mutter, Mutter!«, schrie Poldi neben ihr.

Noch hing das andere Boot weit über der Meeresoberfläche.

»Es ist doch alles in Ordnung, Poldi!«, beschwichtigte Elisa ihn. »Bleib nur ruhig sitzen!«

Doch im nächsten Augenblick verstärkte sich das Drängen an Deck. Einer der Matrosen, der das vordere Seil des Bootes hielt, bekam einen Stoß verpasst und fiel rücklings hin. Noch konnte er das Seil halten, doch der Bug des Rettungsboots kippte nach vorne. Völlig schief hing es nun, und schreiend hielten sich die Passagiere an den Bänken fest.

Oben an Deck hatte sich der Matrose wieder aufgerappelt. Fünf oder sechs Männer hatten gleichzeitig das Seil gepackt und versuchten mit aller Macht, das Boot wieder in die Gerade zu bringen.

Fast war es ihnen gelungen, als Elisa sah, wie etwas Dunkles aus dem Boot fiel und ins Wasser plumpste. Sie hielt es für ein Gepäckstück, nicht für einen Menschen. Doch dann schrie Poldi panisch: »Es ist Katherl! Mein Gott, das Katherl ist aus dem Boot gefallen!«

Elisa schrie auf, als Katherl im dunklen Wasser verschwand. Kurz hatte sich noch ihr Mantel aufgebläht und die Luft, die sich darunter sammelte, das Kind auf der Oberfläche gehalten. Doch kaum hatte sich der schwere Stoff vollgesogen, ging Katherl unter wie ein Stein. Elisa konnte nicht erkennen, ob sie sich dagegen wehrte und strampelte.

»Katherl!«, schrie Poldi. »Katherl!«

Im nächsten Augenblick sah Elisa, wie zwei dunkle Schatten in die Tiefe sprangen und mit lautem Klatschen auf dem Wasser aufprallten.

»Gütiger Gott!«, schrie eine Frau, die sie nicht kannte, in ihr Ohr. Offenbar dachte sie dasselbe wie sie: dass weitere Passagiere aus den Rettungsbooten gefallen waren und erbärmlich ertrinken würden. Doch anders als Katherl wurden die beiden Männer nicht in die Tiefe gezogen. Zunächst hielten sie sich mit einigen Schwimmzügen über Wasser, dann tauchten sie zielsicher nach dem untergegangenen Kind.

»Gütiger Gott!«, stammelte die Frau wieder. »Sie können schwimmen!«

Obwohl das Boot schaukelte, beugte sich Elisa nach vorne, um mehr zu sehen. Eine Weile war die See glatt und unberührt. Dann kräuselte sie sich, und die beiden Männer tauchten prustend wieder auf, erst der eine, dann der andere, um gleich darauf wieder unterzutauchen. Es waren Fritz und Cornelius.

Trotz aller Angst um das kleine Katherl durchflutete Elisa tiefe Erleichterung. Cornelius war heil vom Schiff gekommen. Er lebte – bis jetzt zumindest …

Sie schrie seinen Namen.

Anders als eben noch schien es diesmal Ewigkeiten zu dauern, bis die beiden Köpfe die Oberfläche wieder durchbrachen. Unwillkürlich hielt Elisa den Atem an, als würden die beiden es länger ohne Luft aushalten, wenn sie nur selbst darauf verzichtete. Jetzt sah sie auch in einem der Nebenboote Pastor Zacharias sitzen; er hatte die Hände vor das Gesicht geschlagen, lugte aber immer wieder zwischen dem Spalt seiner Finger hindurch, um nach seinem Neffen Ausschau zu halten.

»Katherl!«, schrie Poldi.

»Cornelius!«, schrie Elisa.

Endlich tauchte sein Kopf wieder aus den Fluten auf. Hilflos hob er die Hände, um zu zeigen, dass es nicht gelungen war, das Kind zu erhaschen. Er schien damit zu ringen, noch einmal unterzutauchen.

»Hilft alles nichts!«, hörte Elisa einen der Matrosen sagen. »Die Kleine ist ersoffen. Die beiden sollten zusehen, dass sie aus dem kalten Wasser kommen, sonst holen sie sich den Tod.«

Doch in diesem Augenblick – die Frau neben ihr schlug ein Kreuzzeichen – tauchte Fritz wieder auf, und über seine Schultern hing ein lebloses Bündel.

Elisa sank kraftlos zurück. Ihre Glieder fühlten sich so steif und kalt an, als wäre sie selbst im eisigen Wasser geschwommen; ihre Brust schmerzte. Gott sei Dank.

»Katherl! Katherl!«, rief Christine.

Die beiden Männer waren zum Boot der Steiners geschwommen, das mittlerweile sicher zum Wasser niedergelassen worden war; Fritz reichte das leblose Kind hoch und ließ sich dann erst selbst ins Boot ziehen.

Elisa fühlte, wie Poldi sich an sie schmiegte: »Lebt das Katherl noch?«, stammelte er schreckerstarrt.

Nicht Christine beugte sich über das Kind, sondern Jule. Zunächst erkannte Elisa nicht, was sie mit ihr anstellte, dann sah sie, dass Jule dem Kind die Nase zuhielt, ihren Mund auf den seinen presste und allen Atem, den sie hatte, in die Kehle stieß.

Nach einer Weile glaubte Elisa, ein prustendes Geräusch zu hören, aber sie war sich nicht sicher, ob es von Jule stammte, von der nunmehr schluchzenden Christine oder tatsächlich von dem Kind. Mehrere Leiber verstellten ihr die Sicht. Während aller Augen eben noch auf Katherls Rettung ausgerichtet waren, deuteten die Menschen nun aufgebracht auf das lichterloh brennende Schiff. Eine dicke Rauchwolke zog von diesem hierher und hüllte die Rettungsboote ein. Mit allen Kräften ruderten die Matrosen davon.

Elisa konnte sich nicht vergewissern, ob das Katherl noch lebte und Cornelius wohlbehalten auf das Rettungsboot gezogen worden war.

Eben wurde auf dem Schiff das letzte Boot besetzt. Es war viel zu klein, um alle Menschen aufzunehmen, die sich schreiend darum drängten. Die beiden Mielhahn-Kinder saßen schon darin, Lambert hingegen, er trug etwas Schweres auf den Schultern, wurde zurückgedrängt. War es seine ohnmächtige Frau, die er nach oben gezerrt hatte? Oder sein Besitz?

Aus der Entfernung konnte Elisa es nicht erkennen, nur, dass er den Ballast abwarf, sich nunmehr mit Fäusten vorkämpfte und sich schließlich ins Boot schwang.

Dann wurde es bereits heruntergelassen. Greta saß ganz steif und schien zu lächeln.

Viktor hingegen heulte und schrie. Wahrscheinlich, so dachte Elisa, schrie er nach seiner Mutter. Da hob Lambert seine Hand, ballte sie wieder zur Faust und schlug auf seinen Sohn ein, bis der sich nicht mehr rührte.

Wie kann er ihm das antun?, fragte sich Elisa, in diesem Augenblick, da die Kinder die Mutter verloren haben ...

Sie hustete, hatte das Gefühl, ihre Kehle würde bersten, und konnte die Augen kaum offen halten. Immer weiter entfernte sich das Rettungsboot vom brennenden Schiff. Verzweifelt griff Elisa nach ihrem Rock und zog den Stoff vor ihr Gesicht, um es vor dem ätzenden Gestank und der Hitze des Feuers zu schützen. Dann schloss sie die Augen.

Als Elisa wieder zu sich kam, hatte sich der Rauch gelegt und die Hitze war eisiger Kälte gewichen. Ihre Augen fühlten sich verquollen an; nur einen Spaltbreit konnte sie sie öffnen, um den grauen Himmel über sich zu erkennen, der wild hin und her schaukelte. Erst nach einer Weile erkannte sie, dass nicht der Himmel schaukelte, sondern das Boot unter ihr. Sie richtete sich auf. Ein stechender Schmerz fuhr ihr durch den Kopf, vor allem aber durch Nase und Kehle.

Sie war nicht die Einzige, die gequält hustete. Alle schnappten nach Luft und klagten über Schmerzen, die Kälte, die steifen Glieder. Verlorene, verwirrte Gesichter waren es, in die sie blickte. Nur Poldi war neben ihr eingeschlafen, und seine entspannten Züge verrieten nichts von dem ausgestandenen Grauen.

Die Stimme des Matrosen, der immer noch ruderte, krächzte, als er nach einer Weile verkündete: »Land in Sicht!«

Elisa fuhr herum und nahm in der Ferne tatsächlich einen schmalen Küstenstreifen wahr. Auch dieser wankte vor ihren Augen. Eine Woge der Übelkeit erfasste sie, rasch schloss sie die Augen und hielt sich am Bootsrand fest. Immer nur für einen kurzen Moment öffnete sie sie in der nächsten Stunde, um sich zu vergewissern, dass sie näher an das Land herankamen. Gottlob erwarteten sie keine spitzen Klippen, sondern ein weiter Sandstrand, an den sich Wiesen anschlossen, unwirtlich zwar, aber zumindest kein gefährlicher Ort, um anzulegen. Der Wind heulte laut und warf das Boot hin und her. Einmal dachte sie, die Übelkeit würde übermächtig werden und sie müsse sich übergeben. Doch sie schluckte heftig dagegen an, gewiss, dass die verätzte Kehle das nicht ertragen hätte. Poldi fuhr hoch, als das Boot schließlich gegen den sandigen Grund stieß.

»Katherl!«, war das Erste, was er schrie.

Dem Matrosen entglitten die Ruder. Sämtliche Kräfte hatte er darauf verwendet, sie an Land zu bringen, nun hatte er keine mehr, um das Boot endgültig an den Strand zu ziehen. Die meisten Passagiere warteten nicht darauf, sondern sprangen ins Wasser, das manch einem bis zur Hüfte reichte, anderen bis zum Hals, kämpften sich zum Ufer vor und ließen sich dort fallen.

Elisa war steif sitzen geblieben und blickte sich erst um, als

Poldi abermals Katherls Namen rief. Das andere Rettungsboot, in dem die Familie Steiner und Juliane Eiderstett Platz gefunden hatten, hatte kurz nach ihnen den Strand erreicht.

»Wie geht es Katherl?«, rief Poldi.

Christine hielt das Kind fest an sich gepresst. »Sie atmet«, antwortete sie mit erstickter Stimme.

Sie waren nun nahe genug herangekommen, dass Elisa in das Gesicht des Kindes blicken konnte – und erschrak. Obwohl die Augen weit aufgerissen waren, rührte das Katherl sich nicht. Die Haut war aufgedunsen und bläulich, der Mund zu einem absonderlichen Lächeln verzogen. Ganz gleich, was Christine sagte – für sie sah das Mädchen aus wie tot.

Es war nicht das Einzige, was in ihr blankes Entsetzen auslöste. Sie suchte das ganze Boot nach ihm ab – doch Cornelius war nicht unter den Passagieren. Hatte man ihn in ein anderes Rettungsboot gezogen? War er gar … Nein, so weit wagte sie nicht zu denken.

»Wir … wir müssen ans Ufer …« Ganz leise drang Annelies Stimme an ihr Ohr. Erstmals fragte sie sich, wie die Stiefmutter – geschwächt von der Totgeburt – die kalte Nacht überstanden hatte. Doch als sie den Blick hob, sah sie, wie Annelie behende aus dem Boot sprang und gegen die Wellen kämpfte, die ihren Bauch umspülten.

»Komm, Richard«, forderte sie den Vater auf, doch der saß wie erstarrt und hob den Kopf nicht. Elisa kletterte zu ihm und ergriff seine Hand. »Vater …«

Immer noch keine Reaktion. Nicht lebloser hätte er wirken können als das fast ertrunkene Katherl.

Sie warf Annelie einen hilfesuchenden Blick zu. »Was hat er denn?«

Annelie zuckte nur mit den Schultern. »Ich weiß es nicht. Seit wir uns vom Schiff gerettet haben, hat er kein Wort gesagt.«

Ihre Zähne klapperten, ihre Lippen färbten sich bläulich. Rasch watete sie zum Ufer, um sich vor dem kalten Wasser in Sicherheit zu bringen. Einige der Männer zogen nun endlich das Boot an den Strand, damit die restlichen Passagiere leichter aussteigen konnten.

»Nun sag doch was!«, hörte Elisa Annelie auf Richard einreden.

»Nun sag doch was!«, forderten auch Christl und Magdalena von ihrer kleinen Schwester. Christine hatte mit dem Kind das Boot verlassen und sich dann auf dem Sand niedergelassen, um das Katherl sanft zu schaukeln. Immer noch waren deren Augen weit aufgerissen, immer noch kam kein Laut aus seinem Mund.

Eine andere hingegen schluchzte so verzweifelt, dass Elisa zusammenfuhr. Über Stunden hörte sie nun schon gequälte Schreie, Klagen, Jammern, Stöhnen, doch kein Laut war ihr derart durch Mark und Bein gegangen wie dieser. Es war Jule, die herzerweichend heulte. Jene forsche, harte, entschlossene Frau, die bisher nie ein Gefühl außer Überdruss und Verachtung gezeigt hatte, kniete wie ein Häuflein Elend auf dem Sand, laut klagend und die Hände über die Brust geschlagen.

Annelie ließ von Richard ab. »Lieber Himmel, was hat sie denn?«

Elisa blickte fassungslos auf die Tränen, die sich da ihre Bahn brachen. »Mein Buch!«, rief Jule Eiderstett verzweifelt. »Ich habe mein Buch verloren. Es war doch mein teuerster Besitz!«

Christine Steiner hob den Kopf. Erstmals seit Stunden schien sie zu bemerken, dass die Welt aus mehr bestand als ihr selbst und dem leblosen Kind.

»Mein Buch!«, klagte Jule laut. »Ich habe mein Buch verloren.«

»Hier hat jeder alles verloren«, entgegnete Christine kühl. »Sei froh, dass du keinen Liebsten betrauern musst.«

Jule hob den Kopf, und zu Elisas Erstaunen versiegten ihre Tränen augenblicklich.

In der Ferne tauchten nun weitere Rettungsboote aus dem Morgennebel auf und legten schließlich am Strand an.

Elisa blickte sich suchend um. Der Schmerz in ihrer Kehle und die Übelkeit ließen nach. Es zählte nur mehr die Angst um ihn.

Wo war Cornelius?

Elisa drängte sich an den Menschen vorbei. Zunächst, als sie das Ufer erreicht hatten, hatten die meisten benommen und blicklos auf das Meer gestarrt, als verharrten sie in einem bösen Traum. Doch langsam begriffen sie, dass es kein Erwachen daraus gab und dass zwar ihr Leben gerettet war, aber nichts von dem, was sie besessen hatten.

Laut beklagte man den Verlust von Geld, von Schmuck, von persönlichen Andenken, die man aus der Heimat mitgenommen hatte – vor allem aber von der Aussaat: Wie ihnen angeraten worden war, hatten sie Samen von Hafer und Weizen, Gerste und Roggen mitgebracht, von Erbsen und Bohnen, Rüben und Karotten, Zwiebeln und Kohl. Unscharf konnte sich Elisa erinnern, dass es im Verlauf der Reise zudem lange Diskussionen gegeben hatte, welche Obstsorten man in Chile anbauen könne und ob die Kerne von Apfel und Kirsche, Birne, Quitte und Pflaume, vor allem aber die Samen von Brombeeren, Himbeeren und Erdbeeren überhaupt aufgehen würden. Alles, alles war verloren.

Die Klagen wurden leiser, als Elisa das erste armselige Menschenhäuflein hinter sich ließ. In der Ferne sah sie ein weiteres Rettungsboot anlegen. Die Passagiere, die ihm entstiegen, gingen nicht aufrecht, sondern wankten und fielen schließlich auf den Boden, der an manchen Stellen sandig, an anderen spitz und steinig, an wieder anderen mit einem hellgrünen, harten und scharfkantigen Gras bedeckt war, das auch in salziger Ufernähe wachsen konnte. Ein Mann trommelte regelrecht auf die Erde, als gelte es sich zu vergewissern, dass er tatsächlich auf festem Boden stand. Eine Frau erhob weinend die Hände zum Himmel.

Alsbald hörte Elisa ähnliche Klagen wie vorhin. Am lautesten gebärdete sich eine der Frauen, deren Kummer nicht dem Verlust von Getreide-, sondern von Blumensamen galt. »Ich bin doch nur mitgekommen, weil man versprochen hatte, ich könnte auch hier einen Garten haben. Einen wunderschönen Garten, in dem Pflanzen wild durcheinander wachsen. Margeriten und Pfingstrosen, Löwenmaul und Frauenschuh. Und nun? Nun ist alles verloren! Niemals werde ich einen Garten haben.«

»Sei froh, dass du dein Leben behalten hast«, knurrte ein Mann.

Elisa ging weiter, immer weiter. Ihr Mund fühlte sich verdörrt an, dennoch begann sie nun, laut Cornelius' Namen zu rufen. Sie kam kaum gegen das Jammern und Weinen an.

Das also war der Moment der Ankunft, so oft in Gedanken ausgemalt, so inständig herbeigesehnt. Das also war Chile – das Land der Hoffnung, des Neubeginns: ein karger Küstenstreifen, über den verlorene Menschen stolperten.

Der Morgennebel lichtete sich. Einzelne Sonnenstrahlen stachen durch die Wolken, und Elisa hob die Hand, um sich vor dem grellen Licht zu schützen. Sie drehte sich nach allen Seiten um, nahm immer mehr vertraute Gesichter wahr – doch Cornelius war nicht darunter.

Schließlich stolperte sie zu einem der Stewards, der mit einem

Ausdruck tiefster Verwirrung auf seine zerrissene Uniform starrte. »Nicht einmal nach dem Sturm habe ich so elend ausgesehen«, grummelte er.

»Bitte«, flehte sie, »bitte, ich suche Cornelius Suckow. Er ist der Neffe des Pastors, Sie kennen doch den Pastor? Jeder kennt ihn. Er ...«

Der Steward blickte hoch, aber an ihr vorbei. »'s gibt drei Möglichkeiten, Mädchen. Entweder er ist verbrannt, ersoffen oder mit dem Boot abgetrieben«, meinte er barsch und ließ sie stehen.

Plötzlich übermannte sie Schwindel. Die Salzkruste auf ihrer Haut schien sich schmerzhaft zusammenzuziehen, die Zunge fühlte sich so rissig an wie ihre Lippen. Schwer sackte sie auf die Knie, glaubte, sich nie wieder rühren, sich unmöglich gegen den Druck, der auf ihren Schultern lastete, erheben zu können. Tränen stiegen ihr in die Augen, vor Erschöpfung, vor Angst, vor Entsetzen.

Cornelius ... mein Gott ... Cornelius ...

Wie sollte sie es ertragen, wenn er ertrunken war? Wie sollte sie ohne ihn weiterleben?

Dass sie sich bei keinem Menschen je so wohl, so geborgen, so angenommen gefühlt hatte wie bei ihm, das hatte sie gewusst. Auch, dass er starke Gefühle in ihr zeugte – Sehnsucht und Lebensfreude, Mitleid und Entsetzen, Hoffnung und Vertrauen. Doch erst jetzt ging ihr auf, dass sämtliche diese Gefühle sie so ganz und gar ausfüllten, dass ohne ihn nur ein verlorener, kümmerlicher Schatten ihres Wesens zurückblieb, nichts aber von ihrer Lebenskraft, nichts von ihrer Willensstärke.

Sie wischte die Tränen fort und rieb sich dadurch Salz und Sand in die Augen. Wie Feuer brannte es; eine Weile konnte sie gar nichts sehen, danach blieb das Bild so unscharf, als wäre es hinter einer Nebelwand verborgen. Doch der Schatten, der sich plötzlich über sie beugte – den erkannte sie. Sie wusste nicht, woran, denn sie konnte weder seine Statur noch die Züge seines Gesichts ausmachen, dennoch war sie sich augenblicklich sicher: Er war da.

»Cornelius!«

»Elisa!«

Wieder blendete die Sonne sie, als er ihr seine Hände entgegenstreckte und sie hochzog, doch greller noch als die Strahlen war das überwältigende Glücksgefühl, das sie überflutete.

»Gott sei Dank, dass du hier bist!« Er klang voller Sorgen, hatte sie wohl eine Weile vergebens gesucht – so wie sie ihn.

»Ich hatte solche Angst um dich«, stammelte sie.

»Ich habe nicht gesehen, ob du es in eines der Boote geschafft hast.«

»Dein Onkel, was ist mit deinem Onkel?«

»Es geht ihm gut. Aber so viele andere …« Er brach ab.

Sie nickte traurig. »Emma Mielhahn ist tot. Und der Großvater der Steiner-Kinder auch.«

»Ich weiß«, sagte er, »aber Katherl … geht es wenigstens dem Katherl gut?«

Sie zuckte mit den Schultern. »Ich bin mir nicht sicher. Sie atmet zwar wieder, aber ihr Blick ist so leer. Ich habe gesehen, wie du nach ihr getaucht bist. Ich … ich habe den Gedanken kaum ertragen, du würdest nicht wieder auftauchen. Ich bin so froh, dass du …«

Sie verstummte, konnte die Erleichterung nicht in Worte fassen. Es reichte nicht aus, es nur zu sagen. Das Zittern in ihren Knien verstärkte sich, dann sank sie ihm förmlich entgegen.

Er strich ihr über die zerzausten Haare, und sie streichelte seine Wangen; rauh fühlten sie sich an, eine blutige Strieme ging ihm quer über die Stirn. Wie vorhin wurde es schwarz um sie, diesmal nicht vor Schwäche, sondern weil sie die Augen schloss, als sie seine Lippen suchte, sie schließlich fand. So rauh und ausgedörrt war ihr Mund, dass sie eine Weile nichts von ihm schmeckte und nichts spürte. Doch dann umschlossen ihre Hände seinen Nacken, zogen ihn noch dichter an sich heran. Alles fiel von ihr ab, die Übelkeit, die Schmerzen, die Furcht. Sie hörte das Meer nicht mehr rauschen und die Menschen nicht mehr um ihren verlorenen Besitz weinen. Ihre ganze Welt bestand nur noch aus ihm, Cornelius, und jene Welt war vertraut, voller Liebe und Glück. Zaghaft war der Druck seiner Lippen; erst nach einer Weile wurde er fordernder. Sie öffnete ihren Mund, schmeckte ihn stärker; ein Kitzeln ging durch ihren Körper, als ihre Zungen sich trafen. Ihr Körper fühlte sich nicht länger steif an, ihr Hals nicht mehr verätzt, ihre Haut nicht mehr rissig und klebrig.

Sie presste sich fest an ihn, wollte jede Faser ihres Körpers von seiner Nähe kosten lassen und von dem wohligen, hoffnungsvollen Gefühl, dass alles, was eben noch verloren und zerstört schien, wieder heil und ganz werden konnte, wenn sie denn nur bei ihm war.

10. Kapitel

Als sich der Nebel lichtete, sahen sie hinter dem sandigen, sumpfigen Boden erstmals grüne Hügel. Bald aber zogen Wolken auf, die Sonne verschwand, und gegen Mittag regnete es so heftig, dass ein jeder zusammengekrümmt dasaß und sich mit all dem, was er auf dem Leibe trug, notdürftig zu schützen versuchte. Wurden sie auch blind für das Land, so hatte sich ihr Unglück dennoch dort herumgesprochen. Als die tiefen Pfützen im Sand nur mehr von einzelnen Tropfen gekräuselt wurden, kamen Männer in dunklen, wenngleich zerfledderten Uniformen auf sie zugeritten, Soldaten offenbar, die mit dunkler, fremder Stimme auf sie einredeten. Es waren die ersten Chilenen spanischer Abkunft, die Elisa zu Gesicht bekam.

»Was … was sagen sie?«, fragte sie Cornelius, der ein paar Brocken Spanisch gelernt hatte.

Nach dem Kuss hatten sie sich losgelassen, doch sie waren dicht nebeneinander sitzen geblieben, als der Regen kam. Zu Elisas Erstaunen hatte Pastor Zacharias, der sich als einer der Ersten auf die Rettungsboote hatte flüchten können, nicht lautstark Trost eingefordert und das Schicksal beklagt wie sonst, sondern war – ähnlich dumpf wie ihr Vater – auf dem Strand niedergesunken und hatte über Stunden nicht mehr aufgeblickt. Erst jetzt, da die Männer auf sie einredeten, hob er müde den Kopf. Er wirkte nicht nur einfach erschöpft, sondern zutiefst verstört.

»Sie wollen offenbar wissen, wie viele es an Land geschafft

haben«, erklärte Cornelius, »und wie viele in den Flammen oder in den Fluten gestorben sind.«

Die Männer stiegen vom Pferd. Manche schienen grimmig, manche gleichgültig, manche mitleidig. Sie machten sich an ihren Satteltaschen zu schaffen und zogen zinnerne Kanister hervor, in denen ihre Ration aufbewahrt wurde. Die Kinder stürmten in Aussicht auf Essen begeistert auf sie zu, die Erwachsenen blieben jedoch misstrauisch sitzen, nicht sicher, was sie von den fremden Soldaten erwarten durften.

Nur Cornelius und einer der Stewards erhoben sich schließlich. Eine Weile sah Elisa die beiden Männer mit den Soldaten reden, dann kamen sie zurück – mit einem harten, viereckigen Stück Brot in der Hand, das so trocken und geschmacklos war, als wäre es aus Sand gebacken. Elisa zwang sich dennoch, es zu essen. Nachdem sie es mühsam heruntergewürgt hatte, fühlte sie sich allerdings nicht gestärkt, sondern unendlich müde und ausgelaugt. Das Einzige, was sie wach hielt, war der Kuss, den sie mit Cornelius getauscht hatte. Sie konnte seine Lippen immer noch auf den ihren spüren, und sie warfen sich Blicke zu, während er den Soldaten half, weiteres Brot auszuteilen.

Sie lebte. Er lebte. Mehr Gewissheiten gab es in ihrem Leben nicht.

»Und, was haben die Soldaten gesagt?«, fragte Jule später. Ihre Stimme klang hart und nüchtern wie eh und je, als hätte sie nie um ihr Buch geweint, nur ihre Augen wirkten verquollen.

»Die Rettungsboote sind weit nach Norden abgetrieben«, wusste der Steward zu berichten, »Corral, unser Zielhafen ist näher, als ich dachte. Man bringt uns in einen kleinen Ort, einige Meilen südlich davon.«

Elisa sah ihn an und nahm ihn das erste Mal richtig wahr. Wie viele der Besatzung wohl umgekommen waren? Gewiss auch der Kapitän, der bis zuletzt auf dem Schiff bleiben musste. Und so viele Passagiere, die den Aufbruch in eine neue Welt mit dem Tod bezahlen musste.

Aber sie lebte. Und Cornelius.

Als sie schließlich aufbrachen, stach die Sonne wieder durch die Wolken. Der Boden blieb trotzdem schlammig. Die ersten Schritte kosteten Elisa große Anstrengung, doch als sie sich erst einmal an den gleichmäßigen Trott gewöhnt hatte, setzte sie einfach immer aufs Neue Fuß vor Fuß. Es war leichter zu gehen, als zu denken – darüber nachzudenken, was geschehen war, was nun aus ihnen werden würde, was sie verloren hatten.

Seemöwen kreischten über ihren Köpfen. In kleinen Tümpeln schwammen Pelikane, die Vögel mit den riesigen Mäulern.

»Sieh doch nur!«, rief Poldi und klang begeistert. Aus seiner Stimme war kein Grauen, keine Müdigkeit mehr herauszuhören; er schien Schrecken und Elend abgestreift zu haben wie alte Kleidung. Nur Fritz hob nicht den Kopf wie sonst, um über die Tiere zu sprechen und deren Eigenarten zu erklären. Mittlerweile trug er das Katherl, dessen Augen nach wie vor weit aufgerissen waren.

»Leben mag sie, aber wie …«, murmelte Jule.

Nicht nur Elisa hatte sie gehört, sondern auch Annelie. Ähnlich zweifelnd wie Jule das Katherl anstarrte, blickte sie auf Richard. Erst jetzt sah Elisa, dass sie ihn mehr oder weniger hinter sich herzog.

»Was ist mit ihm?«, fragte Elisa leise.

»Es … es wird alles gut. Wir müssen nur erst …«, stammelte Annelie. Sie brach ab, denn in der Ferne ragten erste Häuser auf. Die Bewohner hatten offenbar von ihnen gehört, traten nach draußen und starrten ihnen entgegen – nicht offen feindselig, aber auch nicht einladend. Steif blieben sie stehen, bis sie an ihnen vorübergezogen waren; Elisa war nicht sicher, ob aus Neugierde oder um den eigenen Besitz zu bewachen.

Sie wagte es nicht, den Menschen ins Gesicht zu starren, nahm nur aus dem Augenwinkel wahr, dass sie allesamt etwas kleiner und dunkler waren als ihresgleichen und buntere Gewänder trugen.

»Wie merkwürdig!«, stieß Poldi aus. »Schau mal, wie die Häuser aussehen! Sie haben keine Dächer!«

Zumindest versprachen diese Häuser eine gewisse Heimeligkeit – ganz anders als die abgenutzte Kaserne, wohin die Soldaten sie brachten. Es war ein erbärmlich stinkender, verlauster Ort, den rein zu halten sich wohl schon seit Jahren niemand mehr bemüßigt fühlte. Viele Nebenhäuser, kaum Besseres als Baracken, standen leer und wurden nun zu ihrer Unterkunft umfunktioniert. Elisa war alles gleich. Sie war nur erleichtert, endlich anzukommen – gleich wo.

Sie hatte keinen Hunger mehr und keinen Durst, drückte ein letztes Mal Cornelius' Hand – während des Fußmarsches hatten sie sich Hand in Hand gehalten –, dann sank sie nieder. Es kümmerte sie nicht, dass der Boden kalt und hart war, es nicht einmal dünne Matten gab, sondern sie fiel augenblicklich in einen tiefen, traumlosen Schlaf.

Sie wurde von den Vögeln geweckt, laut schreienden Vögeln mit riesigen Mäulern, die sich um Fisch stritten und sich bitter beschimpften. Seid doch still, fuhr es ihr durch den Kopf, seid doch still, lasst mich schlafen …

Doch das Gekreische verstummte nicht, sondern wurde immer schriller; sie hob den Kopf, öffnete die geschwollenen Augen und sah, dass es keine Vögel waren, die da stritten, sondern Menschen – die chilenischen Soldaten nämlich, die über irgendetwas erbost schienen. Sie rieb sich die müden Augen, blickte sich um. Ihr Vater lag reglos da und starrte an die Decke; er schien nicht zu bemerken, dass Annelie seine Hand genommen hatte. Christine hatte das Katherl an sich gezogen und streichelte über ihre Wangen, ohne sich um das Gezänk zu scheren. Jules Blick hingegen war aufmerksam auf die Männer gerichtet, genauso wie der von Cornelius.

»Was geht hier vor?«, fragte Elisa. Sämtliche Glieder schmerzten, als sie sich aufrichtete, aber sie fühlte sich ausgeruht.

»Sie streiten, aber ich kann nicht genau verstehen, worüber. Sie sprechen ein ganz anderes Spanisch als das, was ich gelernt habe. Offenbar geht es darum, was sie mit uns machen sollen. Einer will uns nach Melipulli schicken.«

»Wo ist das?«

»Ich weiß es nicht«, gab Cornelius zu. »Und immer wieder fällt der Name eines gewissen Vicente Pérez Rosales. Aber wer das ist, weiß ich auch nicht.«

Elisa ließ sich zurücksinken. Die Müdigkeit war von ihr gewichen, stattdessen befiel sie tiefe Mutlosigkeit. Sie waren hierhergekommen, um ihr Leben selbst in die Hand zu nehmen – und nun waren sie einer Horde Soldaten ausgeliefert, die sich uneins waren, was mit ihnen geschehen sollte.

Immer lauter wurde ihr Streit, immer heftiger die Gesten, die ihn begleiteten. Doch plötzlich ertönte ein Ruf, und das Stimmengewirr erstarb. Die Soldaten fuhren herum, Elisa blickte wieder auf. Sie hatte erwartet, dass sich ein Offizier einschaltete, seine Männer beruhigte und klare Befehle erteilte, doch der Mann, der nun die Baracke betrat, trug keine Uniform. Noch erstaunter war sie, als er zu reden anfing – nicht etwa im fremden Spanisch, sondern auf Deutsch.

»Habt keine Sorge«, er wandte sich an sie alle. »Ich kümmere mich ab jetzt um euch.«

Eine Weile blieben die spanischen Soldaten noch in der Baracke stehen – zögerlich die einen, sichtlich erleichtert über die Einmischung die anderen. Doch nachdem der Fremde entschlossen auf sie eingeredet hatte, verschwanden sie.

»Herzlich willkommen, Landsleute!«, rief der Fremde aus, so begeistert, als würde er gute Freunde nach langer, schmerzhafter Trennung wieder in die Arme schließen. Die Blicke, die ihn trafen, waren müde. Nur Fritz musterte den Fremden eindringlich.

»Sie sind auch aus Deutschland?«, fragte er.

Die Hosen des Mannes glänzten speckig, waren jedoch nicht so zerrissen wie die Lumpen, die sie selbst am Leibe trugen; die Haut seines Gesichts zwar aufgedunsen und großporig, doch nicht bleich und salzverkrustet wie ihre. Über einem eng geschnallten Ledergürtel wölbte sich ein stattlicher Leib.

»Konrad Weber ist mein Name.« Er trat näher und setzte ein joviales Lächeln auf. Der Blick, den er durch den Raum kreisen ließ, wirkte jedoch kalt. »Ich weiß, was hinter euch liegt, ich weiß es ganz genau. Vor fünf Jahren habe ich selbst diese lange und gefährliche Reise angetreten. Mit meiner Frau und meinen zwei Söhnen. Wir gehörten zu den Ersten, die nach Chile abgeworben wurden – zu den neun hessischen Handwerkerfamilien nämlich, die mit der Catalina nach Corral gesegelt sind. Von dort ging es weiter nach Valdivia. Die Hokels, Aubels, Hollsteins, Bachmanns und Krämers reisten mit uns. Ihr müsst erschöpft und ausgelaugt sein – und so verloren in der Fremde.«

Das Lächeln verzerrte seinen Mund. Elisa war sich nicht sicher, aber sie hatte den Eindruck, dass es ein wenig verächtlich geriet.

Jule hatte sich erhoben und stützte ihre Hände in die Hüften.

»Soso«, rief sie, »Sie wissen also, wie wir uns fühlen. Hat Ihr Schiff auch gebrannt? Haben Sie auch sämtlichen Besitz auf der Reise verloren?«

»Das nicht«, gab Konrad Weber zu. »Aber in Valdivia hat uns niemand an die Hand genommen. Wir standen vor dem Nichts und mussten uns erst mühsam unsere Existenz aufbauen.«

»Aber man hat uns doch Land zugesagt! Viel Land, fruchtbares Land!« Nun erhob sich auch Jakob Steiner, den Elisa bisher kaum je etwas sagen gehört hatte. »Ein gewisser Bernhard Eunom Philippi hat uns nach Chile eingeladen. Gewiss wird er sich nun um uns kümmern!«

»Tja«, Konrad Weber zuckte mit den Schultern; aus dem verächtlichen Ausdruck wurde ein höhnischer. »Ich fürchte, Herrn Philippi wird das nicht möglich sein. Er ist tot. Seit einigen Wochen mittlerweile. Er ist durch die Magallanstraße gereist und nicht mehr wiedergekehrt. Wahrscheinlich wurde er von den Indianern erschlagen. Verdammtes Pack, diese Rothäute.«

Entsetztes Raunen ging angesichts der bestürzenden Nachricht durch den Raum. »Das ist doch nicht möglich!«, rief einer der Männer aus, während zwei Frauen in Tränen ausbrachen. Auch Jule, die eben noch stolz vor Konrad Weber gestanden war, wich unwillkürlich zurück und tauschte ausgerechnet mit Christine Steiner einen entsetzten Blick. Erstmals seit Stunden streichelte diese nicht mehr über Katherls Gesicht, sondern reichte das reglose Kind Fritz und erhob sich ebenfalls.

»Aber es muss doch jemand für uns zuständig sein!«, rief sie. Das Raunen bestärkte sie.

Elisa biss sich unruhig auf die Lippen.

Bernhard Philippi.

Das war der Name, den auch die verstorbene Mutter so oft

genannt hatte. In den Auswandererjournalen war zu lesen gewesen, dass er bislang unerforschte Gebiete in Chile entdeckt hatte, so weitreichend, dass die Chilenen allein sie niemals urbar machen und besiedeln konnten. Zu diesem Zweck hatte er der Regierung vorgeschlagen, deutsche Einwanderer ins Land zu holen.

»Tja«, meinte Konrad Weber wieder. »Franz Kindermann, auch ein Landsmann, hätte sich nun der Auswanderer annehmen sollen. Aber er hat sich mit Chiles Regierung überworfen und seitdem gar nichts mehr zu sagen. Jetzt ist Vicente Pérez Rosales der Auswanderungsagent. Wenn er hier wäre, würde er euch wohl nach Melipulli schaffen. Viele der Schiffe aus Hamburg, die letztens in Corral eingetroffen sind, sind gleich dorthin weitergesegelt.«

Wild gingen die Stimmen nun durcheinander.

»Dann sollten wir das auch tun!«

»Wie weit ist es bis nach Melipulli?«

»Und Herr Rosales weist uns dort dann unser Land zu?«

Konrad Weber unterbrach die aufgeregten Menschen nicht, kaute nur nachdenklich auf den Lippen. Erst als die Rufe erstarben, schaltete er sich wieder ein.

»Geht besser nicht nach Melipulli! Ich würde es euch zumindest nicht raten, wenn ich euch denn etwas raten darf.« Er lachte auf, was Elisa nicht nur unpassend schien, sondern was in ihren Ohren schäbig klang. »Melipulli ist elendes Dreckloch, so viel steht fest«, fuhr er fort. »Soll mal eine Stadt werden … eine deutsche Stadt. Aber bis jetzt ist noch nicht viel davon zu sehen, nur ein paar Baracken, oder besser: ein paar Holzbretter, die man aneinandergenagelt hat. Durch die Türen muss man kriechen, Fenster haben sie keine und schon gar keinen gestampften Boden. Das Holz, aus dem sie bestehen, wurde nicht einmal entrindet. Eine Baumeslänge freie

Fläche hat man um diese armseligen Buden geschlagen – danach folgen nur Urwald, Wildnis und Sumpf.«

»Aber das kann doch nicht sein! Wo liegen denn die Ländereien, die man uns versprochen hat?«

Wieder erhob sich Stimmengewirr.

Abwehrend hob Konrad Weber die Hand. »Ich will ganz ehrlich mit euch sein«, ging er mit nun anbiederndem Tonfall dazwischen. »Ich fürchte, man hat euch viel zu viel versprochen. Dass alles geklärt sei … dass man einen Überblick über das brachliegende Land hätte … dass man dieses den Indianern abgekauft hätte und euch nur mehr zuteilen müsste – gemeinsam mit Saatgut und Tieren, auf dass ihr es beackern könnt. Von wegen! Betrüger sind sie, sie alle! Philippi mag noch ein aufrichtiger Mann gewesen sein – nicht das Pack, das ihm folgte.«

»Aber wer sorgt nun für uns?«

»Es ist in den letzten Jahren vieles schiefgelaufen, man muss es leider so sagen. Es hat einigen mächtigen Männern nicht gepasst, dass vor allem Protestanten aus Deutschland kamen, um ihr brav katholisches Land – wie sie sich ausdrückten – zu verseuchen. Land wurde vergeben – und dann wieder zurückgenommen. Besagter Rosales ist als Auswanderungsagent völlig überfordert …«

»Ist er den Protestanten denn auch feindselig gesinnt?«, rief jemand entsetzt dazwischen.

»Das nicht. Rosales ist es gleich, welcher Art der Pfaffen ihr nachrennt«, Konrad Weber lachte schrill auf. »Aber es steht ihm mittlerweile kein Land mehr zur Verfügung, das er verteilen könnte. Vor einiger Zeit hat er die Isla Teja für die Einwanderer erworben, doch sämtliche Parzellen dort wurden bereits vergeben. Nun sucht er verzweifelt neues Land, um die Versprechen, die Philippi gegeben hat, einzuhalten. Aber die Chilenen, diese Schurken, verkaufen es viel zu teuer, und ständig gibt es Streitigkeiten darüber, wem was gehört. Da das Land so groß und die Zahl der Menschen so gering ist, möchte man ja nicht meinen, dass es knapp werden könnte. Doch wo immer ein Spanier ruft: ›Dieses Stück Urwald können wir ohnehin nicht gebrauchen, überlasst es lieber tüchtigen Fremden‹, so geht eine verfluchte Rothaut dazwischen und pocht darauf, dass hier schon ihre Vorfahren gelebt hätten. Nun hat die Regierung entschieden, eine große Inventur durchzuführen, ehe man den Deutschen neuen Grundbesitz zuteilt. Doch Gottes Mühlen mahlen in diesem Land langsam. Dergleichen Vorhaben können Jahre in Anspruch nehmen. Tja«, er zuckte mit den Schultern, »man hat euch unter falschem Vorwand hierhergelockt. Chile ist nicht das gelobte Land.«

»Und das sollen wir Ihnen glauben?«, begehrte Fritz auf. Elisa hatte nicht gesehen, dass er aufgesprungen war. Er hielt das Katherl immer noch in den Händen, achtete in seiner Empörung jedoch nicht darauf, dass ihr Kopf wild hin und her fiel. Rasch trat Christine auf ihn zu und entriss ihm das Mädchen. »Wenn es so ist, wie Sie sagen, dann soll uns das dieser Auswandereragent Rosales ins Gesicht sagen, und dann ...«

»Und wie wollt ihr zu ihm gelangen?«, unterbrach Konrad ihn bissig. »Meist verschanzt er sich in Valparaíso. Doch gesetzt, er hielte sich in Melipulli auf – die Reise dorthin währt an die acht Tage. Habt ihr etwa ausreichend Proviant, um diese Zeit durchzustehen? Eins kann ich euch sagen: Hofft lieber nicht darauf, dass man euch hier versorgt. Wenn ihr Glück habt, findet ihr am Strand ein paar Muscheln, die ihr roh verzehren könnt.«

»Zum Teufel! Man hat uns also hierhergelockt, damit wir am Hunger krepieren?«

Elisa zuckte ob der lauten Stimme zusammen. Es war Lambert

Mielhahn, der so ärgerlich brüllte. Seit ihrer Ankunft war sie derart im eigenen Elend gefangen gewesen, dass sie weder auf ihn noch auf Greta und Viktor geachtet und sich nicht gefragt hatte, wie sie mit dem Tod der Mutter zurechtkamen.

In Lambert Mielhahns Gesicht spiegelte sich nun keinerlei Trauer mehr – nur immense Wut. Viktor duckte sich; er schien viel geweint zu haben, denn seine Augen waren gerötet. Nur Greta lächelte sanft. Sie hatte ihre Arme um die Knie geschlungen und schaukelte vor und zurück. Das Geschrei ihres Vaters, das unvermindert seinen Fortgang nahm, schien an ihr abzuprallen; die Augen wirkten ähnlich starr wie die von Katherl, aber in ihnen lag ein derart sonderlicher Glanz, der Elisa unwillkürlich Angst machte.

»Verflucht!«, brüllte Lambert. »So sind wir also von Betrügern, Verrätern und Ausbeutern umgeben! Ein Skandal ist das, ein Verbrechen! Wie konnte man uns nur …«

»Gemach, gemach!« Konrad Weber war grinsend auf ihn zugeschritten, ließ dann den Blick wieder über sie alle kreisen. »Ich wollte euch doch keine Angst machen, euch nur erklären: Den Menschen hier ist nicht zu trauen. Die Regierung entscheidet heute das eine und morgen das andere. Aber ich … ich bin euer Landsmann, ich kann für euch sorgen.«

Elisa war sich nicht sicher, ob sie ihn richtig verstanden hatte. Für sie sorgen? Meinte er, er würde für ihr Recht auf eigenes Land eintreten?

»Wie gesagt«, fuhr er fort. »Ich hatte das Glück, dass ich zu den ersten Einwanderern gehörte. Kurze Zeit lebte ich in Valdivia, aber dort kann man nur als Handwerker überstehen, nicht als Bauer. Ich habe allerdings nicht darauf gewartet, dass sich irgendjemand meiner annimmt, habe vielmehr damals schon erkannt, dass man hier nur von Pack und Banditen umgeben ist. Anstatt auf einen Auswandereragenten zu setzen, habe ich selbst von einem Spanier eine Hazienda erworben. Sämtliches Geld, das ich besaß, steckt nun darin. Nicht weit vom Fluss Maullin liegt sie, besteht aus mehr Wäldern als Äckern, aber wirft schon etwas Ernte ab. Was jedoch am wichtigsten ist: Ich habe mit dem Bau einer Straße begonnen. Daran mangelt's hier, und wenn ihr mich fragt, so ist genau das das Problem. Kaum kann man in diesem Land einen Schritt setzen, ohne dass man im Sumpf versinkt. Wie also sollen die deutschen Einwanderer überhaupt zu brachliegendem Land gelangen, wenn es keine Wege gibt? Und wie sollen sie später Handel treiben? Diese Straße wird nicht nur mir helfen, sondern irgendwann auch euch. Also: Verlasst euch nicht auf die Chilenen, nehmt euer Leben selbst in die Hand und kommt mit mir. Auf meiner Hazienda werden genügend helfende Hände gebraucht.«

»*Ihre* Hazienda. Nicht unsere.« Fritz blickte ihn grimmig an.

»Ist das denn meine Schuld?«, gab Konrad Weber zurück. »Diese Verwirrung darüber, wer für die Deutschen zuständig ist … welches Land es überhaupt noch zu vergeben gilt … wie hoch dessen Wert ist … Nun, vielleicht schafft Rosales eines Tages doch, dies alles zu klären. Und bis dahin habt ihr keine große Wahl. Ihr habt doch alles verloren, nicht wahr? Ihr braucht eine Unterkunft, ihr braucht etwas zu essen, ihr braucht Erholung von der Reise. Das alles biete ich euch und verlange doch nur, dass ihr auf meiner Hazienda arbeitet. Keine Angst«, er lachte so lange, bis nur mehr ein Krächzen aus seiner Kehle kam, »ich bin doch kein Sklaventreiber.«

Als er endlich schwieg, setzte Getuschel ein. Die Menschen wiederholten, was er gesagt hatte: »… keine Wahl, die einzige Möglichkeit, Erholung von der Reise …«

Fritz machte nach wie vor ein grimmiges Gesicht, schwieg

jedoch – genau wie Lambert, der seine Kinder anstierte. Viktor hatte die Augen verschlossen – vielleicht, um Tränen zu verbergen, und Greta wippte immer noch mit starr-glänzenden Augen hin und her.

»Vater«, Elisa war zu Richard und Annelie getreten, »Vater, was meinst du denn dazu?«

Er hob den Kopf, und sein Blick erschreckte sie zutiefst. Seine Augen waren so leer wie die von Katherl.

»Ich weiß nicht«, stammelte er.

»Diese Hazienda …«, setzte Annelie an, »wir könnten dort erst einmal Unterschlupf finden und wieder zu Kräften kommen.«

Elisa wandte sich ab. Ihr fiel nichts ein, was sie gegen Konrads Vorschlag einwenden konnte, doch obwohl dieser nun schweigend und mit verschränkten Armen dastand, war ihr, als könnte sie immer noch sein Lachen hören – spöttisch, kalt und verächtlich.

Sie wollte Cornelius fragen, was der von dem plötzlichen Erscheinen ihres Landsmannes hielt, doch als sie sich umblickte, war sein Platz leer. Nicht nur er, sondern auch sein Onkel war verschwunden.

»Was machst du denn hier, Onkel?«

Cornelius hatte Pastor Zacharias in den letzten Wochen fast immer aufgeregt und ängstlich erlebt. Doch nun war er entsetzt, als er ihm in die Augen blickte. Der Onkel wirkte nicht hysterisch wie sonst, sondern hilflos und verloren wie ein kleines Kind. Er hatte es in der Baracke nicht mehr ausgehalten, sondern war nach draußen geflohen, wo er, ungeachtet des Drecks, einfach auf den Boden gesunken war.

»Ich halte das nicht aus …«, stammelte er, »die vielen Menschen … wie viel sie verloren haben … Das ganze Elend!«

Er selbst hätte nicht elender aussehen können. Cornelius beugte sich zu ihm herab. So lästig ihm das Gejammer des Onkels manchmal war – seiner aufrichtigen Zuneigung zu ihm hatte es nie etwas anhaben können.

»Onkel Zacharias …«

Er konnte sich nicht erinnern, als Kind jemals auf Zacharias' Schoß gesessen zu sein und im wilden Spiel seine Haare zerrauft zu haben. Die Wohltaten, die der Onkel ihm hatte angedeihen lassen, bestanden aus guten Worten und finanzieller Unterstützung – nie aus Streicheln und Umarmen. Jetzt hatte er das Gefühl, er müsse ihn zu sich ziehen, müsse ihn halten, ihn in den Armen wiegen. Doch als er näher trat, fuhr Zacharias unerwartet wütend hoch.

»Du … du hast mich dazu gedrängt!«, rief er heiser. »Genau wie der Bischof! Gemeinsam habt ihr mich überredet, in dieses verdammte Land zu gehen, und ich Dummkopf habe nachgegeben. Nie hätte ich das tun sollen, nie, nie, nie!«

Cornelius zuckte zurück. Zacharias' Stimme klang nicht einfach nur weinerlich, sondern wie erloschen; nicht üblicher Trotz lag darin, sondern tiefe Verzweiflung.

»Ach, Onkel«, seufzte er. »Wir haben Schlimmes erlebt, aber wir haben es überstanden. Wir sind noch am Leben, das ist ein Geschenk! Und ich bin sicher …«

»Du hast es doch gehört …«, unterbrach Zacharias ihn schroff. Er zog seine Knie ganz eng an sich und vergrub den Kopf zwischen den Armen. Dumpf klang seine Stimme, als er fortfuhr: »Es gibt für uns kein Land hier. Und wenn es welches gäbe – was sollte ich damit? Ich bin kein Bauer, ich bin Pfarrer! Aber als solcher werde ich hier nicht gebraucht. Die Menschen klagen um verlorenes Saatgut, nicht um ihr Seelenheil.«

»Dieser Konrad Weber hat uns auf seine Hazienda eingeladen.« Cornelius versuchte, die Zweifel in seiner Stimme zu verbergen. Hatte das Grinsen des Landsmannes auch jovial gewirkt – das spöttische Lachen und die derben Bewegungen hatten ihn abgestoßen.

»Das ist mir ganz gleich«, murrte Zacharias und scharrte mit den Füßen über den Boden. »Ich gehe hier nicht weg.«

»Aber ...«

»Ich rühre mich keinen Schritt weiter. Ich bleibe hier. Hier sind Menschen, und sie leben in Häusern. Irgendwo gibt es gewiss auch eine Kirche.«

»Aber nur eine katholische! Die einzigen Protestanten in diesem Land sind wir Einwanderer!«

Zacharias hob den Kopf und blickte ihn an. Die Wut war aus seinem Gesicht verschwunden, sogar die Verzweiflung. Zurück blieb nur ein Ausdruck tiefster Erschöpfung. »Ich folge einem Fremden, von dem wir nichts wissen, ganz sicher nicht in den Urwald!«

Die Gelegenheit, den Onkel zu umarmen, war längst vorüber. Dennoch legte Cornelius vorsichtig die Hand auf seine Schultern.

»Wovon willst du denn hier leben?«, fragte er.

»Auch wenn es nur Katholiken sind – einen Mann Gottes wie mich wird man nicht verhungern lassen. Und wenn dieser Konrad Weber unsereins Arbeit anbietet, dann werden das auch andere tun, und zwar hier und nicht irgendwo in einer gottverlassenen Einöde.«

Erstaunlich nüchtern klang, was er sagte. Erst als er Cornelius plötzlich die Hand reichte, sich von ihm hochziehen ließ, wirkte er wieder hilflos und weinerlich wie ein Kind.

»Du bleibst doch bei mir? Du lässt mich doch nicht im Stich?«

»Onkel Zacharias ...«

Cornelius konnte sich nicht erinnern, sich auf der Reise jemals so mutlos gefühlt zu haben. Trotz aller Gefahren, trotz aller Ungewissheit war es immer irgendwie weitergegangen. Doch jetzt war ihm, als würde er ohne Hoffnung in einem Niemandsland festsitzen.

»Corral ... diese Stadt«, fuhr Pastor Zacharias fort, »sie liegt doch in der Nähe, heißt es. Dorthin können wir meinetwegen gehen. Aber nicht weiter.«

Cornelius wusste nichts zu sagen. Was würde aus Elisa werden? Wie sollte er sie einfach mit Konrad Weber aufbrechen lassen und selbst hier zurückbleiben?

»Du lässt mich doch nicht im Stich!«, drängte Pastor Zacharias wieder, und diesmal klang es nicht weinerlich, sondern schmeichelnd.

Obwohl sie ungesagt blieben, konnte Cornelius die Worte förmlich hören, die der Onkel im Stillen dachte.

Weil auch ich dich niemals im Stich gelassen hatte. Weil ich meine Schwester und den Bastard, den sie im Leibe trug, einst nicht verstoßen habe wie der Rest der Familie, sondern ihnen eine Heimat bot.

»Bleib bei mir«, seufzte der Onkel, »ich bitte dich: Bleib bei mir.«

Fest drückte er Cornelius' Hand.

»Ohne dich gehe ich nirgendwo hin«, sagte dieser leise.

Notdürftig flickte Elisa ihr Gewand. Sie hatte weder Garn noch Nadeln, aber sie zog aus den zerrissenen Stellen Fäden, bohrte diese mit den Fingernägeln in das Stoffgewebe und verknotete sie. Sie hatte keine Hoffnung, dass das lange halten würde, aber zumindest wurden so die größten Risse zusammengehalten. Derart konzentriert merkte sie nicht, wie ein Schatten auf sie fiel.

Erst als Cornelius ihren Namen aussprach, fuhr sie hoch.

»Da bist du ja! Du bist vorhin plötzlich verschwunden, als diese Frau gekommen ist ... eine Spanierin. Hast du sie noch gesehen?«

Er schüttelte den Kopf.

»Sie hat uns Essen gebracht! Warte«, sie strich ihr Kleid glatt und erhob sich, »vielleicht sind noch Maisfladen da. Sie schmecken viel besser als das Brot der Soldaten.«

Sie hatte das Gefühl gehabt, nie etwas Köstlicheres gegessen zu haben als jenen feinen, gelblichen Teig aus Maismehl, außen kross und innen noch saftig weich. Hungrig hatte sie ihren Fladen heruntergeschlungen und erst später die Spanierin gemustert, die ihn ihr überreicht hatte. Konrad Weber, so hieß es, hätte die Frau mit der Stärkung geschickt. Er würde sie, so sein Versprechen, auch mit neuer Kleidung versorgen. Die Gewänder der Spanierin waren farbenprächtig, und am auffälligsten war ein mantelartiger Umhang, der keine richtigen Ärmel hatte, nur einen mit langen Fransen gesäumten Schlitz, durch den man den Kopf steckte.

»Warte!«, hielt Cornelius sie zurück, als sie nach einem Fladen für ihn fragen wollte. »Ich habe keinen Hunger. Ich möchte nur mit dir reden – aber nicht hier.«

Elisa sah ihn verwundert an. Sie fühlte sich halbwegs wieder zu Kräften gekommen, doch er wirkte blasser, sorgenvoller und erschöpfter als gestern.

»Komm mit!«, sagte er knapp. Sie stiegen über liegende Leiber. Die meisten waren so in ihre Gedanken und Sorgen versunken, dass sie sie gar nicht bemerkten. Trüb war der Himmel, der sie im Freien erwartete. Sie sahen weder etwas von der verfallenen Kaserne noch vom Meer, obwohl es durchdringend nach Algen und Fisch roch.

»Konrad Weber will uns auch Decken bringen lassen. Gott sei Dank! Die Steiner-Kinder frieren erbärmlich. Ihre leinenen

213

Hosen und Hemden sind völlig zerrissen, und ihre selbstgemachten Pantinen mit Filzsohlen reichen wohl nicht.«

Elisa wusste nicht, warum sie so schnell und viel redete. Die Worte sprudelten einfach aus ihr hervor. Jetzt, da ihr der Hals nicht mehr so weh tat, hatte sie das Gefühl, es der ganzen Welt bekunden zu müssen: dass sie noch lebte, dass alle Glieder noch heil waren und ihre Stimme noch kräftig genug, sich Gehör zu verschaffen – und auch ihre Zweifel zu übertönen.

Immer noch wusste sie nicht, was sie von Konrad Weber halten sollte.

»Ich meine«, fuhr sie rasch fort, »würde sich dieser Konrad Weber so fürsorglich unsereins annehmen, wenn er kein gutes Herz hätte? Nun gut, er wirkt etwas hart, barsch und laut, und Jule meinte vorhin, dass es wohl keine gute Idee wäre, sich ihm mit Haut und Haaren anzuvertrauen …« Sie zuckte mit den Schultern, hatte Jules skeptischen Tonfall noch im Ohr. »Aber genau betrachtet haben wir keine Wahl. Was sollen wir schon machen in unserer Lage, und du findest doch sicher auch …«

Sie brach ab, bemerkte erst jetzt verschämt, dass sie so viel redete – er hingegen stumm geblieben war. Doch das war nicht so schlimm. Schlimm war, dass er plötzlich ihre Hand losließ, von ihr fort trat, ihr nicht ins Gesicht blickte. Noch ehe er es aussprach, spürte sie in sich Verzweiflung und Hoffnungslosigkeit aufkommen.

»Cornelius …«

»Ich gehe nicht mit.«

Elisa schluckte schwer. Gerade noch hatte sie das Gefühl genossen, wieder frei atmen zu können. Nun zog sich ihre Kehle schmerzhaft zusammen.

»Cornelius …«

»Will sagen: Wir gehen nicht mit«, berichtigte er sich, als würde das irgendeinen Unterschied machen, als würde die gnadenlose Wucht dieser Ankündigung dadurch abgemildert werden.

»Aber ...«

Er drehte sich wieder zu ihr um und hob seinen Blick. Müde war er ihr eben noch erschienen, doch sie hatte wohl Traurigkeit mit Erschöpfung verwechselt – jene Traurigkeit, die sie ihm schon angesehen hatte, als sie sich das erste Mal begegnet waren. In einem anderen Leben schien das passiert zu sein – und so viel lag dazwischen: der Sturm, der Brand, aber auch die vielen Stunden an Deck, in denen sie gemeinsam gelacht und geredet hatten. Und in denen sie gefühlt hatte, wie die Verzagtheit, der Kummer von ihm abfielen, wie ein entschlossener, starker Cornelius zum Vorschein kam, auf den sie sich immer hatte verlassen können.

»Mein Onkel ... er schafft es einfach nicht.«

»Ihr wollt hierbleiben?«, fragte sie entsetzt.

Er zuckte mit den Schultern. »Ich weiß es nicht. Ich weiß nur, dass er wieder zu Kräften kommen muss, ehe wir eine Entscheidung über unsere Zukunft treffen. Wir können nicht ins Ungewisse gehen!«

»Aber Konrad hat uns doch versprochen, dass er auf seiner Hazienda für uns sorgen wird. Er bietet uns Arbeit an. Er ...«

Die Zweifel über diesen Mann, die eben noch in ihr gewuchert hatten, zählten nicht mehr. Das Einzige, was zählte, war die Frage, wie sie dies alles hier auch nur eine Stunde ertragen könnte – ohne ihn!

Abermals zuckte er mit den Schultern. »Es ist nicht meine Entscheidung.«

»Doch du trägst sie mit?« Aus ihrer Fassungslosigkeit wurde Zorn. »Einfach so? Nimmst es hin? Mit dem Gesicht, das einem Lamm gleicht, das zur Schlachtbank geführt wird?« Der

Zorn erwies sich als wankelmütig, ließ nach, ehe er sie ganz und gar in Besitz nehmen konnte, vielleicht, weil er nicht stark genug war, vielleicht, weil sie nicht stark genug war. Sie biss sich auf die Zunge. »Es tut mir leid«, murmelte sie mit erstickter Stimme und wandte sich ab. »Es tut mir so leid. Es steht mir nicht zu, so mit dir zu reden.«

Sie trat einige Schritte von ihm fort, wusste jedoch nicht, wohin sie gehen sollte. Es gab hier nichts, nicht das kleinste Fleckchen vertrauter Erde, auf dem sich sicher stehen und der Verzweiflung standhalten ließ.

Er hastete ihr nach. »Glaub nicht, dass ich ihm nicht zürne. Aber er ist mein Onkel. Der Onkel, der immer für mich da gewesen ist. Der Onkel …«

»Der Onkel, der deine Mutter aufgenommen hat, als sie ein uneheliches Kind erwartet hat«, schloss sie an seiner Stelle.

Nur ein einziges Mal hatten sie darüber gesprochen – damals, als er ihr die Wahrheit über sein Leben anvertraut hatte. Auch jetzt blieb es bei diesen wenigen Worten. Langes Schweigen senkte sich über sie.

»Hör zu«, setzte er schließlich leise an. »Es ist wohl gut und richtig, dass ihr mit Konrad Weber geht. Und ich verspreche dir: Ich werde alles tun, damit wir uns wiedersehen. Vielleicht währt unsere Trennung nur für kurze Zeit. Wenn mein Onkel erst den Schrecken überstanden hat, dann können wir zu euch nachkommen. Und bis dahin … bis dahin schreiben wir uns.«

Er versuchte, seine Stimme mitreißend klingen zu lassen, der Ausdruck seines Gesichts war es nicht.

»Und wie?«, fragte Elisa. »Wir haben nichts zu essen, kein ordentliches Dach über dem Kopf und nur zerfetzte Kleidung. Wie sollen wir …«

»Auch in Chile gibt es Papier; auch in Chile werden Briefe

von einem Ort zum anderen gebracht. Du musst einfach nur fest daran glauben und …«

Seine Stimme versagte.

Anstatt zu reden, ihre Zweifel zu beschwichtigen und ihr Mut zu machen, beugte er sich vor und küsste sie, sanft und liebevoll zuerst, dann so heftig und gierig, dass ihr Mund schmerzte. Es machte ihr nichts aus. Mehr als jedes zuversichtliche Wort trösteten sie seine Umarmung, der Druck seiner Lippen und seiner Zunge, sein salziger Geschmack und seine Wärme, aus der schließlich Hitze wurde, als sie sich immer fester an ihn drängte. So viel wie nur irgend möglich wollte sie ihn von sich spüren lassen, jedes Fleckchen ihrer Haut; sie wollte diese letzte Berührung in ihre Seelen einbrennen, auf dass sie sie nie vergäßen. Kaum merkte sie, wie sie den Stoff des Kleides zurückschob, seine Hand nahm, auf dass er ihren nackten Hals berührte, ihn tiefer führte, zum weichen Fleisch ihrer Brüste. Sie spürte die kalte Luft nicht, die sie traf – nicht, solange er sie hielt, solange das Beben seines Körpers auf sie überging, der Hunger nach ihrem Leib. Sie zitterte und glühte zugleich, wusste – so eng wie sie sich umschlangen –, nicht mehr, wo die Grenzen des eigenen Körpers lagen und seiner begann, wusste nur, dass sich sämtliche Ängste und Zweifel betäuben ließen, zumindest für diesen einen gestohlenen Augenblick.

Dann war es vorbei. Sanft schob er sie zurück und zog den Ausschnitt ihres Kleides hoch.

»Daran«, sie hob die Hand, streichelte über seine Stirn, »daran werde ich mich erinnern, an jedem einzelnen Tag, der vor mir liegt. Daran werde ich mich aufrichten, mich damit trösten.«

Er beugte sich vor, doch diesmal küsste er sie nicht auf den Mund, sondern nur auf die Stirn.

»Damals in Hamburg war ich meines Lebens so überdrüssig«, sagte er leise. »Ich wollte meiner Vergangenheit entfliehen, ohne eine Zukunft vor mir zu sehen. An deiner Seite habe ich wieder gespürt, wie reich das Leben sein kann, wie viel es für mich bereithält. Auch daran sollst du dich erinnern, auch daran dich aufrichten: dass ich mein Leben mit dir teilen will. Dass ich mir nichts mehr wünsche, als dass du eines Tages meine Frau wirst.«

Er löste sich von ihr, drückte ein letztes Mal ihre Hand.

»Ich werde auf dich warten«, sagte sie, ehe sie zurück in die Baracke ging.

Am nächsten Morgen folgten die von Grabergs, Mielhahns, Steiners, Juliane Eiderstett und einige andere Familien Konrad Weber ins Ungewisse. Es war ein hastiger Aufbruch, denn sie hatten kaum etwas mitzunehmen. Nicht alle hatten sich entschieden zu folgen, und Elisa verabschiedete sich rasch von einigen Frauen und Kindern, deren Gesichter ihr während der Reise so vertraut geworden waren, obwohl sie nicht einmal die Namen kannte.

Als sie ins Freie traten, strömten die Menschen aus den umliegenden Häusern zusammen. Eine kleine Frau mit dunkelbraunem Gesicht trat mit breitem Lächeln auf Elisa zu und steckte etwas in ihre Hand, das sich später als Stück Bohnenpastete herausstellte. Sie dankte ihr mit einem Lächeln.

»Weiter, weiter!«, traf sie da eine unfreundliche Stimme. Sie fuhr herum, doch der Befehl galt nicht ihr. Lambert Mielhahn trieb seine Kinder an. Auf seinem Kopf glänzte ein rotes Geschwür. Viktor wirkte wie erstarrt, aber Greta zog ihn mit gleichmütigem Lächeln hinter sich her – genauso wie Annelie Richard hinter sich herzog. Obwohl Annelie blass und müde aussah, seufzte sie nicht halb so oft wie auf dem Schiff.

Sie ließen die Küste hinter sich, immer spärlicher gesät wurden die Häuser, immer schlammiger und schmaler die Wege. Das Meeresrauschen erstarb, lautlos schien das Land, das sie erwartete – und trübe. Bräunlich und nass waren die Wiesen, undurchdringlich und finster die Wälder. Wolken ballten sich über ihnen, und bald setzte Nieselregen ein, der die Hügel grau färbte.

Christl und Magdalena begannen zu klagen, auch Poldi fluchte, nur Katherl, die Fritz auf seinen Schultern trug, gab den ersten Ton von sich, seit es fast ertrunken war: Es gluckste, und irgendwie klang es wie ein Lachen.

»He!«, schrie Fritz nach vorne.

Er musste den ungeduldigen Ruf mehrmals wiederholen, ehe Konrad Weber auf ihn hörte. Er hatte die Gruppe angeführt und trat nun zu ihnen. Elisa zuckte zusammen, als sie das Gewehr sah, das er geschultert trug.

Ihm entging ihre angstvolle Miene nicht. »Man weiß ja nie, welches Pack am Wegesrand lauert«, meinte er kühl.

Fritz deutete auf die Kinder. »Sie können nicht so schnell gehen. Sie müssen Rücksicht auf sie nehmen!«

»Ach ja?« Konrad lachte auf, der Regen wurde stärker. »Muss ich das? Hör mir gut zu, Bürschchen«, er trat dicht an Fritz heran. »Ich bin hier derjenige, der das Tempo vorgibt.«

Fritz hielt seinem Blick stand und wich kein Jota zurück: »Und wenn wir nicht mithalten?«

Wieder lachte Konrad. »Seht ihr hier irgendjemanden, der euch helfen kann außer mir? Entweder ihr passt euch mir an, oder ihr seid in diesem Land verloren.«

Sprach's und stapfte wieder nach vorne.

Elisa fröstelte. Ihre Kleidung war schon völlig durchnässt, obwohl sie gerade erst aufgebrochen waren. Sie wusste nicht, was schlimmer zu ertragen war: der unerträgliche Kummer, weil sie so überstürzt von Cornelius hatte Abschied nehmen müssen, oder die nagende Furcht, die Konrads hämische Worte in ihr gesät hatten – Furcht, dass sie keinem neuen schönen, aufregenden Leben entgegengingen, sondern dem Verderben.

ZWEITES BUCH

Der verwunschene See
1853 ~ 1856

11. Kapitel

Nahezu winzig war der Vogel, die Spanne zwischen seinem gefiederten Schwanz und dem spitzen Schnabel kaum größer als die einer zarten Kinderhand. Er schien sich im dunklen Dickicht verirrt zu haben und flatterte eine Weile aufgeregt zirpend im Kreis, ehe er seinen Schnabel in einer der langgezogenen Glockenblüten versenkte. Der Boden knackte unter ihren Füßen, als Elisa näher trat, um ihn genauer zu mustern. Seit den frühen Morgenstunden schuftete sie im Wald, doch es war das erste Mal, dass sie aufblickte, den schmerzenden Rücken streckte und ihr Gesicht in jene fadendünnen Sonnenstrahlen hielt, die nur selten durch die massigen Baumkronen bis zum Boden fielen.

Wie schön, dachte sie, als der Vogel zur nächsten Blüte flatterte, wie ungemein schön er ist.

Sein Gefieder schimmerte metallisch grün, die Kehle war bunt und nicht minder glänzend. Seine kleinen, dunklen Augen schienen Elisa aufmerksam zu beobachten.

Achtlos macht uns die Plackerei, ging es Elisa durch den Kopf, wir kämpfen uns durch den Wald, als wäre er Feindesgebiet, und vergessen, wie schön er ist, wie schön er sein kann.

Von diesem Vogel würde sie Cornelius schreiben – wenn auch nur in ihren Gedanken. Dann stellte sie sich vor, wie sie einen Bogen Papier nahm, den es hier nirgends gab, die Feder ansetzte, die man ihr vorenthielt, und von dem Leben berichtete, das viel zu oft nur aus Arbeit bestand und viel zu selten aus solch zauberhaften Momenten. Manchmal stellte sie sich gar nicht erst vor, ihm zu schreiben. Stattdessen schloss sie einfach die Augen, beschwor sein Gesicht herauf, und dann murmelte sie leise etwas vor sich hin. Sie erzählte ihm, was sie erlebt hatte und was ihr schwer auf der Seele lastete, erzählte von ihrem neuen Leben und den Nöten, Enttäuschungen und Ängsten, die es gebracht hatte, erzählte auch von geheimen Hoffnungen und Wünschen. Vor allem erzählte sie ihm, wie sehr sie ihn vermisste, wie sehr sie sich nach ihm verzehrte, nicht nur am Tage, auch in der Nacht, in der ein alter Traum sie verfolgte: Dann ging sie mit ihm durch dunkelsten, dichtesten Wald, umklammerte fest seine Hand und fühlte sich kurz sicher und geborgen – bis plötzlich Nebel aufzog, alles verschluckte und sie ihn nicht länger spüren konnte. Allein war sie dann. Ganz allein in einer wilden, bedrohlichen Welt. Nicht selten erwachte sie mit seinem Namen auf den Lippen und Tränen in den Augen.

Der Vogel hielt seinen Kopf schief, stieß wieder einen Laut aus, diesmal hoch und melodisch, dann flatterte er plötzlich davon. Das Grün seiner Schwanzfeder verschmolz mit der Farbe des Urwaldes.

»Wie hat der sich denn hierher verirrt?«, ertönte hinter ihr eine Stimme.

Schuldbewusst drehte Elisa sich um, um hastig zu erklären, dass sie die Arbeit keineswegs hatte schleifen lassen wollen, doch Fritz schien es ihr ohnehin nicht anzulasten.

»Das war ein Kolibri«, erklärte er. »Hoffentlich findet er wieder aus dem Dickicht heraus.«

Elisas Blick fiel auf die glockenförmige, dunkelviolette Blume, in die der Vogel seinen Schnabel gesteckt hatte, und diese schien ihr nun, da er fort war, irgendwie verwaist.

»Er sucht nicht nur nach Blütennektar. Er frisst auch die Insekten, die sich in den Blüten verstecken«, erklärte Fritz.

Es war selten geworden, dass Fritz sein Wissen so ausführlich preisgab, noch seltener, dass er es ungefragt tat, und schon im nächsten Augenblick meinte er: »Lass uns weitermachen.«

Elisa nickte. Fritz war der fleißigste Arbeiter von allen, Lukas der schweigsamste – und Poldi der faulste. Im letzten Jahr war er in die Höhe geschossen, maß nun einen halben Kopf mehr als sie und sah aus der Ferne wie ein erwachsener Mann aus. Das knabenhafte Gesicht mit der Stupsnase, den blauen, neugierigen Augen und den Sommersprossen passte nicht recht zu dieser Statur, und die Kräfte, die er zugelegt hatte, stellte er nur selten unter Beweis.

Dennoch: Jedes Mal, wenn sie verspätet von der Waldarbeit zurückkehrten, stürzte sich Christine mit einem erleichterten Aufschrei als Erstes auf ihn und umarmte ihn am längsten. Nicht, dass sie auch nicht streng sein konnte. Sie verteilte Backpfeifen so leichtfertig wie eh und je, an die kleinen Mädchen ebenso wie an die großen Söhne. Doch was Elisa auf dem Schiff noch verborgen geblieben war, offenbarte sich hier jeden Tag: Poldi stand Christine am nächsten. Für ihn sparte sie das beste Stück Brot. Und ihm trug sie auch Talg auf die rissigen Hände auf. Die Hände von Fritz hingegen waren mittlerweile dick verhornt, ohne derlei Pflege zu genießen. Und auch wenn er nie Schmerzen bekundete und man ihn gut kennen musste, um in seiner undurchdringlichen Miene ein Gefühl lesen zu können, so sah Elisa doch, wie seine Lippen sich stets enttäuscht aufeinanderpressten, wenn Poldi wieder einmal diese besondere Fürsorge zuteilwurde, ihm jedoch nicht.

Ein einziges Mal war es ihm herausgerutscht. »Um ihn sorgt sie sich am meisten«, hatte er bitter zu Elisa gesagt.

»Nein«, hatte sie ihn zu trösten versucht, »bei ihm zeigt sie es nur am meisten. Auf dich und Lukas kann sie sich verlassen, aber sie weiß, dass Poldi der wankelmütigste von euch ist.«

Fritz hatte nicht geantwortet, und Elisa war sich nicht sicher, ob sie den eigenen Worten glaubte.

Das Leben war nicht gerecht, schon gar nicht hier. Wenn sie etwas gelernt hatte, dann dass nicht die Tapfersten und Stärksten die meiste Aufmerksamkeit bekamen, sondern die Schwächsten.

Ihre Gedanken schweiften zu ihrem Vater – denn, genau genommen, war es seine Arbeit, die sie hier im Wald verrichtete. Zunächst waren nur die Männer dazu auserkoren worden, die Bäume zu fällen und zu Kleinholz zu hacken. Doch kurz nach ihrer Ankunft war Richard von Graberg, seit dem Schiffsbrand schweigsam und verwirrt, krank geworden, hatte hohes Fieber bekommen und mehrere Tage mit dem Tod gekämpft. Und obwohl er diesen Kampf gewonnen hatte, war er danach nicht mehr der Alte. Er weigerte sich, vom Bett aufzustehen, obwohl sein Körper wieder an Kraft gewann. Vielleicht rührte dies von einer Seuche, wie es sie nur in diesen Breitengraden gab, von Heimweh nach Deutschland oder – wie Jule einmal spöttisch gemeint hatte – von der Unfähigkeit, sich in diesem fremden Land zu verwurzeln.

Seitdem ging Elisa für ihn in den Wald, schlang sich das Haar zu einem festen Knoten und packte mit an, als hätte sie nie etwas anderes getan. Sie gewöhnte sich an die Rückenschmerzen, an die rissigen Hände, an die Muskeln eines Mannes, die sie an den Schultern zulegte, und klagte nie. Nur manchmal, da ging es ihr so wie Fritz, und sie wünschte sich insgeheim, jemand würde sehen, wie sie sämtliche Kräfte einsetzte und noch mehr, würde ihr dafür Zuspruch erteilen und sie sogar loben.

Was soll's, dachte sie und wollte wieder an die Arbeit gehen.

Doch ehe sie die Gruppe der Männer erreichte, die sie bei der Verfolgung des Kolibris zurückgelassen hatte, dröhnte eine zeternde Stimme durchs Unterholz.

»Ist heute etwa Müßiggang angesagt?«

Die Worte kamen so unvermittelt, dass Elisa erschrocken zusammenzuckte. Rasch griff sie nach einer der Hacken, um zu verbergen, dass sie eine kurze Pause eingelegt hatte. Erst als sie sie fest umklammert hielt, beklagte sie innerlich, welch erbärmlicher Feigling aus ihr geworden war: Wie konnte es geschehen, dass sie ein schlechtes Gewissen hatte, nur, weil sie für ein paar Minuten den schmerzenden Rücken durchgestreckt hatte? Woher nahm Konrad Weber die Macht, sie so zu verschrecken?

Trotzig blickte sie wieder hoch, doch nicht sie war es, die seinen Blick auf sich gezogen hatte, sondern wie so oft die Steiner-Söhne.

Sie erkannte, dass Konrad sein Gewehr mit sich trug, nachlässig geschultert, aber bereit, jederzeit damit zu zielen. Einmal hatte er es auf Poldi gerichtet – vor einem knappen halben Jahr, als der Junge die Beherrschung verloren und den Hungerlohn beklagt hatte, für den sie arbeiteten. Nicht zum ersten Mal hatte Konrad damals sein wahres Gesicht gezeigt, doch noch nie hatte sich Elisa derart dafür verflucht, weil sie in Corral so dumm gewesen war, ihm zu vertrauen und für einen Helfer in der Not zu halten.

Eben deutete Fritz mit dem Kinn kaum merklich auf das Gewehr. »Denken Sie, Sie müssten uns damit zu Fleiß antreiben?«

Seltsame Laute kamen aus Konrads Mund, vielleicht ein Kichern, vielleicht ein Knurren.

»Auf die Jagd geht's!«, verkündete er dann stolz. »Dieser verfluchte Puma hat schon wieder drei Lämmer gerissen.«

Elisa sah, wie Fritz den Kopf schüttelte. Konrad Weber hatte schon vor Wochen verkündet, er würde gerne einmal einen Puma schießen. Von all den Tieren, die hier lebten, hatte er einen solchen noch nie erlegt: Manchmal kam er mit Hasen, Wildkatzen und Füchsen von der Jagd zurück, einmal mit einem dieser winzig kleinen Hirsche, die Fritz als Pudus bezeichnete, und einmal mit einem größeren, die – auch das wusste sie von Fritz – eigentlich in den Anden lebten. Eine Weile hatte er zudem Lust daran gefunden, Kondore zu jagen, mit der Behauptung, sie würden seine Schafe anfallen. Dass Kondore keine Raubvögel, sondern Aasfresser waren, wie Fritz ihm damals entgegenhielt, wollte er nicht glauben.

Auch jetzt klang er ungehalten, denn Fritz' Kopfschütteln war ihm nicht entgangen: »Willst du etwas dazu sagen?«

Fritz zögerte kurz. »Pumas sind scheue Tiere«, presste er schließlich über die Lippen. »Kaum einer von uns hat je einen gesehen. Sie wagen sich nicht in die Nähe von Menschen, und deswegen würden sie auch keine Schafe reißen. Und nur die wenigsten leben im Urwald, sie ziehen die Graslandschaften vor.«

»Ach«, begann Konrad gedehnt. »Herr Neunmalklug prophezeit mir also, dass ich danebenschieße?«

»Das habe ich nicht gesagt. Nur, dass Sie vielleicht auf nichts stoßen werden, auf das man schießen kann.«

»Ach was!« Nun waren die Laute aus seinem Mund eindeutig als Kichern zu erkennen. »Hier kreucht und fleucht so viel Getier durchs Gebüsch. Ich finde immer was zum Totschießen!«

Er wandte sich zu seinem Begleiter um. »Nicht wahr?«

Lambert Mielhahn nickte dienstbeflissen.

Jenes rötliche Geschwür auf seiner Stirn, das er sich während der langen Schiffsreise zugezogen hatte, hatte sich in dem feuchten Klima verschlimmert. Ansonsten hatte er es von ihnen allen am besten getroffen. Konrad hatte ihm das größte Haus zugeteilt, desgleichen die größten Rationen an Brot, Kartoffeln, Mais und manchmal sogar Fleisch. Er ließ ihn nicht im Wald arbeiten, sondern wies ihm lediglich kleine Reparaturarbeiten zu.

Nach Lamberts eigenen Worten lag es daran, dass Konrad ein begeisterter Jäger war und er selbst viel von der Jagd verstand: Er begleitete ihn durch das grüne Dickicht, schulterte das geschossene Tier und reinigte fachmännisch Konrads Jagdgewehre.

Doch das, was manchmal fast nach einer Freundschaft aussah, lag in Elisas Augen nicht nur an geteilter Jagdleidenschaft, sondern an ihrer Ähnlichkeit. Beide hatten ihre Frauen verloren – und zeigten keinerlei Trauer darüber, weil sie diese schon zu Lebzeiten verachtet hatten. Und beide führten ihre Kinder mit strenger Hand. Seit Emmas Tod waren Viktor und Greta noch verschreckter und wiesen noch häufiger blaue Flecke auf. Moritz und Gotthard, die beiden Söhne Konrads, waren im gleichen Alter von Fritz und Lukas, allerdings weniger schüchtern. Sie gaben mit demselben dreisten Grinsen wie ihr Vater Befehle und spielten sich hinter seinem Rücken als Herren auf. Doch vor ihm selbst standen sie stramm wie Soldaten.

»Wollen wir dem verfluchten Puma also das Fell über die Ohren ziehen!«

Wieder lachte Konrad, dann stapften er und Lambert davon. Die kniehohen Farne raschelten unter ihren energischen Schritten. Sie waren jedoch nicht laut genug, um Poldi zu übertönen – Poldi, der ihnen missmutig hinterherstarrte und plötzlich ausstieß: »Nutzlos durch die Gegend schießen und uns schuften lassen!«

Fritz legte mahnend den Finger auf die Lippen, doch es war zu spät. Konrad fuhr herum, musterte Mann für Mann, als gelte es, erst herauszufinden, wer die Worte gesagt hatte. In Wahrheit, so war sich Elisa sicher, wusste er längst, dass beim Jüngsten die größte Bereitschaft zum Aufruhr zu wittern war. Prompt reckte Poldi stolz das Kinn.

»Hast du etwas gesagt?«, fragte Konrad gedehnt.

Rasch trat Elisa vor Poldi, noch ehe seine Brüder eingreifen konnten. »Nichts«, sagte sie schnell, »er hat gar nichts gesagt.«

Konrad machte keine Anstalten, sich wieder umzudrehen. »Ich will es von dem Jungen selbst hören.«

Zögernd trat Elisa zur Seite, nicht ohne Poldi einen knappen Stoß zu versetzen. Sie suchte seinen störrischen Blick und legte alle Willenskraft darein, ihm auch ohne Worte klarzumachen, dass er sich fügen musste.

Zu ihrer aller Erleichterung gab er nach.

»Nichts«, sagte er, zwar mürrisch, aber deutlich hörbar. »Nichts habe ich gesagt.«

Ein schiefes Grinsen verzog Konrads aufgedunsenes Gesicht. »Dann hat ja alles seine Richtigkeit.«

Forsch schritten die beiden Jäger in den Wald, und diesmal hielt sie nichts zurück, bis das Knacken von brechenden Zweigen verstummte und ihre Umrisse im grünen Dickicht verschwunden waren.

Seit den Tagen, die sie an der Küste verbracht hatten, hatten sie von Chile nichts anderes gesehen als Wald. Manchmal dachte Elisa nach stundenlanger Arbeit, dass das ganze Land nur aus diesen Bäumen bestünde, aus den immergrünen Blättern von Lorbeer und Magnolien, aus den knorrigen Wurzeln, über die man so leicht stolpern konnte, aus den vielen Lianen, die sich wie Menschenhände anfühlten, geriet man erst in ihre würgenden Fänge. Farne, Pilze und Kräuter quollen förmlich aus den Baumrinden; harte Bambusgräser schlugen schmerzhaft auf die Beine, wenn man entschlossen hindurchstapfte; weiche Moospolster überzogen feucht und erstickend den Boden, dämpften jeden Schritt und nässten jedes Paar trockener Socken.

Durchdringend, manchmal harzig, manchmal süßlich war der Geruch. Elisa liebte ihn, atmete ihn oft geradezu gierig ein, dennoch konnte er nicht darüber hinwegtrösten, dass der Boden sich immer rutschig anfühlte und die Kleidung immer klamm. Von der Hüfte abwärts versanken sie oft im dichtesten Nebel, und selbst wenn magere Sonnenstrahlen durch die Kronen der Araukarien, die Annelie einmal mit einem Regenschirm verglichen hatte, fielen, ließen diese so viel Dampf vom Boden aufsteigen, als würde er gesotten.

Wann immer sie sich über die Stirn wischte, war sie nicht nur nass vom Schweiß, sondern von kleinen Wassertröpfchen, die sich auf Blättern und Ästen, Gräsern und Halmen sammelten und auf sie hinabklatschten.

Wenigstens – dies gehörte zum wenigen Guten –, wenigstens war es nicht kalt. Zwar war der Himmel nur selten wolkenlos, doch ebenso selten wehten die stürmischen Westwinde. Und selbst diese fraßen sich nicht eisig in die Knochen, sondern blieben mild.

Als Konrad sie damals von Corral weggeführt hatte, war der Wald zunächst noch lichter gewesen. Einige Viehhirtenwohnungen hatten sie passiert und ausgetretene Pfade benutzt, die durch Täler und Sümpfe führten. Doch irgendwann waren nur mehr Bäume vor ihnen aufgeragt. Kein normales Fortkommen erlaubte der Urwald hier; Meter für Meter seines Weges musste man ihm abringen, und jeder Fehltritt konnte dazu führen, dass man im Morast versank. Erst jetzt verstanden sie, warum Konrad unbedingt eine Straße bauen wollte.

Nachdem sie endlich angekommen waren, durften sie nur kurz auf seiner Hazienda bleiben. Bald schon führte er sie von diesem kleinen Flecken gerodetem und nunmehr fruchtbarem Land fort und noch tiefer in den Urwald hinein. Zunächst mussten sie sich dort selbst ihre Baracken errichten, um dann damit zu beginnen, eine Schneise zu schlagen, die die Hazienda mit Valdivia verbinden und es Konrad leichter machen würde, mit seinen Gütern zu handeln. Irgendwann, so meinte er auch, könne man auf dieser Strecke zudem eine Eisenbahnlinie bauen.

Am Anfang, als sich Konrad noch dazu herabgelassen hatte, ihnen leere Versprechungen zu machen, hatte er behauptet, die Straße würde nicht nur ihm dienen, sondern auch ihnen, falls sie endlich eigenes Land bekämen.

»Und wie soll das geschehen, wenn wir hier abgeschnitten von aller Welt leben?«, hatte Fritz gerufen.

Konrad hatte gegrinst, ausgespuckt und leichtfertig gerufen: »Ihr könnt gerne gehen! So ihr denn wieder aus dem Urwald herausfindet!«

Seine Worte hatten Entsetzen ausgelöst, Empörung, aber auch Hoffnungslosigkeit.

»Ein Sklaventreiber ist das! Ein übler Sklaventreiber!«, hatte Jule gesagt.

»Er sperrt uns nicht ein«, hatte Fritz eingeworfen.

»Er nicht. Aber der Urwald«, meinte sein Vater knapp.

Und der Urwald, das dachte Elisa seitdem oft, war ein vorzüglicher Kerkermeister. Dieses dampfende Dickicht war das verschlungenste Labyrinth der Welt, und selbst wenn sie einen Weg heraus finden würden, was wäre dahinter anderes zu erwarten als ähnliche Wildnis? Vielleicht keine weiteren Bäume mehr, vielleicht satte, fruchtbare Wiesen – für sie freilich nutzlos, denn wie sollten sie sie urbar machen ohne Pflüge, ohne Ochsen, ohne Saat? Von Konrad hatten sie Äxte und Sägen bekommen, doch das genügte nicht, um unbeackertem Boden eine ausreichende Ernte abzupressen.

Poldis Fluchen riss sie aus den Gedanken. »Eine Mordswut habe ich auf ihn!«, rief er, und ausnahmsweise war es nicht gegen Konrad Weber gerichtet. »Lambert ist mit uns hergekommen. Warum rennt er jetzt mit dem Konrad Weber auf die Jagd, anstatt mit uns zu arbeiten?«

»Er hat sich eben aufs Buckeln verlegt«, gab Fritz knapp zurück. »Während du es ja nicht lassen kannst, Konrad herauszufordern.«

»Na und? Du etwa nicht?«

Fritz zuckte nur mit den Schultern.

»Dass sich Lambert nicht um uns schert, nun, das verstehe ich ja«, fuhr Poldi fort. »Aber auch für seine Kinder tut er nichts. Die lässt er hungern …«

Fritz hob entschieden die Hand.

»Nicht reden, sondern arbeiten!«, befahl er knapp. Dann winkte er Lukas zu sich. »Du kommst mit, der Baum dort hinten ist reif. Und ihr …«, er deutete auf Elisa, Poldi und seinen Vater, »ihr schlagt den anderen klein!«

Ein »reifer« Baum war einer, den man endgültig fällen konnte. Sie hatten viel Lehrgeld zahlen müssen, ehe sie mit den riesigen Araukarien zurechtkamen. Manche von ihnen waren so hoch, dass man vom Boden aus ihre Spitze nicht sehen konnte, und viele so dick, dass es ein Dutzend Menschen gebraucht hätte, sie zu umfassen. Am lästigsten waren die dachziegelartig angeordneten Zapfen mit ihren stechenden Nadeln, die sich in schmerzhafte Wurfgeschosse verwandelten, wenn sie von den Kronen fielen.

Früh hatte sich gezeigt, dass sie mit Sägen und Hacken allein nicht gegen die Ungetüme ankamen. Vielmehr mussten sie sich die Kraft, die in den Bäumen steckte, zunutze machen, indem sie den Stamm ansägten und dort Blöcke einschlugen und ihn so lange stehen ließen, bis ein Ächzen erklang und Wind und Schwergewicht die Krone zu einer Seite zogen. Oft mussten sie tagelang auf diesen Moment waren, ehe durch neuerliches Einschlagen von Blöcken der Baum gefällt werden konnte.

Meistens nahmen Lukas und Fritz diesen schwersten Teil der Arbeit auf sich und stapften nun durch die Bruchmoore davon, während die anderen bereits gefällte Araukarien von Ästen und Rinde befreiten und in kleine Stücke schlugen – künftiges Brennholz oder Material für Dachschindeln.

Schweigen senkte sich über sie, nachdem die älteren beiden Steiner-Söhne gegangen waren. Manchmal summte Poldi ein Lied beim Arbeiten, doch heute kniff er seine Lippen zusammen, und jedes Mal, wenn er mit der Hacke ausholte, machte er ein Gesicht, als würde er in Wahrheit auf Konrad oder Lambert oder alle beide einschlagen.

Wahrscheinlich macht ihm das die Arbeit leichter, dachte Elisa, denn Wut verleiht mehr Kräfte als Verbitterung.

Sie selbst versuchte, sich auf die Arbeit zu konzentrieren, wurde taub für die Geräusche um sich, nahm nur mehr den eigenen Herzschlag und den Atem wahr.

Umso erschrockener war sie, als plötzlich wie aus dem Nichts ein Schuss erklang. Sie sprang zurück, ließ die Hacke fallen; Vögel flatterten auf.

Poldi war es nicht anders ergangen. Unter der Schweißschicht war er blass geworden.

»Konrad!«, zischte er.

Auch früher hatten sie ihn schon schießen gehört – doch nie so nahe an ihrer Arbeitsstätte.

»Verflucht!«, rief plötzlich auch Jakob Steiner. »Ist er denn wahnsinnig geworden?«

Elisa fuhr erstaunt herum, als aus Jakobs Mund diese ärgerlichen Worte krochen. Zu ungewöhnlich war, dass er sprach, und noch mehr, dass er gegen Konrad grollte. Seine Söhne wetterten häufig gegen diesen, ob laut oder im Geheimen, doch bei den seltenen Anlässen, da er den Mund auftat, hielt sich Jakob Steiner mit seiner Meinung meist zurück, erklärte bestenfalls, dass harte Arbeit noch niemandem geschadet habe.

Dass bei dieser Arbeit herumfliegende Kugeln zu dulden waren, gehörte nicht zu seiner Rechnung.

»Verflucht!«, wiederholte er und stampfte mit dem Fuß auf, als ein zweiter Schuss ertönte. Wieder zuckte Elisa zusammen, obwohl sie sich diesmal besser dagegen gewappnet hatte. »Er knallt uns noch ab, so leichtsinnig wie er ist!«

Mit einem empörten Aufschrei spaltete Jakob mit der Axt den Stamm, ließ sie dort stecken und machte Anstalten, tiefer in den Wald zu gehen.

»Nicht«, schrie Poldi erschrocken. »Er könnte doch versehentlich auf dich zielen! Und Lukas und Fritz hauen gerade den Baum um!«

Jakob zögerte nur kurz. »Fritz! Lukas!«, schrie er in die Richtung, in die sie gegangen waren. »Ihr rührt mir keinen Finger mehr! Nicht, ehe das geklärt ist!« Und an Poldi gerichtet fügte er hinzu: »So dumm wird er nicht sein, dass er mich mit einem Puma verwechselt.«

Zweifelnd blickten sich Poldi und Elisa an, als er im grünen Dickicht verschwand. Es beruhigte sie, dass er nach Konrad schrie – ein Laut, der auch diesem nicht entgehen würde. Er geriet krächzend, wahrscheinlich, weil er so selten sprach und noch seltener schrie.

Doch schließlich senkte sich wieder Stille über den Wald. Nur mehr Knirschen und Rascheln kündeten davon, wohin seine Schritte führten, doch vielleicht stammte beides auch von flüchtendem Getier.

Da ertönte plötzlich wieder ein Schuss, diesmal nicht ganz so laut wie vorhin, doch umso erschreckender, weil sie gehofft hatten, Konrad hätte Jakob Steiner längst gehört.

»O mein Gott! Vater!«, schrie Poldi.

Die Antwort blieb aus.

Gerade noch rechtzeitig konnte Elisa Poldi packen, als er nun auch in das Dickicht stürzen wollte. »Nicht!«, schrie sie. »Es ist zu gefährlich!«

Poldi rang mit ihrem Griff, aber es geriet nur halbherzig; schließlich gab er nach.

»Vater …«, stammelte er wieder.

Fast schmerzhaft war das angestrengte Lauschen, das folgte. Elisa wurde steif; alles in ihr spannte sich an, wartete auf einen weiteren Schuss oder ein erlösendes Signal, dass Jakob wohlbehalten war. Doch dann war ein ganz anderer Laut zu hören – ein nur allzu vertrauter.

Wie ein Seufzen würde es klingen, wenn eine Araukarie fiel, hatte sie einmal zu Fritz gesagt, wie der letzte Atemzug eines uralten Menschen, der sein Leben aushaucht. Es war ein trauriger Laut, kündete vom Ende dessen, was nicht nur wenige Jahre, sondern jahrhundertelang gewachsen war. Ein Rascheln der Blätter folgte, ein Knirschen der Nadeln, schließlich das aufgeregte Flattern von Vögeln. Und dann, dann war da dieser Knall, der die Erde kurz zum Beben brachte und eine Weile weiterzuhallen schien.

Jedes Mal, wenn sie einen Baum schlugen, hatte Elisa den Aufprall des Stammes ebenso herbeigesehnt wie gefürchtet. Unheimlich war ihr dieser; auch wenn die Neigung klar in eine andere Richtung ging, hatte sie immer das Gefühl, gleich aus

Rache erschlagen zu werden, weil sie ein so tief verwurzeltes, uraltes Wesen einfach töteten. Ja, wie Menschen erschienen ihr die Bäume, mit größerem und längerem Recht ausgestattet, hier zu leben, als sie selbst, die Eindringlinge.

Unter der Wucht des Aufpralls zuckten sie zusammen, starrten sich an, Poldi erbleichte noch mehr. Hatten sie einen Schrei gehört, als die Araukarie fiel? Oder war es nur eine Sinnestäuschung, weil sie insgeheim dergleichen befürchteten?

»Vater!«, brüllte Poldi in das Dickicht.

Nach dem Ächzen und dem durchdringenden Knall blieb der Urwald nun wieder totenstill. Keine Schritte waren zu hören, kein Rufen, keine weiteren Schüsse.

»Lukas! Fritz! Seid ihr denn wahnsinnig, dass …«

Poldi hielt inne, als die beiden Brüder kamen, herbeigelockt von seinem aufgebrachten Schrei.

Elisa stürzte ihnen entgegen. »Euer Vater hat doch gesagt, dass ihr mit der Arbeit innehalten sollt!«

Langsam dämmerte Begreifen in Fritz' und Lukas' Gesichtern, als sie vergebens nach dem Vater Ausschau hielten. »Wir haben nichts gehört, er hätte lauter rufen müssen«, verteidigte sich Letzterer, während Fritz' Lippen schmal wurden.

Wortlos stürzte er in den Wald, und die anderen folgten ihm. Nebelgeschwader empfing sie, wo die Bäume noch dichter standen. Äste, Blätter und Farne schlugen gegen Elisas Gesicht. Sie blieb an irgendetwas hängen, stolperte und fiel. Der Boden war weich und nass, und als sie hochblickte, hatte sie kurz kein Gefühl mehr dafür, wo oben und unten war, rechts oder links. Die ganze Welt verkam zu dampfendem Unterholz.

»Vater!«, hörte sie Poldi schreien.

Sie rappelte sich auf, ihre Kleidung troff stärker als sonst.

Nun hatten sie die Stelle erreicht, wo die gefällte Araukarie aufgeprallt war. Konrads blindwütigem Schießen war Jakob Steiner entkommen, aber einer der abstehenden Äste hatte ihn getroffen. Unter einem Wirrwarr von Zapfen und Nadeln lag er begraben, die Augen in Höhlen versunken, die Glieder so reglos, als gehörten sie zum gefällten Baum und nicht länger zu einem lebendigen Menschen.

12. KAPITEL

Annelie hob den länglichen Zapfen prüfend hoch. Sie hatte ihn vorsichtig aufgeschnitten und versuchte nun, die braunen Samen zu ertasten, die sich hinter der Rinde versteckten. Zwei Arten von Zapfen gab es: braun und walzenförmig die einen, rund und gelbgrün die anderen. Fritz behauptete, dass Erstere männlich und Letztere weiblich wären. Poldi hatte darüber gelacht und bezweifelt, dass es auch bei den Zapfen von Bäumen zwei Geschlechter gäbe. Doch Annelie glaubte Fritz. Schließlich hatte dieser einst, als die Steiners noch in Württemberg lebten, jeden Sonntag die exotischen Pflanzen in den Glashäusern des Zoos inspiziert.

Dass man die Samen der Araukarien essen konnte, wusste Annelie allerdings nicht von ihm, sondern von Antiman.

Es hieß, dass Antiman von Chiloé, der grünen Insel vor der Küste Mittelchiles, stammte und jenem Volk angehörte, das lange vor den Spaniern das Land besiedelte. Er war klein, schweigsam und arbeitete viel; die Narbe eines Peitschenhiebs verlief quer über sein Gesicht, das so braun und so furchig wie die Rinde eines alten Baums war. Er hatte beobachtet, wie sie sich stets aufs Neue darum bemühte, aus den bescheidenen Zutaten – Mais, Kartoffeln und Kürbis – ein köstliches Mahl zu zaubern. Es gelang ihr nie, denn es fehlten die schmackhaften Gewürze und das saftige Fleisch. Und so war er gestern an sie herangetreten und hatte angedeutet, dass man in diesem Land viel mehr essen konnte, als eine Fremde auf dem ersten Blick erkannte. Er hatte ihr gezeigt, wie man die Zapfen der Araukarien aufschnitt und die Samen gewann.

Annelie drehte sich nach Jule um, die Kleider flickte – die eigenen und die der von Grabergs. Früher hatte sie sich noch darum bemüht, die Nähte möglichst schön und gleichmäßig zu machen; nun ging es einzig darum, den rissig und brüchig gewordenen Stoff irgendwie zusammenzuhalten.

»Die Zapfen zerfallen nach drei Jahren«, hatte Antiman erklärt. Und dann quellen die braunen Samen hervor. Man kann sie mahlen, genauso wie Mehl.«

Sie sammelte einige dieser braunen, länglichen Körner in ihrer Handfläche, hob sie zur Nase und roch daran. Anders als die Araukarien, deren dunkles Holz würzig und harzig nach Wald schmeckte, waren die Samen geruchlos, aber das war Mehl schließlich auch. Annelie ließ die Samen zurück auf die hölzerne Platte rollen, die zwischen dem Herd und einer Kiste gespannt war – eine Arbeitsfläche ersetzend, die sie hier genauso wenig hatten wie anständige Möbel. Sie schliefen auf Strohsäcken anstelle ordentlicher Matratzen oder gar Betten, und auf einer hockte nun in Ermangelung eines Stuhls auch Jule und nähte.

»Pah!«, rief diese. »Was nützen mir deine Samen! Ich hätte gerne einmal Lamm, kross gebraten und mit frischem Thymian bestreut. Stattdessen gibt es immer nur Kartoffeln, die entweder grün und hart sind oder schon getrieben haben. Nur dem verfluchten Lambert, dem gibt der Konrad Fleisch! Eine ganze Rinderhaxe letzte Woche!«

Der verführerische Duft war in alle Nasen gezogen, als er sie mit Mehl eingerieben und über dem offenen Feuer gebraten hatte. Niemandem hatte er etwas abgegeben, selbst die eigenen Kinder hatte er knapp gehalten. Lediglich zu Konrads Söhnen war er großzügig gewesen, obwohl die an der Tafel des Vaters ohnehin reichlich bekamen. Dennoch hatten sie gierig gegessen, nein, geschlungen, bis ihre Finger und ihre Wangen fettig glänzten.

Annelie seufzte. Auch sie sehnte sich insgeheim nach frischem Fleisch. Dennoch füllte sie die Samen in eine kleine hölzerne Schüssel und begann, sie mit einem Mörser zu zerstampfen. Sie platzten auf und gaben ein bräunliches Pulver frei. In Chile, das hatte sie gelernt, hieß es: aus wenig viel machen und aus nichts alles.

»Antiman hat mir erzählt, wie sie auf der Insel Chiloé Lamm zubereiten. Sie kochen das Blut und würzen es mit Zwiebel und Koriander. ›Nachi‹ heißt das.«

»Und wie hat er dir das erzählt, wenn er doch kein Wort sprechen kann oder will?«, fragte Jule trocken.

»Nicht mit Worten, sondern mit Zeichen.« Es hatte Annelie selbst erstaunt, wie viel sich Menschen sagen konnten, obwohl ihre Sprachen sie trennten.

»Darauf verstehst du dich ja«, knurrte Jule. »Noch aus Schweigen etwas herauszulesen.«

Mit einem knappen Kopfnicken deutete sie in Richards Richtung, der stumm in der Ecke saß. Er räusperte sich nicht, seufzte nicht, sondern starrte stundenlang auf das Fleckchen erdigen Boden, wo seine Füße ruhten. Im Fieberwahn hatte er manchmal noch geschrien, doch seit es gesunken und er nicht daran gestorben war, wie Jule prophezeit hatte, war es schwer, ein Wort aus ihm herauszubekommen. Man musste sich neben ihn setzen, ihn regelrecht anstoßen und so lange den Blick seiner blauen Augen suchen, bis dahinter etwas Verständnis aufglomm – und dann, dann sagte er vielleicht ein Wort. Doch nie galt dieses ihrem entbehrungsreichen Leben hier; Erinnerungen an Deutschland beschwor er vielmehr herauf, an sein

Gut, an seinen einstigen Reichtum, an die Mahlzeiten, die er damals genossen hatte.

Annelie ging über Jules Stichelei hinweg. Sie ließ den Mörser sinken und hob ein handgroßes Blatt hoch, dessen Ränder spitz und stachelig waren. »Das sind die Blätter der Nalca-Pflanze. Antiman meint, man könnte auch diese essen; ich habe es probiert, und denk dir, es schmeckt ein bisschen so wie unser Rhabarber. Wenn ich's nur lang genug probiere, so lässt sich aus dem Mehl der Araukariensamen und aus der Nalca-Pflanze so etwas Ähnliches wie Rhabarberkuchen backen.«

Jule rümpfte die Nase. »Dann fehlen dir immer noch die Eier.«

Das war in der Tat ein Problem. Als sie hier angekommen waren, war ein zerrupfter Hahn über den Hof gestakst. Mit seinem elenden Krächzen, das alles andere war als ein stolzes Kikeriki, hatte er sie oft noch zu Nachtzeiten geweckt. Irgendwann war er verschwunden – wahrscheinlich im Kochtopf von Konrad oder Lambert, und anders als die Rinderhaxe missgönnte ihm niemand diesen zähen Hahn. Hühner gab es zwar auch, aber diese hielt Konrad in enge Käfige gesperrt, so dass es ihnen unmöglich war, ein Ei zu ergattern.

»Ich muss mit Fritz reden«, überlegte Annelie. »Fritz kennt sich aus mit den Tieren. Es gibt so viele Vögel hier, vielleicht auch so etwas wie Wildenten. Die legen doch auch Eier, oder nicht? Man müsste sie ihnen nur abluchsen.« Sie warf einen scheuen Blick auf ihren stummen Mann. »Richard hat Rhabarberkuchen immer so geliebt. Er würde ... er würde seine Lebensgeister wecken.«

»Das würde ein Tritt in den Allerwertesten auch.«

Anders als die übrigen Worte hatte sie diese kaum hörbar vor sich hin gemurmelt, doch Annelie waren sie nicht entgangen.

»Sei nicht so böse zu ihm!«, rief sie seufzend. »Er kann doch nichts dafür, dass es ihm nicht so gut geht.«

Jule ließ die Nadel sinken. »Ich verstehe nur eines nicht: Warum dreht sich euer ganzes Leben immer nur um ihn? Du willst ihm aus dem Nichts einen Rhabarberkuchen backen, und Elisa schuftet sich an seiner statt zu Tode.«

»Sie erträgt es tapfer. Sie ist ein starkes Mädchen. Und sie wusste immer, dass wir hier hart arbeiten würden müssen.«

Ja, dachte Annelie, das hatten sie gewusst – jedoch nicht, dass es für einen Mann wie Konrad sein würde, dass der erhoffte eigene Grund und Boden ausblieb, dass sie sämtliche Geräte und sämtliche Samen auf der Reise verlieren würden.

Doch das war es nicht, was Jule in diesem Augenblick am meisten erboste. »Ich finde es nicht schlimm, wenn Frauen hart arbeiten. Nur wenn sie sich obendrein die Arbeit machen, den Männern vorzugaukeln, dass diese die wahren Helden seien. Wenn Elisa an Richards Stelle Bäume fällt – dann ist das gut und richtig. Doch warum setzt ihr alles daran, obendrein noch seinen Stolz zu wahren? Warum umhätschelt ihr ihn, anstatt ihm ins Gesicht zu sagen, dass ihr an Lasten genug zu tragen habt und er nur eine weitere ist? Stundenlang redet ihr auf ihn ein, um ihm ein Wort zu entlocken! Eine ebenso sinnlose wie dumme Liebesmüh, sag ich dir. Soll er doch sein Maul halten, wenn er's nicht aufkriegt!«

Annelie senkte den Blick. Einer Frau wie Jule, die ihren Mann und ihre beiden Töchter einfach im Stich gelassen hatte, konnte sie es nicht erklären: dass sie Richard das schuldig war. Dass er sie schließlich geheiratet und aus dem Elend ihrer Kindheit geführt hatte.

Sie wollte lieber nicht daran denken, dass sie jenes Elend womöglich gegen ein noch viel größeres eingetauscht hatte.

»Ich bin seine Frau, und ich stehe zu ihm. Komme, was will«, murmelte sie.

»Zu nichts taugt er«, zischte Jule. »Aber die Kraft, dir ein Kind zu machen, die hat er noch, nicht wahr?«

Annelie duckte sich tiefer.

Jule wusste als Einzige von ihrer Fehlgeburt, die sie kurz vor Richards Fieber erlitten hatte. Selbst vor Elisa hatte sie es verschwiegen – dass sie nach der Totgeburt auf dem Schiff wieder schwanger geworden war, dass ihr Leib das Kind aber nicht einmal zwei Monate hatte halten können und sie eines Nachts mit Krämpfen aufgewacht war. Unter Schmerzen war sie leise zu Jule gekrochen, und diese hatte ihr zur Seite gestanden, als sie einen blutigen Klumpen ausschied. Sie war es auch, die ihn irgendwo im Dickicht vergraben hatte.

Ein Kind habe ich dem Meer gegeben, das andere nun dem Wald, hatte Annelie gedacht und das Gefühl gehabt, sämtliche Hoffnung zu begraben, nicht nur auf den von Richard so sehr ersehnten Sohn, sondern darauf, dass in diesem fernen Land alles gut werden würde.

Annelie warf einen flüchtigen Seitenblick auf Richard. Immer noch rührte sich nichts in seiner Miene. Fadendünn troff Speichel aus seinen Mundwinkeln.

Obwohl sie Tag für Tag darum betete, es möge ihm wieder besser gehen, er in diesem Land und in diesem Leben endlich ankommen, hegte sie tief in ihrem Inneren noch einen anderen, einen verräterischen Gedanken: So musste sie nicht Richard beiliegen und konnte darum nicht noch einmal schwanger werden. Bei all dem Ungemach war das eine Erleichterung, die sie sich selbst kaum einzustehen wagte, schon gar nicht vor Jule.

»Ich hätte gerne ein Kind ... irgendwann«, meinte sie zaghaft.

»Auch dann noch, wenn's dir den Tod bringt?«, fragte Jule ungehalten. »Ich habe es dir doch schon gesagt: Es gibt Mittel und Wege, eine Schwangerschaft zu verhindern. Will sagen, ich wüsste Mittel und Wege …«

Annelie hob abwehrend die Hand. Nach der zweiten Fehlgeburt hatte Jule ihr ein gar sonderliches Ding gezeigt, das aus einer Mischung von gepresstem Papier, Zinn, Elfenbein und Kautschuk bestand und das man über den Muttermund stülpen konnte, um eine Schwangerschaft zu verhindern. Annelie war so verstört davon gewesen, dass sie nicht hatte fragen können, woher sie dergleichen hatte. Erst viel später hatte Jule zugegeben, dass sie es ihrem Onkel, dem Arzt, entwendet hatte, um nach den zwei Töchtern nicht noch ein drittes Kind zu bekommen. Annelie hatte sich zutiefst unbehaglich gefühlt – allein der Anblick dieses sonderlichen Dings bereitete ihr Schmerzen, und noch unerhörter als die Vorstellung, es in ihre Scham einzuführen, erschien ihr die Möglichkeit, freiwillig eine Schwangerschaft verhindern zu wollen.

»Ich möchte das nicht!«, schrie sie auch jetzt schrill.

Jule hob zu einer Antwort an, doch in diesem Augenblick klopfte es an der Tür, vielmehr an die drei Bretter, die sie notdürftig aneinander gehämmert hatten und die sie in Ermangelung eines ordentlichen Schlosses mit Stricken an der Baracke festmachten. Breit waren die Ritzen, durch die stets ungehindert die feuchte Luft des Regenwalds waberte.

Mit einem Knirschen flog der Bretterverschlag nun auf, ehe Annelie ein einladendes »Herein!« rufen konnte.

Es war Christine, die erschien, ihre Hände bis zum Ellbogen krebsrot. Wahrscheinlich war sie eben damit beschäftigt gewesen, Wäsche zu waschen. »Sag, Annelie«, setzte sie grußlos an. »Hast du diesen Schrei auch gehört, der …«

Als sie Jule bemerkte, hielt sie mitten im Satz inne. Christine redete mit Annelie und Annelie redete mit Jule. Aber Jule und Christine wechselten so gut wie nie Wort miteinander. Während alle anderen sich darum bemühten, sich mit Christine gut zu stellen – nicht um ihrer selbst willen, sondern weil sie drei kräftige Söhne hatte, die zupacken konnten –, hatte Jule nie versucht, um sie zu buhlen oder sie von der Meinung abzubringen, sie sei ein liederliches Weib, mit dem man am besten nichts zu tun hat.

Christine presste die Lippen zusammen und machte Anstalten, sofort wieder umzudrehen. Doch Annelie legte rasch die Nalca-Blätter nieder und trat zu ihr.

»Nein, Christine, nein, einen Schrei habe ich nicht gehört. Du etwa, Jule?«

Sie bezog die andere ganz selbstverständlich ein, doch Jule antwortete nicht.

»Meine Güte!«, seufzte Annelie, als sie sah, wie Christines Lippen immer schmaler wurden. »Wollt ihr nicht endlich Frieden schließen? Wir sind hier in der Fremde, wir müssen zusammenhalten!«

»Pah!« Christines Stimme troff vor Verachtung. »Die Frau ist ihrem Mann davongelaufen, mit so einer rede ich nicht.«

»An seiner Seite wäre ich gestorben«, bemerkte Jule kühl.

»Woran denn?«

»Na, an Langeweile.«

Erstmals seit Wochen tauschten sie Worte miteinander aus, aber deren Inhalt war wenig verheißungsvoll.

»Solche Ansprüche stellt man nicht«, murrte Christine prompt. »Hab ich's mit meinem Jakob immer lustig? Als ich ein junges Mädel war, wär' ich lieber Stickerin geworden, anstatt ein halbes Dutzend Kinder zu gebären. Hab gute Augen gehabt, und meine Hände waren noch nicht rauh wie heute. Aber so ist's im Leben: Man sucht sich nicht aus, wohin man gestellt wird – aber man macht dort, wo es einen hinbefiehlt, das Beste draus.«

Annelie sah, dass Jule sich zu einer Entgegnung rüstete, und ganz gleich was ihr zu ihrer Verteidigung einfallen würde – in Christines Ohren würde es wohl wie eine Beleidigung klingen.

»Stell dir vor, Christine«, sagte sie deshalb schnell. »Ich versuche gerade, aus den Samen der Araukarien Mehl zu machen. Dann kann ich vielleicht einen Kuchen backen. Die Nalca-Blätter schmecken wie Rhabarber, und …«

»Eine wahrhaft großartige Idee – aus Zapfen und Blätter Kuchen zu backen!«, warf Jule ein.

Christine war anzusehen, dass sie nicht minder daran zweifelte, aber sie wollte es nicht eingestehen, dass sie ausnahmsweise einer Meinung mit der Feindin war. »Na, wenigstens scheinst du dich *hier* nicht zu langweilen«, höhnte sie in Jules Richtung.

Noch redend machte sie kehrt, um die Hütte wieder zu verlassen.

Doch in diesem Augenblick ertönte erneut ein Schrei, schrill und laut und diesmal für jedermann hörbar.

Annelie zuckte zusammen; selbst Richard, der das Geplänkel der Frauen ausdruckslos über sich hatte ergehen lassen, hob fragend den Kopf.

Noch ehe Christine die Tür öffnen konnte, stürzte Poldi herein. Sein Gesicht war blass, seine Augen vor Angst geweitet.

»Mutter …«, stammelte er unter Tränen, »Mutter … es ist etwas passiert … mit Vater.«

Annelie sah, wie Christine wankte, und stürzte zu ihr, um ihr Halt zu geben. Sie hatte den Mund geöffnet, um den Sohn etwas zu fragen, aber sie brachte kein Wort heraus. Ihre Hände verkrampften sich ineinander.

»Was … was ist geschehen?«, fragte Annelie an ihrer statt.

Eine verwirrende Rede folgte; die Worte, die aus Poldis Mund kamen, schienen nicht zusammenzupassen. Von einem Puma war die Rede, von Konrad, der ihn jagen wollte, und plötzlich von einem Baum, der Jakob erschlagen hätte. Annelie verstand nichts davon, aber aus Christines Kehle löste sich ein Schrei. »Ist er tot?«

Poldi schluchzte auf. »Er atmet noch, aber nur ganz flach. Und er rührt sich nicht.«

Elisa wischte ihm die Stirn ab – das Einzige, was sie für Jakob Steiner tun konnte. Eine Weile hatten sie sich alle nicht zu rühren gewagt, sondern waren überzeugt gewesen, er wäre tot. Gewiss konnte niemand überleben, der vom Ast einer mächtigen Araukarie getroffen worden war. Doch dann, als sie wieder die Fassung gewonnen und mit Hacken, Sägen und Fußtritten das Gewirr an Ästen und Blättern, Nadeln und Zapfen beseitigt hatten, hatten sie gesehen, dass sich seine Brust noch hob und senkte.

»Wir müssen ihn befreien!«, erklärte Lukas. »Los! Ziehen wir ihn hervor!«

»Nein!«, widersprach Fritz. »Wir lassen ihn so liegen. Womöglich brechen wir ihm sämtliche Knochen, wenn wir ihn falsch anfassen. Jemand muss ihn zuvor untersuchen.«

»Und wo ist der Arzt, der das tun soll?«, fragte Lukas.

Schließlich hatten sie ihn liegen lassen, zwar sämtliche Nadeln, nicht aber den größten der Äste, der ihn einklemmte, beiseitegeschafft. Elisa wischte mit dem Tuch über Jakob Steiners Stirn; es wurde nass von seinem kalten Schweiß.

Jakob hatte immer schon alt ausgesehen, aber in diesem Augenblick hatte sie das Gefühl, auf einen Greis zu blicken. Nicht nur runzelig war die Haut, sondern eingefallen, als wäre das

Fleisch darunter einfach verschwunden und nichts anderes von ihm geblieben als ein Totenkopf.

»Was nun?«, fragte Lukas.

Fritz schüttelte den Kopf. »Wir müssen warten ... warten auf ...«

Und in diesem Augenblick kamen sie. Poldi, den sie zu den Frauen geschickt hatten und der ihnen nun den Weg wies: Christine, Jule und Annelie.

Christine löste sich von den anderen und rannte auf ihren Mann zu. »Lieber Himmel! Wie geht es ihm? Was habt ihr nur getan? Wie konnte er so leichtsinnig sein, in den Wald zu gehen?«

Elisa hörte nicht zu, als Fritz erklärend auf sie einredete. Sie starrte auf Jule und hielt, ohne es zu merken, den Atem an. Würde Jule sich mit ihren kundigen Händen dazu herablassen, den Mann jener Frau zu untersuchen, die ihr nichts als Feindseligkeit und Verachtung entgegengebracht hatte? Und noch entscheidender war: Würde Christine von ihr Hilfe annehmen?

Plötzlich schaltete sich Annelie ein.

Sie trat zu Christine, packte sie vorsichtig an den Schultern und führte sie zu dem gefällten Stamm. Sanft drückte sie sie nieder, raunte ihr etwas ins Ohr – und Christine wehrte sich nicht.

Dann wandte sich Annelie an Jule und suchte ihren Blick: »Kannst du ihm helfen?«

Stumm blieb Christine sitzen. Abschätzig musterte Jule zuerst sie, dann Jakob.

»Ein Wunder, dass er noch lebt«, knurrte sie. Kurz blieb sie starr stehen, und Elisa befürchtete schon, sie würde die Sache als verloren betrachten, weil es sich nicht lohnte oder weil sie Christine den Gefallen nicht tun wollte.

Doch dann bückte sich Jule nach dem Verletzten, betastete fachkundig seine Glieder, vor allem die Schulter.

»Hier sind immer noch Teile des Astes!«, befahl sie knapp. »Schafft sie weg!«

Alle drei Söhne Jakob Steiners stürzten gleichzeitig hinzu und überboten sich, der jeweils Schnellere zu sein, der die Reste des Ungetüms vom Vater wälzte. Poldi, der faule Poldi, ächzte und schwitzte, als er sich gegen das schwere Holz stemmte. Bei alldem stützte Elisa immer noch den bleichen Kopf des Verletzten, und Jule hielt seine Schulter.

Nachdem er endlich gänzlich frei lag und die von der schroffen Rinde zerfetzte Kleidung ebenso offenbar wurde wie die aufgeschürfte Haut darunter, entrang sich ihm ein Stöhnen. So schwach war es, dass Elisa kurz meinte, sie habe sich geirrt. Sie beugte sich über seinen Mund, und da kam es wieder, diesmal lauter, und auch sein Atem, eben noch so flach, als hätte er bereits ausgesetzt, wurde etwas kräftiger.

Christine fuhr auf: »Jakob!«

Er öffnete die Augen; noch mehr kalter Schweiß tropfte von seiner Stirn.

»Ich spüre nichts.« Unendlich langsam presste er die Worte hervor. »Ich spüre meine Beine nicht.«

Jule betastete seinen Körper. Mehrmals schlug sie mit der Handkante unterhalb seiner Knie auf die Beine, doch es kam keine Reaktion. Dann konzentrierte sie sich erneut auf die Schulter. Als sie seinen Arm hob, hing er so leblos von seinem Körper weg, als hätte man bei einer Marionette alle Fäden durchschnitten.

»Die Schulter ist ausgerenkt«, stellte sie schließlich fest, um nach einer längeren Pause ins angespannte Schweigen zu verkünden: »Zumindest das kann ich wieder in Ordnung bringen.«

Knapp gab sie Anweisungen. Ein Stück reißfesten Stoff brauchte sie. Und man sollte ein weiches Stück Holz bringen, auf das Jakob beißen konnte, wenn sie die Schulter einrenkte.

Unvermittelt ließ sie seinen Arm los, sprang hoch und ging zu der Araukarie, deren Ast ihn getroffen hatte. Nachdenklich tastete sie deren dicken Stamm ab.

»Was tust du denn?«, rief Annelie verwirrt.

Jule schien gefunden zu haben, was sie suchte, hob ihre Finger und schnupperte daran.

»Das Harz«, erklärte sie, »das Harz ist noch klebriger als das von den Bäumen unserer Heimat. Womöglich kann ich einen halbwegs stabilen Verband daraus machen, aber das hat Zeit bis später.«

Jule kniete sich wieder neben Jakob; seine Augenlider flatterten, doch sein Stöhnen war verklungen. »Jetzt brauche ich einen starken Mann«, verlangte sie, nachdem ihr einer der Söhne den gewünschten Stoff und das Stück Holz beschafft hatte.

Poldi, Fritz und Lukas wollten gleichzeitig helfen und starrten erwartungsvoll die Mutter an, auf dass sie eine Entscheidung treffe. Christine, die ansonsten nur Augen für Poldi hatte, ausschließlich an ihn ihre Sorgen, ihr Lob, ihr stolzes Lächeln verteilte, schüttelte in seine Richtung den Kopf.

»Du machst das, Fritz«, befahl sie stattdessen.

Dann sah sie erstmals Jule an, und Jule hielt diesem Blick stand, während sie das Stück Stoff, das man ihr gebracht hatte, der Länge nach mehrmals faltete und es dann prüfend auseinanderzog, um zu entscheiden, ob es reißfest genug war. Keine der beiden Frauen sagte ein Wort – und doch schien man beides zu hören: die flehentliche Bitte der einen, das kühle Zugeständnis der anderen.

»Setz ihn auf!«, verlangte Jule schließlich von Fritz.

Elisa wich zurück. Jakob stöhnte abermals und schien darum zu kämpfen, seine Lider zu öffnen, doch sie waren zu schwer; er brachte sie kaum weiter als einen Spalt auf, und hinter den dünnen Wimpern war nur das Weiße zu sehen. Speichel troff ihm sämig aus dem Mund, und Elisa beeilte sich, ihn abzutupfen.

Fritz stemmte ihn hoch, stützte dabei seinen Kopf, währenddessen Jule ihm nun das Stück Stoff um den Leib schlang wie ein Seil. Christines Blick war starr, als sie dabei zusah, nur ihre Schultern zuckten, entweder vor Entsetzen oder vor unterdrücktem Weinen. Elisa sah, wie Lukas und Poldi zu ihr traten, die Mutter rechts und links stützen wollten, doch diese schob sie unwirsch beiseite, bekundend, dass sie – was immer geschehen würde, was immer sie ertragen musste – ohne Hilfe stehen konnte.

»So«, entschied Jule, »nun halte den Stoff ganz fest!«
Während Fritz seinen Vater in die eine Richtung ziehen sollte, ergriff Jule den ausgerenkten Arm.

»Es wird weh tun«, sagte sie knapp. Rasch presste Elisa Jakob das Stück Holz in den Mund. Er wehrte sich nicht dagegen, schnaufte nur heftig. Sie war nicht sicher, ob er stark genug sein würde, die Zähne darauf zu beißen. Nun, da er sich in sitzender Position befand, fiel ihr erstmals auf, in welch unmöglichen Winkeln seine Beine auf dem feuchten Gras ausgestreckt lagen.

»Halte mit ganzer Kraft dagegen!«, mahnte Jule noch einmal. Dann zog sie heftig an der Hand des ausgerenkten Arms, während Fritz sich mit aller Macht dagegenstemmte. Eine Weile sah es so aus, als würden sie den armen Mann in der Mitte entzweireißen, aber plötzlich gab es ein knacksendes Geräusch, und Jule ließ Jakobs Hand sinken. Das Holz fiel aus seinem Mund; er schrie auf, heiser und hoch, dann sank er zurück.

»Ist es … ist es geschafft?«, fragte Christine. Nie hatte ihre Stimme derart gezittert.

Jule blickte naserümpfend auf den Verletzten.

»Den Arm kann er wieder gebrauchen«, beschied sie der Feindin, ehe sie Annelie zunickte – zum Zeichen, dass es nun galt, einen Verband anzulegen. »Aber das wird ihm nicht viel nützen, wenn der Rest nichts taugt.«

13. Kapitel

In Windeseile hatten die Söhne aus wenigen Ästen eine Trage zusammengehämmert. Das Holz knirschte, als sie Jakob darauf legten; nicht lange würde sie seinem Gewicht standhalten, doch für den kurzen Weg zurück zu ihrer Heimstatt würde es reichen. Christine ließ sich nun nicht mehr von Jakob fortscheuchen, hatte seinen heilen Arm ergriffen und suchte in seinem Gesicht verzweifelt nach einem Lebenszeichen. Seit dem gequälten Aufschrei lag er in tiefer Ohnmacht. Wahrscheinlich, so befand Elisa, war dies das Beste für ihn.

Vor der Baracke legten sie ihn vorsichtig auf den Boden. Die Spitzen seiner Zehen schlugen dabei aufeinander; vom Knie abwärts waren die Beine nun nicht länger nach außen, sondern nach innen gedreht. In den Boden sickerte dunkles Rot, verkrustete dort und wurde schwarz. Es kam von einer Wunde am Rücken, die bis jetzt unentdeckt geblieben war.

Christine schrie auf.

»Nicht aufregen«, meinte Jule nüchtern. »Er blutet nicht heftig genug, um daran zu verrecken.«

Während Lukas und Fritz den Vater aufrichteten, damit Jule den verletzten Rücken inspizieren konnte, kamen die Steiner-Mädchen aus dem Haus gelaufen. Christl heulte augenblicklich los, als sie den verletzten Vater sah; Lenerl, die mit ihren zehn Jahren die ernsthafte Miene einer alten Frau trug, schlug stumm ein Kreuz; nur das Katherl lächelte, wie es immer lächelte.

»Zurück ins Haus!«, polterte Christine. »Ihr habt hier nichts verloren!«

Christl heulte lauter. Beruhigend zog Elisa sie an sich. »Ruhig, ruhig ... tut, was eure Mutter sagt.«

»Ist Vater tot?«, stammelte das Kind.

»Nein, es wird schon wieder mit ihm.«

Die Lüge kam ihr schwer über die Lippen, aber die Mädchen glaubten ihr – zumindest Christl. Sie nahm das Katherl bei der Hand und zog es mit sich; Lenerl folgte ihnen.

Elisa blickte ihnen mit schwerem Herzen nach. Einen seltsamen Schutzengel schienen die Steiners zu haben, bewahrte er sie zwar vor dem Tod, erwies sich aber ansonsten als faul. Das Katherl hatte den einstigen Unfall überstanden, war jedoch schwachsinnig geworden. Und Jakob atmete nach wie vor, und seine Blutung ließ sich leicht stillen, doch wenn Jule recht behielt, waren seine Beine gelähmt und er würde nie wieder laufen können.

Aus dem Augenwinkel nahm sie plötzlich ein viertes Mädchen wahr, stiller und schmaler als die Steiner-Töchter. Sie wusste nicht, wie lange sie schon dort gestanden war: die weißblonde Greta mit ihren aufgerissenen Augen. Elisa blickte sich um. Selten sah man eines der Geschwister allein; wo Greta war, hielt sich meist auch Viktor auf, doch heute war von dem Bruder nichts zu sehen.

»Greta, was machst du hier?«

Das Kind rührte sie und machte ihr zugleich Angst. Es war schwer, mit anzusehen, wie die Mielhahn-Kinder von ihrem Vater malträtiert wurden und was das aus ihnen machte: fahrige, stumme Geschöpfe, die den eigenen Schatten fürchteten. Zugleich zeugten sie tiefe Scheu in ihr; nie wusste sie, was sie ihnen sagen, wie sie sie trösten, ihnen gar helfen konnte. Mit Menschenkindern aus Fleisch und Blut konnte Elisa umgehen, doch Greta und Viktor erschienen ihr stets wie verwunschene Nachtgespenster, die das Sonnenlicht nicht ertrugen. Und manchmal musste sie daran denken, wie Greta gelacht hatte, als das Schiff in Flammen gestanden hatte und ihre Mutter verbrannt war, ein Lachen, das sie, war es auch von Hysterie und Panik gezeugt und darum irgendwie verständlich, gruseln ließ.

»Was machst du hier?«, fragte sie noch einmal und versuchte, sich von dem Unbehagen, das Gretas Anblick in ihr auslöste, nichts anmerken zu lassen.

Nicht ihre Stimme ließ das Mädchen zusammenzucken. Eine andere war's, die sie alle so plötzlich traf wie ein wuchtiger Schlag. »Verdammt, hörst du nicht, wenn man mit dir redet?«

Es war Lambert, der seine Tochter derart anbrüllte. Elisa hatte weder ihn noch Konrad kommen gehört, doch beide traten nun auf sie zu – der eine verdrießlich, weil Greta sich nicht ins Haus bewegte, der andere, weil ihm das Jagdglück nicht hold gewesen war. Zumindest trug er kein erlegtes Tier, geschultert wie sonst, wenn er eines geschossen hatte. Einer Trophäe gleich, ging er dann damit herum, ungeachtet dass seine Kleidung blutverschmiert war. Heute aber konnte er sich mit keinem erlegten Tier brüsten, weder mit einem Puma, den zu töten er vorhin noch geprahlt hatte, noch mit einem Zwerghirsch oder einem Kondor.

Er blickte in die Runde, und sein ohnehin schon aufgedunsenes Gesicht schien förmlich aufzuquellen.

»Habe ich euch die Erlaubnis gegeben, vorzeitig Feierabend zu machen?«, schnauzte er sie an.

Lautlos traten sie zurück, und erst jetzt sah Konrad Jakob Steiner dort liegen. Einzig Christine war bei ihm knien geblieben, und als sie Konrad gewahrte, stand sie auf und blickte ihn an – mit aller Verachtung, derer sie fähig war, und das war bei einer Christine Steiner, die für sich und die Ihren wie eine Löwin kämpfte, eine Menge.

Elisa war sich nicht sicher, aber für einen Moment glaubte sie, dass Konrads Augenlider zuckten, dass er seinen Blick senkte, verlegen, ja, schuldbewusst.

Doch es währte wahrlich nur kurz.

»Ist er tot?«, schnaubte er. Es klang vorwurfsvoll, als habe Jakob ihm mit Absicht schaden wollen.

Niemand antwortete ihm. Sein Blick glitt auf die eingedrehten Füße.

»Um ihn zu ersetzen, müsst ihr doppelt arbeiten, nicht rumstehen!«, bellte er prompt.

Leise war Fritz an die Seite seiner Mutter getreten. »Du hast seine Beine auf dem Gewissen«, zischte er. »Du mit deinem nutzlosen Rumgeballer.«

Unwillkürlich hielt Elisa den Atem an.

Konrad maß Fritz eine Weile ausdruckslos; fast gemächlich nahm er dann das Gewehr von seinen Schultern, streichelte zärtlich darüber, als wäre es sein liebster Freund. »Nutzlos? Ach ja?«, fragte er höhnisch. Plötzlich fuhr ein Ruck durch ihn, und im nächsten Augenblick richtete er das Gewehr auf Fritz, so wie er es einst auf Poldi gerichtet hatte. Den hatte er damit eingeschüchtert, nicht aber dessen älteren Bruder.

Fritz lachte spöttisch. »Dann erschieß mich doch!«, forderte er Konrad auf. »Möchte nur wissen, wer dir dann deine verfluchten Araukarien fällt!«

Elisa hörte Christine angstvoll seufzen, doch sie machte keine Anstalten, den Sohn zur Räson zu bringen. Steif blieb sie stehen, griff auch dann nicht ein, als Poldi und Lukas sich an Fritz' Seite stellten und Konrads Gewehr trotzten.

Atemzug um Atemzug verging; weder ließ Konrad das Gewehr sinken noch traten die jungen Männer zurück. Elisa konnte kaum hinsehen, spürte, wie die Angst in ihrem Bauch grummelte, ihre Kehle zuschnürte. Sie wusste nicht, woher die drei die Kraft nahmen, so unbewegt und ohne Zittern zu stehen; oder eigentlich wusste sie es schon, ahnte zumindest, dass die Verzweiflung die beste Lehrmeisterin ist und keine andere derart schnell aus Knaben Männern macht.

Er kann sie doch nicht totschießen!, fuhr es ihr durch den Kopf, und zugleich wartete sie jeden Augenblick darauf, den Schuss zu hören.

Stattdessen hob Lambert die Stimme. »Komm«, sagte er, so verdrießlich wie es ihm eigentümlich war, »komm … lass sie. Es lohnt sich nicht, sie wissen doch nicht, was sie tun und sagen.«

Langsam, unendlich langsam ließ Konrad sein Gewehr sinken. »Ohne mich seid ihr nichts!«, zischte er, ehe er sich abwandte. »Krepieren würdet ihr hier in diesem verfluchten Land.«

Elisa sah, wie Lambert seinen Arm beschwichtigend auf Konrads legte, und aus ihrer Panik wurde Ärger. Lambert war für Poldi, Lukas und Fritz gewiss nur eingetreten, um sich selbst zu schützen. Wenn noch mehr Männer ausfielen, würde Konrad womöglich auf die Idee kommen, dass er auch ihn zu den mühseligen Holzarbeiten abkommandieren konnte.

»Morgen macht ihr wieder wett, was ihr heute versäumt habt«, rief Konrad ihnen über seine Schultern zu, dann gingen sie davon. Auch Greta war verschwunden und hatte wohl die angespannte Lage genutzt, um sich vor den strengen Augen des Vaters unbemerkt in Sicherheit zu bringen.

Allmählich löste sich die Starre. Poldi und Lukas bückten sich und trugen den Vater, der immer noch in tiefer Ohnmacht lag, in die Baracke; Annelie stützte Christine, als sie ihnen folgte. Jule war bereits unauffällig gegangen – zu stolz, um den

Triumph auszukosten, dass ihre Erzfeindin ihre Hilfe benötigt hatte.

Nur Fritz blieb stehen und rührte sich nicht. Elisas Blick traf den seinen, und sie fühlte etwas aufglimmen, was ihr selbst noch nie so deutlich vor Augen gestanden hatte wie in diesem Moment.

Es reichte.

So konnten sie nicht weitermachen. Dies war nicht das Leben, das sie sich vorgestellt und für das sie die gefährliche Reise angetreten hatten.

Fritz ballte die Fäuste, und unwillkürlich tat Elisa es ihm gleich.

Es musste sich etwas ändern, selbst wenn sie beim Versuch daran zugrunde gingen. Hier konnten sie auf keinen Fall länger bleiben.

Lange saßen sie am Abend beisammen, selbst dann noch, als Jakob längst eingeschlafen war und Dunkelheit die letzten Fäden des Dämmerlichts schluckte. Fritz ging unruhig auf und ab, Poldi machte das zugleich verwirrte wie trotzige Gesicht eines kleinen Kindes, nur Lukas verriet nicht, was er dachte und fühlte. Er setzte sich mit stoischem Gesichtsausdruck neben Elisa auf den Boden, die ihn vorsichtig von der Seite musterte. Von allen drei Steiner-Brüdern wurde sie aus ihm am wenigsten schlau. War er gelassener als die anderen, oder konnte er einfach nur besser verbergen, was in ihm vorging?

Auf dem Schiff war der freche Poldi ihre liebste Gesellschaft gewesen, und wenn es ans Arbeiten ging, verließ sie sich auf den pflichtbewussten Fritz – doch gemeinsam schweigen, sich ausruhen, nachdenken konnte sie am besten in Lukas' Gegenwart.

Er schien nicht zu bemerken, dass sie ihn betrachtete. Einmal war ihr, als würde sein Gesicht zucken, ein Zeichen, dass er innerlich weinte, doch kein Laut kam über seine Lippen. Unwillkürlich rückte sie näher, strich ihm vorsichtig über die Schultern, und er ließ sie gewähren.

»Es tut mir so leid, was geschehen ist. Es tut mir so leid.« Obwohl sie leise gesprochen hatte, hatten in der bleiernen Stille, die sich über sie gesenkt hatte, alle ihre Worte gehört. Richard hob verwundert den Kopf. »Was ist los? Was ist passiert?« Es waren seit langem die ersten Worte, die er sprach, doch der Anlass war zu traurig, um sich darüber zu freuen. Annelie, die eben noch neben Christine gesessen war, trat zu ihm und streichelte über seinen Kopf. »Es ist gut«, murmelte sie, »es ist alles gut.«

Das Katherl lachte auf, hell und klar. Bereits dieser Laut ließ sie alle zusammenschrecken, umso mehr tat es das Klopfen, das kurze Zeit später ertönte. Lukas und Elisa sprangen fast gleichzeitig auf; Christine fuhr herum. Fritz eilte zur Tür, presste sein Ohr daran und lauschte argwöhnisch. Wer würde so spät am Abend hier auftauchen, wenn nicht Konrad Weber? Doch was trieb ihn hierher – etwa die Sorge um Jakob?

Wieder klopfte es, und als Fritz auf ein Zeichen seiner Mutter hin die Tür schließlich zögerlich öffnete, stand nicht Konrad Weber, sondern eine Familie davor. Ein Mann und eine Frau, die Elisa schon einmal flüchtig gesehen hatte, sowie zwei Kinder. Der Sohn schien in Poldis Alter zu sein – vor einigen Monaten war er vierzehn Jahre alt geworden –, die Tochter nur wenig jünger.

»Dürfen wir eintreten?«

Fritz wich zurück. Ein Raunen ging durch den Raum. Sie wussten, dass sie nicht die einzigen Auswanderer waren, die in

Konrads Hände geraten waren. Auch andere Familien hausten in Baracken ähnlich der ihren und arbeiteten auf den Feldern der Hazienda oder in den Wäldern, doch sie hatten wenig mit ihnen zu tun. Man grüßte sich von der Ferne, aber man sprach nicht miteinander, ebenso wie die Begegnungen mit den Familien, die wie sie mit der Hermann III. gereist waren, rar geworden waren.

»Wir sind die Familie Glöckner«, begann die Frau. »Ich bin Barbara, das ist mein Mann Taddäus, und unsere Kinder heißen Theresa und Andreas.«

Taddäus Glöckners Blick schweifte durch den Raum und blieb am verwundeten Jakob hängen. Offenbar hatte sich dessen Unfall herumgesprochen, denn er wirkte nicht überrascht. Elisa ihrerseits musterte die Familie, die ungewöhnlich gekleidet war. Die Jacke des Mannes reichte knielang über Hemd und Hosen. Die Frau trug eine blumige, wenngleich zerrissene und verdreckte Schürze über ein dunkles Kleid, darüber ein schwarzes Plaid. Sie alle hatten Filzhüte auf.

»Wir kommen aus Tirol …«, setzte Barbara Glöckner an, »nein, eigentlich kommen wir aus Schlesien.«

Jule hatte sich nicht erhoben, beugte jedoch ihren Oberkörper nach vorne. »Eine sehr weite Reise für diesen Abend.«

»Nun lass sie doch ausreden!«, forderte Christine streng.

»Natürlich sind wir nicht heute Abend von dort gekommen«, erklärte Barbara, und obwohl sie langsam sprach, machte sie einen entschlossenen Eindruck. »Wir sind seinerzeit mit der Susanne in See gestochen. Zwei Jahre ist das her. Wir mussten viele Stürme ertragen, vor allem am Kap Hoorn.«

Elisa nickte unwillkürlich. Ihr selbst war der Sturm, den sie in der Magellanstraße durchlitten hatten, noch allzu gut in Erinnerung.

»Es war November, als wir in Corral eingelaufen sind«, fuhr

Barbara fort. »Einige Monate später sind wir in Konrads Hände geraten. Er hat uns mit den gleichen Lügen gelockt wie euch: dass wir nicht das erwartete Land bekämen – zumindest nicht von der Regierung, vielleicht aber irgendwann von ihm – und dass er bis dahin für uns sorgen würde. Ja, er hat viele schöne Worte gemacht …«

Sie brach ab, musste aber auch nichts weiter erklären. Alle wussten, dass Konrad die Schwäche und Unsicherheit der Auswanderer schamlos für seine Zwecke ausnutzte.

»Warum wir hier sind …«, ergriff Barbara Glöckner nach einer Weile wieder das Wort, »nun, wir sehen hier keine Zukunft für uns und für unsere Kinder. Und euch geht es gewiss nicht anders, vor allem nach dem, was heute passiert ist. Wir kennen einen Ort, wohin wir alle gehen könnten. Wo wir endlich eigenes Land kriegen würden. Aber«, wieder machte sie eine Pause. Ihr Sohn, das merkte Elisa erst jetzt, scharrte mit den Füßen. »Aber es ist nicht ungefährlich.«

Die unerwarteten Gäste hatten sich auf dem Boden niedergelassen; Barbara Glöckner hatte nicht gewartet, bis man ihnen einen der wenigen Holzstümpfe, auf denen man halbwegs bequem sitzen konnte, anbot, sondern hatte ihr dunkles Plaid abgelegt und es unter sich ausgebreitet.

Im warmen Schein der Kerzen, die sie entzündet hatten, betrachtete Elisa die Tirolerin eingehender. Sie hatte gekräuseltes, rötliches Haar, das die Flammen spiegelte; nicht minder glänzten ihre großen, dunklen Augen über den apfelrunden Wangen und dem herzförmigen Mund. Die Hände waren zwar rauh und gerötet und um Mund und Augen hatten sich Falten eingegraben. Dennoch hatte Elisa das Gefühl, nie eine so schöne Frau mit ähnlich ebenmäßigen Zügen gesehen zu haben. Sie blickte sich um. Waren die anderen ebenso fasziniert von dieser Frau? Oder waren sie längst blind geworden für jede Form der Schönheit?

In den Gesichtern las sie vor allem Misstrauen. Einzig Annelie trat auf die Fremden zu. »Können ... können wir Ihnen etwas zu essen anbieten?«

Noch ehe Barbara Glöckner zustimmen oder ablehnen konnte, schaltete sich Jule ein. »Wir haben viel zu wenig, um es auch noch teilen zu können«, murrte sie grimmig.

»Aber wenn sie uns doch helfen wollen«, murmelte Annelie verlegen.

»Sie wollen uns nicht helfen«, fuhr Jule ihr über den Mund, »sondern eigenes Land. Also, wo soll es das geben?«

Barbara stützte ihre Ellbogen auf den Knien ab. »Wenn man von Melipulli immer weiter Richtung Norden geht, stößt man auf einen großen See. Er trägt viele Namen. Die Einwanderer aus Deutschland nennen ihn Lago de Valdivia. Die Chilenen nennen ihn Purahila-, Quetrupe-, Pata- oder Llanquihue-See. Wie er auch heißt, er ist riesig, und rundherum gibt es fruchtbares, wenngleich noch völlig verwildertes Land. Vicente Pérez Rosales, der Einwanderungsagent, hat schon vor Jahren vorgeschlagen, es an Siedler zu vergeben. Nach unserer Ankunft sind wir seinerzeit mit anderen Einwanderern dorthin aufgebrochen. Ellwanger und Fritzschuk hießen sie und stammten aus Schwaben – und auch die Familien unserer Tiroler Verwandten gehörten dazu. Im März 1852 haben wir den See erreicht und die ersten Parzellen am Ufer abgesteckt.«

»Dann hattet ihr also schon eigenes Land?«, fragte Jule, um gleich hinzuzufügen: »Und warum seid ihr nicht dort geblieben?«

Elisa erwartete, dass auch Taddäus Glöckner, der bis jetzt wie seine Kinder stumm geblieben war, etwas sagen würde, doch offenbar war es in der Familie üblich, dass Barbara für sie alle redete.

Es ist wie bei uns, ging ihr durch den Kopf. Annelie sprach für Richard, Christine für Jakob, Jule … nun, sie hatte keinen Mann, für den sie sprechen konnte, aber trat herrisch und selbstsicher wie ein solcher auf.

»Es war sehr hart damals«, fuhr Barbara fort. »Allein der Weg von Melipulli zum See kostete uns sämtliche Kräfte. Das Gelände ist sumpfig wie hier, es gibt keine Wege. Die beiden Töchter einer Familie haben sich im Wald verirrt und sind spurlos verschwunden.«

Ein Schauder überlief Elisa. Christl und Lenerl Steiner glotzten die Tiroler Familie großäugig an. Nur das Katherl lächelte wie eh und je.

»Und als wir endlich den See erreichten, gab es dort rein gar nichts. Keine Häuser, keine Felder, kein Saatgut, keine Tiere. Man hat uns in Melipulli nicht darauf vorbereitet. Eine Weile haben wir uns mit unserem Proviant durchgeschlagen, doch der Winter kam früh in diesem Jahr. Einige Familien haben sich entschlossen, dort zu bleiben – ich hingegen habe darauf gedrängt, wieder nach Melipulli zurückzukehren. Meine Tochter«, sie legte ihre Hände auf Theresas Schultern, »meine Tochter war ziemlich krank. Wenigstens bis zum nächsten Frühjahr wollten wir in Melipulli bleiben, um dann wieder an den See zurückzukehren.«

»Aber das habt ihr nicht getan«, stellte Jule fest.

»Wie schon gesagt«, sagte Barbara, »zu diesem Zeitpunkt hatten wir bereits viele mühselige Reisen hinter uns. Es ist fünfzehn Jahre her, als wir aus dem Zillertal vertrieben wurden, weil wir Protestanten sind. König Friedrich Wilhelm hat uns am Fuß des Riesengebirges angesiedelt – in Schlesien. Ein neues, leichteres Leben wurde uns versprochen; wir könnten

Kühe halten, hieß es, und in Flachsgarnspinnereien Arbeit finden. Doch in Wahrheit wurde jenes Fleckchen Land rasch zu klein für all die, die dort nach einer Zukunft suchten. Wir lebten mit drei Familien in einem engen Haus, und so gerecht die Arbeit auch verteilt wurde – so ungerecht der Lohn und das Essen.«

»Und dann kam die Tuberkulose!«, warf erstmals Taddäus ein.

»Zwei meiner Kinder habe ich durchgebracht«, Barbara Glöckner legte nun auch eine Hand auf die Schulter ihres Sohnes. »Zwei habe ich verloren.«

Kurz wurde ihre Stimme brüchig, doch als sie fortfuhr, hatte sie die Tränen, die sich in ihren Augen sammelten, bereits fortgezwinkert – bekundend, dass sie zu jenem Menschenschlag gehörte, der lieber nach vorne blickt als zurück.

»Eine meiner Schwägerinnen hat beschlossen, mit ihrer Familie nach Amerika zu gehen. Ein Nachbar brach bald danach nach Australien auf. ›An Seuchen und Hunger verrecken können wir auch anderswo‹, meinte er schlicht, ›aber dort müssen wir wenigstens nicht in die gleichen dummen Gesichter starren wie hier.‹«

»Und ihr habt euch für Chile entschieden?« Christine hatte erstmals den Platz an Jakobs Seite verlassen. Das Misstrauen vor den Fremden war aus ihrem Gesicht gewichen und hatte Müdigkeit Platz gemacht. Sie wirkte ungewohnt ausgemergelt. Gern zog sie ihre Kinder, vor allem das Katherl, an den festen, großen Busen, doch der schien förmlich geschrumpft zu sein; selbst in Brusthöhe warf der Stoff ihres Kleides Falten.

»Ja, wir haben uns für Chile entschieden«, bestätigte Barbara Glöckner, »wahrscheinlich von ähnlichen Versprechungen angelockt wie ihr: von der Aussicht auf reiches, fruchtbares

Land. Aber schon in Corral erklärte sich niemand für uns zuständig. Während der Reise nach Melipulli ist unser Schiff fast untergegangen, und dort hat man uns, wie gesagt, ohne ausreichende Mittel an den See geschickt.«

»Hier kommen eben nur die Zähen durch«, warf Jule ungeduldig ein. »Wir haben erleben müssen, wie unser Schiff in Flammen aufging.«

Fast ein wenig stolz klang sie, als verhieße es Triumph, mit der noch größeren Katastrophe aufzuwarten.

Wie weit ist es gekommen, ging es Elisa durch den Kopf, dass Elend und Torturen uns nicht erschrecken, sondern wir lediglich noch Schlimmeres entgegensetzen.

»Nachdem wir also am See vorerst gescheitert sind, haben wir den Winter in Melipulli verbracht. Wahrscheinlich wären wir verhungert, hätte es nicht wenigstens Muscheln und Fisch vom Meer gegeben. Erschöpft und zermürbt waren wir – aufgerichtet nur von der Zusage, dass im Frühjahr Perez Rosales anreisen würde und uns diesmal mit ausreichend Werkzeug und Saatgut versorgen wollte. Wir haben auf ihn gewartet. Doch der Erste, der im Frühjahr kam, war Konrad Weber. Auf der Suche nach willfährigen Arbeitern hat er selbst den langen Weg in die Einöde nicht gescheut.«

»Und er hat euch Hilfe angeboten!«, rief Fritz und lachte bitter auf. »Hat euch erklärt, dass die Regierung verlogen, Perez Rosales unfähig und ihr verloren wärt ohne ihn.«

Barbara zuckte unsicher mit den Schultern. »Er hat uns auf seiner Hazienda Arbeit geboten, und es klang so verlockend.«

Stille breitete sich aus; das Einzige, was zu hören war, war Jakobs Röcheln. Christine trat wieder zurück zu seiner Liege, setzte sich zu ihm und wischte ihm mit einem Tuch über die schweißbedeckte Stirn.

»Und nun?«, fragte Jule forsch.

»Nun sind wir klüger als damals. Wir haben manches über ihn herausgefunden. Konrad Weber ist ein skrupelloser Emporkömmling. In Valdivia, wo er einst lebte, hat er sich rasch Feinde gemacht und deswegen einem Spanier dieses Gebiet hier abgekauft – zu einem viel zu niedrigen Preis. Dass die Regierung sich einschaltete und es entgegen ihrer einstigen Versprechen den Einwanderern viel schwerer machte, eigenes Land zu erwerben, das ist auch die Schuld von Konrad und seinesgleichen. Er ist hierhergekommen, um reich zu werden, und an diesem Willen hält er fest: ohne Rücksichtnahme, ohne Skrupel und obendrein auf unsere Kosten. Und da dachten wir …«

Nach der energischen Rede hielt Barbara Glöckner erstmals inne. Als sie von Konrad Weber sprach, hatte sich kurz empörtes Raunen erhoben, doch nun war es totenstill.

»Was dachtet ihr?«, fragte Jule und klang diesmal nicht ganz so schroff.

»Wir wagen es nicht allein, erneut zum Llanquihue-See aufzubrechen. Aber wir könnten es alle zusammen versuchen. Gewiss: Es läge ein ordentliches Stück Weg vor uns, und dieser Weg würde durch tiefste Wildnis führen.«

»Doch wir kennen die Route«, schaltete sich Taddäus ein. »Wir müssten von hier aus einfach nur immer weiter nach Westen gehen.«

Elisas Gedanken fühlten sich lahm an und brauchten eine Weile, um zu erfassen, was die Tiroler ihnen vorschlugen.

Fritz hatte es eher begriffen und sprang begeistert auf. »Und dort gibt es genügend brachliegendes Land!«, rief er aus, und seine ungewohnt mitreißende Stimme ließ keinen Zweifel offen, wie schnell er sich von diesem Plan begeistern ließ.

»Die Familien, mit denen wir einst angekommen sind, könnten uns helfen … zumindest in der ersten Zeit«, sagte Barbara.

»Hier wird sich nichts zum Guten ändern. Wir müssen selbst etwas tun, um unser Schicksal zu wenden!«

Ihr Blick durchstreifte den Raum, suchte nach Zustimmung. Elisa folgte ihm. Annelie starrte zweifelnd auf Richard, der wieder ganz in sich zusammengesunken war; Jule dagegen nickte nachdenklich. Christl wirkte angesichts der Ankündigung eines langen Fußmarsches durch die Wildnis ängstlich, Poldi abenteuerlustig. Fritz hatte seine Hände zu Fäusten geballt, doch ehe er erneut etwas sagen konnte, trat Christine nach vorne.

»Es ist unmöglich«, entschied sie knapp. »Mein Mann ist sehr schwer verletzt.«

»Willst du etwa bleiben?«, begehrte Fritz auf. »Bei Konrad Weber? Das kann doch nicht dein Ernst sein!«

Er trat zu den von Grabergs, blickte in Richards glasige Augen, dann zu Annelie, die mit ihren Schultern zuckte, und stellte sich zuletzt vor Elisa. »Du findest doch auch, dass wir von hier weggehen sollten?«

»Ja«, sagte sie leise, »das glaube ich auch. Aber …«, sie warf einen kurzen Blick auf Jakob, »aber wir müssen es nicht heute Abend entscheiden. Und wir müssen nicht schon morgen aufbrechen. Wenn erst Jakobs Verletzungen geheilt sind …«

Jule lachte verächtlich auf, bekundend, dass diese niemals wirklich heilen würden. Christine hingegen nickte zustimmend. »Bevor es meinem Mann nicht besser geht, breche ich nirgendwohin auf.«

»Bald kommt ohnehin der Winter«, meinte Barbara Glöckner nachdenklich. »Aber im nächsten Frühjahr … im nächsten Frühjahr sollten wir unser Leben selbst in die Hand nehmen.«

Fritz ballte seine Fäuste noch fester zusammen, und Christine Steiner widersprach dem Ansinnen kein zweites Mal.

Viktor hatte jedes Wort gehört.

Er duckte sich, als die Tiroler die Baracke verließen und lief dann hastig um die Ecke des Hauses. Als er sich gegen die Wand drückte, rumpelte es, und vor Schreck hielt er den Atem an. Doch niemand hatte ihn gehört, niemand ihn dabei beobachtet, wie er im Finstern lauschte.

Eigentlich war das kein Wunder. Auch tagsüber nahm man ihn und Greta so gut wie nie wahr. Sie waren Lamberts Kinder, und mit Lambert wollte niemand etwas zu tun haben. Einige der Frauen hatten Mitleid mit ihnen – aber Mitleid, dessen war Viktor sich gewiss, hatte keinerlei Wert in dieser grünen, dampfenden Einöde.

Die Schritte der Tiroler Familie entfernten sich, die Tür der Baracke wurde geschlossen. Stockdunkel wurde es wieder um ihn.

Viktor schlang seine Arme um den Leib. Er versuchte, sich einzureden, dass er mit seinen vierzehn Jahren kein Kind mehr war, sich darum nicht wie ein solches verhalten durfte und die Finsternis fürchten. Dennoch zitterte er und fühlte sich so hilflos und verloren wie in den Nächten, in denen er von Alpträumen geweckt wurde. Immer wieder sah er darin das Schiff brennen und mit ihm seine Mutter. Unter Tränen erwachte er, zitterte und schluchzte stundenlang – und fühlte sich dem Grauen der Welt hilflos ausgeliefert wie in Kindertagen, als er sich unter Emmas Röcken versteckt und gehofft hatte, dass der Vater ihn nicht finden und die Mutter ihn nicht preisgeben würde. Doch der Vater hatte ihn immer gefunden. Und die Mutter hatte ihn immer preisgegeben.

Viktor biss sich auf die Lippen, um zumindest dem Zähneklappern Herr zu werden. Ja, er hatte Angst, so wie er eigentlich andauernd Angst hatte – aber steckte tatsächlich nur das hilflose Kind von einst in ihm? Würde er sich, wenn es so wäre, tatsächlich überlegen, wie Greta und er am besten von hier fliehen könnten?

Die anderen Siedler wollten auch fort, das hatte er klar und deutlich vernommen. Allerdings war wegen Jakob Steiner an einen schnellen Aufbruch nicht zu denken. Ein paar Monate würde es gewiss dauern, bis es so weit war.

Die Hoffnung, diesem ewig feuchten Dickicht zu entkommen, vor allem aber den schlagenden Fäusten des Vaters, war fast schmerzhaft. Doch im gleichen Augenblick, da diese Hoffnung zaghaft erwachte, wurde diese auch schon wieder zerschlagen: Gewiss würden die Siedler ohne sie gehen. Gewiss würde niemand auf die Idee kommen, Lambert einzuweihen und ihn und Greta mitzunehmen.

»Viktor!«

Er schrak zusammen, die Stimme klang wie ein Bellen. Sein Vater war vorhin bei Konrad gewesen, um die Waffen zu reinigen, und er hatte diesen Augenblick genutzt, um sich fortzuschleichen. Doch offenbar war Lambert früher als erwartet heimgekehrt und hatte ihn in ihrer Baracke nicht vorgefunden.

»Viktor!«

Er fiel fast über die eigenen Füße, als er zum Haus rannte. Geistesgegenwärtig schnappte er sich einen Eimer; der war zwar leer, aber wenn er Glück hatte, würde es der Vater nicht bemerken und es keine Schläge setzen.

Lambert stand vor der Tür. Da das fahle Licht auf seinen Rücken fiel, wirkte er wie ein riesiger schwarzer Schatten.

»Wo bist du gewesen?«, kläffte er.

»W-W-W-Wasser holen.«

Viktor biss sich auf die Lippen. Der Vater hasste es, wenn er stotterte.

»Ich habe dich aber nicht zum Wasserholen geschickt.«

Lambert hob seine Hand, und Viktor glaubte schon, sie in seinem Gesicht zu spüren.

Doch plötzlich stand neben dem furchteinflößenden Schatten ein kleiner, zarter.

»Ich, Vater, ich habe ihn darum gebeten«, piepste Greta. »Um die Bohnen einzuweichen. Für morgen.«

Viktor hielt die Luft an. Seit Ewigkeiten hatten sie keine Bohnen mehr gegessen; er konnte sich nicht erinnern, dass sie jemals zu den Essensrationen gehört hatten, die Konrad Weber ihnen zuteilte. Würde der Vater ihr dennoch glauben?

Und noch etwas anderes ging ihm durch den Kopf. Wie war es möglich, dass Greta, die doch so viel dünner und kindlicher war als er, niemals stotterte, wenn sie sprach, und niemals ihre Furcht vor dem Vater zeigte?

Viktor war ihr unendlich dankbar. Und zugleich war er neidisch auf sie, weil sie so gleichgültig sein konnte, so unnahbar, so ... kalt. Weil sie dem Leben und den vielen, vielen Ängsten, die es mit sich brachte, nicht so gnadenlos ausgeliefert schien wie er.

Lambert senkte seine Hand. Ein Grummeln kam aus seinem Mund, doch schließlich trat er zurück. Viktor spürte, wie er am ganzen Leib zitterte, auch dann noch, als Greta sich aus dem Türrahmen löste und zu ihm trat. Sie legte ihre Hände um seine Schultern, aber sie schmiegte ihren Leib nicht an seinen.

»Es wird gut, es wird doch alles gut«, flüsterte sie.

»W-w-w-w-ir können hier nicht bleiben, n-n-n-nicht bei ihm.«

Nicht nur der Vater hasste es, wenn er stotterte. Er selbst verfluchte sich dafür.

»Die a-a-a-anderen ... sie w-w-w-wollen gehen ...«

»Es ist alles gut«, sagte Greta wieder und verstärkte den Druck ihrer Hände. Viktor war sich nicht sicher, ob ihre Berührung ihm angenehm war oder nicht, ob sie Trost spendete oder vielmehr neues Unbehagen schürte, ob er dankbar war, weil er sie hatte, oder verbittert, weil sie den Vater leichter ertrug.

»Ach, Greta …«, seufzte er.

»Es ist doch alles gut«, sagte sie leise.

14. Kapitel

»Feierabend!«

Cornelius wischte sich den Schweiß ab und richtete sich auf. Wie immer fuhr ein stechender Schmerz durch seinen Rücken, doch daran hatte er sich längst gewöhnt. Immerhin hatten sich an seinen Händen so viele Schwielen gebildet, dass sie gefühllos geworden waren. Die schmerzhaften Blasen, die ihm nicht nur die Arbeit schier unmöglich gemacht hatten, sondern auch, einen Löffel zu halten, gehörten der Vergangenheit an.

Nachdem der Aufseher das Ende der Schicht verkündet hatte, stellte Cornelius sich in die Reihe der anderen Arbeiter, um den Tageslohn zu empfangen. Früher war das der Augenblick gewesen, in dem er so etwas wie Stolz empfunden hatte: Stolz, dass er sich als tüchtig genug erwies, um nicht misslich aufzufallen. Stolz, dass er eigenes Geld verdiente.

Heute ging ihm nur durch den Sinn, dass erneut ein Tag vorübergegangen und Stunden quälend langsam verronnen waren, ohne dass er genau wusste, wofür er sich abmühte und für wen.

Der Schatten des Aufsehers fiel auf ihn.

»Sechs Reales«, verkündete dieser knapp.

Cornelius hob müde den Kopf. »Sechs?«, fragte er. »Gestern waren es zehn.«

Der Aufseher zuckte mit den Schultern. »Wenn du nicht zufrieden bist, dann such dir etwas anderes.«

Cornelius nahm schweigend das Geld und ging. Zu oft hatte

er vergebens zu feilschen versucht. Er wusste, dass es nicht die Schuld des Aufsehers war, wenn der Lohn mal üppiger, mal mickriger ausfiel. Die Preise änderten sich jeden Tag; welchen Wert das Geld hatte, wusste niemand genau. Wer die Möglichkeit hatte, handelte mit Naturalien, denn bei diesen galten feste Regeln.

Ein Fohlen ließ sich gegen vier Flaschen Aguardiente tauschen, eine trächtige Kuh gar gegen fünf. Aguardiente war ein Branntwein, der wie Feuer die Kehle hinablief – und Cornelius kannte dessen Preis so genau, weil Pastor Zacharias ihm stets damit in den Ohren lag, er möge jenes teuflische Gesöff für ihn beschaffen. Auf dem Schiff hatte er am liebsten Portwein getrunken, weil der seinem Gaumen am meisten schmeichelte. Nun war es ihm egal, was er in seinen Mund schüttete und ob es mundete oder nicht – Hauptsache, der Alkohol versagte die gnädige Wirkung nicht und ließ ihn das elende Leben vergessen.

Cornelius machte sich auf den Heimweg. Jedes Gässchen, jede Straße von Valdivia war ihm mittlerweile vertraut, und dennoch hatte er nicht das Gefühl, in Chile angekommen zu sein. Nur ungern erinnerte er sich an die ersten Tage an der Küste, nachdem die anderen Siedler mit Konrad Weber aufgebrochen waren. Seine Sehnsucht nach Elisa hatte ihn gelähmt, ebenso das Schweigen des Onkels, das so viel schwerer zu ertragen war als sein Jammern. Mehr tot als lebendig war ihm Zacharias erschienen, und der Trübsinn, der von ihm ausging, hatte ihm die eigene Seele vergiftet. Doch schließlich hatte er ihn abgeschüttelt; ein Traum von Elisa ließ ihn eines Morgens aufschrecken, und der Gedanke an das Versprechen, das er ihr gegeben hatte, ließ ihn seitdem kaum mehr ruhig stehen. Kein Tag verging, ohne dass er nicht um eine Zukunft kämpfte. Zunächst hatte er den Onkel dazu gebracht, die Kaserne zu verlassen und mit ihm nach Corral zu gehen. Dort lief er von Haus zu Haus auf der Suche nach einem Geistlichen, der einem Amtsbruder die Hilfe nicht verweigern würde. Hoffnungslos war dieses Unterfangen, denn in der Hafenstadt lebten nur Katholiken. Ein Priester war immerhin so gnädig, ihnen den Weg ins nahe Valdivia zu weisen, wo sich viele deutsche Siedler niedergelassen hatten.

Pastor Zacharias murrte, stöhnte, fluchte und heulte. Keinen Schritt wolle er ins Landesinnere gehen, hatte er hartnäckig verkündet.

Vom Anblick des Ozeans allein könnten sie nicht überleben, entgegnete Cornelius ungewohnt schroff und tröstete den Onkel, dass sie schließlich nicht der Urwald erwarten würde, sondern eine Stadt.

Er hatte nicht gelogen. Valdivia war ein armselig anmutender, aber brodelnder Ort, wo mehr Deutsch als Spanisch gesprochen wurde und in dem sich in den letzten fünf Jahren Zimmerleute und Schmiede, Schuhmacher und Bäcker, Schneider und Sattler niedergelassen hatten – emsige Arbeiter allesamt, die sich gegenseitig beflügelten und lautstark verkündeten, dass in diesem Land nur überleben könnte, wer Fleiß und Ausdauer bewies.

Beides fehlte Pastor Zacharias. Mit den vielen Deutschen war vor einigen Jahren auch ein evangelischer Pfarrer nach Chile gekommen, und dieser war so freundlich, sie fürs Erste aufzunehmen. Später, als Zacharias ihm zunehmend zur Last wurde, vermittelte er ihnen eine eigene Unterkunft. Als Antrieb, sein Leben wieder selbst in die Hände zu nehmen, hatte Pastor Zacharias das jedoch nicht gesehen. Sein größtes Glück war, sich hinter den eigenen Wänden zu verschanzen und sich zu betrinken. Dass man sich sogar Branntwein erst verdienen musste, sah er nicht als seine Aufgabe an.

Cornelius schüttelte den Kopf, als er nun daran dachte. Die Blockhäuser, an denen er vorbeiging, waren ärmlich, die Türen und Fenster lediglich mit Ochsen- oder Kuhhäuten geschlossen. Mit zwei Händen konnte man die Gebäude abzählen, die Glasfenster hatten. Einst war Valdivia – gegründet von Pedro de Valdivia, einem spanischen Konquistador aus dem 16. Jahrhundert – eine große Stadt gewesen. Doch 1831 hatte ein schweres Erdbeben sie zerstört, und die meisten Spanier waren fortgegangen. Die ersten Deutschen, die nach Chile kamen, hatten nur verwaiste Ruinen vorgefunden und sich eilig darangemacht, sie aufzubauen – bereit, sogar in einer zerstörten Stadt zu leben, solange diese fortan ihre eigene war.

Die Geschäftigkeit täuschte tagsüber darüber hinweg, wie trostlos die Stadt wirken konnte, und dass die Spuren, die das Erdbeben hinterlassen hatte, immer noch nicht beseitigt waren, schien niemandem als unheilvolles Zeichen, sondern als Beweis, dass es hier zumindest jede Menge Arbeit gab.

Diese Arbeit würde auch er sich nun suchen, hatte Cornelius beschlossen, nachdem der Onkel keinerlei Bereitschaft zeigte, zu ihrem Lebensunterhalt beizutragen. Nahezu überall, wo man helfende Hände brauchte, war er hingegangen und hatte seine Dienste angeboten; und nahezu überall wurde er angestarrt, weil er zu schmächtig schien und weil sich herausstellte, dass er weder Bauer war noch ein Handwerk gelernt hatte. Er kam gar nicht erst dazu, zu beweisen, dass ein starker Wille fehlende Kräfte und Übung wettmachen konnte, sondern wurde sofort wieder weggeschickt. Einer der Zimmerleute war immerhin freundlich genug, ihm einen Rat mit auf den Weg zu geben: Er solle sich doch an Carlos Anwandter wenden; dieser wäre so etwas wie ein Wortführer der Einwanderer. Aus Kalau stammend und dort für einige Jahre gar zum

Bürgermeister aufgestiegen, besaß Carlos Anwandter mittlerweile eine eigene Apotheke sowie eine Brauerei in Valdivia. Im Jahr 1848 war er als Mitglied des Preußischen Landtages in der Frankfurter Paulskirche dabei gewesen, wo im Mai die erste denkwürdige Nationalversammlung tagte. Das spätere Scheitern der Revolution hatte ihn derart geschmerzt, dass er in Kalau keine Zukunft mehr sah, sondern entschied, die Freiheit – für ihn das erstrebenswerteste Gut eines jeden Bürgers – in Chile zu suchen.

»Ich war auch dabei – damals in Frankfurt«, erklärte Cornelius, als er von ihm empfangen wurde. Das war gelogen, denn nur Matthias war dorthin gereist. Später hatte er ihm allerdings so viel darüber erzählt, dass Cornelius alles über das Ereignis zu wissen glaubte.

Carlos Anwandter, der eigentlich Karl hieß, aber sich in dem Augenblick, in dem er chilenischen Boden betreten hatte, nur mehr mit spanischem Vornamen anreden ließ, gab sich beeindruckt.

»So sehen Sie nach der Revolution in Deutschland auch keinen Platz mehr zu leben?«

»Ich bin ein aufrechter Demokrat. Und ich suche hier Freiheit«, erklärte Cornelius.

Die Wahrheit war, dass er in diesem Augenblick keine Freiheit suchte, sondern nur eine Möglichkeit zu überleben. Carlos Anwandter bohrte nicht weiter nach und vermittelte ihm Arbeit beim Straßenbau. Diese war hart und schlecht bezahlt, aber immerhin konnten sie sich nun zwei Räume mieten – im oberen Stockwerk eines Hauses, das einer gewissen Rosaria gehörte, von der Cornelius nicht viel mehr wusste, als dass sie Witwe und geldgierig war.

Eben kam er dort an und öffnete quietschend die Tür – oder vielmehr das Holzbrett, das man als solche verwendete.

Rosaria behauptete, ihr Haus gehörte zu den ältesten in Valdivia und hätte auch das Erdbeben überstanden. Was sie voller Stolz verkündete, erfüllte Cornelius mit der Furcht, dass irgendwann einmal sämtliche Wände über sie zusammenbrechen würden. Als er die windschiefe Treppe hochstieg, knirschen die Stufen unter seinen Füßen. Er hatte den ersten Stock noch nicht erreicht, als üble Gerüche ihm entgegenschwappten.

Er seufzte, beschleunigte seinen Schritt – und wusste doch, dass er zu spät kam.

Nicht schon wieder!, schimpfte er innerlich.

Er wappnete sich gegen den Anblick, der ihn erwartete, und war dennoch entsetzt, in welchem Zustand er seinen Onkel vorfand.

Seine Wut erlosch, machte Ohnmacht Platz – und Überdruss. Rosaria war eben damit beschäftigt, mit fettem Grinsen die Münzen einzusammeln, die auf dem Tisch lagen. Auch als sie Cornelius erblickte, beeilte sie sich nicht. »Rechtmäßig gewonnen!«, verkündete sie stolz.

Cornelius sah, wie immer mehr Geld in ihren feisten Händen verschwand – Geld, für das er gearbeitet hatte wie nie zuvor in seinem Leben. Geld, das sie so dringend brauchten, wollten sie diesem Rattenloch irgendwann einmal entkommen.

»Ach, Onkel …«, seufzte er.

Pastor Zacharias war bereits eingeschlafen. Sein Kopf war auf die Tischplatte gesunken, lag direkt neben der leeren Branntweinflasche. Sein Mund stand offen, sämiger Speichel tropfte daraus – nicht nur auf die Tischplatte, sondern auch auf sein Hemd.

Cornelius war im Türrahmen stehen geblieben. »Wie konnten Sie nur?«, fuhr er Rosaria an.

»Was?«, schnaubte sie. Sie hatte mittlerweile auch die letzte

Münze an sich gebracht. »Er hat freiwillig mit mir getrunken, und er hat freiwillig mit mir gespielt. Ist es denn meine Schuld, dass er nichts verträgt und dass er obendrein seinen ganzen Einsatz verloren hat?«

Humpelnd kam sie näher. Sie behauptete oft, dass sie kaum einen Schritt machen könnte, ohne dass ihre Hüften schmerzten, doch das hielt sie nicht davon ab, wieder und wieder hoch in die Kammer zu steigen, um seinen Onkel zuerst betrunken zu machen und ihm dann sämtliches Geld beim Glücksspiel abzuknöpfen.

»Denk nicht, dass das eine Anzahlung für die Miete ist …«, erklärte sie dreist. Sie hielt ihm die prall gefüllten Hände dicht vors Gesicht, dann trat sie hinaus.

Nur widerwillig trat er näher an den Tisch heran. Er war sich nicht sicher, ob sein Onkel tatsächlich schlief oder sich nur zu betrunken gab, um seinen Vorwürfen standzuhalten.

Cornelius nahm die leere Branntweinflasche und stellte sie mit einem lauten Krachen auf den Tisch. Zacharias zuckte zusammen und fuhr abrupt hoch.

»Wieso, Onkel?«, zischte Cornelius. »Wieso?«

Mit glasigen, blutunterlaufenen Augen sah Zacharias ihn an und schien eine Weile nicht zu begreifen, wo er war und was er getan hatte. Er wischte sich mit der Hand über den Mund, noch mehr Speichel troff auf sein fleckiges Hemd.

»Du hast schon wieder unser Geld verspielt«, schimpfte Cornelius.

Zacharias rang nach Worten. Cornelius erwartete, eine seiner vielen Ausflüchte zu hören, doch stattdessen setzte er zum Gegenangriff an.

»Was nutzt uns das Geld, wenn du es doch nicht für unsere Heimreise verwenden willst?«

Es klang raunzend. Nicht zum ersten Mal lag sein Onkel ihm

damit in den Ohren. Er wäre als Seelsorger für die anderen Auswanderer in dieses Land gereist – doch nun, da diese ihrer eigenen Wege gingen, war es sinnlos, hierzubleiben.

»Wir könnten nach ihnen suchen«, hatte Cornelius noch vor wenigen Wochen vorgeschlagen, »gewiss kann uns irgendjemand sagen, wo Konrad Webers Hazienda liegt.«

Doch Pastor Zacharias hatte dieses Ansinnen entrüstet von sich gewiesen. »Ich gehe von hier nach Deutschland und sonst nirgendwo hin!«, hatte er trotzig verkündet.

Heute war Cornelius zu müde, um erneut darüber zu streiten.

»So also willst du heimkehren und deinem Landesbischof unter die Augen treten? Als Trunkenbold?«, fragte er und konnte sich den verächtlichen Tonfall nicht verkneifen.

Eine Weile starrte Zacharias ihn nur dümmlich an; dann wurde sein Blick wacher. »Du meinst, wenn ich nicht mehr trinken würde, dann würden wir dieses verfluchte Land verlassen?«

»Mit welchem Geld denn?«, schnaubte Cornelius.

Zacharias hielt seinem anklagenden Blick nicht länger stand, sondern schlug seine Hände vors Gesicht. »Ich werde niemals wieder spielen!«, stöhnte er. »Ich werde niemals …«

Er brach in lautes Geheule aus, das in Cornelius' Ohren nicht echt klang. Wahrscheinlich versuchte Zacharias, Mitleid zu erregen, indem er sich hilflos wie ein kleines Kind gab. Doch Cornelius fühlte kein Mitleid, nur Wut, grenzenlose Wut, Verachtung für seinen Onkel – und zugleich Entsetzen über sich selbst. Am liebsten hätte er ihn gepackt und geschüttelt, bis er zu heulen aufhörte.

Er ertrug ihn nicht länger. Er ertrug sich selbst nicht länger.

Er stürmte aus dem Zimmer und lief die schiefe Treppe hinunter. Rosaria steckte neugierig ihren Kopf aus der Stube und rief ihm irgendetwas zu, wahrscheinlich, dass er die Miete zahlen müsste.

»Verfluchtes Weib!«, schimpfte er und erschrak noch mehr über den Hass, der in ihm brodelte.

Das Schlimmste hier war nicht die harte Arbeit, nicht der greinende Onkel, nicht die Armut, in der sie lebten. Das Schlimmste waren diese dunklen Gefühle, diese Verbitterung, diese Hoffnungslosigkeit. Auch früher hatte er dergleichen geschmeckt, damals, als er nicht zur Pastorenausbildung zugelassen worden war, als seine Mutter nach dem schlimmen Streit starb und Matthias während der Demonstration in Berlin erschossen wurde. Aber dann … auf dem Schiff war alles anders geworden. Elisa hatte ihn davon befreit. Elisa …

Er versuchte, ihr Gesicht heraufzubeschwören, sich an den Klang ihrer Stimme, ihres Lachens zu erinnern. Doch sein Kopf war leer, alles in ihm stumm, selbst die Wut schwand, je schneller er lief. Er wusste nicht, wohin er floh. Die Straßen und Gassen, die ihm vertraut geworden waren, erschienen wie ein riesiges Labyrinth. Aber was zählte es schon, wenn er sich verlief und nie wieder zurückfand – solange er nur vor sich selbst davonlaufen konnte, seiner Bitterkeit, seinem Hass.

Er blieb erst stehen, als er kaum mehr Luft zum Atmen fand und ein Geräusch plötzlich in die Stille drang: markerschütterndes Geschrei – höhnisch aus den einen Mündern, verzweifelt flehend aus einem anderen.

Sie hatten den Mann eingekreist, traten immer näher auf ihn zu. Zuerst presste sich ihr Opfer an eine Hauswand, dann versuchte es, geduckt zu entwischen. Nur vermeintlich gewährte man ihm die Flucht; schon nach wenigen Schritten griffen zwei der Angreifer gleichzeitig nach ihm: Der eine packte den jungen Mann am Arm, der andere am Kragen. Gemeinsam schleiften sie ihn zurück – unter grölenden Rufen und höhnischem Gelächter.

Nun ergab sich der Arme der Übermacht und wehrte sich nicht mehr gegen die sechs jungen Männer – Deutsche allesamt, wie Cornelius an den Worten erkannte, die sie sich zuriefen.

»Was ist hier los?«

Seine Stimme klang gepresst von der anstrengenden Arbeit, vor allem aber vor Zorn.

Nur spielerisch hatten sie zunächst auf den Mann eingeschlagen, ihn nur zum Stolpern, nicht zum Fallen gebracht, doch mit der Zeit wurden die Faustschläge unbarmherziger, die eben noch lachenden Gesichter verzerrter. Niemand achtete auf Cornelius.

»Nun zeig uns doch, was du kannst, Rothaut!«

»Willst du uns gar nicht in die Augen sehen?«

»Meiner Schwester hast du doch eben auch begehrlich nachgestarrt!«

Erstmals ließ sich auch die dünne Stimme des Opfers vernehmen. Cornelius war nicht sicher, ob er ihn richtig verstand.

»Habe nicht …«

Er kam nicht weit. Ein Faustschlag traf ihn im Magen. »Hast dir wohl überlegt, wie weit du bei unseren Frauen kommen kannst, oder? Aber lass es dir gesagt sein: 's sind anständige Frauen!«

»Bild du dir ja nicht ein, dass deine Zauberkräfte reichen, sie zu verführen.«

»Lass die Finger von meiner Schwester oder …«

Wieder vermeinte Cornelius, etwas aus dem Mund des Gequälten zu hören, doch es waren keine Worte, nur ein unterdrückter Seufzer.

»Was ist hier los?«, fragte er wieder, diesmal schneidig genug, dass die Männer zu ihm herumfuhren.

Sie waren nicht alt, das erkannte er jetzt, zählten siebzehn, vielleicht achtzehn Jahre. Nur wenige Bartstoppel bedeckten ihre Gesichter, die vor Belustigung und Aufregung gerötet waren. Kein echter Hass auf ihr Opfer spiegelte sich darin, eher Langeweile und Lust auf Abwechslung, doch die Folgen, die der Arme zu tragen hatte, waren dieselben.

Wieder traf ihn ein Faustschlag.

»Was hat er euch denn getan?«, rief Cornelius empört.

Nachdem sie ihn abwechselnd herumgeschubst haben, wich zumindest einer der Angreifer aus dem Kreis zurück. »Wir wollten doch nur wissen, wie viel Trauco in ihm steckt!«

»Trauco?«, fragte Cornelius verständnislos.

Einer der Männer kicherte los; der dunkle, kleine hingegen senkte verlegen den Blick. Cornelius sah, dass seine Wangen flammend rot wurden – vielleicht vor Scham, vielleicht vor ohnmächtiger Wut.

»Der Trauco ist ein Unhold, der in den Wäldern von Chiloé wohnt – gemeinsam mit Hexen und Zauberern.« Wieder kicherte der Mann.

»Weißt du das denn nicht?«, kiekste ein anderer. »In der Nähe des Traucos werden die Frauen läufig wie die Hündinnen. Winselnd legen sie sich vor ihn, spreizen die Beine und lassen sich von ihm begatten. Dass er klein und hässlich ist, stört sie nicht. Und es ist ja auch nicht alles an ihm klein … wenn du verstehst, was ich meine.«

Er machte eine obszöne Geste, die Cornelius nicht genauer ergründen wollte. Wieder blickte er auf den Mann, der weiterhin geduckt dastand, in dessen Miene sich jedoch keinerlei Gefühle spiegelten. Kränkung, Zorn und Ohnmacht mochten in ihm hochgestiegen sein, doch anstatt ihnen nachzugeben, ließ er nun den Spott der Männer über sich ergehen, als hätte der nichts mit ihm zu tun.

»Lasst ihn los!«, zischte Cornelius.

Vielleicht irrte er sich, aber das Opfer kam ihm bekannt vor. Hatte er ihn etwa bei der Arbeit getroffen? Die meisten seiner Kollegen waren Deutsche und spanischstämmige Chilenen. Aber er hatte auch Gerüchte über die Mapuche gehört – Ureinwohner Chiles, die von den meisten nur abfällig Rothaut oder Indianer genannt wurden. Ihre Körper waren zwar kleiner und gedrungener, aber zäher und ausdauernder. Cornelius konnte sich nicht daran erinnern, auch nur einen Klagelaut von ihnen gehört zu haben – vielleicht ein Grund, warum er sie bis jetzt missachtet und mit keinem von ihnen je geredet hatte. Zu drückend schienen ihm die eigenen Lasten, zu ausgefüllt war er von eigenen Sorgen.

Trotz seiner scharfen Worte rückten die Männer nicht ab. Grölend schrien sie weitere Beleidigungen, lachten, stießen den Mapuche immer erbarmungsloser herum. Er stolperte erneut, fiel jedoch nicht hin.

»Also, Trauco! Sag uns, was den Weibern gefällt!«

Cornelius sprang in ihre Mitte und stellte sich schützend vor den Mapuche, noch ehe er wusste, was er tat. Branntweingeruch schlug ihm entgegen, doch dass die Männer betrunken waren, folglich viel schneller zur Gewalt bereit, schüchterte ihn nicht ein. Der Gestank ließ ihn vielmehr an den Onkel denken, und er ballte seine Hände zu Fäusten.

»Sechs gegen einen, wie mutig!«, rief er erbost.

Er stieß den ersten zurück, noch ehe ihm bewusst wurde, dass diese sechs auch für ihn eine bedrohliche Übermacht waren, und trat mit dem Fuß nach zwei weiteren. Er traf sie nicht, dennoch wichen sie zurück – vielleicht, weil sie in seinem Gesicht etwas lasen, was ihnen unheimlich war: blanker Hass.

»He, he!« Beschwichtigend hob einer die Hände. »Wir wollten ihm doch nichts tun! Nur ein wenig unseren Spaß mit ihm
haben!«

»Den hattet ihr!«, schrie Cornelius. »Und jetzt haut ab!«

Kopfschüttelnd wichen die Männer vor seinen Fäusten zurück. Zwei machten sich schon auf den Rückzug, drei schienen geneigt, ihnen zu folgen, nur einer blieb noch trotzig vor
Cornelius stehen.

»Was setzt du dich für eine Rothaut ein?«

»Geht's dich was an?«, gab er zurück, packte ihn an den Schultern und rüttelte ihn. Unwirsch entzog sich der andere seinem Griff, aber setzte der Attacke ansonsten nichts entgegen.
Möglicherweise nicht nur wegen des gefährlichen Glimmens
in seinen Augen, sondern weil seine Statur sich in den letzten
Monaten geändert hatte. Wenig hatte er noch mit dem schmalen, gelehrten Jüngling gemein, über den sich Matthias einst
lustig gemacht hatte. Er hatte sowohl an den Schultern als auch
an den Oberarmen Muskeln zugelegt.

»Haut ab!«, brüllte er wieder.

Sein Gegner schüttelte den Kopf. »Was für ein Aufruhr …
nur wegen einer Rothaut …«

Dann zerstreuten sie sich. Nur der Mapuche war regungslos
stehen geblieben. Erst jetzt fiel Cornelius dessen sonderliche
Kleidung auf. Sie glänzte im untergehenden Sonnenlicht speckig – und irgendwie bläulich.

Nicht nur Mapuche wurden sie genannt, so fiel ihm jetzt wieder ein, sondern auch Araukaner – nach jenem Gebiet, Araukanien, das sie schon besiedelt hatten, ehe die ersten Spanier
kamen. Ob sie sich auch selbst so bezeichneten, wusste er
nicht. Vor der Reise nach Chile hatte Cornelius die Schriften
eines Franziskaners gelesen, der die dortigen Ureinwohner
missionieren wollte, und wenn der Onkel ängstlich von den

Wilden sprach, die gewiss auf seinen Skalp aus wären und obendrein darauf, ihn bei lebendigem Leib zu rösten, so wusste er ihm entgegenzuhalten, dass sie ein friedliebendes Volk seien.

»Erschlagen werden sie uns!«, hatte der Onkel geklagt.

»Ach was! Sie müssen uns viel mehr fürchten als wir sie. Viele arbeiten für die Spanier, und diese halten sie kaum besser als Sklaven.«

»Ob sie wohl Federn auf den Köpfen tragen wie die Rothäute in Amerika?«, hatte Zacharias immerhin neugierig gefragt, und Cornelius daraufhin erklärt: »Sie jagen Robben und Seelöwen – daraus machen sie ihre Kleidung …«

Das fiel Cornelius jetzt wieder ein, als er die sonderliche Tracht des Mannes musterte. »Wie heißt du?«, fragte er.

Keine Antwort. Immerhin hob der Mann das Gesicht. Seine Augen waren abgründig schwarz.

»Verstehst du mich? Kannst du meine Sprache sprechen? Wie heißt du?«

Der andere öffnete seinen Mund und sagte etwas. Cornelius war sich nicht sicher, ob er die Silben richtig verstanden hatte.

»Quidel«, sprach er sie nach. »Ist das dein Name? Quidel?«

»Ja«, der Mann nickte, »ja, das mein Name.«

Er beherrschte nur gebrochenes Deutsch, aber immerhin reichte es, um sich verständlich zu machen.

»Komm«, sagte Cornelius, »ich begleite dich nach Hause.«

»Kein Zuhause.«

»Aber irgendwo musst du doch leben!«

Quidel zuckte mit den Schultern und deutete schließlich in eine bestimmte Richtung. Cornelius erblickte einige der zerfallenen Häuser, die von der Wucht des Erdbebens kündeten. Nur hüfthoch standen ihre Mauern, über die man – offenbar als eine Art Dach – Lederhäute gespannt hatte. Unmöglich konnte man in diesen Gebilden stehen, ja, nicht einmal hocken, bestenfalls schlafen und Schutz vor Regen zu finden, aber gewiss war es in der Nacht eisig kalt.

»Dort lebst du?«, fragte Cornelius entsetzt. »Immer schon? Bist du dort aufgewachsen?«

Wie blind musste er gewesen sein, dass er nie die Menschen sah, die in den zerfallenen Häusern lebten – unwürdig, ärmlich, ausgebeutet.

»Nein. Ich aus Nacimiento.«

Cornelius hat keine Ahnung, wo das war; wahrscheinlich lag es in dem Gebiet, das man Araukanien oder Araukarierland nannte. Unscharf erinnerte er sich daran, wie der Aufseher einmal ausgespuckt hatte. »Von dort kommt nur Pack, und nur Pack geht dorthin. Halte dich fern von ihnen.«

»Wie alt bist du, Quidel?«

Wieder zuckte der andere mit den Schultern, entweder weil er es nicht wusste oder weil er keine Zahlen kannte.

»Hast du Hunger?«, fragte Cornelius. »Du siehst schrecklich mager aus. Ich … ich kann dir etwas Brot kaufen.«

Die dunklen Augen, eben noch hart und leer, begannen zu glänzen. Quidel sagte nichts, aber Cornelius war, als würde er lächeln, sehr vorsichtig nur, nicht sicher, ob es sich lohnte, auf den Fremden zu setzen – und dennoch dankbar, dass dieser ihn vor dem Zugriff der Männer gerettet hatte.

Zacharias hatte ihm in den letzten Wochen niemals Dankbarkeit gezeigt, obwohl er sich für ihn förmlich aufrieb. Cornelius erwiderte das Lächeln, fühlte, wie sämtlicher Hass, sämtliche Wut von ihm abfielen und ihm warm ums Herz wurde.

»Na, dann komm mit.«

15. Kapitel

Sechs Monate später

Elisa sah Annelie über die Schultern: »Bist du fertig?«
Unwillkürlich hatte sie ihre Stimme gesenkt, obwohl
alle, die sie hören konnten, ohnehin von dem heimtückischen
Plan wussten.

»Ja«, erwiderte Annelie ebenso leise und wandte sich dann an
Jule. »Ich brauche jetzt dein Mittel.«

Jule reichte es ihr mit einem Ausdruck von Spott und Ungeduld.

»Und es wirkt tatsächlich?«, fragte Christine, die Katherl den
Umhang zuband. Das Kind rieb sich müde die Augen, eigentlich war längst Schlafenszeit.

Jule kicherte. »Der Arme wird eine unruhige Nacht vor sich
haben.«

»Wenn er es denn überhaupt annimmt«, meinte Christine
skeptisch. Sie teilte die Ansicht aller, dass nun, nach einem weiteren halben Jahr bei Konrad Weber, endgültig die Zeit ihrer
Flucht gekommen war, aber von ihnen allen war sie es, die am
lautesten ihre Zweifel daran bekundete.

»Keine Sorge«, meinte Annelie. »Ich habe in den letzten Monaten alles darangesetzt, um das Vertrauen der beiden Weber-
Söhne zu gewinnen. Moritz wird sich bedanken und gierig
die Suppe aufessen.«

Annelie hatte es in der Tat sehr geschickt angestellt. Zunächst hatte sie sich nicht bei den Webers, sondern bei Lambert ein-geschmeichelt, der von ihr zwar eine nicht minder schlechte Meinung hatte wie von jeder Frau, aber verwundert feststell-te, dass sie erstaunlich gut kochen konnte.

»Nun ja«, hatte er schließlich, halb griesgrämig, halb genieße-risch, festgestellt, »das gehört eben zu den wenigen Dingen, die ihr Weiber besser könnt als unsereins.«

Hungrig hatte er sich über den Lammbraten hergemacht, den zu braten sie ihm angeboten hatte, und schließlich hatten sich ihre Künste bis zu Konrad herumgesprochen. Er hatte An-nelie rufen lassen, und noch ehe er ihr befehlen konnte, fortan seine Mahlzeiten zuzubereiten, war sie vermeintlich zitternd und ängstlich vor ihm auf die Knie gegangen und hatte ausge-rufen, dass sie gerne für ihn kochen würde, wenn er denn nur ihren armen, kranken Mann von der Arbeit befreite.

Konrad hatte seine Stirn in Falten gelegt. Offenbar war ihm erst in diesem Augenblick aufgegangen, dass Richard von Gra-berg ohnehin nicht arbeitete – ob er es ihn nun erlaubte oder nicht –, da sein trübsinniges Gemüt den Körper ähnlich lähm-te und unbrauchbar machte wie Jakob Steiner dessen steife Beine.

Seitdem ging Annelie bei den Webers ein und aus. Sie war es auch, die herausgefunden hatte, dass Konrad mit seinem älte-ren Sohn zum Hafen von Corral aufgebrochen war, während der jüngere Moritz über die Baracken nahe der Hazienda wachte.

»Los jetzt«, befahl Jule, nachdem Annelie das gebrannte Ma-gnesium, das sie einst aus den Schränken des Schiffsarztes hat-te mitgehen lassen, in die Suppe gerührt hatte. Annelie nahm den Topf und entschwand eilig in die dunkle Nacht. Elisa ent-ging nicht, dass Richard den Kopf hob. In den letzten Wochen war die Starre sichtlich von ihm abgefallen. Er aß wieder mit

Appetit, redete manches Wort mit ihnen und war sogar einige Male nach draußen gegangen. Verwundert hatte er den Ort betrachtet, an den er geraten war, ohne dass er sich daran erinnern konnte.

Es wird ihm bessergehen, dachte Elisa, es wird ihm noch viel besser gehen, wenn wir erst einmal von hier fortgegangen sind.

Sie trat zur Tür und beobachtete, wie Annelie mit der dunklen Nacht verschmolz. Es war September und damit schon Frühling, doch die Nächte waren lang und kühl.

Ungeduldig rieb sie ihre Hände aneinander, starrte angestrengt in die Schwärze und lauschte auf die Schritte, die von Annelies Rückkehr künden würden. Sie zuckte zusammen, als plötzlich ein Schatten neben ihr auftauchte. Doch als sie mit einem Aufschrei herumfuhr, sah sie, dass es nur Lukas war, der zu ihr getreten war.

Sie schalt sich innerlich dafür, ihre Anspannung nicht besser im Griff zu haben. »Ist die Trage für deinen Vater fertig?«, fragte sie.

Lukas nickte. »Er kann es kaum erwarten.«

Jakob hatte Christine während der letzten Monate ständig Vorwürfe gemacht, weil sie seinetwegen mit dem Aufbruch warten wollte. »Warum auf mich Rücksicht nehmen?«, hatte er mehr als nur einmal geknurrt. »Tragen müsst ihr mich ohnehin. Ich werde morgen nicht besser laufen können als heute.«

Nun, da bis auf die gelähmten Beine keine sichtbaren Blessuren von seinem Unfall geblieben waren, konnte er sich endlich durchsetzen und fieberte der Flucht genauso entgegen wie alle anderen.

»Wenigstens besitzen wir so wenig, dass es nicht viel zu packen gilt.« Elisa fröstelte, als sie daran dachte, dass sie mit fast nichts hier angekommen waren und mit fast nichts aufbrechen würden – obwohl sie anderthalb Jahre so hart gearbeitet hatten.

Raschelnde Schritte ertönten. Nicht lange, und Annelie trat ins fahle Licht, vor Kälte bebend wie sie. »Und?«, fragte Elisa begierig.

Sie grinste. »In riesigen Schlucken hat er die Suppe verschlungen, genau wie ich's mir dachte. Ein paar Stunden, und er wird das Gefühl haben, die Därme werden ihm zerreißen. Er wird so damit beschäftigt sein, sich zu entleeren, dass er gar nicht bemerkt, was wir vorhaben.«

Schnell huschten sie wieder in die Baracke, wo sich alle versammelt hatten. Fritz wirkte grimmig entschlossen, Poldi ungeduldig, Annelie kicherte unruhig. Christine äußerte wieder Zweifel an ihrem Plan, woraufhin Jule sie mit der üblichen spöttischen Stimme anherrschte und Christine ihre Nase rümpfte. Katherl rieb sich immer noch müde die Augen, aber lächelte, die anderen beiden Steiner-Mädchen hatten sich aneinandergekuschelt und schliefen. Auch Andreas und Theresa Glöckner, die alle Resa riefen, waren eingenickt, während ihr Vater Taddäus mit gleichmütigem Gesicht neben ihnen saß und Barbara über das Haar der schlafenden Kinder strich.

»Wir haben immer noch nicht geklärt, wie viele Kühe und Schafe wir mitnehmen sollen und wie viele Pferde«, sagte Jule.

Eben noch hatte sie hochmütig über sie hinweggesehen, nun fauchte Christine sie wütend an: »Ich werde gewiss zu keiner Diebin.«

Elisa seufzte. Seit Tagen schon währte dieser Streit, ohne dass es zu einer Entscheidung gekommen war.

»Wir stehlen nicht«, meinte Jule. »Wir haben für ihn gearbeitet, also steht uns auch ein gerechter Lohn zu.«

»Was Konrad Weber mir nicht freiwillig gibt, will ich gar nicht haben!«

»Deinen gelähmten Mann hat er dir auch nicht freiwillig eingebrockt und du hast ihn trotzdem.«

»Bitte!« Zu Elisas Erstaunen mischte sich weder Annelie ein, der ansonsten die Rolle der Schlichterin zukam, noch Fritz Steiner, der nach und nach zu ihrem Wortführer geworden war, sondern Barbara. Sie hatte sich vorsichtig von ihren Kindern gelöst und war aufgestanden. »Bitte, wir sollten nicht streiten! Und wir sollten kein großes Vieh mitnehmen! Wir kennen den Weg nicht, der Wald wird an vielen Stellen ein undurchdringliches Dickicht sein. Störrische Tiere durchzutreiben, für die wir obendrein zu wenig Futter haben, wäre viel zu anstrengend. Wir haben immerhin die Hühner, das sollte reichen. Und außerdem haben wir Konrad fast sein ganzes Werkzeug gestohlen.«

Jule grummelte abermals missmutig, dass von Diebstahl wohl keine Rede sein konnte, vielmehr von gerechtem Lohn, aber sie konnte sich den Worten nicht widersetzen – zu vernünftig klangen sie in ihrer aller Ohren.

Sie hatten noch bei Tageslicht begonnen, unbemerkt die Hühner aus Konrads Verschlägen zu holen und sie in kleine Körbe zu sperren, die sie dann schultern würden. Anfangs hatten sie aufgeregt gegackert, doch mittlerweile waren sie gottlob ruhig.

Stille senkte sich über die Baracke. Elisa wusste, dass es am besten wäre, wie die Kinder zu schlafen, doch sie konnte ihre Anspannung und Unruhe nicht abschütteln. Selbst Christl und Lenerl waren nach einer Weile wieder erwacht; Letztere murmelte etwas, was wie ein Gebet klang. Barbara und Annelie tuschelten miteinander und kicherten plötzlich los – ein Geräusch, das nicht nur in Elisas Ohren unpassend klang. Doch niemand rügte sie. Gänzlich ruhig saß Antiman, der Mann aus Chiloé, der die schlimmen Narben im Gesicht trug.

Annelie hatte ihm – gegen Jules Willen – von ihrem Plan erzählt, Konrads Hazienda zu verlassen, und er hatte zugestimmt, sie zu begleiten, vorausgesetzt, die Flucht ginge ohne unnötige Hast vonstatten.

»Wer sich beeilt, verliert Zeit«, hatte er gesagt – zumindest behauptete Annelie das.

»Er beherrscht unsere Sprache nicht und du nicht die seine. Hast ihn also sicher falsch verstanden!«, hatte Jule wütend entgegnet.

Trotz des aufgeregten Grummelns in ihrem Magen schloss Elisa die Augen und ließ den Kopf gegen die Wand sinken. Wie so oft, wenn sie sich hilflos und verloren fühlte, beschwor sie in ihren Gedanken Cornelius herauf. Dann stellte sie sich vor, dass er bei ihr wäre, sie auf seine besonnene, aber nicht minder bestimmte Art beruhigen und Mut zusprechen würde. Er würde ihre Hand drücken, sie würde ihren Kopf an seine Brust lehnen, vielleicht würden sie sich küssen, wie damals am Strand – und sie würde sich lebendig fühlen, stark und bereit, sämtliche Herausforderungen anzunehmen.

Elisa lächelte, während ihr Herzschlag ruhiger wurde. Das Bild von Cornelius verschwand, stattdessen vermischten sich die Eindrücke des Tages mit Bildern eines künftigen Lebens; immer wirrer wurden sie, immer verrückter, bis sie hochschreckte und bemerkte, dass es nur Träume waren und sie kurz eingenickt war. Sie rieb sich die Augen, in ihrem Mund schmeckte es bitter.

»Aufwachen!« Es war Lukas, der an ihrem Arm rüttelte, während Fritz und Taddäus schon die Bahre geschultert hatten, auf der sie Jakob tragen würden. Eigentlich war Poldi für diese

Aufgabe auserkoren worden, aber Taddäus hatte sich einge-
schaltet und gemeint, dass er kräftiger sei.

»Aber es ist unser Vater«, hatte Fritz gesagt.

»Wir machen nun alles zusammen«, hatte Taddäus erwidert.

Elisa rappelte sich hastig auf; nach dem kurzen Schlaf fühlte
sie sich müde und schwer, und sie schüttelte sämtliche Glieder, um wieder frisch zu werden. Richard trat an Annelies
Arm nach draußen, und Elisa folgte ihnen, erleichtert, dass
der Vater den Aufbruch nicht verweigerte und einfach träge
sitzen blieb.

Diesiges Licht erwartete sie im Freien. Der Wald war von einem dichten Nebelschleier verborgen. Der Boden dampfte
wie immer, bis zu den Knien staksten sie in dieser wabernden
Suppe. Immerhin regnete es nicht; und wenn sich erst der
Nebel löste, würden sie vielleicht einige Sonnenstrahlen erhaschen können. Elisa schloss kurz die Augen, nahm einige tiefe
Atemzüge.

Fritz verkündete nun die Reihenfolge, in der sie aufbrechen
würden. »Taddäus und ich gehen mit Vater voran, wir geben
das Tempo vor. Die Mädchen folgen mit meiner Mutter und
Jule. Poldi, du bleibst bei Barbara und ihren Kindern. Lukas
und Elisa, ihr geht als Letzte und habt darauf zu achten, dass
keiner zurückbleibt.«

Sie folgten seinen Weisungen und nahmen Aufstellung. Als
sie sich von der Baracke entfernten, wurde der Boden mat-
schiger. Nicht lange, und sie würden knöcheltief in Schlamm
versinken.

»Auf geht's!«, schrie Fritz, und Elisa konnte ihm anhören,
wie begierig er war, endlich diesen verfluchten Ort zu verlassen. Er genügte ihm nicht, seinen Triumph in Worte zu fassen.
Noch einmal trat er zur Baracke zurück und trat gegen die
Tür, die unter der Wucht zusammenbrach.

Ein knallendes Geräusch ertönte – und dann plötzlich noch eines, viel lauter, viel unerwarteter, denn Fritz hatte kein zweites Mal zugetreten, sondern stand still. Sie zuckten zusammen, fuhren herum. Konrad Weber trat aus dem Morgennebel; das Gewehr, das er in der Hand hielt, rauchte.

»Dass ihr es wagt!«, sagte er halb bitter, halb spöttisch. »Dass ihr es tatsächlich wagt!«

»Das darfst du nicht tun!«

Greta starrte ihn mit aufgerissenen Augen an. Viktor war zutiefst erschrocken, als sie plötzlich hinter ihm stand, aber es hatte ihn nicht davon abgehalten, seinen Plan zu verfolgen, auch wenn sie nun fortwährend wiederholte: »Das darfst du nicht tun!«

»Aber ich muss es tun, verstehst du nicht?«, fuhr er sie an. »Sonst nehmen sie uns nicht mit! Sonst lassen sie uns bei Vater!«

Er sprach sonst nie so barsch mit ihr.

Greta senkte ihren Blick. »Wir bleiben zusammen«, sagte sie. »Wir müssen unbedingt zusammenbleiben.«

»Genau deswegen tue ich das ja. Für dich. Für uns.« Seine Hände zitterten, als er das Gewehr an sich nahm. Er hatte es noch nie berührt, hatte sich bis jetzt nicht einmal in die Nähe der Truhe gewagt, wo es aufbewahrt wurde. Der Vater würde ihn totschlagen, wenn er ihn dabei ertappte, zumal das Gewehr ein Geschenk von Konrad Weber war.

Der Vater, ansonsten meist verbittert, hatte stolz damit geprahlt. In dieser Wildnis hier wäre das Leben zwar hart, doch es wäre der erste Ort, wo einer anerkennen würde, was in ihm steckte, wo man ihn nicht ständig kleinmachte, im Gegenteil.

Viktor schloss die Truhe wieder, nachdem er das Gewehr herausgeholt hatte. Von der Bettstatt des Vaters kam lautes Schnarchen – ein Zeichen, dass er tief und fest schlief.

»Hör mir zu, Greta!« In ihrem Gesicht stand ein zweifelnder Ausdruck, aber zumindest versuchte sie nicht mehr, ihm sein Vorhaben auszureden. »Du bleibst hier und wartest … und dann nach einer Weile … wenn ich alles geregelt habe, dann schleichst du mir nach.«

Offen blieb, woher sie wissen würde, wann er alles geregelt hatte. Doch das war im Moment das geringste Problem. Als Viktor sich umdrehte, taumelte er unter der Last des Gewehrs.

»Du weißt doch gar nicht, wie man damit schießt«, sagte sie. Klang sie etwa verächtlich?

Er packte die Waffe fester, obwohl seine Hände noch stärker zitterten. »Das ist nicht wichtig! Es genügt, wenn ich es gegen sie richte! Dann werden sie es mit der Angst zu tun bekommen, und …«

Er sprach es nicht aus, aber gewiss wusste sie, was er sagen wollte: Und dann werden sie uns mitnehmen. Dann werden sie uns nicht bei Vater zurücklassen.

»Wir könnten sie doch auch einfach darum bitten«, schlug sie vor.

»Ach was!«, zischte er. »Haben sie je einen Gedanken an uns verschwendet? Auch nur einen einzigen? Ich habe sie belauscht … über Wochen habe ich sie belauscht. Und nie sind unsere Namen gefallen. Nie!«

Schulterzuckend trat Greta zur Seite und gab ihm den Weg nach draußen frei. Er musste all seine Kraft aufwenden, um das Gewehr nicht fallen zu lassen. Jeder einzelne Schritt kostete ihn Überwindung, umso mehr, als ihn das Morgenlicht plötzlich blendete.

Er lauschte angestrengt. Vorhin hatte er beobachtet, wie die anderen Siedler die Baracke verlassen hatten. Sie hatten versucht, leise zu sein, aber ihm war das Gemurmel nicht entgangen – ganz anders als Konrads Sohn. Auch ihn hatte Viktor die letzten Stunden über beobachtet, und die meiste Zeit war er gekrümmt und stöhnend im Gebüsch gehockt. Jetzt war nichts zu hören, weder von Moritz Weber noch von den Siedlern. Totenstille hatte sich über die Baracken gesenkt – kam er etwa zu spät?

Doch plötzlich vernahm Viktor eine Stimme, eine altvertraute, bedrohliche. Sie hätte ihn nicht mehr erschrecken können als die seines Vaters. Er zuckte zusammen; seine Hände wurden so feucht, dass das Gewehr ihm zu entgleiten drohte, beinahe knickten seine Beine ein.

Aber dann dachte er an Greta, an die zweifelnde, etwas verächtliche Greta. Er würde es schaffen – für sie. Er musste es einfach schaffen. Er hielt die Luft an, als er sich heranschlich, inständig hoffend, dass man das Knirschen seiner Schritte nicht hören würde. Dann sah er den Mann, der da mit lauter Stimme sprach. Konrad Weber.

Anders als er hielt der sein Gewehr sicher und fest in den Händen. Und anders als er wusste er wohl auch, wie man damit schoss.

»Hier geht niemand weg, wenn ich es nicht erlaube.«

Viktor sah, dass sich die Frauen ängstlich aneinanderpressten, und trotz der eigenen Furcht musste er unwillkürlich grinsen. Also war er nicht der einzige Feigling.

Fritz Steiner hingegen war kein Feigling. Stolz stand er vor Konrad Weber. »Wir sind nicht deine Sklaven«, erklärte er mit fester Stimme. »Wir können tun, was uns beliebt!«

Konrad lachte auf. »Wohin wollt ihr denn gehen? In den Urwald? Ihr werdet euch verirren, ihr werdet elendiglich zugrunde gehen.«

»Wir haben einen Plan«, entgegnete Fritz fest, »und Sie werden uns nicht davon abhalten.«

»Werde ich nicht?« Ruckartig richtete er die Waffe auf ihn.

Für Greta, dachte Viktor wieder, für die zweifelnde, verächtliche Greta. Ich muss es schaffen.

Er stand kaum mehr fünf Schritte von Konrad entfernt und überbrückte auch das letzte Stück. Seine Gedanken waren wie ausgehöhlt, das Bild vor ihm verschwand, nur das Gesicht seiner Schwester stand ihm deutlich vor Augen, wie sie ihm sagte, er könnte das Gewehr vielleicht halten, aber nicht schießen.

Muss ich ja nicht, dachte er beinahe trotzig.

Er hatte auch die Siedler nicht erschießen wollen, ihnen vielmehr Angst einjagen, und er wollte auch Konrad nicht erschießen, sondern rammte ihm lediglich das Gewehr in den Rücken. Konrad zuckte zusammen, und diese Regung schien sich über die Waffe auf Viktors eigenen schmächtigen Körper auszubreiten. Ein Zittern überkam ihn, noch unbändiger als vorhin.

Seine Hände wurden gefühllos, so fest umklammerte er das Gewehr. »Wenn du die Waffe nicht sinken lässt, bist du tot!« Viktors Stimme war nicht lauter als ein Krächzen.

Im nächsten Augenblick geschah so vieles gleichzeitig, dass Viktor später nicht mehr wusste, in welcher Reihenfolge es passierte. Konrad fuhr herum, und etwas prallte gegen seinen Kopf. Viktor konnte nicht sagen, ob Konrad mit dem Gewehr auf ihn einprügelte oder mit seinen Fäusten. Er duckte sich bebend, und dann sah er plötzlich eine der Waffen auf dem Boden liegen. War es das eigene Gewehr oder das von Konrad?

Er fühlte die Schläge nicht mehr, sondern blickte auf die Hände, schweißnass, zitternd – und leer. Erneut traf ihn ein

Schlag, und diesmal ging er unter der Wucht zu Boden – jedoch nicht als Einziger. Auch Konrad war plötzlich gefallen und schrie aus Leibeskräften. Ehe Viktor verstand, warum und wonach, riss das Schreien ab; nur mehr ein gurgelnder Laut war zu hören.

Viktor starrte auf Konrad Weber. Er lag auf dem Bauch; sein Gesicht steckte im Schlamm. Er versuchte zwar, den Kopf mit aller Macht zu drehen, aber er konnte nicht verhindern, Dreck zu schlucken. Mit beiden Händen wollte er wild um sich schlagen, doch sie griffen ins Leere. Einer der Steiner-Söhne hockte auf seinem Rücken, die Hand am Nacken, um ihn dort festzuhalten. Ein zweiter hatte sich auf den Kniekehlen niedergelassen, so dass er unfähig war, nach ihnen zu treten. Sie mussten sich in dem Augenblick auf ihn gestürzt und ihm die Waffe aus der Hand geschlagen haben, als er zu Viktor herumgefahren war.

»Verflucht!«, gurgelte Konrad. Wieder griff er ins Leere, doch seine Hände kamen bedrohlich nahe an Viktors Gesicht heran. Ein Schlammspritzer traf seine Wangen. Plötzlich packte ihn jemand – nicht Konrad, sondern eine Frau. Sie zog ihn hoch, und erst jetzt bemerkte Viktor, dass der Schlamm durch seine Hosen gedrungen war. Alles war nass und klamm. Vielleicht hatte er sich aber auch in die Hose gemacht, das geschah oft, vor allem nachts.

Nun sah er auch den dritten Sohn der Steiners, Lukas. Er hielt ein Gewehr – Viktors Gewehr, oder vielmehr das seines Vaters. Neben Lukas stand der Tiroler, dessen Namen Viktor nicht kannte, und hielt ebenfalls eine Waffe – die von Konrad.

Immer noch fühlte er den Griff der Frau. Viktor stand so erstarrt, dass er sich nicht umdrehen konnte, um zu erkennen, wer ihm geholfen hatte. Stimmen riefen durcheinander, und plötzlich flatterten Hühner aufgeregt in ihren Körben und gackerten. Vielleicht gackerten sie gar nicht, sondern lachten – lachten ihn aus, weil er es nicht geschafft hat, auf Konrad zu schießen.

Das Gackern verstummte, die Stimmen nicht. Konrad stieß weiterhin dreckspuckend die schlimmsten Flüche aus. Fritz Steiner verkündete kalt und klar, dass Konrad sie nicht mehr aufhalten könne. Eine der Frauen lachte und rief, dass er, Konrad, lange auf die Hilfe seines Sohnes warten müsste. Und dann befahl der Tiroler, man solle ihm einen Strick bringen, auf dass er Konrad festbinden könne.

Zuletzt erklang eine Stimme ganz nah an seinem Ohr; sie war leise und sanft, und er konnte den warmen Atem spüren.

»Danke, dass du uns gerettet hast.«

Die Starre fiel von Viktor ab; er fuhr herum, entwand sich den stützenden Händen und erkannte, dass ihn nicht nur eine Frau gehalten hatte, sondern zwei: Christine Steiner und Elisa von Graberg. Er schüttelte sich – vor Unbehagen, vor Furcht und vor Kälte. Seine Haare fühlten sich klebrig an – blutete er, nachdem Konrad ihn getroffen hatte, oder war es nur Schlamm, der da auf seine Kopfhaut sickerte?

»Ihr hättet uns zurückgelassen«, brach es jäh aus ihm hervor. »Ihr hättet Greta und mich einfach im Stich gelassen.« Seine Hände zitterten immer noch, doch seine Stimme nicht. Wieder schüttelte er sich.

Christine und Elisa antworteten nicht, sondern senkten verlegen die Köpfe. Juliane Eiderstett war weniger maulfaul. Sie schaute zuerst verächtlich auf Konrad, dann nicht mehr ganz so verächtlich, aber dennoch von oben herab, auf ihn. Ob sie ahnte, dass er sich vor Angst in die Hose gemacht hatte?

»Euer Vater hat sich auf Konrads Seite geschlagen«, verkündete sie hart. »Was hätten wir denn tun sollen? Euch Kindern vertrauen? Was, wenn ihr zu eurem Vater geranntwäret?«

Viktor streckte seinen Rücken durch. Sämtliche Blicke waren auf ihn gerichtet, selbst der von Konrad, dem der Tiroler eben die Hände hinter dem Rücken fesselte.

»Ich bin bald fünfzehn«, erklärte er und kämpfte darum, nicht zu stottern, »und Greta vierzehn. Wir sind keine Kinder mehr.«

Jule musterte ihn eindringlich: »Siehst mir aber gar nicht danach aus.«

Viktor fühlte, wie seine Wangen rot vor Scham glühten – nach der Kälte das erste warme Gefühl, doch es tat weh, so, als würde man ihn ohrfeigen.

Ehe er etwas erwidern konnte, schob sich Christine vor ihn und schützte ihn vor Jules hartem Blick. »Lass ihn in Ruhe! Er hat recht mit dem, was er sagt. Wir haben uns keine Gedanken darüber gemacht, was aus den beiden wird – und das ist unverzeihlich.«

Sie klang nicht schuldbewusst, eher ärgerlich, und Viktor war sich nicht sicher, ob sie tatsächlich Partei für ihn ergriff oder einfach nur gegen Jule.

Elisa legte vorsichtig ihre Hand auf seine Schultern. »Es tut uns leid«, murmelte sie, »wirklich. Hol deine Schwester, Viktor! Kommt mit uns, wenn ihr wollt.«

Viktor schüttelte ihre Hand ab. Von wegen, es tat ihr leid! Seine Scham wich Wut. Wenn er das Gewehr seines Vaters nicht gestohlen hätte … wenn er Konrad nicht damit überrascht hätte … wenn er … nun gut, allein wäre es ihm nie gelungen, Konrad Weber zu Boden zu zwingen. Aber das hieß nicht, dass er sich auf die anderen verlassen konnte. Das hieß auch nicht, dass sie es von nun an ehrlich meinten.

In einem hatte Elisa von Graberg allerdings recht. Er musste Greta holen. Hatte er nicht vorhin gesagt, sie sollte ihm folgen, wenn er alles geklärt hatte? Er fuhr herum, blickte in sämtliche Richtungen. Doch von Greta war weit und breit nichts zu sehen.

Viktor stürzte zum Haus und drosselte erst kurz davor das Tempo seiner Schritte, um sich lautlos anzuschleichen. Als er die Tür erreicht hatte, lauschte er so angestrengt, dass ihm die Ohren schmerzten. Er vernahm ein lautes Rauschen – wahrscheinlich das eigene Blut –, doch das Schnarchen seines Vaters war verstummt. Behutsam öffnete er die Tür und hielt die Luft an, als sie knarrte. Endlich war der Spalt breit genug, um durchzuhuschen.

»Greta?«, raunte er.

Einer der dunstigen Sonnenstrahlen hatte sich seinen Weg durch die Ritzen gebahnt und fiel auf seine Schwester. Ihr dünnes Haar glänzte wie immer weißlich. Sie stand ganz steif und blickte ihn mit aufgerissenen Augen an. »Greta, was ist denn?«

»Es tut mir leid.«

Sie verstummte augenblicklich, und wieder schmerzte die Stille in seinen Ohren. Kein Atemzug war zu vernehmen, nicht einmal der eigene. Sein Blick fiel auf das Bündel vor Gretas Füßen. Wahrscheinlich war es dort hingefallen, als der Vater ihren Namen gerufen hatte – der Vater, der aufgewacht war, sie ertappt und gestellt hatte.

Plötzlich machte sie wieder den Mund auf, doch er hörte ihren Schrei nicht. Er sah nur eine dunkle Hand auf sich niedersausen, und er konnte förmlich spüren, wie sie ihn traf, so brutal, so erbarmungslos, wie sie ihn oft getroffen hatte. Nicht selten war unter der Wucht ihres Schlags die Haut aufgeplatzt, waren tagelang blutige Schrammen zurückgeblieben und blaue Flecke. Manchmal hatte sein Vater so besinnungslos auf ihn eingeprügelt, dass er sich hinterher nicht mehr rühren konnte und kaum mehr atmen, dass er ohnmächtig geworden war und sich wieder erwachend in einem Meer von Schmerzen wiedergefunden hatte, aus dem es kein Entrinnen gab.

Er fühlte diesen Schmerz bereits und wappnete sich dagegen, doch ehe ihn die Hand traf, drehte er sich blitzschnell im Kreis. Die Hand fuhr ins Leere, der Vater stolperte und fiel fast zu Boden.

Greta stand immer noch stocksteif da. Verwirrung breitete sich in ihrem Gesicht aus – die gleiche Verwirrung, wie sie auch Viktor selbst überkam. Wie hatte er es nur geschafft, der Faust des Vaters zu entgehen?

Plötzlich wusste er es. Es war der Zorn auf die anderen Siedler, der ihn so blitzschnell und wendig gemacht hatte; es war das Wissen, dass sie ohne seine Hilfe Konrad Weber hoffnungslos ausgeliefert gewesen wären. Vor allem aber war es Angst, pure, nackte Angst. Wenn der Vater sie zurückhielt, so würden die Siedler gehen, ohne sich ein einziges Mal nach Greta und ihm umzublicken. Ganz gleich, was Christine vorhin gesagt hatte – niemand würde sie vor Lambert retten, wenn nicht sie selbst.

»Verflucht!«, brüllte der Vater. Er hatte sein Gleichgewicht wiedergefunden, ging erneut auf ihn los, hob die Faust. Viktor blieb so lange ruhig stehen, bis er den heißen Atem spüren konnte, dann duckte er sich, drehte sich blitzschnell und trat Lambert gegen das Schienbein. Obwohl er gewarnt hätte sein müssen, hatte der nicht damit gerechnet, dass sein Sohn sich ein zweites Mal widersetzte. Er brüllte auf, vor Zorn, vor Schmerz, sackte auf die Knie und hielt sich das schmerzende Bein. Viktor staunte. Hatte er den Vater wirklich zu Fall gebracht? Oder war dieser über etwas gestolpert – einen Gegenstand, den Viktor nun plötzlich in der Hand hielt, ohne genau zu wissen, was es war und wann er es an sich genommen hatte, auch ohne zu wissen, was er damit tun konnte. Das Einzige, was er wusste, war, dass sie verloren waren, wenn er den Vater nicht bezwingen konnte.

Da hob er die Hand und schlug ihm den Gegenstand auf den Schädel. Erst als Lambert aufheulend nach vorne sackte, betrachtete er seine Waffe. Es war eine Hacke, mit der die Siedler die Bäume fällten, und in der Hast und Panik hatte er sie verkehrt herum gehalten: Mit dem stumpfen Holzstück hatte er auf seinen Vater geschlagen, wohingegen das obere, scharfe Ende sich in seine Finger schnitt.

»Mein Gott«, stieß er aus. Unmöglich, dass er eine Hacke in den Händen hielt und damit auf den Vater eingeschlagen hatte! Unmöglich, dass es sein Blut war, das auf den Boden perlte!

Plötzlich stand Greta neben ihm. Er nahm sie erst wahr, als sie ihm die Hacke aus der Hand nahm, sie umdrehte und ihm zurückgab. Nun lag sie richtig in den Händen. Den stumpfen Holzgriff konnte er ohne Schmerzen halten.

»Viktor ...«, murmelte sie. Es klang so leise wie vorhin, da sie ihn um Verzeihung gebeten hatte, weil sie dem schlafenden Vater nicht rechtzeitig entwischt war.

»Geh zu den anderen, ich bitte dich«, sagte Viktor schnell.

»Nein«, sagte sie, »ich bleibe.«

Der Vater stöhnte. Nicht mehr lange, und er würde sich aufrappeln, ungeachtet des schmerzenden Schienbeins, ungeachtet des Schlages, den er auf den Kopf erhalten hatte. Viktor starrte auf die Hacke in seinen Händen. Das Gewehr hatte er vorhin nicht ordentlich halten können, doch nun war ja Gretas beschwörender Blick auf ihn gerichtet, der jedes Zittern beschwichtigte, jede Furcht, jedes Entsetzen.

»Tu es!«, befahl sie. Der Hauch ihres Atems traf ihn warm. »Tu es!«

Einen Augenblick lang streifte ihn die Ahnung, dass es keinen

Menschen gab, der so gefährlich war wie Greta, so unheimlich, so kalt, so gnadenlos – weder sein Vater noch Konrad Weber, noch irgendeiner der anderen Siedler. Zu schlagen und notfalls zu töten traute er ihnen zu – doch nicht ohne das geringste Mitleid.

»Tu es«, sagte sie wieder, und diesmal vertrieb ihre heisere Stimme jeden Gedanken. Wie ausgehöhlt war sein Kopf, als er die Hacke hob und zuschlug. In seinem Kopf rauschte das Blut, und abermals war es das einzige Geräusch, das er vernahm. Die Furcht fiel von ihm ab; das Grauen blieb aus, weder vor dem, was er tat, noch vor Greta, die es ihm befohlen hatte. Er schlug einfach zu, immer und immer wieder, so wie er manchmal auf Scheite geschlagen hatte, um sie klein zu hacken.

Er sah nicht hin, wusste nicht, ob die Hacke seinen Vater traf und wo, starrte nur fortwährend auf Greta, und Greta nickte. Greta lächelte.

Das erste Geräusch, das er nach langer Zeit wieder vernahm, war das Poltern, als ihm die Hacke entglitt.

Eine warme Lache umfloss seine Füße. War es Blut vom Vater, oder hatte er sich schon wieder in die Hose gemacht?

Der Vater hatte ihn jedes Mal verprügelt, wenn er seine nasse Hose bemerkt hatte.

Nun würde der Vater ihn nie wieder verprügeln.

Viktor versuchte, einen Schritt zu machen, aber er schaffte es nicht. Die Lache kühlte aus, aber er konnte nicht fliehen. Er würde zusammenbrechen und liegen bleiben, befürchtete er, direkt neben dem toten Vater.

Ja, der Vater war tot, das wusste er plötzlich, ohne auf ihn zu blicken.

Da umschloss ihn Gretas Hand, warm und fest.

»Komm … komm endlich.«

Er folgte ihr willenlos, stand im Freien, ehe er begriff, wie er dorthin gekommen war. Da war der Trog …

»Wasch dich!«

Als er sich nicht rührte, packte Greta ihn am Nacken, zwang ihn, sich zu beugen, und wusch ihn ab. Er fühlte ihre Hände überall, und überall wurde ihm siedend heiß.

»Du … du darfst es ihnen nicht sagen«, stammelte er.

»Das werde ich nicht. Nie. Niemals. Aber du auch nicht.«

Wieder nahm sie ihn an der Hand, und er überließ sich willenlos ihrer Führung. Gemeinsam erreichten sie die anderen Siedler und schlossen sich wortlos ihrem Aufbruch an.

Moritz Weber hatte eine schreckliche Nacht hinter sich. Die Magenkrämpfe hatten mittlerweile nachgelassen, doch seine Beine zitterten immer noch vor Schwäche. Das letzte Mal, als er sich im Gebüsch erleichtert hatte, war er hinterher so erschöpft gewesen, dass er es nicht mehr zurück ins Haus geschafft hatte. Er war einfach auf den feuchten Boden gesunken und eingeschlafen. Als er erwachte und sich aufrappelte, fühlten sich sämtliche Glieder steif an und waren klamm vom Tau.

Er blickte sich um. Ob jemand ihn im Zustand der Schwäche beobachtet hatte? Mit Erleichterung stellte er fest, dass weit und breit niemand zu sehen war. Doch die Erleichterung wandelte sich rasch in Unbehagen, als er auch nichts hörte: kein Gemurmel, keine Schritte, nichts vom üblichen morgendlichen Treiben, wenn sich die Siedler für den Tag rüsteten. Totenstille hing über Baracken, und als er darauf zuschritt, kehrten die Magenkrämpfe zurück. Diesmal löste nicht verdorbenes Essen sie aus, sondern Entsetzen.

»O nein!«

Er sah das Gewehr schon von Ferne auf dem Boden liegen,

achtlos zurückgelassen von jemandem, der der Waffe nicht länger bedurfte. Als er es erreicht hatte, starrte er eine Weile darauf hinab, wagte aber nicht, sich zu bücken und es aufzuheben. Der Boden war aufgewühlt von Fußtritten.

»O nein!«, stammelte er wieder.

Er spitzte die Ohren, immer noch herrschte Totenstille. Kaum wagte er es, die Baracke zu betreten, lugte vielmehr nur vorsichtig durch den Spalt. Leer war der langgezogene Raum, leer, bis auf …

»O nein!«

Er stürmte auf den Vater zu, der dort mit hochrotem Gesicht an einem Stuhl gebunden saß, den Mund geknebelt, so dass er keinen Ton hervorbrachte, obwohl der Schweiß auf seiner Stirn verriet, wie sehr er sich darum bemühte. Rasch riss Moritz ihm den Knebel vom Gesicht.

»Ist das alles, was dir einfällt?«, blaffte Konrad ihn an. »Immer nur ›O nein!‹ zu rufen?«

Moritz löste die Fessel, und kaum hatte der Vater wieder Bewegungsfreiheit, sprang er auf und stampfte wütend auf dem Boden auf.

»Wo hast du nur gesteckt, du verdammter Hurensohn? Wie konnte das passieren? Du …«

Glühend rot lief sein Gesicht an.

Moritz duckte sich in Erwartung eines Schlags, und schon ballte Konrad die Fäuste. Aber dann schoss Moritz ein Gedanke durch den Kopf, und anstatt gebückt zu verharren, richtete er sich auf und sah dem Vater herausfordernd ins Gesicht. So unerwartet war für diesen jene Regung, dass er verwirrt zurückzuckte.

»Schlag mich doch!«, rief Moritz. »Aber jetzt, da sie weg sind und sie dir nicht diesen verfluchten Wald abholzen können, da brauchst du mich dringender als je zuvor!«

Sie maßen sich mit kalten Blicken. Am Ende trat Konrad noch weiter zurück und ließ seine Fäuste sinken.

»Verdammtes Pack!«, knurrte er. »Eines Tages werde ich es ihnen heimzahlen!«

Der Boden vibrierte, als er davonstapfte. Unwillkürlich musste Moritz Weber lächeln.

16. Kapitel

Die erste Wegstrecke war ihnen vertraut, erinnerte sie doch an den Gang zur täglichen Arbeit. Die Bäume standen eng beieinander, aber dazwischen führten ausgetretene Wege vorbei. Nicht lange jedoch, und die Myrten, Chisquen und das Baccharisgestrüpp wuchsen so dicht am Boden, dass es kaum noch ein Fortkommen gab. Zwischen den Araukarien standen Bäume, die Buchen und Zedern glichen. Manche Äste hingen so tief, dass sie sich ducken mussten, um hindurchzukommen, und hin und wieder reichte nicht einmal das. Geäst und Blätterwerk schienen regelrecht zu Zäunen zusammenzuwachsen, die die Flüchtigen aufhalten wollten, und erst wenn die Männer mit Äxten und Macheten darauf eingeschlagen hatten, konnten sie weitergehen.

Nicht weniger Mühsal bereitete die Feuchtigkeit des Bodens. Jeder Fußbreit glich einem wassergetränkten Schwamm.

Selbst der energische Fritz wurde gegen Mittag so müde, dass er kurz die Bahre an Lukas übergab.

Elisa verkniff sich Klagelaute – ganz anders als der stets fluchende Poldi oder die weinerliche Resa Glöckner, die nicht minder herzzerreißend jammerte wie die Steiner-Mädchen – Katherl ausgenommen. Viktor und Greta wiederum sagten zwar kein Wort, waren aber so bleich, als würden sie jeden Augenblick umfallen. Ob sie voller Angst an ihren Vater dachten?

Greta hatte ihnen vorhin mit knappen Worten erklärt, dass sie vor Lambert geflohen wären, als dieser noch schlief. Christine hatte mit gerunzelter Stimme zugehört, offenbar nicht sicher, was mehr zählte: Ihr alter Hass auf Lambert Mielhahn oder das Gebot, wonach Kinder ihren Eltern zu gehorchen hätten und nicht einfach vor ihnen davonlaufen dürften. Am Ende hatte sie nichts gesagt, und auch Greta und Viktor hatten fortan geschwiegen.

Annelie schwieg ebenso, schlichtweg, weil ihr die Kraft zum Reden oder Jammern fehlte. Nicht nur, dass der Marsch ihr selbst Mühe bereitete, obendrein musste sie Richard bei jedem Schritt hinter sich herziehen.

»Du hättest mehr Kräfte, wenn du ihn einfach irgendwo sitzen ließest!«, meinte Jule barsch.

»Du bist ein herzloses Weib!«, fuhr Christine sie an. »Du würdest ja auch meinen Jakob liegen lassen, wenn wir nur schneller fortkämen.«

»Wir machen eine Rast!«, rief Fritz laut dazwischen.

Annelie gönnte sich jedoch keine Ruhe, sondern bereitete gemeinsam mit Antiman eine Stärkung zu: Sie rührte geröstetes Mehl mit kaltem Wasser zu Brei und würzte diesen mit Salz und spanischem Pfeffer – die Nahrung der Holzfäller, die diese freilich nicht in Blechschüsseln wie sie, sondern in Löchern zubereiteten, die sie in dicke Äste gehauen hatten.

»Antiman sagt, dass diese Speise Ulpiar heißt«, erklärte sie, als sie Elisa davon gab.

Elisa war es gleich, wie der Brei hieß und wie er schmeckte. Sie stillte ihren größten Hunger damit, dann blickte sie sich um. Sie rasteten an einer Lichtung, die von Ulmo-Bäumen mit ihren knorrigen Stämmen und weißen Blüten umgeben war. Letztere waren nicht die einzigen, die für einen Farbtupfer sorgten. Eben noch hatte der ganze Wald aus nichts anderem als aus Grün bestanden, wenn auch in sämtlichen Schattierungen – nun kam neben dem Weiß auch ein kräftiges Rot hinzu: Wie Blutstropfen sahen die prachtvollen, scharlachroten Blüten des Feuerbuschs aus, der in der Lichtung wuchs, ebenso wie die handgroßen, hängenden Blüten der Scharlachfuchsie. Nicht ganz so rot, sondern gelb-orange schimmerte eine andere Blume, die sie nicht kannte.

Lukas ließ sich neben sie auf einen umgeknickten Baumstamm fallen. »Es ist schön«, meinte er knapp. »Wunderschön, trotz allem.«

Elisa hob verwundert den Kopf. Nie hätte sie von Lukas erwartet, dass er sich an Blumen erfreute.

»Wenn sie uns nur den Weg weisen würden zu diesem See«, seufzte sie.

Sie hörte, wie Taddäus und Fritz lautstark diskutierten, offenbar über die Richtung, die sie einzuschlagen hätten. Barbara warf etwas ein, aber an ihrer gerunzelten Stirn las Elisa, dass sie sich ihrer Sache nicht sicher war.

»Antiman nennt den See Teufelssee«, sagte Annelie, die sich endlich auch ein wenig Ruhe gönnte. »Einer der Vulkane, die ihn umgeben, ist vor vielen Jahren ausgebrochen, und seitdem treiben böse Geister dort ihr Unwesen.«

»Ach, sei doch still!«, fuhr Jule sie an. »Es gibt keine Geister. Man lebt oder stirbt, und wenn wir den See nicht finden, dann sterben wir.«

Furcht stieg in Elisa hoch und fühlte sich so klamm und kalt an wie das Moos, auf dem sie saß. Was, wenn sie wochenlang durch das Dickicht irren würden, bis sämtliche Vorräte aufgebraucht wären?

Lukas schien ihre Bedenken nicht zu teilen. Als Fritz den Befehl zum Weitermarsch erteilte, sprang er auf und streckte ihr die Hand entgegen, um ihr aufzuhelfen. »Komm!«, rief er. »Wir werden es schon schaffen!«

Poldi schüttelte sich wie ein nasser Hund. Nach der nunmehr vierten Nacht, die sie unter Bäumen überstanden hatten, hatte er das Gefühl, nie wieder trocken zu werden. Sämtliche Glieder schmerzten ihm, und sein feuchtes Haar klebte an seinem Gesicht. Als er mit der Hand darüberfuhr, spürte er, wie etwas Dunkles an seiner Stirn hängen blieb. Wieder schüttelte er sich – ohne Erfolg.

Ein helles Lachen ertönte neben ihm, dann zog Barbara Glöckner es ihm aus dem Gesicht – ein handgroßes, nasses Blatt, das von einem der Bäume direkt auf ihn gesegelt war. Sie hörte gar nicht mehr zu lachen auf, und obwohl Poldi sich zunächst bloßgestellt gefühlt hatte, überwog schließlich das Erstaunen, dass in der tristen Lage überhaupt noch jemand derart herzlich lachen konnte. Er musterte sie eingehender und sah die Grübchen auf ihren Wangen. Mochte ihre Gestalt auch ausgezehrt sein wie die von allen anderen – die Wangen waren erstaunlich rund und rot.

Unvermittelt stimmte er in ihr Lachen ein. Sosehr ihn die Nässe, der Hunger und die Ungewissheit quälten – am meisten setzte ihm der bittere Ernst zu, der seit ihrem Aufbruch über ihnen hing wie eine dunkle Wolke. Mit jeder Stunde schien nicht nur der Urwald immer unheimlicher und verwunschener zu werden, sondern auch die Laune aller hatte sich zunehmend getrübt. Selbst das Katherl lächelte nicht mehr, und während sie alle schweigend vor sich hin stapften, hatte Poldi den Eindruck, sie würden keinem neuen Leben entgegengehen, sondern jemanden zu Grabe tragen.

Eigentlich war das Leben in Chile bisher stets nur freudlos gewesen. Auf dem Schiff hatte er noch seinen Spaß gehabt; er hatte Streiche ausgeheckt, seine Schwestern veralbert und Elisa von Graberg zum Lachen gebracht. Doch hier war ihm in all der Ärmlichkeit und Schufterei die Lust darauf vergangen.

»Weiter geht's!«, unterbrach eine Stimme Barbaras Lachen. Wie immer war es Fritz, der sie antrieb.

Und wie immer schimpfte Poldi im Stillen auf den Bruder, wahrscheinlich kommt ihm das trübsinnige Wetter gerade recht; so fällt es noch weniger auf, dass er nie lächelt, selbst bei Sonne nicht!

Er stapfte fluchend weiter und bemerkte erst nach einigen Schritten, dass Barbara Glöckner an seiner Seite geblieben war und nach wie vor lächelte. Es war noch nicht sicher, was man von den Tirolern halten konnte. Das hatte zumindest seine Mutter, die den Glöckners sehr höflich, jedoch niemals freundlich begegnete, kurz vor dem Aufbruch gesagt.

Nun, es war leicht, mit dieser Freundlichkeit bei Taddäus Glöckner zu sparen, dessen Blick so starr und gleichmütig in die Welt gerichtet war, und ebenso bei den Kindern der beiden, Resa und Andreas, die entweder dümmlich wirkten oder weinerlich. Aber Barbaras Lächeln zu erwidern fiel Poldi leicht, auch wenn ihm deswegen die Röte ins Gesicht schoss. Schweigend gingen sie nebeneinander her, und obwohl die Stille, unterbrochen nur vom Knirschen des Geästs oder dem Schreien von Vögeln, schon all die letzten Tage über ihnen lastete, tat sie ihm plötzlich in den Ohren weh. Er wusste nichts zu sagen, und so begann er, einfach zu summen, irgendein Lied, das er von Kindesbeinen an kannte.

»Du kannst singen?«

Poldi fühlte sich ertappt, als hätte er etwas Verbotenes getan, und brach das Summen ab.

»Nur zu!«, forderte Barbara ihn auf. »Als ich ein Kind war und wir noch im Zillertal lebten, nicht in Schlesien, da mussten wir oft lange Märsche ins nächste Dorf machen. Um etwas Wolle zu verkaufen oder Käse. Auf dem Rücken hatten wir das geschultert, mit einer Kraxn, so hieß das, und dann ging es los. Wir brachen vor dem Morgengrauen auf und kamen immer erst nach der Dämmerung zurück, und ich glaube nicht, dass ich diese langen, steilen Wege überstanden hätte, wenn wir – meine Schwestern, meine Mutter und ich – nicht gesungen hätten.«

Sie machte eine kurze Pause, dann setzte sie mit einer melodiösen, kräftigen Stimme an. Poldi konnte sich nicht erinnern, jemals einen Menschen so schön und klangvoll singen gehört zu haben. Seine Mutter hatte ihm manchmal Schlaflieder vorgesungen, aber irgendwie waren diese meist krächzend geraten. Barbara hingegen sang aus voller Kehle.

Poldi drehte sich um; Resa und Andreas gingen nicht weit hinter ihnen mit gesenkten Köpfen. Dass die Mutter sang, war für sie wohl nichts Ungewöhnliches.

»Das habt ihr in Tirol gesungen?«

»Nein, das ist eine schlesische Weise.«

Kurz verschwand das Lächeln von ihrem Gesicht, und ihr Blick wurde wehmütig. »Zuerst haben wir Tirol verlassen müssen, dann Schlesien, und jetzt sind wir hier und haben immer noch keine Heimat gefunden.«

Er wusste nicht, warum, aber er wollte nicht, dass sie traurig dreinblickte. Er wollte, dass die lächelte und sich auf ihren Wangen Grübchen zeigten. Tief sog er Atem ein, dann begann auch er zu singen – ein Volkslied aus Schwaben.

Jetzt gang i ans Brünnele,
Trink aber net,
Do such i mein herztausige Schatz,
Find'n aber net.
Da lass i meine Äugelein
Um un um gehn,
Do seh i mein herztausigen Schatz
Bei nem and're stehn.

Sie lachte so glockenhell wie vorhin, und wieder wurden seine Wangen glühend rot.

»Hübsch singst du, auch wenn die Stimme ein wenig schief ist. Ist noch nicht lange her, dass du im Stimmbruch warst, nicht wahr?« Halb zärtlich, halb neckisch strich sie ihm über sein struppiges Haar. Poldi zuckte unwillkürlich zurück, als würde er sich verbrennen.

»Sing's noch mal!«, rief sie ihm zu.

Er wiederholte die Strophe, und diesmal stimmte sie mit ein und glich all seine missratenen Töne aus.

Sie hat recht, dachte er nach einer Weile, da er weder auf den Weg geachtet hatte noch auf die schmerzenden Knochen, noch auf die Nässe. Sie hat recht, das Singen macht das Gehen leichter.

Vielleicht nicht nur das Singen, sondern ihr Lachen und ihre Grübchen.

In den letzten Monaten hatte er kaum eine Frau lachen gesehen. Christine und Jule hatten diese grimmig entschlossene Miene aufgesetzt, Elisa war in den letzten Monaten immer ernster, in sich gekehrter geworden. Greta glich einem Gespenst, Christl war ständig am Nörgeln, und Lenerl kam in ihrer Freudlosigkeit ganz nach Fritz. Das Katherl lächelte, aber es steckte andere nicht damit an. Und Annelies Gekicher wirkte immer etwas verkrampft.

Barbara Glöckner aber lachte und sang aus vollem Herzen.

»Jetzt bringe ich dir ein Tiroler Lied bei, und das geht so!«, rief sie entschlossen.

Sie kam nicht über den ersten Vers heraus, dann verstummte sie unvermittelt. Der Zug kam ins Stocken, blieb schließlich stehen. Vorne erklangen wütende Männerstimmen.

Barbara und Poldi sahen, wie Fritz unsanft die Bahre abstellte, auf der sein Vater lag. Bisher war er immer äußerst behutsam vorgegangen, doch nun verzerrte Ärger sein Gesicht. Jakob schien von der Erschütterung nichts zu merken, er schlief, und als Poldi ihn betrachtete, war er kurz neidisch auf ihn. Wie angenehm wäre es, liegend durch den Wald getragen zu werden! Ihm selbst taten die Füße mittlerweile so weh!

Wütend trat Fritz eben auf Taddäus Glöckner zu.

»Ich habe doch gesagt, dass wir die andere Richtung hätten nehmen müssen.«

»Wenn du alles besser weißt, dann geh doch du voran!«, gab Taddäus ungewohnt heftig zurück.

»Nun streitet euch nicht!«, warf Christine ein. Selten hatte Poldi die Mutter mit derart zerrupften Haaren gesehen. Der sonst fest geflochtene Knoten hatte sich gelöst, und die Strähnen hingen genauso wirr über den Rücken wie ansonsten nur bei Elisa.

Fritz und Taddäus starrten sich finster an.

»Wir werden nie wieder aus diesem Wald herausfinden«, zischte Fritz. »Wir werden erbärmlich zugrunde gehen.«

»Lass uns doch einfach nach Norden gehen!«

Sichtlich zögernd hob Taddäus die Hand und deutete in eine Richtung.

»Pa!«, knurrte Fritz. »Heute Morgen bist du dir auch sicher gewesen, wohin wir gehen sollten … und jetzt das.« Er stampfte auf den Boden auf, Schlamm spritzte hoch.

Poldi trat zu Elisa, die wie alle anderen betreten dem Streit lauschte. »Was ist denn passiert?«

Elisa seufzte. »Wir sind die ganze Zeit im Kreis gegangen«, sagte sie. »Siehst du diesen Baum dort – mit dem gespaltenen Stamm, aus dem Unmengen von Pilzen herausquellen? Schon heute Morgen sind wir daran vorbeigekommen.«

Sie seufzte noch einmal, als sie einen Blick auf ihre Eltern warf. Richard von Graberg, so befand Poldi, sollte man wohl auch am besten auf einer Bahre durch den Wald tragen, so erschöpft sah er aus. Und Annelie wirkte so dünn, als würde sie in jedem Augenblick entzweibrechen. Nur Lukas, der auch dann noch an Elisas Seite verharrt war, als der Zug ins Stocken gekommen war, versuchte, einen entschlossenen Eindruck zu machen. »Wir schaffen es schon«, murmelte er ein ums andere Mal. »Wir schaffen es schon.«

Fritz schien anderer Meinung zu sein. »Also«, fuhr er Taddäus an. »Traust du dir nun zu, den Weg zu finden, oder nicht?«

»Die Frage ist doch eher: Traust du es mir zu? Wenn du alles besser weißt, dann geh du in die eine Richtung und ich in die andere – und die Übrigen sollen entscheiden, wem sie folgen wollen.«

Fritz schien dem Vorschlag etwas abgewinnen zu können, denn er nickte nachdenklich.

Christine hingegen rief schrill dazwischen: »Was für eine unsinnige Idee! Schluss damit! Wir sind alle müde und zermürbt. Diese Streitereien kosten uns die letzte Kraft.«

Jule war an ihre Seite getreten und sekundierte ihr augenblicklich: »Wir dürfen uns keinesfalls trennen. Wir haben gesagt, dass wir gemeinsam gehen und zusammenhalten – und dabei bleibt es.«

»So ist es!«, bekräftigte Christine.

Poldi kam nicht umhin, über diese sonderliche Allianz zu grinsen. Die beiden Frauen blieben eng nebeneinander stehen und traktierten die beiden Männer so lange mit ihren strengen Blicken, bis Fritz sich fügte.

»Also gut«, gab er nach. »Versuchen wir's.«

Er bückte sich, um die Bahre mit dem Vater hochzustemmen, und Taddäus tat es ihm schweigend gleich.

Und wieder hieß es weitergehen. Nach einer Weile hatte Poldi das Gefühl, dass die Bäume noch dichter beieinanderstanden und die Schlingpflanzen noch heimtückischer über den Boden wucherten und jeden zu Fall brachten, der nicht ausreichend hohe Schritte machte. Fremd war ihm dieser Weg – was zumindest bedeutete, dass sie hier noch nicht vorbeigekommen waren. Er drehte sich zu Barbara um und hoffte, dass sie noch einmal mit ihm singen würde, um den Marsch zu erleichtern. Doch diese war damit beschäftigt, ihre widerwillige Tochter mit sich zu zerren.

Als Poldi sich wieder umdrehte, klatschte ihm ein Ast ins Gesicht.

Na wunderbar!

Er fluchte still – um alsbald zu bemerken, dass es noch schlimmer kommen würde. Beim nächsten Schritt traf ihn etwas Nasses, diesmal jedoch kein Ast oder Blatt, sondern ein Regentropfen. Er hob den Kopf; das wenige Licht, das durch die Baumkronen fiel, schien noch grauer geworden zu sein. Aus dem Nieseln, das sie seit Tagen quälte, wurde ein heftiger Regen.

Der Regen hörte einfach nicht auf, der Boden wurde immer glitschiger. Keinen Schritt mehr konnten sie gehen, ohne knöcheltief zu versinken. Mit der Zeit klammerte sich Elisa regelrecht an Lukas, um noch weiterzukommen, doch auch mit seiner Hilfe blieb das Marschieren mühevoll. Einmal glitt er aus und stolperte. Sie konnte seinem Gewicht nicht standhalten; gemeinsam fielen sie zu Boden und schafften es kaum mehr, hochzukommen. Immerhin wusch der Regen sie rasch von dem Schlamm rein. Wie graue Wände umgab er sie, so dass sie bis auf Lukas von den anderen nur Schatten sah.

Irgendwann merzte die Erschöpfung jeden Gedanken aus. Hadern und Hoffen erstarben und mit ihnen jedes Gefühl für

Zeit und Raum. Leer schien die Welt bis auf sie und Lukas und den Regen – und jene Leere zeugte nicht Panik, sondern schenkte eine tiefe innere Ruhe. Es galt, nichts zu überlegen, nichts zu entscheiden, sondern einfach nur weiterzugehen. Ob die Richtung stimmte, war nicht von Bedeutung, weil es keine Richtung mehr zu geben schien, weil jedes Ziel, das sie sich vorher noch mit leuchtenden Farben ausgemalt hatten, im Grau des Regens verrann.

Gehen und atmen. Fallen und wieder aufstehen. Rutschen und sich an Lukas' Hand festklammern. Sie loslassen und wieder weitergehen. Ein wenig fühlte sie sich wie in ihrem wiederkehrenden Traum, in dem sie mit Cornelius durch den finsteren Wald stapfte. Doch dieser Traum hatte immer starke Gefühle in ihr hervorgerufen: das Gefühl der Liebe, die sie für Cornelius hegte; das Entsetzen, wenn sie plötzlich seine Hand nicht mehr spüren konnte; die Verzweiflung, wenn sie sich innewurde, ihn verloren zu haben und ganz allein auf der Welt zu sein.

Doch jetzt war ihr Geist viel zu leer, um irgendetwas zu fühlen.

Sie wusste nicht, wie viel Zeit vergangen war, als das Rauschen des Regens plötzlich leiser wurde, schließlich erstarb. Sie hob den Kopf. Einzelne Tropfen klatschten zwar noch auf ihr Gesicht, aber nicht mehr diese Sturzbäche. Je leiser der Regen wurde, desto unangenehmer fielen die Laute auf, die ihren Frieden störten und sie aus diesem Niemandsland zurückfinden ließ in eine klamme, kalte, nasse Welt.

»Es war erneut die falsche Richtung, ganz bestimmt!«

»Könnt ihr euch nicht endlich einig werden?«

»Fritz trägt die Verantwortung, nicht ich!«

»Aber Taddäus hat behauptet, den Weg zu kennen!«

»Nie hätte ich darauf vertrauen dürfen!«

»Nun, hört auf zu streiten!«

Die anderen waren stehen geblieben, bildeten einen Kreis und sprachen hektisch aufeinander ein. Nur Elisa gesellte sich nicht zu ihnen, sondern ging einfach weiter. Sie spürte die Tropfen kaum, umso mehr aber das Licht, heller und klarer als vorhin. Sie bog den Nacken zurück und schrie auf, als sie den Himmel sah. In den letzten Tagen hatten sie ihn hinter den Baumkronen nur erahnen können, nun war der Blick auf die wolkenverhangene Weite frei.

»Seht nur!«, rief sie.

Niemand hörte auf sie, nach wie vor stritten sie, vor allem Fritz und Taddäus, doch als Lukas an ihre Seite trat, den Himmel erblickte und in ihr Rufen einstimmte, fuhren sie alle herum.

»Dort hinten hört der Wald auf«, schrie Poldi.

So schnell stürzten alle in die gleiche Richtung, dass die meisten ausglitten und auf dem Boden liegen blieben. Barbara lachte, Fritz fluchte, die Mädchen weinten, und Jule erklärte, dass der Waldboden wenigstens so weich wäre, dass man darin nur ersticken, sich nicht aber das Genick brechen könne.

Nur Elisa ging entschlossen weiter, ohne zu stolpern, ohne zu rutschen. Immer dünner standen die Bäume; fast hatte sie das Gefühl, als würden sie vor ihr zurückweichen, um sie willkommen zu heißen. Und dann lag er vor ihr, der riesige See, nicht grau wie der Himmel, sondern silbrig glänzend, glatt und unberührt, als hätte nie ein Boot ihn durchfurcht und sich kein menschliches Antlitz je darin gespiegelt. Abermals schien die Welt geschrumpft, die Laute erloschen, das Woher und Wohin zählten nicht; nur sie gab es und diesen weiten See.

»Wie schön«, entfuhr es ihr, »wie schön.«

Es dauerte lange, bis sie das wildwuchernde Gestrüpp überwunden und sich am Ufer des Sees versammelt hatten. Auch dort versanken sie kniehoch in Gräsern, Büschen und Schlingpflanzen. An jedem freien Fleckchen Erde wuchs die Nalca-Pflanze, von der Annelie behauptet hatte, sie würde wie Rhabarber schmecken.

Kleine Wellen kräuselten den eben noch glatten See; aus dem Dunst, der über dem Wasser hing, löste sich ein Schwan – das Gefieder schneeweiß, der Hals schwarz gefärbt. Elisa lauschte und hörte in der Ferne, vom Nebel gedämpft, das Schreien und Zwitschern anderer Vögel, ähnlich traurig und sehnsuchtsvoll wie das der Möwen, die einst ihr Schiff umkreist hatten.

Lange blieben es die einzigen Laute. Niemand sagte etwas; jeder starrte auf den See, der so viel Ruhe verhieß und so viel Wildheit, so viel Frieden und so viel Plackerei. Sie sahen das gegenüberliegende Ufer nicht, nur die vielen Riesenbäume, die mal in dichten Reihen, mal vereinzelt das Wasser säumten und tiefe Schatten darauf warfen.

Elisa trat noch etwas näher an das Ufer heran. Sie spürte Feuchtigkeit durch ihre Schuhe sickern und bückte sich, um ihre Hände im dunklen Wasser zu waschen. Als sie sich wieder aufrichtete, hatte sich der Nebel gelichtet. Der Himmel war zwar noch wolkenbedeckt, aber die Luft klärte sich, und in der Ferne sah sie, wie sich – wie ein Trugbild unter vielen Schleiern – eine Bergkette erhob. Nicht schroffe und spitze Gipfel reihten sich aneinander, wie sie es von der Küste her kannte, sondern weich geschwungene, im runden Konus der Vulkane mündende. Waren sie tatsächlich weiß von Schnee? Oder war es noch der Dunst, der sie umhüllte und ihnen dieses reine, unbefleckte Gewand verlieh?

Elisa wusste es nicht, fühlte nur tiefe Ehrfurcht vor etwas, das so viel älter, so viel größer, so viel erhabener schien als die kleinen Menschenkinder, die in diese wilde Welt gestolpert waren.

Sie richtete sich auf, und hinter ihr setzte Gemurmel ein, sehr zaghaft nur, sehr vorsichtig, als fühlten auch die anderen, dass man sich dieser Stille beugen muss.

Am lautesten war Christines Stimme, als sie plötzlich rief: »Lieber Himmel, seht nur!«

Die Berge, vor allem der größte von ihnen – der Vulkan Osorno, wie Elisa später erfuhr –, hatten sich nur kurz und unscharf gezeigt und sich alsbald wieder hinter Wolken versteckt, aber über dem See riss kurz der Himmel auf. Ein Sonnenstrahl fiel dünn aufs Wasser und färbte ein winziges Fleckchen leuchtend blau. Doch es war nicht das, worauf Christine deutete, sondern auf eine Rauchsäule, die nicht weit von ihnen gen Himmel stieg, bekundend, dass das Land um den See nicht ganz so unberührt, wild und verlassen war, wie der erste Eindruck es verheißen hatte.

»Vielleicht ist das die Siedlung unserer Landsleute!«, meinte Barbara.

Fritz zog zweifelnd die Stirn in Falten. »Es ist tatsächlich Rauch, aber es schaut nur so aus, als stiege er unmittelbar vor uns hoch. Bis wir uns durch das Gestrüpp gekämpft haben und dorthin gelangen, mag es einen halben Tag dauern.«

Taddäus Glöckners Gedanken hielten sich nicht lange damit auf, eilten vielmehr in die Zukunft. Er hatte sich vom See abgewandt und blickte zweifelnd in Richtung Wald. »'s gibt nur wenig seichte Stellen am Ufer, ansonsten fällt es steil ab. Es wird mühselig sein, hier zu roden. Erst wenn wir genügend Fläche von dem Gestrüpp befreit haben, können wir überhaupt daran denken, Bäume zu fällen.«

»Der Boden ist feucht«, meinte Jule und ging prüfend ein paar

Schritte. »Hoffentlich nicht zu feucht, sonst verfault uns jede Ernte.«

»Aber das Waldland bringt genügend Futter für die Tiere«, warf Fritz ein.

»Welche Tiere?«

Elisa hob verwundert den Kopf. Es war ihr Vater, der diese Frage eingeworfen hatte. Offenbar konnte er sich nicht mehr daran erinnern, was sie vor ihrer Flucht geplant hatten.

»Wir haben doch entschieden, dass ein Teil von uns bald nach Melipulli aufbrechen wird, um dort vom Kolonisationsagenten unseren Anteil an Saatgut und Tieren zu erbitten«, erklärte Annelie schnell. »Hoffentlich bekommen wir sie – Ochsen, Kühe, vielleicht sogar Pferde … Und bis dahin werden wir Unterschlupf bei Barbaras und Taddäus' Leuten finden. Zumindest für die erste Zeit.«

Richards Gesicht wurde wieder ausdruckslos.

»Hoffentlich haben sie uns nicht zu viel versprochen«, Fritz warf einen zweifelnden Blick auf die Glöckners. Auch wenn er nun doch den richtigen Weg gefunden hatte, war sein Ärger auf Taddäus nicht gänzlich verschwunden.

»Zumindest Holz haben wir in Hülle und Fülle«, meinte Jule trocken. »Wir sollten zusehen, dass wir daraus möglichst bald die ersten Hütten bauen. So grün, wie hier alles ist, regnet es wohl häufig.«

»Wir könnten Flachs anbauen«, schlug Barbara vor. »Wir brauchen neue Kleider – wenn wir diese Fetzen noch länger tragen, stehen wir irgendwann einmal nackt da.«

Poldi kicherte ob dieser Vorstellung.

Annelie deutete auf die Schwäne im Wasser. »Wir könnten versuchen, das Vogelvieh zu jagen; wer weiß, vielleicht kann man deren Fleisch essen. Und Fische wird's wohl auch geben.«

»Wir müssen genau überlegen, wer was machen wird«, schaltete sich Fritz ein. »Wir müssen unsere Kräfte gut einteilen – und uns aufeinander verlassen können.« Mit gerunzelter Stirn begann er, auf und ab zu gehen, als erstelle er im Kopf schon die ersten Arbeitspläne.

Poldi sprach schließlich das aus, was die meisten dachten, als die Erleichterung, endlich am See angekommen zu sein, nach- ließ. »Nichts gibt's hier, gar nichts!«, rief er. »Alles werden wir selbst machen müssen.«

Keiner widersprach. Wie schon Elisa traten die übrigen Sied- ler ans Wasser, um sich notdürftig von Schlamm und Dreck zu reinigen. Poldi stürzte so hastig auf den See zu, dass er nicht merkte, wie sich sein Fuß in einem der Büsche ver- heddderte. Er stolperte, fiel zu Boden und purzelte auf das Ufer zu. Gerade noch rechtzeitig konnte er sich an einer Wur- zel festhalten, ehe er ins kalte Wasser plumpste.

Fritz schüttelte missbilligend den Kopf, Barbara Glöckner aber lachte laut auf. Hochrot war Poldi im Gesicht, als er sich erhob.

»Denkst du, du hilfst uns, wenn du ersäufst?«, fuhr Fritz ihn an.

Nun prustete auch Christl los; es klang nicht nur amüsiert, sondern auch hysterisch, und bald stimmte Katherl in das Ge- lächter ein. Nur Lenerl schwieg, faltete ihre Hände und sprach ein Gebet.

»Seht doch nur!« Lukas war zu Elisa getreten und deutete in die gleiche Richtung wie vorhin seine Mutter. Wenn man sich vorbeugte, sah man nicht nur Rauchsäulen, sondern auch Hütten.

»Und das sollen Häuser sein?«, knurrte Fritz. »Beim nächs- ten Sturm brechen diese Verschläge in sich zusammen. Wir müssen so bald wie möglich richtige Häuser bauen. Und wir müssen ...«

Er zählte grimmig entschlossen all die Arbeiten auf, die sie würden verrichten müssen, doch Elisa hörte ihm nicht mehr zu.

Plötzlich stiegen Tränen auf, von denen sie nicht wusste, woher sie rührten. Nicht nur Erschöpfung ließ sämtliche Dämme in ihr brechen, sondern das Gefühl, endlich angekommen zu sein. Gewiss hatte Poldi recht, wenn er die viele Arbeit beklagte, die sie hier erwartete, aber das Land um den See schien ihr so vertraut, als würde sie nach einer langen Zeit der Sehnsucht eine alte Freundin endlich wieder in die Arme schließen.

Tränen perlten über die Wangen, als sie die Schönheit und die Wildheit des Sees, der Wälder, der Vulkane bewunderte – und als sie an Cornelius dachte. Sie konnte sich an keinen Augenblick der letzten anderthalb Jahre erinnern, in dem sie ihn nicht vermisst und sich nach ihm verzehrt hatte, doch nie war sein Fehlen so schmerzlich wie in diesem Moment.

Wenn du nur hier wärest, dachte sie. Wenn du nur hier wärest, wenn wir uns gemeinsam freuen und Pläne machen könnten, wenn wir uns umarmen und den Moment genießen könnten, da unser Leben erst richtig beginnt, unser gemeinsames Leben.

Immer mehr Tränen stiegen hoch; das Bild vor ihren Augen verschwamm, sie sah nichts mehr vom See und den Feuerbergen.

Ach, Cornelius, ich würde sie dir so gerne zeigen: meine Heimat. Meine neue Heimat.

17. Kapitel

Ein Jahr später

Pastor Zacharias erwachte von einem laufen Klopfen. Er schreckte aus einem der dunklen Träume hoch, in denen er sich stets getrieben, hungrig und schmutzig fühlte, doch er war nicht etwa dankbar, von diesem Alpdruck befreit zu sein, sondern musste feststellen, dass er im wirklichen Leben noch getriebener, noch hungriger und noch schmutziger war. Er presste die Augen fest zusammen, hielt sich die Hände vor die Ohren und hoffte, das unangenehme Geräusch würde vergehen, wenn er es nur lange genug ignorierte. Aber das Klopfen ließ nicht nach, wurde zunehmend energischer, und schließlich rief eine Stimme fordernd nach einem Cornelius Suckow.

Pastor Zacharias richtete sich auf. Der Kopfschmerz kam so abrupt, als würde sich ein spitzer Gegenstand in seine Schläfen bohren. Er stöhnte auf, umso mehr, als sein Blick auf die halbleere Branntweinflasche fiel, die auf dem Nachttisch stand und daran gemahnte, dass er an seinem Elend nicht unschuldig war. Er hatte Cornelius oft versprochen, nichts mehr zu trinken; und dieser wiederum hatte oft genug erklärt, dass die Voraussetzung für eine Heimreise seine dauerhafte Nüchternheit sei, doch er konnte der Versuchung, sich zu betäuben, nie widerstehen, und auch jetzt hätte er das Schädelbrummen am liebsten mit einem kräftigen Zug vertrieben.

Das Klopfen hielt ihn davon ab – mittlerweile so laut, als wolle jemand die Tür einschlagen.

»Ja doch …«, murrte er. Sein Schädel schien zu zerplatzen, als er sich aufrichtete und zur Tür wankte. Noch mehr als die Schmerzen setzte ihm Angst zu, als er sie öffnete.

Valdivia war ihm fremd geblieben, ein viel zu lauter, viel zu hektischer Ort. In den letzten Monaten war die Bevölkerung sprunghaft angestiegen. Noch mehr Tischler und Schmiede, Zimmerleute und Schuhmacher, Schneider und Bäcker hatten sich hier niedergelassen. Sie hielten Pastor Zacharias mit ihrem unbeirrbaren Überlebenskampf und ihrer Tüchtigkeit vor Augen, dass es durchaus möglich war, in diesem fremden Land zu bestehen, und dass es andere Arten gab, dem Leben zu trotzen, als sich in einer schmierigen Unterkunft zu verschanzen und darauf zu hoffen, dass sämtliche Prüfungen irgendwie vorübergingen.

»Ja doch …«, murrte er wieder.

Als er öffnete, ging ihm kurz durch den Sinn, welchen verlotterten Anblick er wohl bot. Seine Haare klebten an seinem Kopf; seinem Mund entströmte säuerlicher Geruch; sein Hemd war dreckig wie eh und je.

Doch der Mann vor der Tür musterte ihn nicht eingehender, sondern schien nur froh, dass er nicht länger klopfen musste.

»Na endlich«, kam es widerwillig.

Zacharias hatte den Mann noch nie gesehen.

»Sind Sie Cornelius Suckow?«

Wenigstens sprach er Deutsch. Auch das war in dem verfluchten Land keine Selbstverständlichkeit, selbst wenn in Valdivia – das musste sogar Zacharias zugeben – fast nur Deutsche lebten. Der Mann wartete seine Antwort nicht ab. »Ich habe einen Brief für Sie. Kam über den See. Mit einer Lansche.«

Pastor Zacharias machte ein verständnisloses Gesicht. Was, zum Teufel, war eine Lansche? Welchen See meinte er? Und wer schrieb Cornelius einen Brief?

Er öffnete den Mund, doch der Mann wollte keine Zeit mehr verschwenden, drückte ihm den Brief in die Hand und ging einfach.

»¡Adiós!«, rief er Zacharias noch über die Schultern zu.

Dieser schnaufte. Daran würde er sich am wenigsten gewöhnen – an diesen spanischen Gruß, den mittlerweile auch sämtliche Auswanderer gebrauchten, als reiche es nicht, ihr Heimatland aufgegeben zu haben. Verdattert blickte er dem Fremden hinterher, schloss dann jedoch schnell wieder die Tür, erleichtert, das laute Valdivia, seine Bewohner und das unheimliche Land wieder aussperren zu können.

Erst als er ächzend aufs Bett sank und sich seine Augen begehrlich auf die Branntweinflasche richteten, fiel ihm ein, dass er immer noch diesen Brief in Händen hielt.

Wer hatte seinem Neffen geschrieben?

Er fragte selten, was Cornelius den ganzen Tag über trieb, wollte einzig wissen, ob sie nicht endlich nach Deutschland zurückkehren konnten. Hartnäckig schob Cornelius es auf und trotzte den Vorwürfen seines Onkels mit eigenen: dass er zu viel trinke, dass er das wenige Geld verspielen würde, dass er sich endlich zusammenreißen solle.

Zacharias musterte den Brief. Das Papier war fleckig, die Schrift jedoch gestochen scharf.

Vielleicht kam dieser Brief von Deutschland und hatte mit der möglichen Heimreise zu tun?

Rasch riss er ihn auf. Das Papier war an den Rändern feucht geworden. Manch ein Wort war unleserlich, und sein Gehirn war zu benebelt, um die anderen schnell zu lesen. Doch schließlich erfasste selbst sein lahmer Geist den Sinn.

Siedend heiß stieg es ihm ins Gesicht, als er erkannte, wer der Absender des Briefs war.

Geliebter Cornelius,
ich trachte nun schon so lange danach, Dir zu schreiben.
Oft habe ich mir in Gedanken ausgemalt, endlich zur
Feder zu greifen, doch es war unmöglich, ein Stück Pa-
pier zu ergattern. Nun endlich … endlich ist es so weit.
Ich weiß nicht, wo Du bist, ich weiß nicht einmal, ob der
Brief Dich tatsächlich erreichen wird, aber zumindest
kann ich es versuchen, und ich bin voll der Hoffnung,
dass Du diese Worte lesen wirst.
So vieles geht mir durch den Kopf, so vieles gibt es zu
berichten, dass ich gar nicht weiß, womit ich beginnen
soll.
Seit einem Jahr leben wir an dem großen See – die Kolo-
nisten nennen ihn Lago de Valdivia, die Einheimischen
Llanquihue. Bei unserer Ankunft hatten sich erst einige
wenige Familien hier niedergelassen, doch mittlerweile
sind immer mehr daraus geworden, und besonders in den
letzten Wochen strömen neue Ankömmlinge aus Deutsch-
land herbei. Wir sehen nur wenige von ihnen, denn das
Land ist riesig. Die Regierung hat es mittlerweile in Par-
zellen unterteilt, die die Chilenen Chacras nennen, wir
hingegen Seehufen. Mit der Schmalseite grenzen sie an
das Ufer, und sie sind fast hundert Hektar groß. Das
klingt nach viel, und das ist es auch – nämlich vor allem
viel Arbeit!
Erst vor kurzem haben wir eine Urkunde darüber aus-
gestellt bekommen, dass die chilenische Regierung uns
dieses Land offiziell zugeteilt hat – ebenso wie Samen für
die erste Aussaat (im Wert von fünf Pesos), außerdem

eine Kuh, 200 Bretter und Nägel. Ein Joch Ochsen pro Familie hätte eigentlich auch dabei sein sollen, aber wir haben nur einen bekommen und müssen zum Pflügen die Kuh mit einspannen. Auf einen ordentlichen Wagen warten wir bis heute vergebens – wir haben gehört, dass es solche mit vier Rädern hier in Chile kaum gibt.

Ich sehe schon, ich komme mit allem durcheinander, was ich Dir schreiben will, und beginne mit dem Letzten zuerst.

Die Wahrheit ist, dass wir – als wir damals am See ankamen – noch ganz auf uns allein gestellt waren; die Bekanntschaft mit dem Kolonisationsagenten in Melipulli, der Land und Rationen verteilt, machten wir erst später. Die Anfangszeit haben wir nur dank der Hilfe von Tirolern Familien überlebt. (Wie wir deren Bekanntschaft machten und warum wir nicht länger bei Konrad Weber leben, ist eine lange Geschichte; unmöglich kann ich alles aufschreiben, denn ich muss sparsam mit dem Papier sein.) Auf jeden Fall haben sich diese Familien am westlichen Seeufer, in der Nähe des Flusses Maullin, niedergelassen und wir nun auch.

Ach, wenn wir schon gleich nach der Ankunft gewusst hätten, wie leicht es ist, hier eigenes Land zu bekommen! Wie dumm waren wir, Konrad auf den Leim zu gehen! Doch so leicht es ist, das Land zu bekommen – so schwer gestaltete es sich, es fruchtbar zu machen.

Zunächst galt es, die Waldbäume, im Übrigen regelrechte Riesen, mit der Axt niederzulegen. Nach der Zeit bei Konrad waren wir an diese Arbeit gewöhnt, desgleichen an den Schall der Axt und an das donnerähnliche Krachen, wenn einer der Bäume fällt. Jedes Mal blieben wir kurz ehrfürchtig stehen und waren stolz, dass wir wieder einen geschafft hatten. Und jedes Mal fragten wir uns im Stillen, warum es nicht schneller ginge und wann diese Schufterei endlich ein Ende finden würde.

Auch als wir ausreichend Uferland vom Wald befreit hatten, hörte die Arbeit nicht auf. Der Boden ist in Seenähe sehr sumpfig. Überall galt es nun, Kanäle anzulegen, damit das Wasser ablaufen kann. Doch bevor man solche Rinnen in den Boden schlagen kann, muss erst die Erde von den vielen Wurzeln befreit werden. Was die Arbeit leichter macht: Die Bäume haben hier selten tiefgehende Wurzeln. Was das Ganze erschwert: Der Boden ist von ungemein vielen Schlingpflanzen und dornigem Gestrüpp verdeckt. Beides blüht wunderschön, und doch haben wir darauf geflucht! Ich kann dir nicht sagen, wie oft ich gefallen bin und wie oft abends mein ganzer Leib mit Kratzern und blauen Flecken übersät war! Längst tut es mir nicht mehr weh, die Rodehaue zu halten. Die Haut an meinen Händen ist dick geworden, Blasen habe ich so gut wie keine mehr.

Als der Boden nun endlich vom Wurzelwerk befreit war, und all das Holz von den Baumstämmen, den Ästen und den Schlingpflanzen säuberlich nebeneinander geschichtet lag, gab es einen großen Streit. Die einen meinten, man solle alles niederbrennen, weil der verbrannte Boden, der zurückbliebe – man nennt ihn hierzulande Roce – ungemein fruchtbar wäre und man hier die Samen setzen könne. Die anderen sagten, man solle lieber warten, was aus jenen Samen werde, die wir schon in den ersten Wochen in der lockeren Erde der Waldlichtungen gesät haben – weniger, um damit möglichst großen Ertrag zu erzielen, sondern um herauszufinden, wie im hiesigen Klima das Getreide wächst.

So viele Fragen waren offen, und es gab niemanden, der sie beantworten konnte. Würden die Winter hier am See so feucht sein wie der erste, den wir erlebt haben? Würde der Wind nicht sämtliche Asche verwehen, wenn wir uns tatsächlich für die Brandrodung entschieden? Sollten wir auf Weizen, auf Hafer oder doch auf Roggen setzen?

Wir sprachen stundenlang darüber, und es gab viel Unfrieden, ehe Entscheidungen getroffen wurden. Kein Wunder, dass solch schlechte Laune vorherrschte: Die Arbeit erschöpfte uns; die Mägen wurden niemals satt, unsere Kleidung war zu dünn und ständig zerrissen. Die ersten Hütten boten kaum Schutz gegen den Regen, geschweige denn gegen den Wind. Insbesondere die Nordstürme sind kräftig, und wir haben ganze Nächte lang gebangt, ob uns womöglich ein Ast erschlagen würde. Wir schliefen auf nacktem Boden – und abwechselnd, weil dies noch den meisten Komfort verspricht, in jenen Kisten, mit denen die Männer aus Melipulli das Saatgut und die ersten Rationen herbeigeschafft haben.

Mittlerweile bauen wir an besseren Häusern, und auch hier gälte es, die Mühsal, das Hoffen und Bangen in vielerlei Worte zu fassen, doch kaum kann ich die Feder noch halten, so ungeübt ist mir das Schreiben geworden. Zu solch einer Frau also bin ich geworden: einer, die stundenlang die Harke halten kann, aber nicht mal die Hälfte dieser Zeit die Schreibfeder.

Lass mich also kurz zusammenfassen, dass wir demnächst nicht nur unter ordentlichen, mit Alerce-Schindeln beschlagenen Dächern schlafen werden, sondern dass wir mittlerweile auch die erste Ernte eingefahren haben. Jene, die unermüdlich für die Brandrodung eintraten (und sich am Ende durchsetzten), haben nämlich recht behalten: Es ist guter, fruchtbarer Boden daraus erstanden, den wir vor einem halben Jahr erstmals beackern und besamen konnten. Satt werden wir von dem, was die Erde hergibt, noch nicht, aber die Angst, dass wir alle hungers sterben werden, hat sich gemindert.

Und so wie nach der ersten Not unser Sinn dafür erwacht ist, dass es neben unserer kleinen Welt noch eine andere größere da draußen gibt – so schien auch diese Welt auf uns aufmerksam zu werden. Es hat sich herumgesprochen, dass am westlichen Seeufer Bauern leben, die ordentlichen Weizen anbauen – und genau diesen braucht ein gewisser Carlos Anwandter aus Valdivia zum Brauen seines Biers, vielleicht kennst Du ihn. In seinem Namen sind unlängst Männer zu uns gekommen und wollten mit uns handeln. Nun, Weizen konnten wir nicht abgeben, uns würde sonst das Brot fehlen – aber ich habe sie eingehend nach Dir befragt. Der eine meinte, er kenne einen Cornelius, ob dieser freilich auch Suckow hieße und an der Seite eines Pastors lebte, wüsste er nicht.

Seitdem versuche ich mit allen Mächten, das Flämmchen der Hoffnung am Leben zu halten, dass tatsächlich Du es bist, von dem er sprach. Ach, Cornelius, Du musst es einfach sein! An jedem einzelnen Tag, nachdem ich von Dir scheiden musste, habe ich an Dich gedacht – und es waren viele Tage, oft traurige, leere, sehnsuchtsvolle.

So habe ich nun einem dieser Männer den Brief mitgegeben. Das Papier habe ich von Jule, die es wiederum einem von ihnen abgehandelt hatte, nein, nicht mit besagtem Weizen, sondern weil sie ihm mit irgendeinem Kraut, das am See wächst, ein Hühnerauge oder Ähnliches geheilt hat … Ich weiß es nicht genau. Jetzt bete ich

nicht nur darum, dass dieser Brief Dich erreicht, sondern
auch, dass er auf dem Wege möglichst heil bleibt.
Viel habe ich nun über mich und unser hartes Leben hier
geschrieben und bislang keine Zeile mit der Frage verlo-
ren, wie es Dir ergangen ist. Sei vergewissert: Ich denke
oft darüber nach und halte immerzu an der Hoffnung
fest, dass das Schicksal es gut mit uns meint und uns zu-
sammenführt, sobald wir bewiesen haben, dass wir ge-
nügend Geduld und Zähigkeit aufbringen.
Ich habe versprochen, auf Dich zu warten – und das tue
ich immer noch, Cornelius. Jeden Tag, jede Stunde.
Deine Elisa

Pastor Zacharias ließ den Brief sinken. In seinem Kopf hämmerte es noch stärker als zuvor, kalt stand der Schweiß in seinem Nacken.
Elisa von Graberg.
Cornelius hatte nie über sie gesprochen, aber Zacharias hatte
insgeheim geahnt, dass er oft an sie dachte, sich fragte, was aus
ihr geworden war, und sich Sorgen machte, ob es ihr auch
wohl erginge. Cornelius machte sich immer um andere Menschen Sorgen, gottlob auch um ihn. Leider reichten sie nicht
aus, um ihn endlich aus diesem verfluchten Land wegzubrin-
gen.
In den letzten Monaten erwies er sich auch den Indianern gegenüber als ungemein fürsorglich. Eigentlich hießen sie nicht
Indianer. Man sprach von ihnen als Araukaner, Mapuche oder
Huilliche. Es hieß, sie würden in einem Land leben, das vom
Río Bío Bío bis zum Toltén reichte und vom Toltén bis nach
Melipulli. Er hatte keine Ahnung, wie groß dieses Gebiet war
und wie viele Indianer – wie sie denn auch heißen mochte – es
dort gab. Anders als sein Neffe wollte er nichts mit ihnen zu

tun haben, nicht unbedingt, weil sie Indianer waren, sondern weil sie in diesem verfluchten Land lebten und er mit niemandem hier zu tun haben wollte.

Pastor Zacharias fuhr zusammen. Wieder hatte es an der Tür gepocht, genauso unerwartet wie vorhin. Siedend heiß schoss ihm Blut ins Gesicht. Seine Hände zitterten, vor allem die, die den Brief hielten. Er hob ihn noch einmal hoch, die Buchstaben verschwammen vor seinen Augen. Nur Elisas Namen konnte er deutlich lesen.

Elisa von Graberg ... wenn Cornelius nur wüsste ... Aber Cornelius wusste es nicht, denn er war nicht hier gewesen, um den Brief entgegenzunehmen. Er war bei den Mapuche, wie so oft ... Hatte er nicht häufig von diesem jungen Mann berichtet, wie hieß er noch? Quidel?

»Ja, ja«, hatte Zacharias stets knapp bekundet, wenn Cornelius von den Plänen berichtete, den Mapuche beim Handel zu helfen. Manche von ihnen trieben Ackerbau und Viehzucht, lebten jedoch mehr schlecht als recht davon; zu ausgelaugt war der Boden, zu unzureichend ihre Erfahrungen, ihn zu düngen. Sie kannten allerdings das Land besser als die Spanier, wussten um jeden Winkel, jeden Weg, jeden Maultierpfad. Selbst dort, wo keine Karren und Wagen mehr fahren konnten, fanden sie sich noch zurecht. Zielsicher steuerten sie auf dem Fluss Futa kleine Boote und sogenannte »Canoas«, ohne in die gefährlichen Strudel zu geraten. Wer wäre deshalb besser geeignet, die unterschiedlichsten Güter durchs Land zu transportieren als sie – aus dem Inneren nach Valdivia und von hier bis über die Anden nach Argentinien?

Ja, das hatte Cornelius ihm erzählt. Auch, dass einige der Indianer bereits ihre Stärken erkannt hatten und mit Salz handelten, jedoch oft um eine gerechte Bezahlung betrogen und mit Branntwein abgefertigt wurden, nicht nur von den Spaniern, auch von den Deutschen hier.

Das Klopfen, das von der Tür kam, tat Zacharias körperlich weh. Er keuchte.

Was war denn heute nur los?

Würde etwa einer dieser Mapuche es wagen, hierherzukommen?

Mehrmals hatte Zacharias diesen Quidel gesehen. Cornelius hatte ihn hierher mitgebracht, um ihm die deutsche Sprache zu lehren, vor allem aber, wie man Geschäfte machte, ohne sich übers Ohr hauen zu lassen, wie man Forderungen stellte und auf diesen beharrte, welche Preise angeraten waren und welche nicht.

Zacharias hatte Angst vor Quidel gehabt, unglaubliche Angst. Das Klopfen verstummte; er glaubte schon erleichtert, dass der ungebetene Besucher es aufgegeben hatte. Doch dann erklang eine unangenehme, schrille Stimme: »Ich weiß, dass Sie da sind, ich höre Sie atmen.«

Es war Rosaria. Nur Rosaria. Vor ihr hatte er immerhin keine Angst. Er öffnete die Tür.

»Wo ist Ihr Neffe?«, fragte sie, sobald sie eingetreten war. »Schon wieder bei den Rothäuten? Das ist nicht gut, das ist gar nicht gut!«

Pastor Zacharias zuckte mit den Schultern. Erst jetzt bemerkte er, dass er Elisas Brief völlig zerknittert hatte. Er sollte ihn auf den Tisch legen, ihn glatt streichen – damit Cornelius ihn später lesen konnte. Cornelius, der noch nichts von diesem Brief wusste …

»Sie wissen nicht viel über die Mapuche, nicht wahr?«, schrie Rosaria. Vielleicht schrie sie es nicht, sondern sagte es nur – in seinen Ohren klang es nichtsdestotrotz wie Schreien.

»Grausame Krieger sind es, wenn man sie denn grausame

Krieger sein lässt.« Sie bleckte die Zähne, kicherte. »Wir Spanier hatten lange mit ihnen zu kämpfen. Kennen Sie die Geschichte von Lautaro?«

Zacharias schüttelte den Kopf.

»Lautaro war ein großer Krieger. Genauso wie Caupolicán. Er hat vor langer Zeit Pedro de Valdivia besiegt, und wissen Sie, wie er ihn zu Tode hat kommen lassen?«

Wieder schüttelte Zacharias den Kopf. Er wollte es gar nicht wissen. Doch Rosaria, die ungebeten ihren dicklichen Leib in die Mitte des Raumes geschoben hatte, beugte sich zu ihm und rief ihm schrill ins Ohr. »Er hat ihn gezwungen, flüssiges Gold zu trinken.«

Zacharias fuhr zurück, als sie röchelnde, erstickende Laute machte, damit ihre Geschichte noch anschaulicher wurde. »Übel, nicht wahr?«

Zacharias wunderte dergleichen nicht; ein verfluchtes Land war das, das hatte er immer schon gewusst. Die Menschen waren Wilde und Barbaren, und besser war's, ihnen nicht zu nahe zu kommen.

Weg von hier!, schallte es in seinem Kopf. Er musste weg von hier!

»Gläschen Schnaps gefällig?«, fragte Rosaria, nunmehr nicht ganz so schrill. »Und ein Spielchen?«

Ja, er musste dringend weg von hier!

Aber wie sollte er Cornelius dazu bekommen – Cornelius, der seine Bestimmung gefunden hatte, diesem wilden Volk zu helfen, und der nun diesen Brief erhalten hatte?

»Warum so zögerlich, Señor Suckow!«

Es fiel ihm zum ersten Mal auf, dass sie ihn »Señor« nannte. In Deutschland hatte man ihn »Herrn Pfarrer« gerufen.

Der Brief von Elisa raschelte in seinen Händen, als er ihn noch mehr zerknitterte. Die Mapuche, dachte er, und kurz fühlte er sich frei von dem Kopfschmerz, die Mapuche würden Cornelius nicht ewig in diesem Land halten, fühlte er sich im Augenblick auch zu ihrem Fürsprecher berufen. Aber Elisa von Graberg … Elisa wahrscheinlich schon.

»Nun lassen Sie uns doch ein wenig Spaß zusammen haben!«

»Hinweg, Weib!« Nicht nur sie zuckte ob seiner lauten, kräftigen Stimme zusammen, sondern auch er selbst. »Hinweg! So spricht der Prophet Jesaja: ›Weh denen, die Helden sind, wenn es gilt, Wein zu trinken, und tapfer, wenn sie starke Getränke brauen!«

»Aber, Pastor …«

»Hinweg, Weib, du falsche Schlange, du Hure Babylon, du Jezebel! Im Brief an die Epheser steht: ›Berauscht euch nicht am Wein, denn das macht zügellos!‹ Hinweg, hinweg!«

Rosaria starrte ihn kopfschüttelnd an: »Mir scheint, Sie haben heute schon mehr als genug getrunken.«

Zacharias hörte nicht mehr, was sie zornig vor sich hin grummelte, als sie nach unten ging, sondern war einfach nur froh, sie los zu sein. Er wankte zu dem Spiegel – das hieß: zu jenem kleinen Stück Glas, in dem man sich nie als Ganzes betrachten konnte. Das war auch gut so – wie hätte er den Anblick von seinem klebrigen Haar, seinen rotunterlaufenen Augen, den dicken Geschwülsten darunter auf einmal ertragen?

Der Brief glitt Zacharias aus den Händen.

Er sah erbärmlich aus.

Abends wartete Zacharias auf Cornelius. In der Zwischenzeit war er kaum zur Ruhe gekommen, und selbst jetzt noch, da er ruhig auf einem Stuhl saß, konnte er sein erschöpftes Schnaufen nur mühsam verbergen.

Er hatte seine Jacke gebürstet und das Bett gemacht, er hatte sein Haar gekämmt und sein Gesicht gewaschen. Selbst den

Boden hatte er gefegt, und er hatte es gewagt – das war ohne Zweifel die größte Überwindung –, nach draußen zu gehen und beim deutschen Bäcker ein Stück warmes Maisbrot zu kaufen.

Nun lag es auf dem Tisch, und obwohl es ausgekühlt war, roch es immer noch verführerisch. Er hatte es nicht angerührt, obwohl sein Magen nach all der Anstrengung knurrte. Cornelius blickte auf das Brot, dann auf ihn, schließlich schweifte sein Blick durch die Stube.

»Was ... was ist denn hier passiert?«

Zacharias beugte sich nach vorne und spürte, wie Elisa von Grabergs Brief über seine schwitzende Haut rieb. Lange hatte er nach einem geeigneten Versteck gesucht, doch am sichersten war ihm zuletzt erschienen, ihn einfach in sein Hemd zu stecken.

»Du hattest recht«, sagte er, und seine Stimme – in den letzten Wochen entweder weinerlich oder nörgelnd – nahm jenen feierlichen Ton an, mit dem er einst am Sonntag gepredigt hatte. »Du hattest recht ... die ganze Zeit über: dass ich mich gehen lasse und dass ich mit ganzer Willenskraft dagegen angehen muss. Aber weißt du«, nun erhob er sich, »aber weißt du, Cornelius«, er trat auf den Neffen zu. »Selbst wenn ich mich zusammenreiße, werde ich erst wieder zufrieden leben können, wenn ich zurück in der Heimat bin. Ich werde nüchtern bleiben, das verspreche ich, ich werde dich unterstützen, wo ich nur kann. Ich werde irgendwie Geld verdienen, ob als Pastor oder als einfacher Arbeiter. Aber du musst mich retten. Du musst mich fortbringen. Hier geht meine Seele zugrunde.«

Zacharias spürte, wie der Brief um ein paar Fingerbreit verrutschte.

Cornelius starrte ihn an. »Onkel ...«, stammelte er, »Onkel ...«

Eine Weile sagte er nichts anderes, dann setzte er hinzu: »Woher dieser Sinneswandel?«

Zacharias schluckte. Was nun bevorstand, war der schlimmste Teil seines Plans. Er hoffte, dass seine Stimme nicht zitterte, und er senkte den Blick, um nicht in Cornelius' Augen sehen zu müssen.

»Cornelius ... mein geliebter Neffe ... heute musste ich erfahren, wie vergänglich das Leben sein kann, wie grausam manchmal das Walten des Allmächtigen ... Cornelius ... mein geliebter Neffe.«

»Was, um Himmels willen, ist denn geschehen?«

Zacharias schluckte, dann räusperte er sich. »Ein Fremder brachte Nachricht über Elisa von Graberg. Eine sehr traurige Nachricht. Du musst tapfer sein, Cornelius, sehr tapfer ... Ich wünschte, ich könnte sie dir ersparen.«

18. Kapitel

as Klopfen klang durch den ganzen Wald. »Noch drei«, sagte Lukas. Verwundert blickte Elisa zu ihm auf. Bis jetzt war sie sich nicht bewusst gewesen, dass er genauso aufgeregt war wie sie, auch ehrfurchtsvoll vor diesem großen Moment. Doch das Zittern in seiner Stimme ließ keinen Zweifel daran, dass er ebenso lange auf ihn gewartet hatte wie sie – und dass er ihn entsprechend feierlich begehen wollte.

»Noch zwei!«

Sie reichte ihm die Dachschindel, und als er sie entgegennahm, trafen sich ihre Augen. Er lächelte triumphierend, ehe er sich abwandte, um die Schindel an den Balken zu hämmern.

»Noch eine!«

Wie ein Juchzen klang es nun, und Elisa konnte es nicht verkneifen, dass ihr Tränen der Rührung hochstiegen. Seit sie vor über einem Jahr den Llanquihue-See erreicht hatten, lebte sie mit dem Gefühl, angekommen zu sein. Doch erst jetzt konnte man von einem echten Zuhause sprechen.

Als Lukas die letzte Dachschindel festnagelte, dachte sie an all die Mühsal, die es gekostet hatte, diese Häuser zu bauen, an die Überwindung, jeden Morgen aufs Neue die Zähne zusammenzubeißen, um ungeachtet von Hunger und Müdigkeit und Schmerzen an das Tagwerk zu gehen.

Braucht es wirklich diese großen Häuser?, hätte sie manchmal am liebsten gerufen. Genügen uns nicht die Laubhütten?

Aber sie litt ja selbst darunter, dass durch diese Verschläge aus gespaltenen Baumstämmen unbarmherzig der Wind pfiff, obwohl Annelie in deren Ritzen Moos und Erde gestopft hatte. Und sie erinnerte sich daran, wie herzhaft sie geflucht hatte, als eine dieser Hütten bei Regen zusammengebrochen war. Selten hatte sie sich so verzagt gefühlt wie beim Anblick dieses Bretterhaufens – und der Gedanke, dass wenigstens niemand erschlagen worden war, hatte sie kaum getröstet.

Doch nun gehörten die schäbigen Hütten der Vergangenheit an; nun würden sie alle in richtigen Häusern leben und für die Mühsal der letzten Monate belohnt werden.

Das Holz der Bäume am Seeufer war sehr saftreich und ließ sich – zumindest solange es noch weich war – gut behauen. Nachdem es freilich erst einmal getrocknet war, wurde es so hart, dass man nicht einmal mehr englische Nägel einschlagen konnte. Deswegen galt es, gleich nach dem Fällen der Bäume die Äste und Stämme mit Äxten und Rodehauen zu Schindeln zu schlagen, mit denen Lukas nun auch das letzte Haus deckte.

»Fertig!«

Behende sprang Lukas vom Dach und stieß einen Seufzer der Erleichterung aus, als er stolz sein Werk musterte.

Die Wände bestanden aus gleichmäßigen Holzstücken, die man möglichst ebenmäßig zurechtgehauen und dann horizontal aufeinandergenagelt hatte. Das Giebeldach war erstaunlich symmetrisch, obwohl sie alles nur nach Augenmaß gebaut hatten. Die Fenster waren winzig klein und hatten dennoch allesamt zumindest eine Sprosse. Fensterläden fehlten noch, aber diese würden sie später zimmern.

Neben dem Haus war bereits Brennholz gestapelt – jene Äste und Zweige, die man vor der Brandrodung zur Seite geschafft hatte.

»So«, erklärte Lukas. »Ab morgen arbeiten wir drinnen weiter.«

Was noch fehlte, war eine Decke, die Erdgeschoss und Dachboden voneinander abgrenzte – eine gewiss ebenso anstrengende, konzentrierte Arbeit, aber zumindest eine, bei der sie nicht den Launen des wechselhaften Wetters ausgesetzt waren.

Heute erwies sich der Himmel im Übrigen als gnädig. Als Elisa sich zu Boden fallen ließ, kitzelten Sonnenstrahlen ihre Nase. Lukas setzte sich zu ihr ins Gras, und gemeinsam hoben sie das Gesicht, schlossen die Augen und genossen das warme Licht.

Elisa konnte sich nicht erinnern, jemals eine so lange Pause eingelegt zu haben. Wäre Fritz hier, würde er alsbald zur Weiterarbeit gemahnen; Poldi dagegen würde unruhig herumspringen – was nicht hieß, dass er besonders fleißig war, sondern nur, dass es ihm ungemein schwerfiel, still zu sitzen. Lukas schien das Faulsein genauso zu genießen wie sie.

»Was war es für eine Plackerei!«, stieß sie aus.

»Kannst du dich noch erinnern?«, fragte er. »An jene Bäume auf Glöckners Besitz, die nicht fallen wollten?«

Wie konnte sie das vergessen! Rund um diese Bäume hatten sich solch hartnäckige Schlingpflanzen gewunden, dass man oft zehn, ja gar zwölf von ihnen umhauen mussten, ehe sie – sich gegenseitig mitreißend – zu Fall kamen. Ohrenbetäubend war der Knall gewesen, der folgte.

»Barbara hat erzählt, dass die Tiroler jedes Mal beten, wenn sie Bäume fällen. Auch die Kinder halten sie dazu an. ›Bub, nimm 's Kappl ab, wirrrr wollen zerscht beten‹, sagt der Großvater.« Sie äffte den fremden Dialekt nach, und Lukas grinste.

Elisa stützte sich auf den Ellbogen ab, öffnete ihre Augen und musterte erneut das Haus. »Ich habe kaum glauben wollen, dass irgendwann jede Familie ein eigenes Haus hat. Aber nun sind wir tatsächlich fertig.«

»Na ja«, meinte er, »jetzt kommen die Scheunen dran, die Ställe, die Vorratskammern.«

Seufzend ließ sie ihren Kopf wieder auf die weiche Wiese sinken. Das war nicht alles. Noch mehr Wald musste gerodet und abgebrannt werden, um neue »Roces« – wie sie hier die Anbauflächen nannten – zu schaffen. Das Leben würde auch weiterhin dem steten Kreislauf von Säen und Ernten unterliegen, immer begleitet von der bangen Hoffnung, ob die Samen aufgingen. Und dennoch: Nun gab es ein sichtbares Zeichen dafür, dass sie dem Urwald und dem sumpfigen Seeufer eine neue Heimat abgerungen hatten.

So in Gedanken versunken, hatte sie nicht bemerkt, dass Lukas sich wieder aufgerichtet hatte. Sie blickte erst hoch, als sein Schatten auf sie fiel. Er reichte ihr eine Harke.

»Müssen wir denn wirklich schon …«, seufzte sie, weil sie dachte, er würde sie dazu auffordern, weiterzuarbeiten.

Doch er schüttelte den Kopf. »Das ist ein Geschenk. Ich habe sie für dich gemacht.«

Sie setzte sich auf, musterte die Harke genauer und erkannte, dass der Griff mit kunstvollen Schnitzereien verziert war. Sie wusste nicht genau, was diese darstellen – vielleicht die Köpfe von Menschen, vielleicht die von Kühen –, in jedem Fall aber, dass er sich viel Mühe gemacht haben musste. »Danke«, murmelte sie. »Ich wusste nicht, dass du derart geschickt mit Holz umgehen kannst.«

Er grinste scheu. »Und das sagst du ausgerechnet, nachdem ich ein halbes Dutzend Häuser gedeckt habe?«

»Das meine ich nicht. Das ist Arbeit, für die es vor allem Kraft, Geduld und Übung braucht. Aber das hier …«

Sie sprach nicht weiter. Das hier verlangte besonders viel Konzentration und Behutsamkeit, vor allem aber viel Zeit, die ohnehin immer knapp war, obendrein für etwas, was nicht notwendig, sondern lediglich schön anzuschauen war – und ein sichtbarer Beweis dafür, dass er genauso gerne mit ihr zusammenarbeitete wie sie mit ihm.

»Es ist Essenszeit. Komm mit zu uns!«, forderte er sie auf.

»Aber ich kann auch zu Hause …«

Sie wusste, wie sparsam jede Familie mit ihrer Ration umzugehen hatte.

»Wir haben alle nicht viel«, gab Lukas zu, um dann entschlossen hinzuzufügen: »Aber für dich reicht es immer.«

Lukas ließ sich im Steiner-Haus auf die Bank fallen. Genauso wie der wackelige Tisch hatte man sie vor einigen Monaten nur notdürftig geschreinert. Zeit dazu, Stühle mit Lehnen zu bauen, gab es nicht; das Wichtigste für sie alle war, dass die Häuser standen.

Ungewohnt redselig verkündete Lukas, dass sie eben das letzte Dach, unter dem ab nun die Glöckners leben würden, gedeckt hatten. Meist sprach er nicht viel, und meist hörte ihm, bis auf Elisa, niemand zu, doch heute war das anders.

Christl hob neugierig den Kopf: »Dann ist jetzt auch das Fest?«, fragte sie.

Christine runzelte die Stirn. Sie machte sich an der notdürftigen Feuerstelle zu schaffen, deren Rauch die ganze Stube verpestete, obwohl das Fenster dahinter weit geöffnet stand. Fritz hatte erst gestern verkündet, dass sie nun, da alle Häuser gedeckt waren, ordentliche Kamine und Herde mauern sollten. »Wer hat was von einem Fest gesagt?«

»Alle!«, rief Christl begeistert. »Wenn die Häuser fertig sind, hat Annelie versprochen, werden wir …«

»Wenn's ums Feiern geht, hörst du immer ganz genau zu«, fiel

Christine ihr schroff ins Wort. »Aber wenn ich dich bitte, mit anzupacken, bist du auf beiden Ohren taub.«

Anders als Lukas war Elisa stehen geblieben, nachdem sie das Haus der Steiners betreten hatte. Hastig trat sie nun zu Christine, um ihr bei der Zubereitung des Mahls zur Hand zu gehen. Es war selbstverständlich, dass sie hier im Haus häufig Gast war. Und ebenso selbstverständlich war, dass sie stets bei der Hausarbeit mithalf.

Der Eintopf, den Christine in einem Kessel rührte, war mehr als dürftig: Die Bohnen und Linsen, die die Männer letztens aus Melipulli mitgebracht hatten, waren längst zur Neige gegangen, genauso wie das getrocknete Fleisch und Salz. Ein einziges Mal erst hatten sie Zucker und Kaffee bekommen, und Christine hatte beides bewacht wie einen prächtigen Schatz.

Peter Wirth, ein Beauftragter von Franz Geisse, der wiederum seit kurzem der Intendant des Kolonisationsagenten Rosales war, händigte den Männern in Melipulli nicht nur die Rationen aus, sondern rechnete mit großer Akribie vor, wie viel diese kosten würden und sie in den nächsten sechs Jahren zurückzahlen müssten. Mal waren es 9,3 Pesos pro Ration, dann wieder nur 9,1 oder 9,7.

»Wir müssten weniger lang warten, würde er einfach nur einen Durchschnittswert benennen«, meinte Fritz des Öfteren mürrisch.

Elisa beugte sich über den Kessel und sah, dass Christine Kartoffeln und Kraut klein geschnitten hatte und nun mit etwas Wasser aufkochte.

Allein der Anblick der Kartoffelscheiben verstärkte Elisas Rückenschmerzen, erfüllte sie jedoch auch mit Stolz. Sie sah sich vor sich, wie sie vor einigen Wochen stundenlang auf der Erde gekniet war, mit der Hacke in den Boden geschlagen und schließlich mit bloßen Händen darin gewühlt hatte, um die Kartoffeln auszugraben – jede einzelne so kostbar wie ein Goldstück. Selbst wenn sie wusste, dass die Erde nichts mehr hergeben würde, grub sie noch tiefer, und wenn sie später mit gefüllter Schürze und schwarzen Händen zurückkehrte, fühlte sie sich, als hätte sie eine siegreiche Schlacht geschlagen und den Feinden wirklich alles abgerungen.

»Wo ist Poldi?«, fragte Elisa. Alle Steiners waren in der Stube versammelt, nur der jüngste Sohn nicht.

»Was weiß ich, wo er sich wieder herumtreibt!«, murrte Christine. »Wahrscheinlich isst er bei den Glöckners. Barbara hilft er ja lieber als seiner eigenen Mutter.«

Elisa ging nicht darauf ein, sondern wollte diese fehlende Hilfe wettmachen. »Lass mich das machen!«, sagte sie leise, und Christine übergab bereitwillig den großen hölzernen Löffel, um ihr das Umrühren zu überlassen.

»Was ist nun mit dem Fest?«, fragte Christl.

»Was ist nun mit dem Mitanpacken?«, höhnte Lenerl.

»Da redet die Richtige! Fürs Beten hältst du ja auch ständig inne.«

Sie wurde von Fritz oft dafür gerügt, dass sie so langsam arbeitete, und sie hielt dagegen, dass sie zwischendurch beten würde. Die einen glaubten es ihr und hielten sie für fromm; anderen galt sie als träge, wenngleich sie das besser zu tarnen wusste als ihre Schwester.

»Du willst ja nur ein Fest feiern, um Viktor Mielhahn schöne Augen zu machen!«, lästerte Lenerl.

»Das ist nicht wahr!«, zischte Christl, wurde jedoch sichtlich rot vor Verlegenheit.

Elisa hob verwundert den Kopf. Ihr war nicht aufgefallen, dass Christl dergleichen Sympathien hegte, doch als sie darüber nachdachte, kam ihr in den Sinn, die älteste Steiner-Tochter häufig in Viktors Nähe gesehen zu haben. Er wirkte auf sie stets verdrossen und hatte wenig mit dem schüchternen Knaben von einst gemein. In jener Nacht, da sie Konrad Webers Hazienda verlassen hatten, schien er erwachsen geworden zu sein. Nachdem er mit seiner Schwester in den ersten Monaten bei den Steiners gelebt hatte, hatte er eine eigene Parzelle Land gefordert, und alle hatten geholfen, um auch ihm ein Haus zu errichten.

»Wusst' ich's doch, dass du den Viktor magst!«, spottete Lenerl.

»Das ist nicht wahr!«, hielt Christl erneut entgegen.

Ich werde blind für die Menschen, dachte Elisa betroffen.

Manchmal war ihr, als gäbe es nur sie und das Land und die Arbeit, und der Einzige, der hin und wieder darin auftauchte, war Lukas. Damals, bei der Ankunft am See, hatte sich ehrfürchtige Stille über sie gesenkt, und am wohlsten fühlte sie sich immer noch, wenn sie sich von den anderen absondern, in das dunkelblaue Wasser oder hoch zum schneebedeckten Osorno starren konnte, um sich ihrer Sehnsucht hinzugeben – der Sehnsucht nach Cornelius, mit dem sie so gerne die Last, aber auch die Dankbarkeit teilen würde, eigenes Land zu haben und es zu beackern.

Sie sprach fast nie mit jemandem über ihn. Nachts schlief sie meist so tief und fest, dass der alte Traum nicht wiederkehrte, und die schwere Arbeit ließ es oft nicht zu, an ihn zu denken, sich sein Bild vor ihr heraufzubeschwören. Und dennoch: Sie trug ihn tief in ihrem Herzen, und in den knappen Augenblicken des Innehaltens war er ihr so nah wie eh und je.

»Hört mit dem Streiten auf!«, schalt Christine, ehe sie gemeinsam mit Fritz den lahmen Jakob an den Tisch schleppte. Der ließ es mit ausdruckslosem Blick über sich ergehen. Nur wenige Male hatte er lautstark die Klage angestimmt, dass er sich nutzlos und im eigenen Leib wie ein Gefangener fühlte, ansonsten schwieg er schicksalsergeben.

»Die Nichten von Barbara haben kein Fest im Kopf, sondern ihre Arbeit«, sagte Fritz streng. »Zwei von ihnen sind letztens nach Melipulli aufgebrochen, um dort als Dienstmägde zu arbeiten und für die Familien etwas dazuzuverdienen. Sie haben alles, was sie besaßen, auf den Rücken gebunden und sind ganz allein durch den Wald gestapft. Solltest dir daran ein Vorbild nehmen.« Er nickte grimmig, um seine Worte zu bekräftigen.

»Bist du verrückt?«, schrie Christl auf. »Ich gehe doch nicht allein in den Wald. Sterben würde ich vor Angst!«

Der Blick von Fritz wurde verächtlich. »Als ob das der wahre Grund wäre! Die größte Angst hast du doch davor, andernorts wirklich arbeiten zu müssen.«

»Mutter!« Hilfesuchend wandte sich Christl an Christine. »Ich muss doch nicht weggehen, oder? Du schickst mich und Lenerl doch nicht fort?«

Das Katherl, das neben Lukas am Tisch saß, lachte glockenhell dazwischen.

»Still!«, rief Christine streng. »Alle beide. Ihr geht nirgendwo hin.«

Elisa rührte weiterhin in dem Kessel und wollte ihn, da die Kartoffeln mittlerweile weich gekocht waren, vom Haken nehmen. Wie immer würde der Kessel in der Mitte des Tischs stehen und sie alle gemeinsam daraus essen. Es gab keine Zeit, Teller und Schüsseln zu schnitzen.

»Ich helfe dir!«

Sie hatte nicht bemerkt, dass Lukas sich erhoben und zu ihr getreten war und nun an ihrer statt den Kessel nahm.

Er blickte mit gerunzelter Stirn hinein. »Kartoffeln und

Kraut«, stellte er seufzend fest. »Wann gibt's nur endlich wieder Fleisch?«

»Vielleicht beim Fest?«, schlug Elisa vor, obwohl sie nicht sicher war, ob es tatsächlich ein Fest geben würde oder Christl sich das nur ausgedacht hatte. Sie überlegte, wer im Zweifelsfall überhaupt darüber entscheiden würde, und kam zum Schluss, dass es weniger die Männer ihrer Siedlung waren als vielmehr die Frauen – allen voran Christine, Annelie und Barbara. Auch Jule würde sich kräftig einmischen wie bei jedem Entschluss, der bislang gefällt worden war, wobei es meist überhaupt erst Jule war, die Christine dazu brachte, eine Position zu beziehen. Elisa hatte Jule im Verdacht, dass sie mit Absicht immer das Gegenteil dessen behauptete, was sie eigentlich erreichen wollte, weil sie auf diese Weise sicher sein konnte, dass sie Christine nur scheinbar als Gegnerin, in Wahrheit aber auf ihrer Seite hatte. Und Elisa war sich ebenso sicher, dass Christine diese Taktik längst durchschaut hatte, sich aber trotzdem jedes Mal ernsthaft darauf einließ.

»Falls es wirklich dieses Fest gibt – gehst du gemeinsam mit mir hin?«, fragte Lukas leise, ehe sie den Tisch erreichten.

Seine Wangen brannten rot – wie die von Christl, als vorhin Viktors Name gefallen war.

»Wenn du magst«, sagte Elisa.

Sie war froh, seinen Blick nicht erwidern zu müssen; rasch nahmen sie Platz, und alle beugten sich hungrig über den Kessel. Das Mahl verlief schweigend.

»Stellt euch vor: Antiman sagt, dass das tatsächlich eine Kartoffel ist.«

Drei Tage waren vergangen, seit das letzte Dach gedeckt worden war, als Annelie die Knolle gegen das Licht hob, um sie eingehender zu betrachten.

Barbara und Jule hoben träge den Kopf. Es war längst nichts Neues, dass Annelie wieder einmal auf eine Frucht, Beeren oder Pilze gestoßen war, die man essen konnte und die halbwegs sättigten – ob sie auch schmeckten, war eine andere Sache.

»Ja doch!«, bekräftigte Annelie. »Das ist eine Kartoffel! Rote Kartoffeln sind in Chile gar nicht so selten, sagt Antiman. Es gäbe auch blaue und lilafarbene, stellt auch das vor.«

»Pah!«, rief Jule. »Und was nützt uns das? Wir essen seit einem Jahr fast nur Kartoffeln. Aus den Ohren kommen sie mir so oder so raus, ob sie nun rot oder blau oder lila sind.«

Annelie ließ die Knolle wieder sinken. »Aber heute Abend wirst du viel mehr essen als nur Kartoffeln.«

Sie stand glücklich vor mehreren Schüsseln. Für gewöhnlich musste sie sich mit einer begnügen, um das Mahl zuzubereiten. Doch heute war sämtliches Geschirr zusammengetragen worden, damit Annelie es mit köstlichen Gerichten füllen konnte. Das anstehende Fest hatte sie in den letzten Tagen noch erfinderischer und experimentierfreudiger gemacht. Nicht nur, dass sie sich auch weiterhin abmühte, einen Rhabarberkuchen zu backen – mittlerweile hatte sie herausgefunden, dass man nicht nur die Stiele der Nalca-Pflanze essen, sondern mit deren Blättern gut die Ritzen der Hauswände stopfen konnte. Obendrein hatte sie entdeckt, dass jene feuerrote Blume, die Copihue, die im Regenwald wuchs und deren biegsame, zähe Wurzeln man zu allerhand Flechtarbeiten verwenden konnte, im Frühjahr saftige Früchte in der Form einer Kirsche hervorbrachte, nicht ganz so rot wie die Blüten, sondern orangegelb. Sie würden süßlich schmecken, hatte Antiman erklärt, und nachdem Annelie erst mal davon probiert hatte, konnte sie sich daran nicht satt essen. Ihre Zunge schien, nach all den faden Kartoffel- und Kohlgerichten, förmlich zu glühen.

Auch jetzt naschte sie gierig davon.

Barbara hob den Kopf: »Ich würde mich ja nicht trauen, so viele Früchte zu essen … in deinem Zustand.«

Annelie blickte auf ihren sanft gewölbten Leib. Man sah ihr erst seit kurzer Zeit an, dass sie wieder schwanger war. Es sei dies ein Zustand der Schande, den eine Frau so gut wie irgend möglich verbergen müsse, hatte ihr die Mutter einst eingebleut, doch seit sie festgestellt hatte, wieder ein Kind zu bekommen, hatte sie sehnsüchtig auf den Moment gewartet, da alle anderen es sehen würden. Wenn darüber gesprochen wurde, war sie nicht beschämt, sondern glücklich und stolz.

Die Monate, die hinter ihnen lagen, waren gewiss beschwerlich und arbeitsreich gewesen, doch es hatte sich vieles zum Besseren gewendet. Richard war zwar nach wie vor langsam und zögerlich in all seinen Regungen, aber er schien nach ihrer Ankunft am See wie aus langem Schlaf erwacht zu sein. Er starrte nicht länger trübsinnig vor sich hin, sondern nahm nach und nach am Leben teil, sprach wieder mit ihr, berührte sie, lächelte ihr zu. Die letzten Reste des Schwermuts würde er sicherlich abstreifen, wenn er erst einmal seinen Sohn in den Armen hielt – und Annelie war sich sicher, dass sie einen Knaben erwartete.

Sie beugte sich über den Tisch.

»Antiman hat mir bis jetzt nur gute Ratschläge erteilt. Er sagt, dass man auch Samen und Blätter von Arrayán verwenden kann – allerdings nicht als Nahrung, sondern als Medizin gegen Durchfall, zum Beispiel. Und er hat mir so viel vom Llao-Llao erzählt. Ein Pilz soll das sein, der vor allem an der Südbuche wächst und sehr schmackhaft ist. Schade, dass ich noch keinen gefunden habe. Und schade, dass Antiman so selten hier ist.«

Er hatte sie kurz nach der Ankunft am See verlassen, und auch wenn er zwischendurch immer wieder zurückkehrte – einmal hatte er sogar Muscheln und frischen Fisch mitgebracht –, so blieb er nach Annelies Empfinden nie lange genug, um sie über alle Nahrungsmittel, die im Wald verborgen waren, zu belehren.

»Nun gut«, gab Jule zu, »manches von dem, was er sagt, ergibt Sinn.«

Antiman hatte ihnen auch gezeigt, was man mit den Bambussträuchern anfangen konnte, sobald die Früchte abgestorben waren: Die langen, harten Stangen eigneten sich nicht nur als Gerüst beim Hausbau, sondern auch als Material für Arbeitswerkzeuge.

So hatte Jule kürzlich erst einen Riffel geformt, indem sie in ein Stück Bambus kleine Holzstücke einschlug. Einem großen Kamm glich dieses Gebilde, mit dem sie nun sämtliche Samen aus dem Flachs bürstete. Diese Samen würde Annelie später trocknen, um Linsa daraus zu machen – eine Medizin, die man bei Magenschmerzen einnahm oder auf Schuppenflechte und Krätze strich.

Barbara hingegen war ganz damit beschäftigt, das gereinigte Flachsstroh in Wasserfässern einzuweichen. Nach mehrwöchiger Tauche würde es getrocknet, zu Zöpfen geflochten und schließlich gesponnen werden.

»Wenn Antiman nicht wäre, hätten wir auch nicht gewusst, wie man hierzulande am besten Flachs anbaut«, sagte Annelie.

Jule schnaubte. »Wenn ich geahnt hätte, welche Heidenarbeit uns bevorsteht, dann wäre mir lieber gewesen, er hätte es verschwiegen.«

Barbara grinste. »Möchtest du denn nackt rumlaufen? Es besagt nun mal eine alte Weisheit, dass der Flachs neunmal durch des Menschen Hand geht, bis er ihn als Leinwand auf dem Leibe trägt.«

Sie brachte den Spruch in jenem Singsang hervor, der ihr eigen war. Ihre Stimme klang, auch wenn sie nicht sang, ungemein melodiös.

Jule machte sich oft lustig darüber, dennoch hatten Barbaras viele Lieder den Flachsanbau unterhaltsamer gestaltet.

Zunächst hatten sie die Samenkörner Furche um Furche in die lockere Ackererde gesteckt – nach jedem halben Schritt jeweils drei Körner. Dann hieß es warten, bangen und hoffen, denn kaum eine Frucht war empfindlicher als der Flachs. Zu ihrer aller Stolz war schon die erste Ernte ertragreich. Samt Wurzeln wurden die Halme schließlich aus dem Boden gezogen und dann für etliche Wochen auf dem Feld ausgebreitet. Wieder galt es zu warten, zu hoffen und zu bangen – dass es nämlich nicht ständig regnete. Das Glück erwies sich ihnen als weiterhin gnädig: Die Luft war zwar feucht, aber die Sonnenstrahlen stark genug, um die Halme verwittern zu lassen. Schließlich wurden sie zu Bunkel gebunden, mit dem Schleifstein die harte Grate abgeschabt und das grobe Werch ausgekämmt.

Was nun folgte, war eine nicht minder langwierige Arbeit, aber immerhin eine, die man im Sitzen und im Hausinneren vollziehen konnte.

»Nicht mehr lange und wir tragen neue Röcke!«, rief Barbara.

Stirnrunzelnd deutete Jule auf das Spinnrad: »Sofern dieses klapprige Gestell auch hält, was es verspricht«, gab sie zu bedenken.

Annelie war ihrem Blick gefolgt und lachte prustend auf. Eigentlich war es nicht besonders lustig, dass sie weder ein ordentliches Spinnrad noch einen Webstuhl hatten, aber seit sie schwanger war, lachte sie oft und meist grundlos. Antiman hatte ihnen dieses Gerät beschafft, das man hierzulande »Rueca« nannte und deren Spindel aus Tierknochen bestand.

Fritz Steiner hatte wiederum versucht, einen Webstuhl zu tischlern. Annelie und Barbara hielten das Ergebnis für ganz ansehnlich – Jule dagegen sparte nicht mit Unkenrufen, wonach es zusammenbräche, ehe sie auch nur einen einzigen Faden gewebt hätten.

»Und wenn alles gut geht, dann können wir auch Beinkleider herstellen!«, ließ sich Barbara ihre Begeisterung nicht nehmen. »In Melipulli kann man ein paar Beinkleider gegen einen Ochsen eintauschen.«

»Richard hat sogar schon ein paar Holzknöpfe geschnitzt«, fügte Annelie hinzu.

»Na großartig!«, höhnte Jule. »Der Ochs, den ihr gegen solche Beinkleider eintauschen wollt, ist sicherlich klapperdürr, blind und lahm!«

Annelie hörte nicht auf sie. »Und vielleicht können wir auch einen ordentlichen Tisch damit bezahlen – in Valdivia, heißt es, gibt es so viele gute Schreiner.«

»Nach Valdivia zu gehen und wieder zurück ist lang und anstrengend genug, auch ohne Tisch auf dem Rücken«, meinte Jule. »Und lass deine Worte bloß Christine nicht hören. Sagt sie nicht immer, dass man nur braucht, was man auch selbst machen kann?«

»Weil du schon von Christine sprichst«, meinte Annelie. »Ihr werdet heute Abend bei dem Fest doch nicht streiten, oder?«

Kurz nach Jakobs Unfall war Christine Jule stets höflich begegnet. Doch mittlerweile lag dieser anderthalb Jahre zurück, und alte Feindseligkeit loderte nicht selten auf.

»Wir werden uns nicht streiten, wir werden uns anschweigen«, erklärte Jule.

»Aber bitte nicht mit solch finsterer Miene. Das Leben ist doch schön!«

Mit verträumtem Lächeln blickte Annelie zuerst auf die saftigen Copihue-Früchte, dann auf ihren gerundeten Leib. Jule rümpfte die Nase, doch Barbara widersprach ihr nicht, sondern stimmte wie so oft eines ihrer Lieder an.

Drei oder vier Mal hatte Poldi das Haus umrundet, doch es war ihm nicht gelungen, durch die Ritzen der Fensterläden zu spähen. Als er schon enttäuscht von dannen schleichen wollte, ohne den ersehnten Blick auf Barbara zu erhaschen, sah er den Wassertrog, der neben der Haustür stand. Eben noch gebückt, streckte er sich und schritt selbstbewusst darauf zu. Niemand konnte ihm schließlich verwehren, sich nach der Feldarbeit zu waschen. Allein von dem Gedanken, nun jeden Augenblick mit Barbara zusammentreffen zu können – vielleicht kam sie vor die Tür, wenn sie ihn hörte –, wurde ihm so heiß, dass er sich das Hemd förmlich vom Leibe riss. Rasch versenkte er den Kopf und die Schultern im kühlen Nass. Er rieb sich seine Haut, die von tiefen Narben und Kratzwunden übersät war, allesamt Andenken an schmerzhafte Begegnungen mit herunterfallenden Ästen und dornigem Gebüsch, und unter der er kräftige Muskeln fühlte. Wenn es etwas Gutes an der Schufterei gab, dann das: Niemand hielt ihn mehr für einen Knaben. Jeder konnte auf den ersten Blick erkennen, dass er inzwischen die Statur eines Mannes hatte. Er richtete sich wieder auf und schüttelte den Kopf wie ein nasser Hund. Wasser spritzte in alle Richtungen und sorgte für Gekreisch. Als er herumfuhr, sah er jedoch nicht, wie erhofft, Barbara, sondern seine Schwestern Lenerl und Christl. Sie rollten Fässer zum Haus der von Grabergs – wahrscheinlich für das heutige Fest.

»Musst du mich nass machen?«, schrie Christl.

»Nun hab dich nicht so!«, murmelte er mürrisch.

Nicht minder sehnsüchtig wie er nun schon seit Stunden darauf wartete, zufällig mit Barbara zusammenzutreffen, blickte er auf die Fässer. Wahrscheinlich war Chica darin – jenes aus Mais gebraute Gesöff, das man mit viel gutem Willen für Bier halten konnte. Antiman hatte Annelie gezeigt, wie man es zubereitet, und erzählt, dass es schon seit Jahrhunderten von den Völkern der Anden getrunken wird. Als Poldi zum ersten Mal davon probieren durfte, hatte er sich tagelang mit Kopfschmerzen herumschlagen müssen. Doch als er jetzt auf die Fässer sah, dachte er weder daran noch an den bitteren Geschmack, sondern an das angenehme Gefühl, berauscht zu sein. Es war, als würde man nicht fest auf dem Boden gehen, sondern von allen Lasten befreit darüber schweben.

»Die Fässer bleiben bis heute Abend geschlossen!«, erklärte Christl so streng und missmutig, als gelte es, ihn dafür zu strafen, weil sie diese Fässer schleppen musste.

Poldi wurde wieder heiß bei dem Gedanken, dass er den ganzen Abend in Barbaras Gegenwart verbringen würde. Selten war die Gemeinschaft bislang nach Dämmerung zusammengekommen, sondern hatte sich meist schon aufgelöst, kaum dass Barbara nur ein Lied gesungen hatte. Doch heute würde es gewiss anders werden.

»Also!«, bekräftigte Christl. »Finger weg vom Chica!«

Wenn sie sich nicht immer nur so wichtig machen würde!, ging es Poldi durch den Kopf. Vor einem Jahr noch hatte es gereicht, Christl an den Zöpfen zu ziehen. Dann hatte sie zu plärren begonnen und er war sie meist los gewesen.

»Komm mir mit dem elenden Gesöff nur nicht zu nahe!«, blaffte er.

»Sag, wenn dich nicht der Durst hierhertreibt, was eigentlich dann?« Sie spielte kurz die Verwirrte, um im nächsten Moment ein wissendes Lächeln aufzusetzen. »Nun, ich kann mir schon vorstellen, was …«

»Halt den Mund!«, unterbrach Poldi sie scharf und hob drohend die Hand. Er ließ sie allerdings sofort wieder sinken, denn hinter den Fensterläden nahm er eine Bewegung wahr. Ob Barbara aufgestanden war und nach draußen sah?

Barbara, der er vor nicht langer Zeit beim Flachsanbau geholfen hatte, obwohl Fritz behauptet hatte, dass das Frauenarbeit sei … Barbara, mit der er stundenlang gesungen hatte – wie damals, als sie im Wald herumgeirrt waren …

»Also«, konnte Christl das Sticheln nicht lassen. »Was machst du hier?«

»Ich wollte mich nur waschen.«

»Wir leben an einem See, in dem du bis zum Kopf untertauchen kannst, und du schleichst dich zu diesem Trog? Nein, das glaube ich dir nicht. Ich weiß ganz genau, dass du für Barbara Glöckner schwärmst!«

Ehe Poldi wutentbrannt etwas entgegnen konnte, schaltete sich Lenerl ein. »Nun, lass ihn doch in Ruhe!«, schimpfte sie, die Hände in die Hüften gestemmt.

»Das stimmt nicht«, fuhr Poldi dessen ungeachtet Christl an. »Wahr hingegen ist, dass du ein Auge auf Viktor Mielhahn geworfen hast!«

Christl missachtete seine Worte. »Sie könnte deine Mutter sein!«

»Und Viktor ist ein Sonderling! Das denkt jeder, nur spricht es keiner aus, weil alle Mitleid mit ihm und seiner verrückten Schwester haben.«

Er war erleichtert gewesen, als Viktor darauf beharrt hatte, eine eigene Parzelle für sich und die Schwester zu bekommen und dort in einem eigenen Haus zu leben. Ihm war allerdings nicht entgangen, wie sehr Christl es bedauerte, dass die beiden nun nicht mehr unter einem Dach mit den Steiners wohnten, wie es nach der Ankunft am See beschlossen worden war.

»Viktor ... Viktor ist ein feiner Mensch!«, rief Christl und fuchtelte wild mit den Händen. »Er ist kein derber Bauer!«

»Aber gerade solche brauchen wir hier. Genauso wie tüchtige Frauen, die anpacken können.«

»Etwa so wie Barbara?«, stichelte Christl.

»Viktor kriegst du nie dazu, auch nur ein Wort mit dir zu sprechen.«

»Dass du dich da nicht irrst!«, rief Christl triumphierend. »Das hat er nämlich schon getan. Bin heute zu ihm gegangen und habe ihn zum Fest eingeladen, und stell dir vor, er hat mir sogar Apfelmost angeboten. Wirst sehen: Heute Abend tanz ich mit ihm.«

Poldi zuckte mit den Schultern.

Plötzlich stieg ein Bild vor ihm auf, nicht von Christl und Viktor, sondern von sich und Barbara, wie sie sich miteinander im Kreise drehen, die Leiber ganz dicht aneinandergepresst.

»Ach, lass mich doch in Ruhe!«, rief er unbeherrscht.

Christl grinste triumphierend.

Abermals wurde sein Gesicht glühend rot, und damit seine Schwestern es nicht merkten, tauchte er erneut seinen Kopf in das mittlerweile bräunliche Wasser des Trogs – so tief, dass er nichts mehr sah und hörte von der Welt.

19. KAPITEL

Rasch war im Haus der von Grabergs Platz für das Fest gemacht worden: Da es nur wenig Mobiliar gab, musste man nicht viel beiseiteschaffen. Was man mit dieser leeren Fläche allerdings anfangen sollte – das konnte niemand sagen. Die Siedler wussten, wie man Holz zu schlagen hatte und wie den Boden zu beackern, wie man Flachs anbaute und Gräben aushob, aber wie das Feiern ging, hatten sie verlernt.

Die Dielen knirschten unter unschlüssigen Schritten; die Gäste wirkten eher müde als ausgelassen. Wenig mitreißend geriet das Lächeln in ihren Gesichter, wenig feierlich waren die Kleider, die sie trugen, nämlich dreckig und verlottert wie eh und je.

Nur der von Annelie reich gedeckte Tisch ließ keine Zweifel zu, dass es ein freudiger Anlass war, zu dem sie sich trafen, und Annelie war es auch, die schließlich den Abend rettete – wollte sie doch nicht hinnehmen, dass ihre Speisen mit dumpfen und trübsinnigen Blicken gekaut wurden.

Noch ehe sie einlud, vom Essen zu nehmen, bat sie zu trinken an und schenkte nicht nur großzügig Chica aus, sondern vor allem Apfelwein – aus den Früchten der wilden Apfelbaumhaine gebraut, die sie erst vor kurzem entdeckt hatte.

Das Gesöff schmeckte so säuerlich, dass Elisa meinte, ihr Mund würde gleich zu brennen beginnen, doch es verfehlte seine Wirkung nicht. Kaum hatte sie sich an den Geschmack gewöhnt, strömte der Apfelwein warm durch ihren Leib, stieg ihr in den Kopf und ließ sie ungewohnt schrill auflachen.

Poldi erging es nicht anders. Er trank einen ganzen Krug auf einmal leer, und als er ihn wieder senkte, war sein Kopf hochrot. Selbst sein Bruder Fritz wirkte nicht streng und verkrampft wie sonst.

Nur Jule blieb nüchtern. »Bier würde ich trinken, Wein nicht«, erklärte sie störrisch.

»Irgendwann schaffe ich es, nicht nur Chica, sondern auch Bier zu brauen!«, erklärte Annelie stolz.

»Pah!«, machte Jule. »Hier im Nichts ist das genauso unsinnig wie der Versuch, einen Rhabarberkuchen zu backen.«

»Von wegen!«, rief Annelie. »Carlos Anwandter in Valdivia hat es schließlich auch geschafft.«

Bis an den See hatte sich diese Geschichte herumgesprochen: wie nämlich dieser Carlos Anwandter in einem simplen Kochtopf Weizen mälzte, im Backofen dörren ließ und so sechs Flaschen Bier zustande gebracht hatte, die allerdings ganz schnell getrunken werden mussten, weil sie sich ansonsten in Bieressig verwandelt hätte. Beim zweiten Mal hatte er schon mehr gebraut – und statt des Kochtopfs einen Waschkessel benutzt. Mittlerweile, so hieß es, sei ein echter Braukessel im Einsatz.

Eben hatte Annelie Poldis Kelch nachgefüllt, und der hatte ihn so schnell leer getrunken wie den ersten. Nun stellte er ihn mit lautem Klirren ab und war mutig genug zu rufen: »Es ist so still hier! Wir brauchen doch Musik zum Tanzen!«

Annelie zuckte mit den Schultern; anderes als Essen und Trinken konnte sie nicht zur Unterhaltung beitragen, doch Andreas Glöckner, der soeben mit Eltern und Schwestern das Haus betreten hatte, zog eine Mundharmonika aus seiner Hosentasche. Ehe er zu spielen ansetzte, warf er seiner Mutter einen fragenden Blick zu.

»Aber ja doch!«, rief Barbara, und ihre Stimme kiekste, obwohl sie noch nichts getrunken hatte. »Poldi hat recht! Musik braucht's! Laute, beschwingte Musik!«

»Wo hat Andreas denn die Mundharmonika her?«, grummelte Christine Steiner misstrauisch, als könnte etwas, das sie nicht mühselig selbst hergestellt hatten, nur gestohlen sein.

»Na, von den anderen Tirolern in der Nachbarsiedlung«, schaltete sich Jule ein. »Denen ist das Gesicht nicht eingeschlafen wie unsereins. Sie treffen sich regelmäßig, singen und tanzen, erzählen Märchen und spielen Weizenpicken. Das Lachen ist dort nicht verboten. Wenn man unsereins anblickt, könnte man hingegen meinen, gerade sei jemand gestorben.«

»Das sagst ausgerechnet du?«, kläffte Christine. »Dein Anblick ist doch der letzte, der einen fröhlich stimmt.«

»Kein Wunder«, antwortete Jule. »Weil ich eben nichts zu lachen hab, inmitten dieser ernsten Meute.«

»Wie schade!«, höhnte Christine. »Das kann nur bedeuten, dass du dich langweilst … und wo du dich langweilst, dort willst du gewiss nicht bleiben.«

»Nun hört doch auf!«, mischte sich Annelie ein und strich wie so oft über ihren gewölbten Leib. »Lauscht lieber seinem Spiel!«

Die Töne, die Andreas zauberte, gerieten schief und folgten keinem Takt, doch weil sie so fremd und ungewohnt waren, hörten die meisten ergriffen zu.

»Man könnte es besser machen«, stellte Jule fest, »aber dass dieser knöchrige Junge überhaupt spielen kann – das ist schon Wunder genug.«

Auch Elisa hatte dergleichen nicht erwartet, obwohl sie sich, als sie Andreas musterte, eingestehen musste, dass sie eigentlich noch nie irgendetwas von diesem schlaksigen Jungen erwartet hatte. Die Glöckners waren tüchtige Leute, so viel stand fest. Taddäus war zwar manchmal halsstarrig und geriet mit Fritz aneinander, aber wenn man seine Hilfe brauchte, war er zur Stelle. Und dennoch war's, als hätte Barbara nicht nur sämtliche Schönheit, sondern auch Lebendigkeit, Humor und Wortgewandtheit für sich allein beansprucht, während für die übrige Familie nichts blieb, außer stumm in ihrem Schatten zu leben.

Andreas beendete das erste Lied.

»Gut gemacht«, rief Annelie, um leiser hinzuzufügen: »Es sei ihm vergönnt, Zuspruch zu erfahren. Barbara schert sich nicht viel um ihn.«

»Tja«, meinte Jule. »Die hätte wohl lieber Poldi als Sohn. Wobei man sich fragen muss, so rotwangig wie sie ihn anglotzt, ob er wirklich ihr Sohn sein soll oder nicht vielmehr …«

Die letzten Worte gingen in einem Grummeln unter.

»Was hast du gesagt?«, fragte Christine spitz.

»Nichts, rein gar nichts. Ich bin immer noch damit beschäftigt, mich zu langweilen.«

Wieder tönten die Klänge der Harmonika, diesmal etwas flotter und sicherer.

Poldi trank seinen nunmehr dritten Kelch Apfelwein. »So!«, rief er laut, nachdem er sich den Mund abgewischt hat. »Jetzt haben wir Musik! Jetzt können wir auch tanzen!«

Schwankend trat er auf die Glöckners zu, und Elisa hörte Jule und Annelie tuscheln, ob er wohl die Dreistigkeit besaß, Barbara aufzufordern. Doch dann steuerte er auf Resa zu, ergriff ihre Hand und zog sie mit sich. Das Mädchen wirkte verdutzt, wehrte sich jedoch nicht, so wie sie vieles wortlos hinnahm – das Arbeiten ebenso wie nun das Tanzen. Der Boden knarrte unter Poldis Schritten, als sie sich wirr im Kreise drehten, ohne jegliche Schrittfolge, nicht einmal im Takt der Musik. Er schwankte und fiel fast über Resas Beine, konnte sich schließlich doch noch aufrecht halten – und genügend Platz für andere Paare lassen.

Leise trat Lukas zu Elisa und legte vorsichtig seine Hand auf die ihre.

»Möchtest du auch tanzen?«

Elisa zuckte unsicher mit den Schultern. Sie war froh, einmal still sitzen zu können, und sie sträubte sich gegen die Vorstellung, so ungelenk über die Dielen zu stolpern wie Poldi und Resa. Schließlich ließ sie sich nicht nur von Lukas' scheuem Lächeln verführen, sondern auch von dem ihres Vaters, der ungewohnt gut gelaunt schien und ihr zunickte.

»Also gut«, willigte sie ein, erleichtert, Richard so zu sehen.

Lukas' Schritte gerieten nicht so schwankend wie die seines Bruders, aber auch er verstand es nicht, seine Tanzpartnerin richtig zu führen.

»Ich weiß, ich kann es nicht gut«, gab er nach einer Weile grinsend zu, »aber ich mache das Beste draus.«

Elisa lachte auf. »So ist das Leben hier. Es gibt nicht viel, um etwas daraus zu machen, aber aus dem wenigen versuchen wir, das Beste zu schaffen.«

Fast stießen sie mit Poldi zusammen, sein Gesicht war gerötet. Wahrscheinlich würde ihm morgen der Kopf vor Schmerzen platzen. Barbara versuchte, auch ihren Mann zum Tanzen zu bewegen, doch Taddäus schüttelte entschieden den Kopf.

Nicht minder hartnäckig weigerte sich Fritz, als Lenerl ihn zur Tanzfläche ziehen wollte, und das Mädchen gab rasch auf – gar nicht so unglücklich, wie Elisa schien.

»Ich finde übrigens nicht, dass wir so wenig haben«, sagte Lukas. »Immerhin haben wir jetzt alle ein Dach über dem Kopf. Und der Hunger ist nicht mehr so schlimm …«

Elisa lachte wieder. »Weil wir uns an unsere leeren Mägen

gewöhnt haben oder weil wir mittlerweile mehr zu essen haben?«

Lukas zuckte mit den Schultern. Schweigend tanzten sie weiter, die Luft wurde heiß und stickig.

Poldi bewies nicht lange seine Ausdauer, sondern ließ nach einer Weile Resa einfach los, um sich wieder Apfelwein nachschenken zu lassen. An Resas und Poldis statt hatte ein anderes Paar die Tanzfläche betreten. Elisa hatte Viktor und Greta nicht kommen sehen, doch offenbar wollten sich auch die beiden, die am zurückgezogensten lebten, ein Fest wie dieses nicht entgehen lassen. Viktors Gesicht war spitz und schmal wie immer, seine Haut jedoch gegerbt und viel dunkler als früher. Nur Greta war blass wie eh und je, obwohl Elisa sich nicht erklären konnte, wie sie sich vor der Sonne schützte. Zumindest ihre Haare waren nicht strähnig und dünn wie sonst, sondern zu zwei festen Zöpfen gebunden. Offenbar hatte ihr Christl dabei geholfen, die wiederum nicht ganz selbstlos gehandelt hatte, sondern sich Greta vielmehr als Verbündete erkoren – und gut daran getan – hatte. Nur widerstrebend war Viktor ihr nämlich zur Tanzfläche gefolgt, nachdem Christl ihn beharrlich dorthin gezerrt hatte, und wollte schon nach ein, zwei Drehungen wieder fliehen. Doch plötzlich stand Greta neben ihrem Bruder, nahm ihn an der einen Hand, während Christl die andere gepackt hielt, und so blieb ihm nichts anderes übrig, als sich im Rhythmus der Harmonika mal in die eine und mal in die andere Richtung zu wiegen. Ein trotziger und irgendwie verzagter Ausdruck erschien auf seinem Gesicht, aber der Übermacht der beiden Frauen konnte er sich nicht entziehen, und Christl lachte triumphierend auf.

Elisa blickte unauffällig zu Christine. Was diese wohl davon hielt, dass ihre Tochter ausgerechnet dem spröden Viktor

Mielhahn schöne Augen machte? Aber nicht diese schüttelte den Kopf über das absonderliche Paar, das eine Dritte zum Tanzen brauchte, sondern Jule.

»Elisa«, setzte Lukas unwillkürlich an, »ich wollte schon eine Weile mit dir über etwas reden …«

Er fuhr nicht fort.

»Ja?«, fragte sie.

»Ich wollte dich etwas fragen …«

Wieder sprach er nicht zu Ende.

»Ja?«, fragte sie wieder.

»Es ist so …«

Diesmal entging ihr nicht, dass seine Stimme vor Aufregung bebte, doch ehe er den Mut fasste, es ihr endlich zu sagen, stellte Poldi energisch seinen Weinkrug ab. Nicht nur Elisa und Lukas zuckten ob des Knalls zusammen; alle hoben den Kopf.

»Hab ich euch etwa erschreckt?« Ein Kichern entfuhr Poldis Mund, schrill und unnatürlich.

Verwirrt ließ Andreas die Harmonika sinken. Unwillkürlich trat Elisa von Lukas zurück, als die Musik erstarb. Nur Christl wollte nicht von Viktor ablassen, sondern drehte sich selbst dann noch weiter, als Poldi auf die Tanzfläche zutrat und wild mit den Händen zu fuchteln begann, um sie zu verscheuchen.

»Wenn wir heute einen Pfarrer da hätten«, setzte er an, »wenn uns Pastor Zacharias nicht im Stich gelassen hätte, dann wäre es doch jetzt an der Zeit, ein paar feierliche Worte zu sprechen.«

Seine Stimme klang lallend. Viktor nutzte die Gelegenheit, um sich von Christl und seiner Schwester loszumachen. Empört öffnete Christl daraufhin den Mund, um den Störenfried anzufahren, doch es war Fritz, der ihr zuvorkam. »Du bist ja betrunken«, bellte er durch den Raum. »Halt lieber den Mund!«

Poldis Hirn schien zu benebelt, um zu bemerken, woher die scheltende Stimme kam. Wankend drehte er sich zunächst in die eine, dann in die andere Richtung. Jule schüttelte abermals den Kopf.

»Sag du mir nicht, was ich zu tun habe, Bruder!«, rief Poldi, als er Fritz endlich entdeckt hatte. »Immer nur schuften – das geht nicht! Es wird doch auch mal Zeit, auf das zu blicken, was wir zustande gebracht haben. Zeit, uns selbst zu loben – und vor allem die Frauen.«

Wieder drehte er sich suchend im Kreis; schließlich blieb sein wässriger Blick bei Annelie hängen. »Wer, wenn nicht Annelie von Graberg, hätte uns dieses Mahl zaubern können?«

Annelie lächelte; aus der Ferne sah Elisa nicht, ob geschmeichelt oder vielmehr verlegen.

»Dafür, dass sie viel zu starken Apfelwein braut, bist du der beste Beweis«, warf Jule spröde ein.

Poldi ließ sich nicht verunsichern. »Ja, was wären wir ohne Frauen. Eine tüchtige Frau übertrifft alle Perlen an Wert. Sie sorgt für Wolle und Flachs und schafft mit emsigen Händen …«

Zitierte er etwa aus der Bibel? Dass er neuerdings fromm war wie seine Schwester Lenerl, war Elisa neu.

»Was sagt er? Was sagt er?«, hörte sie Jakob Steiner fragen, als wäre der nicht nur gelähmt, sondern auch taub.

»Kraft und Würde sind ihr Gewand. Sie spottet der drohenden Zukunft«, fuhr Poldi fort. Schwer stieß seine Zunge gegen die Zähne.

Christine starrte missbilligend auf ihn. »Jetzt tu doch was!«, wies sie Fritz an.

Entschlossen trat dieser nun auf den Bruder zu, packte ihn an den Schultern und zog ihn zurück. Poldi stolperte über die eigenen Füße und fiel so hart gegen Fritz, dass der sich nur mühsam aufrecht halten konnte.

»Und die schönste und die klügste und die lustigste Frau von allen … jene Frau, für die es sich zu arbeiten lohnt … die am hellsten lacht und die schönsten Grübchen hat und das glänzendste Haar …« Er verschluckte sich an den Worten. »Diese Frau ist …«

Verwundert blickte Elisa auf Resa, mit der Poldi eben getanzt hatte. Meinte er etwa das farblose Mädchen?

»Ja, die einzige Frau, mit der man reden kann … und lachen … und singen, vor allem singen …«

»Du gehst jetzt besser an die frische Luft!«

Fritz packte Poldi am Nacken, wollte ihn nach draußen zwingen. Doch der kämpfte gegen den Bruder an.

»Barbara!«, lallte er schließlich. »Das ist Barbara Glöckner!«

Stille senkte sich über sie. Niemand schien auch nur zu atmen. Poldi schlug sich die Hand vor den Mund, vielleicht aus Reue über seine Worte, vielleicht, weil Übelkeit hochstieg und er den Apfelwein gleich ausspeien würde. Christl warf dem Bruder giftige Blicke zu. Resa sah aus, als würde sie gleich weinen, Barbara starrte auf die Fußspitzen und Andreas auf seine Harmonika. Nur Taddäus lachte plötzlich auf – ein unerwarteter Ton, der alle zusammenzucken ließ. Taddäus lachte niemals.

»Wo er recht hat, hat er recht!«, rief er. In Elisas Ohren klang seine Stimme unnatürlich schrill, doch er hörte nicht zu lachen auf, zog unvermittelt Barbara an sich und forderte dann seinen Sohn zum Weiterspielen auf.

»Warum die Stille?«, rief er aufgeregt. »Ich dachte, wir wären zusammengekommen, um zu tanzen. Also tanzen wir!«

Er selbst tanzte allerdings nicht, sondern ließ Barbara augenblicklich wieder los, kaum dass Andreas das Spiel mit der Mundharmonika wieder aufgenommen hatte. Poldi indes stürzte nach draußen. Dafür, dass er eben noch so bedrohlich geschwankt war, gerieten seine Schritte erstaunlich entschlossen.

»Die frische Luft wird ihm guttun«, meinte Fritz so verächtlich, als wolle er ihm am liebsten auch ein paar tüchtige Hiebe angedeihen lassen. Anstatt Poldi zu folgen, wandte er sich an Resa und bat sie um einen Tanz, sichtlich nicht aus Lust, sondern aus Pflicht, das peinliche Gebaren des jüngeren Bruders wettzumachen.

Auch Lukas zog Elisa nun wieder auf die Tanzfläche; einzig Viktor ließ sich kein zweites Mal dazu drängen, weder von seiner Schwester noch von Christl.

»Sag, hat dein Bruder den Verstand verloren?«, fragte Elisa verwirrt. »Was ist nur in ihn gefahren?«

Lukas antwortete nicht auf ihre Frage. Ungelenk zog er sie stärker an sich.

»Ich wollte doch eben mit dir reden, wollte dich etwas fragen …«, setzte er an, als hätte es den unerfreulichen Auftritt seines Bruders nicht gegeben. »Am besten ich tu's freiheraus und mach nicht viele Worte, denn das kann ich nicht.« Kurz kaute er auf den Lippen, ehe er sich ein Herz fasste.

»Elisa«, fragte Lukas. »Elisa, willst du mich heiraten?«

Die Nacht hüllte Poldi nach nur wenigen Schritten ein – kalt, feucht und windig. Er scherte sich nicht darum, sondern ging immer weiter, begann schließlich zu laufen und hieb seine Füße so fest in den Boden, dass kleine Brocken Erde hochstoben. In seinem Mund schmeckte es noch säuerlich, doch seine Trunkenheit war wie weggefegt, und zurückgeblieben waren nur Scham und Unbehagen. Ewig hätte er laufen wollen, aber plötzlich versank sein Fuß in einem Loch, und er landete unsanft auf dem Boden. Offenbar war er in einen der kleinen Kanäle geraten, die sie zwischen den Feldern gegraben hatten, um den sumpfigen Boden zu entwässern.

»Verfluchtes Land!«, stieß er aus. Sein Knöchel schmerzte, sein Kopf noch viel mehr.

»Verfluchtes Land!«

Sein Fluch kam nicht aus ganzem Herzen, denn eigentlich lebte er gerne in Chile. Die Hoffnung, dass der Rücken seltener schmerzen würde, nachdem sie von Konrad geflohen waren, hatte sich zwar nicht bewahrheitet. Aber er mochte es, die meiste Zeit im Freien zuzubringen, wo es nie so bitterkalt wurde wie in der einstigen Heimat. Wenn er sich an diese erinnerte, sah er vor allem die dunkle, enge Stube vor sich, die ihm und seinen Geschwistern immer viel zu wenig Platz geboten hatte. Und in Chile – und dies war ohne Zweifel der wichtigste Unterschied – gab es Barbara. Barbara, um die sein Denken kreiste, Tag und Nacht, in letzter Zeit vor allem bei Nacht. Er träumte von ihr, träumte auf eine Weise, wie er sich bei klarem Verstand niemals gestattet hätte. Er träumte, wie sie mit ihm sang, wie sie mit ihm tanzte, wie sie ihn in ihren Armen wiegte, wie sie seinen Kopf zwischen ihren festen Brüsten barg, wie sie ihre Beine für ihn spreizte. Wenn er erwachte, glühte sein Kopf, troff Schweiß von der Stirn, und vor wenigen Wochen war es das erste Mal passiert, dass er in einer warmen, klebrigen Lache erwacht war. Steif war er gelegen, als sie immer klammer und klammer geworden war; sein Schweiß war verkrustet, seine hitzige Haut ausgekühlt, und er hatte geglaubt, vor Scham sterben zu müssen.

Mühsam rappelte er sich nun auf. Seine Hosenbeine waren durchweicht. Seine Mutter würde wie üblich zetern, brächte er diesen Schlamm ins Haus, das sie verbissen sauber hielt.

Er zuckte zusammen, als er Schritte hörte.

Na großartig!, dachte er. Wahrscheinlich war Fritz ihm gefolgt, um ihn für sein ungebührliches Verhalten zur Rede zu stellen. Fritz, der stets glaubte, sich als Vater aufspielen zu können, vor allem nach Jakobs Unfall, und der meist nur dann mit seinen Geschwistern sprach, wenn er knappe, unfreundliche Befehle an sie austeilte.

Poldi fluchte oft innerlich über ihn – sich offen zu widersetzen wagte er nicht. Jetzt dachte er allerdings trotzig: Ich bin sechzehn, ich bin selbst erwachsen. Er hat mir gar nichts zu sagen.

Er straffte seinen Rücken und trat der Gestalt entgegen, um festzustellen, dass nicht der ältere Bruder mit verschränkten Armen vor ihm stand. Es war Barbara, die ihm gefolgt war und ihm wortlos zugesehen hatte, wie er sich mühsam aufrappelte.

Eben noch hatte er stolz verkünden wollen, wie erwachsen er war – nun fühlte er sich jäh wie ein gemaßregelter Junge, obwohl noch kein Wort aus ihrem Mund gekommen war, sie nur nachdenklich den Kopf zu schütteln begann.

Ärger überkam ihn, heftiger noch als die Scham.

»Ich darf doch etwas Gutes über dich sagen, oder nicht?«, entfuhr es ihm.

»Poldi …« Ihre Stimme klang rauh. War sie verärgert oder vielmehr nur verlegen?

Er trat auf sie zu, und obwohl er sie nicht berührte, fühlte er die Wärme, die von ihrem Körper ausging. Mochten andere ihre Gestalt für dürr und sehnig halten, für ihn war sie weich und rund. Er hatte sie mit ihren Kindern beobachtet, wenn sie sie herzte und auch dann nicht damit aufhörte, wenn beide sich dagegen wehrten – Andreas, weil er zu alt war, um von der Mutter wie ein Kind behandelt zu werden, Resa, weil sie so unnahbar war wie ihr Vater. Christine hatte ihn zwar oft an sich gepresst, aber nie so lange und so liebevoll gehalten, und wenn Poldi das sah, so hatte er die beiden glühend beneidet.

Nur einmal von Barbara so berührt, gestreichelt, umarmt zu werden …

»Du machst dich lächerlich«, knurrte sie plötzlich. »Dich … und mich auch.«

Sein Ärger verflüchtigte sich, desgleichen sein Trotz. Nicht einmal mehr Scham mochte ihr Blick erzeugen – nur Sehnsucht nach ihrer Nähe. Sie wurde so stark, dass ihm der Mund austrocknete. »Ich … ich kann doch nichts dafür«, stammelte er.

»Wofür?«, fragte sie barsch.

Ihm fehlten die Worte, er konnte jene Sehnsucht nicht erklären, die seinen hektischen Herzschlag durch den ganzen Körper jagte und mit ihm eine ebenso peinvolle wie herrlich wohlige Hitze.

Er würde daran ersticken, gab er ihr nicht nach. Unvermittelt trat er noch näher an sie heran, packte sie einfach an den Schultern, neigte den Kopf vor und küsste sie mitten auf den Mund. Was er tat, war so ungeheuerlich, dass er nicht aufhören konnte, denn dies hätte bedeutet, darüber nachdenken zu müssen. Aber denken wollte er nicht, nur fühlen: diesen weichen, feuchten, warmen Mund, der sich nicht zusammenpresste, wie er befürchtet hatte, sondern sich öffnete und seinen eigenen fordernden Lippen nachgab – sehr kurz nur, zu kurz, um später zu sagen, ob es nicht bloß eine Sinnestäuschung gewesen war.

Dann schon zuckte Barbara zurück, schlug seine Hände weg – erst jetzt bemerkte er, dass sie wahrscheinlich voller Schlamm waren und sie sich beschmutzt hatten – und versetzte ihm eine schallende Ohrfeige. Er war gewohnt, dergleichen einzustecken, aber konnte sich nicht erinnern, jemals derart getaumelt zu sein, wenn seine Mutter ihm einen klatschenden Schlag versetzte.

»Bist du verrückt geworden?«, schrie sie. »Tu das nie wieder, du ungezogener Bengel!«

Sie stampfte auf, Schlamm spritzte hoch. Er fühlte immer noch ihre Finger auf seiner Wange, doch noch mehr als diese glühten seine Lippen.

Er hatte sie geküsst.

Er hatte Barbara berührt und gehalten und geküsst.

»Es tut mir nicht leid, was ich getan habe«, murmelte er trotzig und hielt ihr herausfordernd das Gesicht hin. Sollte sie nur ruhig noch einmal zuschlagen. Wenn das ihre einzige Art war, ihn zu berühren – nun, dann wollte er das gerne hinnehmen, Hauptsache, er konnte ihr nahe sein und sie spüren. »Es tut mir nicht leid.«

Eine Weile blieb sie starr stehen. Es war zu dunkel, um den Ausdruck ihres Gesichts zu erkennen, doch dass sie ihren Kopf nicht mehr schüttelte wie vorhin, das sah er genau. Er hörte, wie sie heftig atmete, und schnappte selbst gierig nach Luft. Dann drehte sie sich wortlos um und stapfte zum Haus zurück.

Die Nachtluft schmerzte in Elisas Kehle, und auf ihren nackten Unterarmen stellten sich sämtliche Härchen auf. Dennoch nahm sie lieber das Frösteln in Kauf als die dunstige Wolke, in der ihr Kopf festzustecken schien und die nun augenblicklich zerstob. Die Enge, die vielen Stimmen, die Wärme, vor allem aber Lukas' Blick waren ihr zu viel geworden.

Nach seinem Antrag hatten sie noch eine Weile schweigend getanzt. Ihre Miene hatte keinerlei Regung verraten; sie hatte sich lediglich darum bemüht, ein wenig mehr Abstand zu seinem Körper zu wahren.

»Du sagst ja gar nichts«, hatte er schließlich festgestellt – nicht vorwurfsvoll, sondern gleichmütig wie immer.

»Lukas …«, setzte sie hilflos an.

»Du musst auch gar nichts sagen«, erklärte er rasch. »Ich wusste nicht, dass ich dich damit überrasche. Ich dachte, dass du es schon seit langem erwartest. Ich will dich nicht drängen. Lass dir Zeit.«

Die Worte hallten in ihr nach.

War sie wirklich so blind gewesen? War sie womöglich die Einzige gewesen, der es nicht förmlich in die Augen sprang, welch vorzügliches Paar sie abgeben würden? Richard hatte vorhin gelächelt, als er sie mit Lukas hatte tanzen sehen. Und Christine auch – Christine, die sie immer gerne bei sich hatte, die ihren Fleiß und ihre Tüchtigkeit bewunderte und lieber auf sie setzte als auf die eigenen Töchter.

Mit keinem hatte sie in den letzten Monaten so viel Zeit verbracht wie mit Lukas. Sie hatten eng zusammengearbeitet und sich dabei wunderbar ergänzt. Nie hatte es nur den Anflug von Hader oder Streit gegeben.

Ja, es war nur vernünftig, daran zu denken, dass sie heiraten sollten – wobei Lukas' gerötete Wangen, als er ihr den Antrag machte, nicht von Vernunft kündeten, sondern von aufrichtiger, tiefer Zuneigung. Würde es diese nicht geben, hätte er ihr sonst die Harke geschnitzt und sie ihr, so schüchtern, so linkisch, überreicht?

Elisa entfernte sich noch weiter vom Haus. Wie ein schwarzes Tuch lag der See vor ihr. Vom Osorno war nichts zu sehen, fast so, als wäre er nicht da. Genauso wenig wie Cornelius da war, aller Hoffnung, aller Sehnsucht, allem geduldigen Warten zum Trotz. Sie hatte keine Antwort auf ihren Brief erhalten. In all den Monaten, ja, mittlerweile schon Jahren seit ihrer Trennung nicht auch nur das geringste Lebenszeichen von ihm erhalten, und erst jetzt, da sie im Finstern stand und mit den Händen über ihre Schultern rieb, um sich zu wärmen, konnte sie sich eingestehen, wie sehr das schmerzte und wie tief die Trostlosigkeit in ihrem Herzen wucherte.

Hatte ihn ihr Brief je erreicht? Lebte er tatsächlich in Valdivia? Ging es ihm dort gut?

Sie versuchte, sein Gesicht heraufzubeschwören, doch obwohl ihr das ansonsten mühelos gelang, blieb es heute vor ihr schwarz. Vielleicht, weil ihr so kalt war.

Sie drehte sich um und ging mit raschen Schritten zum Haus zurück. Sie hatte den mageren Lichtschein noch nicht erreicht, als ihr Fuß gegen ein Hindernis stieß. Sie wankte, wäre beinahe gestolpert und konnte sich nur mühsam aufrecht halten.

Umso entsetzter war sie, als sie ein Stöhnen hörte. Es war ein Mensch, der da lag und über den sie fast gefallen wäre.

»Mein Gott, Annelie!«

Zunächst hatte sie nicht erkannt, auf wen sie gestoßen war. Doch als sie sich hinabbeugte, brach sich fahles Mondlicht durch die dichten Wolken. Das Gesicht ihrer Stiefmutter schimmerte beinahe gelblich.

»Was ist passiert?«

Annelie wollte sich aufrichten, doch es gelang ihr nicht. Stöhnend ließ sie ihren Kopf wieder sinken. »Du bist so plötzlich verschwunden«, murmelte sie. »Dein Vater machte sich Sorgen. Da bin ich dich suchen gegangen.«

»Bist du gestürzt?«

»Nein, ich …« Plötzlich schrie sie auf; Krämpfe schüttelten ihren Körper. Elisa hielt sie fest und störte sich nicht daran, dass Annelie im Schmerz ihre Hand drückte, so stark, dass sie sie hinterher kaum noch fühlte. Langsam verebbten die Krämpfe wieder. »Es … es ging auf einmal los«, stammelte sie.

Annelie griff sich zwischen die Beine, und als sie ihre Hand wieder hob, glänzte sie rot vor Blut.

»Das Kind? Ist es das Kind?«, rief Elisa, obwohl sie genau wusste, dass es Wehen waren, viel zu frühe Wehen, die den Körper ihrer Stiefmutter schüttelten.

Erneut schluchzte Annelie auf. »Ich dachte, diesmal geht alles gut. So weit bin ich noch nie gekommen! Elisa, du musst Jule holen! Und ich will nicht, dass Richard etwas bemerkt. Nun mach schon! Geh!«

Elisa stolperte durch die Finsternis. Ihre Beine gehorchten ihr nicht. Mehr als nur ein Mal fiel sie hin. Sie hatte keine Ahnung, wie sie vor Richard geheim halten sollte, dass Annelie blutend in der Dunkelheit lag. So kopflos wie sie war, würde man ihr das Entsetzen gewiss sofort ansehen. Doch sie stieß bereits auf Jule, noch ehe sie das Haus der von Grabergs erreichte, wohl, weil deren Lust auf Geselligkeit längst gesättigt war. Sie starrte in den Himmel, nicht sonderlich irritiert, dass sich ihr nicht der Anblick eines strahlenden Sternenzeltes bot, sondern nur Schwärze. Vielleicht war es genau das, was sie nach hitzigen und lauten Stunden suchte.

»Jule, komm schnell! Annelie … Annelie …« Die Stimme gehorchte ihr genauso wenig wie die Beine.

Jule stellte keine Fragen, sondern stürzte augenblicklich in die Richtung, aus der Elisa gekommen war. Elisa kam ihr kaum nach, und als sie Annelie erreichte, kniete Jule schon neben ihr und strich prüfend über ihren Leib. Dieser wurde von neuerlichen Krämpfen geschüttelt. Annelie konnte nichts sagen, sondern biss sich stöhnend auf die Lippen.

»Es ist alles voller Blut …«, rief Elisa. »Es ist alles …«

»Ich brauche Licht!«, unterbrach Jule sie ungeduldig.

Der barsche Befehl gab Elisa Kraft. Diesmal eilte sie zum Haus zurück, ohne zu stolpern. Kurz lugte sie durch das Fenster. Andreas spielte weiterhin die Harmonika, doch es wurde nicht mehr getanzt. Richard sprach mit Jakob, Christine strich durch Katherls Haar. Niemandem schien aufgefallen zu sein, dass Jule und Annelie fehlten.

Licht, Licht, Licht!, ging es Elisa durch den Kopf.

Sie benutzten Öllampen, gingen jedoch sparsam damit um. Nach Sonnenuntergang wurde geschlafen, und das Leben kehrte erst wieder am Morgen zurück. Nur heute war die Stube in jenen hellen, warmen Schein getaucht, der an den Wänden Schatten tanzen ließ. Vor dem Haus hatten die Steiner-Söhne einige Fackeln in den Boden gerammt, damit den Gästen schon von weit her der Weg gewiesen wurde.

Elisa zog eine heraus und lief schnell zurück, doch dort, wo sie vorhin über Annelie gestolpert war, lag niemand mehr.

»Hier!«

Jule winkte ihr aus der Ferne zu. Sie hatte Annelie zu dem windschiefen Schuppen geschafft, der als Scheune diente. Elisa wusste nicht, ob sie sie eigenhändig getragen hatte oder Annelie zwischen den Krämpfen stark genug gewesen war, auf Jule gestützt ein paar Schritte zu gehen. Jule riss ihr die Fackel förmlich aus der Hand. Als der Schein auf Annelie fiel, sah Elisa die Blutlache zwischen ihren Beinen und den roten Klumpen, der dazwischenlag.

»Wenigstens ist es ganz schnell gegangen«, murmelte Jule.

Obwohl Elisa alle Kraft aufbringen musste, nicht zu würgen, konnte sie ihren Blick nicht von dem toten Kind lassen. Jule rammte die Fackel in die Erde und hob den roten Klumpen auf, um ihn von allen Seiten zu inspizieren.

»Nicht!«, schrie Annelie und warf ihren Kopf zurück. »Ich will es nicht sehen!«

Jule hörte nicht auf sie. »Es ist ganz«, erklärte sie nüchtern, »das ist gut. Kein Glied ist zurückgeblieben, das dich vergiften kann.«

Annelie schrie wieder auf, diesmal nicht vor Ekel und Trauer, sondern vor Schmerzen. Nach weiteren Krämpfen schwappte eine neue Blutlache aus ihrem Leib, und noch ein Klumpen folgte.

»Das ist gut«, sagte Jule wieder, »der Mutterkuchen.«

Schwer fiel Annelies Kopf auf den erdigen Boden. »So schnell«, jammerte sie, »es ging alles so schnell.«

Elisa stand wie erstarrt; sie wusste, dass sie sich zu ihr knien sollte, wieder ihre Hand nehmen, sie trösten, aber sie konnte es nicht – konnte nur auf diesen blutigen Klumpen starren, der ihr Bruder gewesen wäre oder ihre Schwester.

Indes hatte Jule ihre Schürze gelöst und wickelte das Ungeborene darin ein. Sie hob es hoch. »Vergrab es irgendwo in der Wildnis!«, befahl sie Elisa.

Elisa wich zurück. Es war ihr unvorstellbar, das Bündel auch nur zu berühren, geschweige denn, es zu vergraben!

»Was wäre es geworden?«, fragte Annelie leise.

»Ich dachte, du willst es nicht sehen«, meinte Jule.

»Wäre es ein Sohn geworden?«

»Kann sein.« Jule schüttelte unwillig den Kopf. »Frauen wie du sollten nicht schwanger werden. Hab's dir doch schon einmal gesagt. Es gibt Mittel und Wege, das zu verhindern.«

»Nein!«, stöhnte Annelie auf. »Ich muss Richard doch einen Sohn schenken! Er würde endlich wieder neuen Lebensmut schöpfen, wenn er einen Sohn hätte!«

Unwillkürlich zuckte Elisa zusammen. Annelie rührte an ihrem alten Schmerz, doch sie gab ihm nicht nach, beugte sich vielmehr endlich zu Annelie herab und streichelte über die Schultern.

»Nicht, nicht«, stammelte sie unbeholfen. »Vater geht es doch so viel besser, seit wir hier am See leben. Das hat nicht nur damit zu tun, dass …«

»Seine Augen haben geleuchtet, als ich ihm erzählte, dass ich schwanger bin«, unterbrach Annelie sie mit rauher Stimme. »Und nun … nun wird sein Blick wieder erlöschen.«

Dann begann sie, leise zu weinen.

»Das ist zuvörderst sein Problem, nicht deines«, knurrte Jule. Sie erhob sich und bückte sich schließlich selbst nach dem Bündel mit der Nachgeburt. »Muss ich denn hier alles selbst machen«, schimpfte sie und schritt unter Flüchen von dannen.

Tränen strömten über Annelies Wangen. Die Fackel flackerte und malte Schatten auf die Wände. Der Geruch nach Blut hing durchdringend in der Luft. Sie musste Annelie waschen, schoss es Elisa durch den Kopf, sie sollte sie ins Bett schaffen. Und sie sollte ihrem Vater erzählen, was geschehen war. Stattdessen blieb sie steif hocken. »Es tut mir leid«, murmelte sie, »so unendlich leid.«

Annelies Tränen versiegten. »Ich dachte, es würde gut gehen – wenigstens diesmal.«

Elisa nahm ihre Hand. Sie war schlaff und kalt.

»Soll ich Vater holen?«

»Nein … nein … Bitte nicht! Geh zurück, hab Spaß, alle haben doch Spaß … Wenn Richard es morgen erfährt, ist es früh genug. Ich habe ihn so lange nicht lachen gesehen – wenigstens diesen Abend soll er es unbeschwert tun.« Sie sagte noch etwas, aber ihre Stimme wurde so leise, dass Elisa nicht wusste, ob sie ihre Worte richtig verstanden hatte.

Elisa beugte sich über ihr bleiches Gesicht.

»Was hast du gesagt?«

Da wiederholte Annelie es. »Bleib nicht hier bei mir! Geh zu

Lukas! Er mag dich doch! Ihr … ihr verbringt so viel Zeit miteinander.«

Elisa streichelte behutsam über ihre Stirn.

»So viel Zeit …«, bekräftigte Annelie, dann schloss sie ihre Augen. Elisa war sich nicht sicher, ob sie einschlief, ohnmächtig wurde oder einfach keine Kraft hatte, die Lider geöffnet zu halten.

Obwohl Annelie anderes von ihr verlangt hatte, blieb sie bei ihr sitzen.

Ob Lukas nach ihr suchen würde?

Wahrscheinlich nicht, entschied sie. Lukas war geduldig, er würde sie niemals bedrängen, er würde warten, bis sie ihm ihre Entscheidung mitteilte, so still, so unaufdringlich wie immer. Elisa seufzte. Es gab so viel, was sie aufwühlte, was Fragen säte und Zweifel, Unruhe und Angst vor dem Morgen, doch Lukas niemals.

Wenn sie mit ihm zusammen war, senkte sich diese Stille über sie, eine angenehme Stille – und zugleich so leere. Nichts war zu fühlen von jenem Schmerz, den sie durchlitten hatte, als sie Abschied von Cornelius genommen hatte. Doch so wie der Schmerz fehlte, so fehlte auch die Sehnsucht, das bange Hoffen, die zaghafte Ahnung von Glück, das tiefe Vertrauen. Sie biss sich auf die Lippen.

Unmöglich konnte sie darauf verzichten!

»Ich mag Lukas doch auch«, sagte sie leise und strich wieder über Annelies Stirn. »Aber ich kann ihn nicht heiraten. Ich warte auf Cornelius. Ich warte schon so lange auf ihn, denn er ist es …« Sie zögerte kurz, denn noch nie hatte sie es so deutlich ausgesprochen. Dann aber setzte sie entschlossen hinzu: »Denn er ist es doch, den ich liebe.«

20. Kapitel

Die Seelöwen belagerten sie förmlich; kaum einen Schritt konnte man in Hafennähe machen, ohne über sie zu stolpern. Wie träge und schwere Fleischberge wirkten sie aus der Ferne, doch das Geheul, das sie ausstießen, war furchterregend.

»Kommen Sie ihnen bloß nicht zu nahe«, hatte man Cornelius und Zacharias gewarnt, »es ist Brunftzeit, da ist das Getier besonders aggressiv.«

Cornelius betrachtete sie seitdem mit großem Respekt, Zacharias mit nackter Furcht. Früher hätte er wahrscheinlich zitternd die fürchterlichen Klauen heraufbeschworen, die sich ihm alsbald ins wehrlose Fleisch schlagen würden, doch zu Cornelius' Erstaunen blieb der Onkel stumm.

In den letzten Monaten hatte er ihn meist wortkarg erlebt – eine Wohltat, weil er seine Klagen nicht ertragen hätte, und zugleich Spiegel der eigenen Seele, die in Trauer erstarrt war, seit ihm Zacharias von Elisas Tod berichtet hatte.

Zacharias respektierte, dass er sich darin vergraben hatte, und das half Cornelius mehr als jedes tröstende Wort. Manchmal warf der Onkel ihm einen besorgten Blick zu, manchmal murmelte er ein Gebet, manchmal legte er ihm einfach den Arm um die Schultern. Aufdringlich aber war er nie, und Cornelius fühlte sich an die Tage erinnert, da er um seine Mutter und Matthias getrauert hatte: Zacharias hatte seinen Schmerz nicht lindern können, aber ihm das Gefühl gegeben, dass jemand da sein würde, wenn er endlich daraus erwachte.

»Corral hat sich kaum verändert«, stellte Cornelius fest. »In Valdivia wurden in den letzten Jahren so viele Häuser und Straßen gebaut … doch hier … nichts dergleichen.«

»Mhm«, machte der Onkel.

»Sieh nur, die vielen Schiffe! Wahrscheinlich fahren die meisten weiter nach Valparaíso.«

»Mhm«, sagte Zacharias wieder knapp.

»Ich habe von dem Plan gehört, dass die Auswandererschiffe aus Deutschland künftig in Melipulli ankommen sollen, aber noch ist es nicht so weit. Schau dort hinten! Das könnte die Victoria sein.«

In den ersten Wochen nach der schlimmen Nachricht, die ein Fremder seinem Onkel überbracht hatte – vergebens suchte er später nach ihm, um ihn nach Einzelheiten zu befragen –, war es Cornelius unmöglich gewesen, viele Worte oder gar Pläne zu machen. Doch schlimmer noch als die Trauer um Elisa war schließlich die Leere gewesen, die sich um ihn ausbreitete und aus der er sich mit hektischen Beschlüssen und ruhelosem Handeln befreien wollte.

Später, in der Heimat, da könnte er sich dem Schmerz wieder hingeben. Nun wollte er einfach nur weg aus diesem verfluchten Land, das er ähnlich zu hassen begonnen hatte wie sein Onkel.

Er hatte noch mehr und härter gearbeitet als zuvor und schließlich zwei Überfahrtskarten auf der Victoria erstanden, die auf dem Rückweg von Valparaíso nach Hamburg in Corral Station machte. Kaum Geld war danach übrig geblieben, um die Zeit bis zum Ablegen zu überbrücken und sich den notwendigen Proviant zu beschaffen, doch Zacharias hatte sich, wie in den letzten Monaten auch, als erstaunlich genügsam erwiesen.

Cornelius hörte seinen Onkel seufzen, als er das Schiff sah, und musterte ihn von der Seite: Er hatte deutlich an Gewicht verloren. Immer noch hingen schwere Tränensäcke unter seinen Augen, aber seine Haut war nicht mehr so grau und aufgedunsen, und die blauen Äderchen, die seine grobporige Nase verunstaltet hatten, waren verschwunden.

Er hatte ihm nicht zugetraut, nüchtern zu bleiben, aber mit einer Entschlossenheit, die ihm bislang fremd gewesen war, war Zacharias den Weg der Läuterung gegangen: Wie an jenem ersten Abend hatte er die Wohnung und sich selbst fortan reinlich gehalten, hatte dem Glücksspiel mit Rosaria widersagt und keinen Tropfen Alkohol mehr angerührt.

Cornelius drehte sich zu Quidel um. Der Mapuche, der ein solch treuer Freund geworden war, hatte es sich nicht nehmen lassen, sie nach Corral zu begleiten. Nun, da sie den Hafen erreicht hatten, war er stehen geblieben.

Cornelius seufzte. Ja, er wollte nur mehr fort aus diesem Land, in dem Elisa gestorben war – er wusste immer noch nicht genau, wann und wie –, aber der Abschied von Quidel fiel ihm trotzdem schwer.

»Lass dich künftig nicht übers Ohr hauen«, er versuchte, seiner Stimme einen geschäftsmäßigen Tonfall zu geben. »Du bist ein tüchtiger Arbeiter. Du musst darauf bestehen, dass du ordentlich entlohnt wirst.«

»Ohne dich hätte man mich nie ernst genommen.«

»Ach was! Mich hat man doch auch nicht ernst genommen! Für eine jämmerliche Gestalt mit viel zu schlaffen Armen und Schultern hat man mich gehalten!«

Quidel widersprach nicht, sondern lächelte still. Cornelius schaffte es nicht, das Lächeln zu erwidern, und fühlte dennoch kurz Stolz in sich aufsteigen. Er hatte in diesem fremden Land kein Glück gefunden – vielmehr glaubte er es auf ewig verloren –, aber sinnlos war sein Leben hier nicht gewesen.

Er hatte Quidel kennengelernt und viele seiner Verwandten. Er war unermüdlich dafür eingetreten, dass sie einen gerechten Lohn erhielten, und hatte sie gelehrt zu handeln – unnachgiebig, selbstbewusst, auf den eigenen Wert und den ihrer Güter bedacht.

»Es tut mir leid«, murmelte er. »Es tut mir leid, dass ich euch im Stich lasse.«

»Nicht doch!«, rief Quidel. »Du hast genug für uns getan.«

Cornelius nickte. Steif standen sie voreinander. Sie hatten sich nie umarmt – auch jetzt nicht, und doch hatte er sich selten einem Menschen so nah gefühlt.

»Leb wohl«, sagte Cornelius und drehte sich rasch um. Er war nicht sicher, ob Quidel stehen blieb und ihm nachsah.

»Nun komm schon! Es geht endlich aufs Schiff!«, rief er dem Onkel zu, dessen Schritte plötzlich zögerlich ausfielen. »Das ist es doch, was du immer wolltest!«

Zacharias nickte, aber in seinem Gesicht stand keinerlei Erleichterung, nur Nachdenklichkeit – und plötzlich auch Furcht.

Ob ihm wohl die Mühsal der Reise vor Augen stand – die Seekrankheit, die Stürme, das fade Essen, das verdorbene Wasser?

Cornelius hätte ihm gerne Trost geboten, doch er brauchte alle Kraft, die eigene Fassung zu wahren.

Zacharias zählte ohnehin nicht auf seinen Zuspruch. »Sollten wir nicht einen Schluck Schnaps zu uns nehmen?«, schlug er stattdessen vorsichtig vor.

»Du hast doch geschworen, nüchtern zu bleiben!«

»Ich will mich auch nicht betrinken!«, rief Zacharias empört, »nur der Seekrankheit vorbeugen.«

Cornelius schüttelte den Kopf; er wusste nicht, was er davon halten sollte.

Zacharias hob die Hände. »Auch dir würde ein Schluck gut-tun, so bleich wie du bist.«

»Und wo soll ich hier Schnaps hernehmen?«, fragte Corne-lius.

»Einst, als ich diesem schrecklichen Laster abgeschworen habe, habe ich sämtliche Flaschen unter einer der Fußdielen versteckt«, erklärte Zacharias rasch. »Aber nun wäre es doch schade um sie gewesen. Also habe ich sie mitgenommen.«

Er deutete auf jene Kiste, in der sie ihr Gepäck verstaut hat-ten, und wollte sich schon ächzend darüberbeugen.

»Lass mich das machen!«, sagte Cornelius schnell.

Vielleicht hatte Zacharias recht und ein Schlückchen würde ihm guttun. Einst hatte er gehadert, dass der Onkel sich lieber betäubte, als sein Leben in die Hand zu nehmen. Doch in den letzten Wochen konnte er dieses Bedürfnis so gut nachfüh-len. Trinken und vergessen ... trinken und den Schmerz nicht mehr spüren ...

Als er das Gepäck durchsuchte, stieß er auf das Kartenspiel, bei dem Zacharias einst viel Geld an Rosaria verloren hatte. Er hatte übel Lust, es im Meer zu versenken, doch dann ließ er es los, tastete sich weiter, fühlte nun die Flasche – und et-was Feuchtes.

Auch das noch! Die Flasche war ausgelaufen und sämtliche Kleider mit Schnaps vollgesogen. Warum hatte der Onkel sie nicht einfach unter der Diele liegen lassen können?

Cornelius seufzte, zog die Flasche hervor, die nur mehr halb-voll war, und gleich danach eine nasse Jacke. Die Sonne brann-te auf sie herab, vielleicht würde sie noch notdürftig trock-nen.

Zacharias hatte das Missgeschick nicht bemerkt, sondern starr-te sehnsuchtsvoll auf die Victoria.

Cornelius indes breitete die Jacke aus – und spürte plötzlich ein Blatt Papier unter seinen Händen. Es war zusammengefaltet und in der Innentasche verborgen. Neugierig zog er es hervor. War es die Seite eines Buchs, die der Onkel mit sich getragen hatte? Etwa ein Gedicht oder ein Bibelvers?

Einst hatte er so gern und viel gelesen, Wissen daraus gezogen und auch Trost.

An den Rändern war es feucht wie der Stoff, doch als Cornelius das Blatt auffaltete, sah er, dass die Schrift nur ein wenig verschmiert, aber noch leserlich war.

»Was ist?«, fragte Zacharias. »Hast du den Schnaps …«

Er verstummte, als er sah, was Cornelius in Händen hielt.

Dieser hatte das Gefühl, sein Herz würde gleichzeitig zerspringen und stillstehen, als er die ersten Worte auf dem Blatt entzifferte.

»Mein Gott!«, stieß er aus.

Ein Schrei entfuhr Zacharias' Mund.

Geliebter Cornelius, las er.

Annelie ging unruhig auf und ab. Manchmal blieb sie stehen und hob den Kopf, um ihr Gesicht in die Sonne zu halten, doch dann überwog die Unrast.

Ganz plötzlich hatte diese sie befallen. Nach der Fehlgeburt vor einigen Monaten hatte sie vor allem Ruhe gebraucht. Jeder Handgriff war ihr schwergefallen; bis heute fühlte sie regelmäßig ein schmerzvolles Ziehen im Unterleib, sie hatte kaum Appetit und war ständig müde. Doch anders als in den letzten Wochen, brachte das Stillsitzen heute nicht Labsal, sondern zusätzliche Qual.

»Herrgott, was ist denn mit dir los?«, fuhr Jule sie an, die nicht weit von ihr entfernt auf einem Baumstamm saß, der als Bank diente, und die Wärme genoss.

»Ich … ich weiß nicht.«

»Warum kochst du nicht?«

»Wir haben eben gegessen, warum soll ich kochen?«

»Weil du immer kochst.« Jule machte eine kurze Pause, ehe sie sich berichtigte. »Weil du immer gekocht hast. Bis du das Kind verloren hast. Das nunmehr dritte.«

Annelie wollte sich den Schmerz nicht anmerken lassen, aber sie konnte nicht verhindern, zusammenzuzucken. Jule bemerkte es allerdings nicht, weil sie sich vorgebeugt hatte und mit einem kleinen Stäbchen etwas in die Erde ritzte. Annelie konnte nur ein paar schiefe Striche erkennen.

»Und was machst du?«

Jule sah kaum auf. »Das ist ein Plan meiner Schule«, erklärte sie knapp.

»Deiner was?«

»Meiner Schule«, bekräftigte Jule, richtete sich auf und rollte nachdenklich das Holzstäbchen in ihren Händen. »Selbst Christine hat mittlerweile eingesehen, dass die Kinder nicht nur lernen müssen, wie man einen Ochsen vor den Pflug spannt und Kartoffeln erntet, sondern wie man liest und schreibt. Ich habe gestern mit ihr gesprochen.«

Annelie verzog abschätzend die Stirn. Sie war nicht sicher, was sie weniger glauben konnte: dass die beiden Frauen überhaupt miteinander redeten oder dass sie in einer Sache der gleichen Meinung waren.

»Es gibt hier keine Kinder, die lesen und schreiben lernen müssten«, seufzte sie. »Nur das Katherl, und Katherl ist schwachsinnig.«

Jule zuckte mit den Schultern. »Du bist nicht die einzige junge Frau, die welche gebären kann.«

Annelie wandte sich abrupt ab. Sie war an Jules forsche, ehrliche, manchmal grausame Art gewöhnt; eigentlich mochte sie deren nüchternen Blick auf die Welt. Doch manchmal fragte sie sich, warum diese immer alles aussprechen musste, was ihr in den Sinn kam, ohne Rücksichtnahme und ohne Mitleid.

»Jetzt sei doch nicht gekränkt!«, rief Jule ihr nach, als sie sich Richtung Haus wandte. »Ich weiß doch, dass du's noch nicht verschmerzt hast. Aber wenn du den Kummer erst mal loslässt, dann wirst du dich wohler fühlen. Im Augenblick siehst du furchtbar aus.«

Annelie senkte ihr Gesicht unter dem prüfenden Blick. Wenn sie nur halb so bleich und elend war, wie sie sich fühlte, musste sie einen erschreckenden Anblick bieten. Der Gedanke, sich zu schonen, setzte ihr allerdings noch mehr zu.

Sie wollte sich nicht schonen, sie wollte wieder teilhaben am Leben, ja, sie wollte wieder kochen! Doch sie fühlte nicht die Kraft dazu, und sie konnte den Geruch von Speisen nicht ertragen.

Schwer ließ sie sich neben Jule auf den Holzstamm fallen.

»Mir ist so übel …«, seufzte sie.

»Bist du etwa wieder schwanger?«, fragte Jule.

Annelie zuckte zusammen. Allein der Gedanke daran ließ sie erschaudern. »Gottlob nicht!«, entfuhr es ihr.

»Diese Worte aus deinem Mund? Was ist mit deinem Wunsch, Richard einen Sohn zu schenken?«

Annelie kaute auf ihren Lippen. Ja, der Wunsch war noch da; mühelos konnte sie die Vorstellung heraufbeschwören, wie sie im Sonnenlicht stand und ein kleines Kind in den Armen hielt und Richard erwartete, der vom Feld kam, die Sense geschultert …

Nun, meist arbeitete Richard – wenn überhaupt – im Haus und nicht auf dem Feld, aber wenn er erst den ersehnten Sohn hätte, dann würde gewiss alles anders werden. Er würde entschlossener sein, tüchtiger, forscher. Ein Sohn würde ihn dazu bringen, aufzustehen, jeden Morgen, auch an den verregneten, windigen, kalten.

Ja, das war ihr Wunsch – zumindest bei Tageslicht. Wenn sie sich in der Nacht hin und her wälzte, dann wünschte sie sich nichts, sondern hatte nur Angst, unglaubliche Angst. Angst, die sie zerfraß, die ihr Inneres aushöhlte, bis nichts mehr da war, kein Wünschen, kein Sehnen und auch kein Hoffen, dass es Richard besser ginge, nur die nackte Gier zu leben, zu überleben. Die Erinnerungen quälten sie, wie sie da blutend im Dreck gelegen hatte, unfähig aufzustehen und Hilfe zu holen, voller Furcht, dass niemand sie finden würde und sie elendiglich und allein zugrunde gehen müsste.

Es war schließlich nicht das erste Mal geschehen, dass die Wehen sie überrascht hatten. Auch damals … auf dem Schiff … während des Sturms …

Annelie schüttelte sich, obwohl ihr warm war.

»Was ist mit dir?«, fragte Jule.

Konnte sie in ihrer Miene diese Angst lesen, die sie nun schon seit Monaten verfolgte und die sie zu verheimlichen versuchte – vor den anderen, vor allem aber auch vor sich selbst?

»Wie ich schon sagte«, murmelte Jule, als sie stumm blieb, »du solltest wieder kochen. Das ist doch deine größte Freude.«

»Vielleicht«, murmelte sie, »vielleicht, aber …« Sie zögerte, dann brach es aus ihr heraus: »Aber Jule, ich glaube, ich werde nie einen Rhabarberkuchen backen.«

»Wie?«

»Ja«, sagte Annelie leise und blickte auf ihre Hände; sie ballte sie zu Fäusten, bis die Knochen spitz und weiß hervortraten. »Ich werde nie einen Rhabarberkuchen backen. Es gibt hier nicht die rechten Zutaten. Vielleicht werde ich andere Kuchen backen, Apfelkuchen oder solchen mit der Copihue-Kirsche, aber nie Rhabarberkuchen.«

Jule sagte nichts.

Mit einem Ächzen stand Annelie auf, ging wieder auf und ab. Mit jedem Schritt sackte mehr Blut aus ihrem Gesicht, wurde ihre Miene schmerzverzerrter. Aber sie konnte nicht still stehen ... wollte es nicht ...

Der Entschluss überfiel sie nahezu. Wochenlang hatte sie ihn vor sich hergeschoben, hatte sich eingebleut, dass sie nur erst wieder zu Kräften kommen müsse, hatte sich krampfhaft ein Leben ausgemalt, von dem sie plötzlich wusste, dass sie es nie haben würde, weder hier noch an einem anderen Ort, weder jetzt noch in einer künftigen Zeit.

Sie wollte Richard einen Sohn schenken, aber noch mehr wollte sie endlich von ihrer Angst befreit sein.

»Ich fühle mich so elend seit dem ... letzten Mal«, setzte sie unvermittelt an. »Ich habe Blutungen, jeden Tag. Ich glaube, ich würde eine neuerliche Schwangerschaft nicht überleben. Ich bin vielmehr sicher, ich würde daran zugrunde gehen. Und ich ertrag's auch nicht noch einmal – dieses Hoffen, dieses Bangen und dann am Ende diese Enttäuschung.«

Sie hatte erwartet, dass sie weinen würde, müsste sie jemals diese Worte sagen, doch die Tränen blieben aus, und ihre Stimme war erstaunlich fest.

Jule blickte sie nachdenklich an. »Lass deinem Körper Zeit, zu genesen. Dafür muss selbst Richard ein Einsehen haben.«

»Richard geht das nichts an!«, rief Annelie scharf. Sie atmete tief durch, fuhr dann gemäßigter fort: »Es ist meine Entscheidung – nicht seine.«

Ein flüchtiges Lächeln huschte über Jules Lippen. »Und wie sieht sie aus, deine Entscheidung?«

Annelie setzte sich wieder zu ihr und rückte ganz dicht an sie heran. Sie wusste, dass Jule es nicht leiden konnte, wenn man ihr zu nahe kam, aber sie wollte leise sprechen.

»Du hast doch gesagt, dass es eine Möglichkeit gibt … es zu verhindern … Du … du …«

Sie geriet ins Stottern.

»Ja«, sagt Jule, »ja, das habe ich gesagt. Ich habe sie dir doch schon gezeigt … diese Portiokappe … Du musst sie nur rechtzeitig einführen, bevor du und Richard …«

Unscharf konnte sich Annelie an dieses sonderliche Ding erinnern, das Jule ihr einst vor die Nase gehalten hatte. Tiefes Unbehagen war damals in ihr hochgestiegen, doch nun gelang es diesem nicht, an ihrer Entschlossenheit zu kratzen.

»Wirst du mir helfen? Wirst du mir zeigen, wie man damit umgeht? Und du darfst nie jemandem davon erzählen!«

Jule beugte sich nach unten. Immer noch hielt sie das hölzerne Stäbchen in der Hand und begann wieder, Striche in den Boden zu ritzen. Diesmal nahmen sie deutlich die Gestalt eines Hauses an.

»Ja«, sagte sie, ohne aufzublicken. »Ja, ich werde dir helfen. Du weißt doch, dass ich auf deiner Seite stehe.«

Annelie hatte Jule zurückgelassen, war zum Seeufer getreten und hatte sich auf einem trockenen Stückchen Wiese niedergelassen. Sie war nur selten hier. Elisa, das wusste sie, genoss diesen Anblick. Ihr selbst war die Landschaft nie wichtig gewesen, in der sie lebte, ganz gleich ob von Wiesen oder Bergen umgeben, von Seen oder Vulkanen. Wann immer sie sich glückliche Stunden ausmalte, sah sie kein blau-grünlich schimmerndes Wasser oder weiße Gipfel vor sich, sondern eine reichgedeckte Tafel, auf der nicht nur köstliche, sondern auch ausgefallene, von ihr allein erfundene Speisen angerichtet waren.

Und Kinder, dachte sie, irgendwie hatten auch Kinder zu dieser Vorstellung gehört, Kinder, die um den Tisch liefen und spielten und denen sie dann und wann eine Leckerei zustecken konnte.

Sie erwartete, dass der Gedanke daran sie traurig machte, doch stattdessen fühlte sie nur Erleichterung. Eine Last fiel von ihr ab, nun, da sie mit Jule gesprochen hatte, und erst jetzt ging ihr auf, wie groß diese Last überhaupt gewesen war. Nicht weit von ihr schwamm einer jener Schwäne mit weißem Gefieder und schwarzem Hals über das Wasser. Er schien die Oberfläche kaum zu berühren, denn sie blieb glatt. Auf seinem Rücken trug er, wie alle Mütter seiner Art, zwei Junge. Annelie blickte ihm lange nach, und immer noch stieg keine Traurigkeit hoch. Sie dachte nicht daran, dass sie niemals ihr eigenes Kind auf dem Rücken tragen würde, nur, dass sich das gewiss schwer und drückend anfühlen müsste.

Plötzlich wurde der See unruhig. Das Wasser kräuselte sich, Wellen schwappten an das Ufer, und aus dem Dunst erstiegen die Konturen eines Boots. Annelie richtete sich überrascht auf.

»Gott zum Gruße!«, rief ihr ein Mann zu, der an den Rudern saß. Annelie kannte fast alle Siedler, die sich in der Nähe des Sees niedergelassen hatten, dieser Mann aber war ihr fremd. Sein Dialekt klang schwäbisch – ein wenig wie der der Steiners.

»Wir haben nichts zu tauschen«, rief sie schnell. Das letzte Mal, als Fremde auftauchten, waren diese aus Valdivia gekommen und hatten gehofft, von ihnen Weizen zu bekommen.

»Die Kartoffelernte war zwar reichlich, aber ...«

»Lebt hier eine Frau von Graberg?«, unterbrach der Mann sie schroff.

Annelie nickte verwirrt.

»Ich bringe nichts zu essen, sondern einen Brief.«

Das Boot hatte nun das Ufer erreicht, und der Fremde sprang ins kniehohe Wasser, um den letzten Abstand zu ihr zu überbrücken. Annelie wich unwillkürlich zurück – stets von vertrauten Gesichtern umgeben, machte ihr der Anblick des Fremden Angst. Doch er schien nichts davon zu bemerken, sondern kramte umständlich in seiner Brusttasche. »Ich komme aus Valdivia!«

»Wenn Sie wollen, dann bringe ich Ihnen einen Krug Apfelwein«, murmelte sie. »Sie müssen eine lange Reise hinter sich haben.«

Sie klang nicht besonders einladend; der Mann nahm ihr Angebot auch nicht an, sondern streckte ihr nur rasch den Brief entgegen.

»Muss weiter«, schloss er und sprang zurück in das Boot, ehe er erklärt hatte, an welche Frau von Graberg – ob an Annelie selbst oder an Elisa – der Brief gerichtet war.

Annelie sah ihm nach, bis er im Dunst verschwunden und der See wieder glatt war. Erst dann bemerkte sie, dass sie den Brief unwillkürlich in ihren Händen zerknüllt hatte. Vorsichtig strich sie ihn glatt, öffnete ihn und begann zu lesen. Schon nach den ersten Zeilen wusste sie, dass er nicht für sie bestimmt war, doch ihre Neugierde war größer als das schlechte Gewissen. Während sie den Brief las, drehte sie sich mehrmals um, um zu sehen, ob jemand sie beobachtete, gar den Besuch des Fremden gesehen hatte, doch sie war allein.

Zwei Mal überflog sie die geschriebenen Worte und wusste hinterher dennoch kaum zu wiederholen, was in dem Brief stand, nur, dass er von Cornelius war. Sie las ihn ein drittes Mal, erfuhr nun, dass er den Onkel zurück nach Deutschland geschickt hatte, dass dieser ihn aufs Gemeinste betrogen hätte.

Nicht nur, dass er den Brief, den sie, Elisa, ihm vor längerer Zeit geschrieben hatte, einfach unterschlagen hatte. Obendrein hätte er ihm von ihrem vermeintlichen Tod berichtet – eine Nachricht, die ihn in tiefste Trauer gestürzt hätte. Doch der Onkel hatte nicht gewagt, das falsche Spiel bis auf die Spitze zu treiben – hatte zwar ihren Brief unterschlagen, aber ihn nicht vernichtet. Zufällig hätte er ihn gefunden und wüsste nun endlich, dass es ihr gut gehe und wo sie lebte.

Annelies Blick fiel auf die letzten Zeilen.

Er hätte kein Geld und müsste erst wieder etwas verdienen, schrieb Cornelius. Aber dann ... dann würde er zu ihr kommen.

Warte noch eine kurze Weile, schloss er.

Was war eine kurze Weile? Eine Woche, ein Monat, ein Jahr? Vielleicht noch länger?

Unwillkürlich erschauderte Annelie. Vorhin, als sie Jule um Hilfe gebeten hatte, hatte sie geglaubt, ihr Entschluss ginge nur sie und Richard etwas an. Nun kam ihr in den Sinn, dass sie ihn nie gefällt hätte, nie zu fällen gewagt hätte, wenn sie nicht insgeheim auf Elisa zählen könnte ... die junge, kräftige, gesunde Elisa. Wenn sie nicht darauf hoffen könnte, dass Richard – wenn schon keinen Sohn – so zumindest bald einen Enkelsohn bekommen könnte.

Warte noch eine Weile ...

Aber sie konnte nicht warten! Sie konnte nicht viele Jahre ins Land ziehen lassen, bis Elisa heiraten und Kinder bekommen würde! Das musste so bald wie möglich passieren! Wer sonst, wenn nicht ein Enkelsohn würde Richard dafür entschädigen, dass ihr eigener Schoß unfruchtbar blieb? Es würden nicht ihre sein, aber es musste Kinder geben – Kinder, die Richard voller Stolz heranwachsen sehen, die die Siedlung mit Leben erfüllen und die von ihr bekocht werden würden.

Elisas Kinder.

Elisas und Lukas' Kinder.

Auf Lukas musste sie nicht warten. Lukas würde sie lieber heute als morgen zur Frau nehmen.

Annelies Blick huschte kein weiteres Mal über die Zeilen, die Cornelius geschrieben hatte. Stattdessen hob sie den Blick, fixierte starr den See und zerknüllte den Brief. Schweißnass waren ihre Hände nun, das Herz schlug ihr bis zum Hals. Vorsichtig drehte sie sich in sämtliche Richtungen, sah, dass sie immer noch allein am See war. Zuerst wollte sie den zerknüllten Brief unter der Schürze verbergen, doch kaum hatte sie ihn eingesteckt, zog sie ihn wieder hervor.

Sie zerriss den Brief in kleine Fetzen und warf sie in das Wasser. Kurz trieben sie auf seiner Oberfläche; sie konnte förmlich sehen, wie die Schrift zerrann. Dann trugen die Wellen sie fort und lösten das Papier auf.

Nach einer Weile waren keine Spuren mehr zu sehen. Der See war so glatt, als hätte sie nie ihre Stieftochter um das Lebenszeichen ihres Liebsten betrogen und als hätte ihn nie ein Boot mit einem Fremden aus Valdivia durchpflügt.

Annelie lugte durch den Fensterspalt, als Elisa heimkehrte. Das Dämmerlicht war trübe, aus dem Dunst, der über dem See waberte, war dichter Nebel geworden. Lukas war an ihrer Seite, doch er blieb kurz vor der Türschwelle stehen und verabschiedete sich von ihr.

»Willst du nicht doch mit uns zu Abend essen?«, hörte Annelie Elisa leise fragen. Er schüttelte den Kopf, und kurze Zeit später huschte Elisa allein ins Haus.

Rasch trat Annelie vom Fenster zurück und nahm der Stieftochter den Eimer Wasser ab, den diese mit sich schleppte.

»Weißt du schon, was du tun wirst?«, setzte sie grußlos an.

»Wegen der neuen Kanäle?« Elisa starrte auf ihre Hände. Sie hatte sie gewaschen, aber unter ihren Fingernägeln hatte sich Erde angesammelt. Die Ränder ihres Rockes waren mit Schlamm vollgesogen, und in ihren geflochtenen Haarsträhnen, die sich wie immer im Laufe eines langen Arbeitstages aufzulösen begannen, hatten sich viele Krümelchen und Ästchen verfangen. »Es ist schlimm, dass wir immer wieder neue graben müssen«, fuhr sie fort, »aber dieser Schlamm, der die Felder ...«

»Das meine ich nicht«, unterbrach Annelie sie. Kurz drehte sie sich um, aber von Richard war nichts zu hören. Er hatte sich schon vor einer Weile in den hinteren Teil der Stube zurückgezogen und schlief tief und geräuschlos. Auch Jule, die bei den von Grabergs lebte, war nicht zugegen. Trotz der späten Abendstunden strich sie im Freien umher, um die Einsamkeit zu suchen und um die Gedanken an ihre Schule weiterzuspinnen, vielleicht sogar, um ein passendes Fleckchen zu erkiesen, wo man diese errichten konnte.

»Das meine ich nicht«, wiederholte Annelie. »Weißt du schon, was du Lukas sagen wirst? Weil er dich doch gefragt hat, ob du seine Frau werden möchtest.«

Elisa blickte verwundert hoch. Ihre Wangen waren von der frischen Luft gerötet. Obwohl sie nie ganz sauber war, ihre Kleidung von Flicken übersät und die Haare immer ungebändigt, war Annelie die Stieftochter nie so schön erschienen wie in den letzten Monaten. Der kindliche Trotz war aus ihren Zügen verschwunden, und zurückgeblieben war eine energische, willensstarke, zugleich aber auch schweigsame und spröde Frau.

Manchmal blickte Annelie sie an und dachte, dass sie gerne wie sie wäre: weniger schwach, weniger geschwätzig ... und weniger verlogen.

Elisa würde den Brief, der heute gekommen war, nie vor ihr verbergen, würde im Umgang mit anderen Menschen nie derartig eigennützig handeln, nicht die kühle Berechnung vor ehrliche Zuneigung stellen.

Annelie seufzte. Sie konnte einfach nicht anders.

»Was soll ich ihm denn noch sagen?«, fragte Elisa. »Ich habe dir doch erzählt, dass ich seinen Antrag längst abgelehnt habe.«

»Das stimmt«, meinte Annelie, »aber ich weiß auch, dass er ihn in den letzten Monaten mehrmals wiederholt hat. Lukas ist ein stiller Mann, jedoch sehr beharrlich. Er wird nicht so schnell aufgeben. Zumal es hier nicht viele Frauen gibt, um die er werben kann.«

Elisa blickte wieder auf ihre Hände, doch diesmal, so war sich Annelie sicher, fiel ihr die Erde unter den Nägeln gar nicht auf. »Ich … ich kann nicht«, flüsterte sie heiser.

Wieder seufzte Annelie, doch dann trat sie entschlossen auf Elisa zu, nahm erst die eine, dann die andere Hand, drückte beide und sah ihr fest ins Gesicht.

»Hast du auch an deinen Vater gedacht?«, fragte sie.

Elisa runzelte die Stirn. »Was hat er damit zu tun? Ich bin mir nicht einmal sicher, ob er bemerkt hat, dass Lukas und ich …«

Sie brach ab; selten sprachen sie so offen darüber, dass Richard meist nicht nur blind für alle Belange des Alltags, sondern auch für die beiden Frauen war. Gewiss, er hatte neuen Lebensmut gefasst, manchmal lächelte er sie an, aber seit seiner Krankheit schien sein Trachten und Denken vordringlich um ihn selbst zu kreisen.

»Ich weiß«, sagte Annelie schnell. »Aber das meine ich nicht. Dein Vater … dein Vater fühlt sich so verloren hier. Es geht ihm besser als damals auf der Hazienda, aber er ist immer noch nicht in diesem Land angekommen. Es fehlen ihm die Erinnerungen an glückliche Zeiten, es fehlen ihm die Wurzeln. Ich dachte mir, dass es so viel besser wäre, wenn er … wenn er endlich einen Sohn hätte. Aber ich habe versagt. Mein Schoß ist unfruchtbar.«

Elisa entzog ihr unwirsch die Hände. »Nur weil du zwei Mal ein Kind verloren hast, muss das nicht heißen …«

»Es geschah nicht nur zwei Mal«, unterbrach Annelie sie rasch. »Es geschah sogar noch öfter, doch das zählt jetzt nicht. Ach, Elisa, ich weiß, dass du mich trösten willst, aber es ist, wie es ist, und ich … Wir alle müssen uns damit abfinden: Ich kann keine Kinder bekommen.«

Elisa riss die Augen auf. »Aber …«

Abermals ergriff Annelie ihre Hände, und diesmal entzog Elisa sich ihr nicht. »Ich kann Richard keinen Sohn schenken, ich kann es einfach nicht«, sagte sie leise. Sie fühlte, wie ihre Wangen glühend rot wurden vor Scham. Dabei war es keine Lüge, nur die Verschleierung von Wahrheit. Dass sie es nämlich nicht nur nicht konnte, sondern dass sie es auch nie wieder versuchen wollte. »Aber du, Elisa!«, fuhr sie hastig fort. »Du bist kräftig und gesund! Du könntest deinem Vater Enkelsöhne gebären und ihm damit neuen Lebenssinn geben. Deine Leibesfrucht würde wachsen und gedeihen, nicht ersticken und verhungern wie in meinem Bauch.«

»Sag so etwas nicht!«

»Aber so ist es doch! Ich kann anständig kochen, ich kann Flachs spinnen und Röcke nähen. Alles andere jedoch kann ich nicht.«

Schweigen senkte sich über sie. Annelie unterdrückte ein weiteres Seufzen, sah, wie Elisas Stirn sich noch stärker runzelte. Obwohl sie es nicht aussprach, konnte sie förmlich hören, was dahinter vorging, konnte den Schmerz spüren, die Sehnsucht, diese verzweifelte Hoffnung.

Ein Wort, dachte Annelie, ich müsste nur ein Wort sagen, um sie glücklich zu machen … ihr erzählen, was in dem Brief stand, dann würde sie auf Cornelius warten … tagelang, wochenlang, monatelang, vielleicht sogar jahrelang.

Elisa würde geduldig sein, doch sie, Annelie, war das nicht.

»Wie lange willst du denn noch darauf hoffen, dass ihr euch wiederseht?«, fragte sie. »Wie lange hinnehmen, dass dich kein einziges Lebenszeichen erreicht?«

Sie musste den Namen nicht aussprechen, sie beide wussten, wen sie meinte.

»Ich habe es ihm doch versprochen …«

»Was hast du ihm versprochen? Dein Leben zu verschwenden? Ihm deine ganze Zukunft zu opfern? Elisa, schau dich um! Wir kämpfen jeden Tag ums Überleben; wir setzen alle unsere Kräfte dafür ein, dieses wilde Land zu bezwingen, es uns untertan zu machen. Das tun wird doch nicht nur für uns, sondern auch für unsere Nachfahren! Ach, Elisa, ich hätte so gerne Kinder gehabt, aber dieses Glück ist mir verwehrt geblieben. Dir dagegen steht es offen! Häng keinem Traum nach, der niemals Wirklichkeit wird. Cornelius ist ein guter Mann, ein kluger, ein freundlicher und ohne Zweifel ein schön anzusehender, doch er ist nicht hier. Und wäre er hier, so wäre er kein tüchtiger Bauer, wie Lukas es ist!«

»Ich mag Lukas, aber er ist so …«

»… so schlicht und schweigsam wie sein Vater«, führte Annelie ihren Satz zu Ende. »Ach, sei doch froh darüber! Jakob hatte diesen schrecklichen Unfall, und seitdem ist er der Familie vor allem eine Last. Aber davor, davor hat er alles getan, um seine Frau und seine Kinder zu ernähren. Er hat unermüdlich geschuftet, er hat Entscheidungen getroffen …«

Er hatte all das getan, was Richard nicht getan hat, nicht tun konnte.

Sie sprach es nicht aus, und es war auch nicht nötig, noch etwas zu sagen. Sie sah, wie sich Verwirrung in Elisas Gesicht ausbreitete, Zerrissenheit und Trauer und zermürbender Zweifel, der gewiss nicht zum ersten Mal an ihr nagte.

»Was soll ich denn tun?«, rief Elisa. »Ich ertrage es doch selbst kaum, dass ich so lange nichts von ihm gehört habe und ...«

Sie brach ab. Gerade noch rechtzeitig gelang es ihr, ein Schluchzen zu unterdrücken.

»Denk zumindest darüber nach, ob Lukas nicht doch der rechte Mann für dich ist«, sagte Annelie. »Ich bin sicher, er würde alles für dich tun und geben. Und er wäre euren Kindern ein guter Vater, ein sehr guter.«

Dann presste sie die Lippen zusammen und drehte sich rasch um. Sie wollte Elisa nicht zeigen, dass ihre Wangen sich noch mehr gerötet hatten.

Es tut mir so leid, dachte sie, als sie zur Herdstelle trat, es tut mir so unendlich leid.

21. KAPITEL

Christl blickte unglücklich auf sich hinab. »Soll ich etwa diesen elenden Fetzen auf Lukas' und Elisas Hochzeit tragen?«, rief sie empört.

In den letzten Jahren hatte sie oft damit gehadert, dass ihre Kleidung aus derartigen Lumpen bestand, doch nie war es so schlimm gewesen wie in diesen Tagen. Für gewöhnlich trugen alle Siedler ähnlich fleckige Blusen und zerrissene Röcke; das eigene Gewand stach nicht heraus. Aber nun würde Elisa aus dem ersten Leinen, das sie auf dem selbstgeschreinerten Webstuhl gewoben hatten, ein Kleid bekommen – und zwar nur sie!

So zumindest war es Christines ausdrücklicher Wille, der Christl anfangs zu Tränen veranlasst hatte, dann, als sie merkte, dass sie damit nicht weiterkam, zu Wutgeheul. Nachdem sie sich eine Ohrfeige eingefangen hatte, klagte sie zwar nicht mehr in der Gegenwart der Mutter, umso mehr aber vor ihrem Bruder.

Poldi, der selbst seit Wochen mit mürrischem Gesicht umherschritt, wurde es nun zu bunt. »Wen interessiert es, wie du auf dieser Hochzeit aussiehst?«, fuhr er sie an.

»Mein Gott, verstehst du es denn nicht?«, hielt Christl dagegen. »Kannst du dich nicht erinnern … damals, bei uns zu Hause …«

Eigentlich konnte sie sich selbst an so gut wie gar nichts mehr erinnern, wenn sie an die württembergische Heimat dachte. Sie wusste allerdings, dass die unverheirateten Mädchen an

Festtagen rote Kleider oder Schürzen getragen hatten – um jedermann zu zeigen, dass sie noch zu haben waren. So ein rotes Kleid wollte sie auch!

»Elisa heiratet, nicht du«, erklärte Poldi schlicht und ließ sie abrupt stehen.

Genau das hatte ihre Mutter ihr auch vorgehalten. Es war Elisas Ehrentag, also gebührte ihr das beste Kleidungsstück und die meiste Aufmerksamkeit.

Christl seufzte. Warum verstand nur niemand, dass sie eines Tages auch heiraten wollte? Und wie konnte sie die Aufmerksamkeit eines Mannes gewinnen – eines ganz bestimmten Mannes im Übrigen –, wenn sie in diesen hässlichen Fetzen durchs Leben ging?

Der einzige Trost war, dass es neben dem Kleid nicht viel gab, worum sie Elisa beneiden konnte. Das Heiraten war hier nämlich eine ziemlich traurige Angelegenheit.

In ihrer Heimat war am Hochzeitstag ein großer Leiterwagen durchs Dorf gefahren, der mit sämtlichem Heiratsgut beladen wurde. Dieser Hochzeitswagen wurde von Musikanten begleitet, erreichte schließlich das Haus der Braut, wo sie darauf Platz nahm, um von ihrem Vater bis zur Grundgrenze geführt und dort vom Bräutigam in Empfang genommen zu werden. Hier in Chile gab es einen solchen Wagen nicht. Elisa hatte nicht einmal eine Truhe bekommen, um dort all ihre Aussteuer zu sammeln – weil sie schlichtweg nichts besaß. Worauf Christls Mutter allerdings beharrt hatte, war, dass die Braut mit Myrten gekrönt werden sollte wie einst sie selbst.

»Ob's hier die gleichen Myrten gibt?«, hatte Annelie zweifelnd eingeworfen.

Christl grinste, als sie daran dachte. Nun, dorniges Gestrüpp und lasche Blütenblätter konnte sie Elisa ohne Überwindung gönnen. Allerdings, und bei diesem Gedanken schwand

Christls Grinsen wieder, hatte die Mutter auch auf Einhaltung eines zweiten Brauchs gepocht: Es sollte ein Polterabend gefeiert werden, wie er in der Heimat üblich gewesen war.

Und auf diesem Polterabend hätte Christl so gerne ein schönes Kleid getragen!

»Was soll's!«, stieß sie trotzig aus. Es gab niemanden mehr, dem sie mit Heulen, Maulen und Schimpfen in den Ohren liegen konnte, und so stapfte sie schließlich vom Haus der Steiners fort, um sich zumindest einen Begleiter für dieses Fest zu verschaffen.

Als sie an ihrem Ziel ankam, blickte sie prüfend auf ihre Hände, die sie so lange gebürstet hatte, bis sie sauber waren. Und sie hatte sich heute Morgen ihre Haare sorgfältig gekämmt und geflochten! Ihre Haare waren dünner und glanzloser als die von Elisa, aber immerhin nicht ganz so störrisch.

Ihr Herz hämmerte laut vor Aufregung, als sie näher trat. Das Haus der Mielhahn-Kinder lag still und irgendwie schäbig vor ihr. Die anderen Frauen schmückten ihr Heim mit dem Wenigen, das sie hatten. Annelie, Christine und Barbara nähten Vorhänge und Tischdecken, pflückten Blumen und woben Teppiche. Doch als sie nun durch die Fensterläden ins Innere lugte, war nichts dergleichen zu sehen.

Nun, wenn sie erst Viktors Frau wäre, dann würde sie das Haus gemütlich einrichten, und bei ihrer Hochzeit würde sie ein noch schöneres Kleid bekommen als Elisa, das war die Mutter ihr schuldig!

Sie trat vom Fenster weg und klopfte an der Tür. Der Laut verhallte, doch es kam keine Antwort.

Christl runzelte die Stirn. Sie hatte Viktor vorhin heimgehen sehen, er musste hier sein!

Wieder klopfte sie, schließlich so laut und energisch, dass die notdürftig zusammengezimmerten Bretter bedrohlich knarrten. Noch ein heftiger Schlag und sie würden womöglich brechen! Unbehaglich trat Christl zurück, und in diesem Augenblick ertönten endlich schlurfende Schritte.

Christl setzte ein Lächeln auf. Ewigkeiten schien es zu dauern, bis die Tür endlich geöffnet wurde – nicht weiter als einen schmalen Spalt, durch den sie nur Viktors Nase erkennen konnte.

»Grüß dich, Viktor!«, rief Christl dessen ungeachtet herzlich.

»Was willst du?«, fragte er barsch.

Das Lächeln schwand von Christls Lippen. Viktor war ohne Zweifel spröde und unnahbar – und gerade das hatte ihn bis jetzt so interessant für sie gemacht: Stets galt es einen Kampf zu führen, um ihm etwas abzuringen, so auch den gemeinsamen Tanz damals auf dem Fest. Danach war sie ihm oft aufs Feld gefolgt, hatte ihm sogar bei der Arbeit geholfen, und wenn er sie, was sehr selten vorkam, scheu anlächelte, so war ihr das Lohn genug gewesen. Auch wenn die Mutter und die Brüder hinterher lästerten, dass sie sich zu Hause nie so viel Mühe gab. Zu Hause gab es ja auch keinen Viktor, den sie beeindrucken, den sie küssen wollte. Ja, auch das hatte sie einmal getan – zumindest hatte sie es versucht. Ehe ihre Lippen seine berührten, war er zurückgezuckt und hatte sie stehen lassen. Doch heute Abend, so war sie sich sicher, würde er ihr nicht entkommen! Heute Abend musste er wieder mit ihr tanzen und sie endlich küssen!

»Was willst du?«, fragte Viktor erneut.

Er starrte sie so misstrauisch an wie eine Fremde.

Unwillkürlich zuckte sie zurück, fasste dann aber Mut und blieb entschlossen stehen. Sie deutete hinter sich. Zwar konnte man vom Haus der von Grabergs nur das Giebeldach sehen, doch wenn man genau hinhörte, so vernahm man etwas von dem Gemurmel und der Musik, die bereits gespielt wurde.

»Ich habe dir doch erzählt, dass Elisa morgen meinen Bruder heiratet. Und heute wird getanzt! Es ist schließlich sein letzter Tag in Freiheit.«

Ihr entfuhr ein nervöses Kichern.

Viktor öffnete die Tür und trat auf die Schwelle, aber es wirkte nicht einladend, vielmehr so, als könnte er sein Haus auf diese Weise noch besser vor einem ungebetenen Eindringling beschützen. Er stand steif da, und sein Gesicht war so starr, als läge es unter einer Maske verborgen.

Christls Kichern erstarb.

»Ich dachte, du begleitest mich … und wir tanzen gemeinsam.«

Sie senkte ihren Blick, und nun, da sie nicht in seine kalten Augen sah, fiel es ihr leichter, seine Hand zu nehmen, sie fest zu packen, ihn mit sich zu ziehen. Er versteifte sich noch mehr.

»Lass mich los!«

»Was hast du denn? Wir haben doch schon einmal getanzt, erinnerst du dich nicht? Du hattest Spaß daran, ich bin es, die Christl, und ich dachte …«

Sie brach ab. Keinerlei Begreifen regte sich in seinem Gesicht, keinerlei Vertraulichkeit. Nicht nur, dass er sie wie eine Fremde anstarrte – er selbst war ihr plötzlich fremd. Enttäuschung begann an ihr zu nagen, und noch viel lauter, viel stürmischer überkam sie die Wut. Schlimm genug, dass sie kein schönes Kleid besaß! Schlimm genug, dass sie in diesem fremden Land auf so vieles verzichten musste! Schlimm genug auch, dass ihr immer irgendjemand damit in den Ohren lag, sie müsse mehr und härter arbeiten!

Und jetzt sollte sie auch noch die Launen dieses Sonderlings ertragen, die steten Schwankungen, denen seine Stimmung unterlag?

»Was ist nur mit dir los?«, herrschte sie ihn an. »Jedem Schritt, den du auf mich zumachst, folgen zwei zurück! Warum stößt du mich immer wieder vor den Kopf? Ich dachte, du magst mich! Ich dachte, wir beide …« Sie brach ab. »Gefalle ich dir etwa nicht?«

Ein schriller Laut trat ihr über die Lippen, er hatte keine Ähnlichkeit mehr mit einem Kichern, eher mit einem Schluchzen. Erneut trat sie auf ihn zu, nahm wieder seine Hand, ja, begnügte sich nicht mit ihr. Sie packte ihn an den Schultern, zog ihn einfach an sich, schwankte zwischen der Gier, seinen Körper noch dichter an ihren zu ziehen, und Ekel, ihn von sich zu stoßen, weil er so steif war, so dürr, so kalt …

Ehe eine dieser Regungen die Oberhand gewinnen konnte, ging ein Ruck durch seine Gestalt. Er riss sich los und fiel ob der Wucht fast zu Boden. Panisch hielt er sich an der Tür fest, als wäre diese seine einzige Rettung. Erst als die Holzbalken bedrohlich knirschten, ließ er sie los, begann jedoch nun, mit den Händen wild um sich zu schlagen. Er traf Christl nicht, sie war schon einige Schritte fortgelaufen. Von dort starrte sie verwirrt und ängstlich auf den grotesken Tanz, den er vollführte, sah, wie seine Hände sich zu Fäusten ballten und wie er mit den Füßen um sich trat, so, als hätte sie nichts Geringeres geplant, als ihn zu erwürgen und als müsste er sich mit sämtlichen Gliedern seines Körpers zur Wehr zu setzen.

»Hast du den Verstand verloren!«, schrie sie. »Was führst du dich denn so auf?« Sie stampfte auf den Boden auf, und plötzlich wurde Viktor wieder ruhig. Wie gelähmt wirkte sein Körper, und das machte ihr nicht weniger Angst. Sie schüttelte den Kopf. »Hab ich's nötig, einem wie dir nachzulaufen?«

»Einem wie mir?«

Er klang heiser.

»Du bist kein rechter Mann, Viktor«, schrie sie, »du bist ein ...
du bist ein ...«

Kein Schimpfwort wollte ihr einfallen, das am besten traf, was
sie von ihm hielt. Doch dann blieb ihr ohnehin jeder Laut in
der Kehle stecken, denn nun kam Viktor auf sie zugelaufen.
Er packte sie an den Handgelenken und drückte sie so fest,
dass sämtliche Finger taub wurden.

»Was hast du gesagt? Was hast du zu mir gesagt?«, schrie er
ein ums andere Mal.

Christl trieb es Tränen in die Augen – sie wusste nicht, ob vor
Schmerz oder Angst oder Wut. Mehrmals versuchte sie vergebens, sich von ihm loszureißen. Erst beim vierten oder fünf-
ten Mal gelang es ihr. Sie fiel zu Boden, rollte einmal um die
eigene Achse. Rasch rappelte sie sich auf, stolperte über die
eigenen Füße, fiel ein zweites Mal. Tränenblind erhob sie sich
erneut. Als sie sich umdrehte, sah sie, dass er ihr nicht folgte.
Schluchzend lief sie zurück zu ihrem Haus, und als sie dort
ankam, musste sie feststellen, dass ihr ohnehin hässliches Kleid
nun auch noch von Grasflecken übersät war.

Viktor drehte sich um, sein Atem verlangsamte sich, die Aufregung ließ nach. Nur die Stimme verfolgte ihn weiterhin. Und
die Stimme sagte immer wieder: Du bist kein rechter Mann, du
bist kein rechter Mann, du bist kein ...

Die Stimme verlor sämtliche Ähnlichkeit mit der von Christl
Steiner, sondern klang plötzlich wie die seines Vaters. Ein
Schwächling bist du, ein Feigling, du taugst zu nichts, du bist
ein Versager ...

Kaum hatte er die Stube erreicht, fiel er kraftlos auf die Knie.
Er spürte die Hand, die sich auf seinen Nacken legte, nicht
und fuhr erst hoch, als Greta leise fragte: »Du hast sie fortgeschickt?«

»Ja … ja … ja …«, stammelte er. Ein Bild stieg vor ihm auf – von Christl, wie sie mit ihm auf dem Feld arbeitete, wie sie sich im Kreise drehte und ihre Röcke hochflogen, so dass er einen Blick auf ihre nackten Beine erhaschen konnte, wie sie gelacht hatte, hell und mitreißend. Er hatte auch gelacht, er hatte ihr gerne zugesehen – und zugleich hatte sie ihm immer ein wenig Angst gemacht. Eines Tages, so hatte er insgeheim befürchtet, würde sie sehen, wie er wirklich war. Eines Tages würde sie ihn womöglich beschimpfen wie einst der Vater und würde ihn von sich stoßen.

»Wir gehen nicht zum Polterabend«, befahl er rüde. »Ich nicht! Und du auch nicht! Ich will das nicht!«

Der Druck von Gretas Hand verstärkte sich. Greta wusste, wer er war – kein rechter Mann, ein Feigling … noch schlimmer gar … ein Mörder! Das Blut seines Vaters klebte an seinen Händen.

Und dennoch blieb sie bei ihm.

»Es ist mir gleich, dass Elisa heiratet und wen«, sagte sie leise.

»Wenn ich dich nicht hätte«, seufzte er. Er erhob sich, presste sie an sich. Die Stimme verstummte immer noch nicht.

Du bist kein rechter Mann, du bist kein rechter Mann, du bist kein … Hätte er den Vater erschlagen können, wenn er kein rechter Mann war?

Vielleicht war er doch ein rechter Mann – nur nicht für eine wie Christl Steiner. Ihr Lachen war ihm eigentlich immer ein wenig zu laut gewesen. Ihre nackten Beine immer ein wenig zu schamlos.

»Du musst bei mir bleiben, Greta«, stammelte er. »Du musst immer bei mir bleiben!«

Obwohl Elisa noch nicht das neue Kleid trug, sondern dies erst für den morgigen Tag bestimmt war, blickte Christine mit glänzenden Augen auf sie herab. Sie hatte darauf beharrt, Elisa für den Polterabend zurechtzumachen, nahm sie nun an den Schultern und drückte sie fest an sich. »Du bist wunderschön, Elisa.«

Elisa kämpfte um ein Lächeln. Seit sie Lukas ihr Jawort gegeben hatte, hatte sich tiefe Ruhe in ihr ausgebreitet. Sie redete sich ein, dass es genau das war, was sie wollte, kein zermürbendes Warten mehr, kein aufreibender Kampf, sondern endlich das Gefühl, angekommen zu sein. In den letzten Tagen fragte sie sich allerdings manchmal, ob der Friede, den sie angestrebt hatte, nicht vielmehr Grabesruhe war, durch die nichts mehr hindurchdrang, kein Lachen, kein Singen, keine Farben. Aus nichts dergleichen schien das Leben noch zu bestehen, nur aus Pflicht und Vernunft. Sie wehrte sich gegen diese Ahnung, hielt ihr entgegen, dass es im letzten Jahr viel Freude gegeben hatte, vor allem viel Genugtuung darüber, wie sie das Leben meisterte – und das ohne Cornelius, stattdessen mit Lukas, dem ruhigen, sanften, pflichtbewussten Lukas an ihrer Seite. Trotzdem fiel es ihr schwer, zu lächeln.

Christine beugte sich dicht zu ihrem Gesicht.

»Du bist nun eine meiner Töchter, Elisa. Und du bist die beste von ihnen. Auf dich kann man sich verlassen.«

Elisa schüttelte den Kopf, das Lob erschien ihr ungerecht. Nun gut, vielleicht stimmte es, dass sie tüchtiger war als Christl und sorgfältiger als Lenerl. Und dennoch – wog das diese eine große Lüge auf?

Ich liebe Lukas nicht. Ich liebe einen anderen, hätte sie am liebsten herausgeschrien. *Ich kann nicht mehr auf Cornelius warten, nur darum nehme ich deinen Sohn … nicht aus Liebe. Ich mag ihn, ich schätze ihn, aber ich heirate ihn nicht aus Liebe.*

Sie verkniff sich das Geständnis, und bei Christines nächsten Worten ahnte sie, dass es auch gar nicht notwendig war.

»Als ich damals den Jakob nahm«, setzte ihre künftige Schwiegermutter an und sprach jene Zweifel an, die Elisa nicht über ihre Lippen brachte, »nun, da dachte ich, es wäre viel zu früh, ich hätte noch nichts vom Leben gehabt und verdiente etwas Besseres als ihn. Nicht, dass mein Jakob ein schlechter Mann wäre, aber immer wenn ich ihn ansah, dann fehlte etwas. Und es machte die Sache nicht leichter, dass ich nicht einmal wusste, was es war. Aber mein Vater, Gott hab ihn selig, hat's nun mal so bestimmt, dass ich ihn heirate, und so habe ich es getan. Und soll ich dir etwas sagen? Es ist nicht immer leicht, einen Mann zu haben, der wenig spricht und der so selten zeigt, was er fühlt, was er will und was ihn antreibt. Doch man gewöhnt sich daran, und irgendwann ist nur noch wichtig, dass man sich auf ihn verlassen konnte. Dass man weiß: Er ist da, er sorgt für dich, er kämpft an deiner Seite darum, die Kinder großzuziehen und genügend Mahlzeiten auf den Tisch zu bringen. Das ist so viel mehr wert, als irgendwelchen Flausen nachzujagen.«

Elisa nickte, aber tief in ihrem Innern regte sich Widerstand. War das, was sie für Cornelius fühlte, nichts als eine Flause im Kopf, die das harte Leben ihr nun austrieb? Und hätte er, wäre er ihr Mann geworden, nicht auch alles getan, um für sie und künftige Kinder zu sorgen?

Kurz tauchte vor ihr das Bild dieser Kinder auf – einer lärmenden, quietschenden, lachenden Schar, die an ihren Röcken hing, doch keines ihrer Gesichter konnte sie genauer erkennen, so sehr verblassten sie. Das Leben hier unterlag dem stetig gleichen Trott. Es würde sich nach ihrer Heirat mit Lukas nicht sonderlich verändern; sie würden, so war beschlossen worden, gemeinsam im Haus der von Grabergs leben. Aber wann immer sie versuchte, sich ihre Zukunft auszumalen, so tauchten keine Bilder vor ihr auf, keine Ahnung von Glück, nur Leere.

Diese Leere verfolgte sie bis in ihre Träume. Nicht länger irrte sie darin durch dichte Wälder, sondern durch namenloses Dunkel; und nicht länger hielt sie Cornelius' Hand, sondern sie war von Anfang an allein. So, als hätte sie ihn nicht nur verloren, sondern als hätte es ihn nie gegeben. Früher war sie schreiend und weinend aus dunklen Träumen erwacht. In diesen Tagen schlug sie die Augen auf und fühlte sich wie tot.

»Elisa«, drang Christines Stimme zu ihr. »Ich bin so stolz darauf, dass du meine Tochter wirst.«

Wieder nickte Elisa. Tränen stiegen hoch – und versiegten, noch ehe sie über ihre Wangen perlten.

»Ich vermisse meine Mutter. Annelie konnte sie nie wirklich ersetzen. Aber du ...«, sie räusperte sich, »du, Christine Steiner, bist es würdig, morgen ihren Platz einzunehmen.«

Poldi lauschte auf die Klänge, und unwillkürlich zuckte sein rechter Fuß im Rhythmus – das einzige verräterische Zeichen. Ansonsten verbat er es sich, auch nur daran zu denken, wie er beim letzten Fest getrunken, getanzt und schließlich seine Lobesrede auf Barbara gehalten hatte.

Nichts auf der Welt hätte ihn dazu gebracht, mit Elisa und Lukas den Polterabend zu feiern und dort mit Barbara zusammenzutreffen, die so kalt und unnahbar war, seit er sie geküsst hatte, die nicht mehr sang, schon gar nicht mehr mit ihm, und auf deren Wangen sich keine Grübchen mehr zeigten.

Noch weniger als Barbara wollte er dem gönnerhaften Taddäus begegnen, der es, obwohl er sonst so steif war und so wenig lachte, offenbar lustig fand, dass ein Bengel für seine Frau schwärmte.

Am schlimmsten wäre es schließlich, Resa zu sehen, die ihn stets erwartungsvoll anstarrte und sich insgeheim wohl fragte, ob er nun hinter ihrer Mutter her war oder eben doch hinter ihr. In den letzten Wochen hatte er alles getan, genau letzteren Eindruck zu verstärken, um Barbaras Ruf und seinen Stolz zu schützen, aber heute konnte er sich nicht überwinden, mit Resa zu schäkern.

Rasch ging er fort, um nichts mehr von der Musik, dem Stimmengewirr, dem Gelächter hören zu müssen. Nach wenigen Schritten erkannte er jedoch, dass er nicht der Einzige war, den die Feierlaune nicht mitreißen konnte und der von einer Welt, in der sich jeder amüsierte, ausgestoßen war.

Christl und Fritz saßen vor der Scheune auf einem Holzstoß und starrten so mürrisch vor sich hin, als stünde morgen eine Beerdigung und nicht die Hochzeit ihres Bruders an.

»Was treibt ihr denn hier?«, rief er ihnen zu.

Fritz blickte hoch, und der Missmut schnitt noch tiefere Falten in seine Stirn. »Du hast getrunken.«

Schnell versuchte Poldi, den Krug unter seinem Hemd zu verbergen, doch es war zu spät. Ehe das Fest begonnen hatte, hatte er heimlich etwas von Annelies Apfelwein mitgehen lassen und die Hälfte davon förmlich in sich hineingeschüttet.

»Was geht's dich an?«, gab er trotzig zurück.

Fritz schüttelte den Kopf. »So ist das also: Wenn ihr mich gerade nicht braucht, soll ich gefälligst den Mund halten. Ansonsten aber bin ich der Dumme, der für alle zu schuften hat und bei dem man sich nicht einmal dafür bedankt.«

Der nörgelnde Tonfall klang vertraut, nicht jedoch der gekränkte.

Poldi ließ sich schwer auf den Holzstoß fallen. Einige Scheite fielen herab.

»He!«, rief Christl empört.

»Wenn du mit deinem Leben nicht zufrieden bist, solltest du mich nicht maßregeln, sondern dich lieber selbst besaufen«, knurrte Poldi.

Fritz verschränkte seine Arme vor der Brust und lehnte seinen Kopf gegen die Holzwand der Scheune. »Weggehen sollte ich«, sagte er leise.

Poldi war sich nicht sicher, ob er ihn richtig verstanden hatte. Er warf Christl einen fragenden Blick zu, um zu sehen, wie sie die Worte des Bruders aufnahm, doch sie war viel zu sehr mit ihrem eigenen Kummer beschäftigt, um darauf zu achten.

»Was redest du denn da?«, fragte Poldi schließlich.

Kurz machte Fritz den Anschein, als würde er ins Schweigen verfallen, doch dann murmelte er unwillkürlich vor sich hin. »Ich hätte es besser treffen können … besser als ihr alle. Damals in Stuttgart, als ich immer in den Zoo gegangen bin, jeden Sonntag, zwei Stunden hin und zwei Stunden zurück, da hat mich einmal ein gelehrter Mann angesprochen. Er trug einen schwarzen Frack, ich glaube, er war ein Doktor, der an der Universität gelehrt hat. Und wisst ihr, was er zu mir gesagt hat?«

Er wartete nicht ab, dass seine Geschwister antworteten. »Dass ich begabt sei, hat er gesagt, dass nur ein kluger Kopf sich so ein umfangreiches Wissen über Tiere und Pflanzen aneignen könne und dass er mir gerne helfen wolle, dieses Wissen zu erweitern.«

»Und dann?«, fragte Poldi, während Christl immer noch in sich versunken dasaß.

»Nichts dann!«, fauchte Fritz. »Nach Chile auswandern hieß

es – und ich hätte euch doch nicht allein gehen lassen können. Mutter und Vater brauchten mich schließlich! Sie setzten auf mich! Doch nie ... niemals hat Mutter etwas Gutes zu
mir gesagt. Sie hat immer nur Augen für dich – und jetzt ausnahmsweise auch für Lukas, aber nur, weil er Elisa heiratet.«
Mit einem Ruck fuhr Christl auf.

»Elisa, die ja so viel tüchtiger ist als ich!«, rief sie dazwischen.
Fritz' Elend schien sie wenig zu bekümmern, aber die Erwähnung der künftigen Schwägerin säte Bitterkeit. »Und die jetzt
das schönste Kleid kriegt!«

Poldi erhob sich, ihm schwindelte. Er wusste nicht, ob es
an dem Apfelwein lag oder an den giftigen Worten der Geschwister. »Jetzt fang nicht schon wieder mit Elisas Kleid an«,
schimpfte er. »Sie heiratet morgen. Wenn du heiraten würdest ...«

»Und wen soll ich heiraten?«, unterbrach Christl ihn scharf.
»Etwa Viktor? Viktor ist völlig verrückt, ihr könnt euch das
gar nicht vorstellen, was er zu mir gesagt hat!«

»Das klang vor kurzem noch ganz anders. Da konnte ein jeder sehen, dass du ihm schöne Augen gemacht hast.«

»Ach was!«, rief sie. »Leid hat er mir getan, weil er keine Eltern
hat, nur diese dürre Schwester. Doch die beiden, das sage ich
euch, haben einander verdient. Sie sind nicht normal. Nichts
bringt mich jemals wieder in die Nähe von diesen Wahnsin-
nigen!«

So wie sie vorhin Fritz' Worte ignoriert hatte, starrte auch
dieser trüb an ihr vorbei.

Poldi lachte spöttisch.

»Dann nimm doch den Andreas Glöckner«, schlug er vor.
»Der kommt auch bald in ein Alter, da er eine Frau braucht.«

»Ach ja?«, giftete Christl. »Genauso wie Resa einen Mann
braucht? Du wärst doch der rechte Mann für sie, Poldi, nicht

wahr? Aber nein, ich vergaß: Du hast ja nur Augen für ihre Mutter.«

Mit einem Aufschrei stieß er gegen den Holzstoß. Weitere Scheite lösten sich und rollten ihm über die Füße. Diesmal war es Fritz, der ein empörtes »He!« rief, aber da war Poldi schon fortgestoben. Noch laufend hob er den Apfelweinkrug und setzte ihn an den Mund. Weißer Schaum spritzte ihm ins Gesicht. Er konnte nicht gleichzeitig rennen und trinken, also blieb er notgedrungen stehen, als er den Wein gierig schluckte.

Deswegen hörte er auch die Stimme der Frau, die nach ihm zu seinen Geschwistern getreten war und nun fragte: »Wo ist Poldi? Ich habe ihn den ganzen Tag lang nicht gesehen.«

Siedend heiß stieg es ihm ins Gesicht.

Barbara.

Es war Barbara, die nach ihm suchte.

»Wahrscheinlich will er sich in einem der Sümpfe ertränken«, hörte er Christl spotten.

Der Krug entglitt seiner Hand, als er loslief, immer schneller und immer weiter fort. Unerträglich war ihm die Vorstellung, ihr trunken unter die neuerdings so kalten Augen zu treten. Poldi lief so lange, bis ihm der Atem ausging und das Dickicht ihm den Weg versperrte. Er ließ sich gegen den Stamm eines der Baumriesen sinken, sog den würzigen Geruch der Rinde ein und schloss die Augen. Eine Weile schien es nur ihn zu geben, den Baum, die Tropfen, die auf sein Gesicht klatschten, die feuchte Erde, die Rinde, an der er sein Gesicht rieb, obwohl, nein, vielmehr weil es schmerzte. Es lenkte von seiner Scham ab, ließ ihn wieder nüchtern werden, die Dinge klar sehen – zumindest bis zu dem Moment, in dem eine Stimme hinter ihm erklang.

»Poldi, was tust du denn?«

Da schwankte der Boden wieder unter ihm, keinen vernünftigen Gedanken konnte er mehr fassen, und er schien aus nichts anderem zu bestehen als dieser Sehnsucht, diesem Brennen, dieser Qual.

Barbara trat zu ihm und stützte sich auf den Baumstamm.

»Nun sei kein Kindskopf, Poldi!«, erklärte sie schroff. »Was sitzt du hier draußen herum und schmollst wie schon die ganzen letzten Wochen? Komm hinein ins Haus, singe, musiziere! Du bist doch keiner, der eine Gelegenheit zum Feiern auslässt!«

Warum war sie ihm nur nachgekommen? Warum ließ sie ihn nicht einfach allein?

»Du sagst mir nicht, was ich zu tun habe«, gab er störrisch zurück.

»Und warum nicht? Deine Mutter könnt ich sein!« Ihre Stimme klang streng, doch ihr Blick war nicht so kalt wie in der letzten Zeit.

»Du bist aber nicht meine Mutter.« Er zögerte, setzte nach einer Pause schließlich entschlossen hinzu: »Du bist die schönste Frau, die ich kenne.«

»Jetzt hör schon auf.« Sie trat ein paar Schritte von ihm fort – jedoch nicht in Richtung der Siedlung, sondern tiefer in den Wald hinein. Vielleicht war es Zufall und hatte nichts zu bedeuten, dennoch war ihm, als könne er es plötzlich auch an ihr wahrnehmen: jenes Zittern, das ihn selbst überlief, jenes Flattern im Magen, als hätte man seit Tagen nicht gegessen und dennoch keinen Hunger.

Sie könnte doch einfach gehen, dachte er.

Aber sie ging nicht.

»Warum bist du mir nachgelaufen?«, fragte er heiser. »Hast du Angst, ich könnte mich im Wald verlaufen oder im See ertrinken? Ich bin kein Kind mehr, ich bin ein Mann.«

Sie lachte auf, es klang kreischend. Wieder kam sie auf ihn zu, schien nach ihm packen zu wollen und umgriff doch nur den Baumstamm. Er sah, wie sich ihre Fingernägel in die Rinde gruben. »Ein Mann – du?«, höhnte sie. »Taddäus ist ein Mann. Er weiß, was er zu tun hat, er ist fleißig, er drückt sich nie vor Arbeit, er macht keine dummen Worte. Er … er …«, sie geriet ins Stottern, kaute auf den Lippen, schien plötzlich unendlich traurig. »Er lacht auch kaum, und er singt nicht. Nur aus Schuften besteht sein Leben. Grund und Boden machen ihn glücklich, und dass alle gesund sind und mit anpacken können … sonst nichts … sonst nichts …«

»Wenn so ein Mann sein soll, dann will ich keiner sein«, knurrte Poldi. »Nicht für mich will ich so einer sein. Und schon gar nicht für dich.«

»Wir müssen zurück.« Sie ließ den Baumstamm los, aber sie machte keine Anstalten, zurückzugehen. Poldi spürte ihren warmen Atem; er sah ihre Zähne hell aufblitzen, als sie abermals einen Laut ausstieß, von dem nicht sicher war, ob es ein Lachen oder Schluchzen war.

»Wenn du mit den anderen hättest feiern wollen, wärst du bei ihnen geblieben.« Die Stimme versagte ihm fast, dennoch fuhr er fort: »Aber du bist mir in den Wald gefolgt. In den dunklen Wald, wo niemand sehen kann, was wir tun.«

»Was sollen wir denn schon tun?«

»Das hier …« Wieder versagte ihm die Stimme, aber es war ohnehin nicht die Zeit zu reden. Kaum einen Armbreit war ihr Gesicht von seinem entfernt. Es war so leicht, den Abstand zu überbrücken, so leicht, seine Lippen auf die ihren zu pressen. Schon einmal hatte er sie geküsst, doch wenn er daran dachte, spürte er nur den Schlag ihrer Hand auf seiner Wange, den er sich damit eingefangen hatte. Heute schlug sie ihn nicht, heute öffnete sie den Mund, bis seine Zunge auf ihre Zähne stieß, weiter in diese warme Höhle vordrang, schließlich die ihre erhaschte, feucht und rauh. Ungelenk stießen ihre Münder zunächst aufeinander, dann immer fordernder, hungriger, gieriger.

Plötzlich war es vorbei. Sie legte ihre Hände auf seine Brust und drückte ihn aufstöhnend von sich weg. »Genug jetzt!«

Seine Lippen waren feucht von ihrem Speichel. Hatte er jemals etwas ähnlich Köstliches geschmeckt?

»Was ist?«, flüsterte er heiser. »Willst du mich wieder ohrfeigen? Du bist mir doch nicht gefolgt, um mich zu schlagen. Also, was willst du?«

»Ich will …«

Ihre Hände sanken von seiner Brust. Diesmal war sie es, die den Abstand zu seinen Lippen überbrückte, die ihren sanft auf seine presste, nicht fordernd wie er, nur zärtlich. Ihre Finger streichelten über seine Wangen, seine Haare, seinen Nacken. Ihm war, als würden Feuerzungen darüber tanzen. Doch wie vorhin nahm auch dieser Kuss ein abruptes Ende.

Sie stieß ihn zwar nicht von sich, wandte sich jedoch ab.

»Barbara, bitte … bitte bleib.«

Er sah, wie ihre Schultern zitterten. Mit einem Aufschrei drehte sie sich wieder um, und nun, verspätet, schlug sie ihn, schlug ihm nichts ins Gesicht, sondern trommelte mit Fäusten auf seine Brust. Er wich zurück, einen Schritt, dann einen zweiten. Seine Füße verhedderten sich im Gebüsch. Er stolperte, fiel auf den Boden, klamm und weich. Er spürte ihre Fäuste nicht mehr, nur ihren Körper, den er mitgerissen hatte und der nun schwer auf seinem zu liegen kam.

»Was tun wir nur?« Ihre Stimme war nicht lauter als ein Hauch; dann sagte sie nichts mehr, presste ihren Mund auf seinen, umfasste seinen Nacken. Schließlich wanderten ihre Hände tiefer, zerrten an seinem Hemd. Kalte Luft traf seinen

Körper, und er fühlte, wie seine Brustwarzen hart wurden. Er wollte nach ihren greifen, wollte ihr weiches Fleisch spüren, darin versinken, darin ersticken – doch er war nicht geduldig genug, ihren Körper sanft und langsam zu erforschen. Als er sah, wie sie ihre Röcke hochschob, öffnete er rasch seine Hose. Sein Geschlecht verhärtete sich, schien unter ihren tastenden Händen zu zerplatzen. Dann spreizte sie ihre Schenkel, ließ sich auf ihn herab. Er schrie auf, als er immer tiefer in diese feuchte, warme Enge drang, und klammerte sich an ihre Hüften. Als sie sich ruckartig auf ihm zu bewegen begann, stieß sein Kopf gegen einen Stamm. Er fühlte Erde und Rinde auf sein Gesicht rieseln; es verklebte seine Augen, ließ sie tränen. Aber es störte ihn nicht. Das Ächzen, das aus seinem Mund kam, verwob sich mit ihren spitzen Schreien. Tiefer und tiefer stieß er sie hinein, bis er das Gefühl hatte, in ihrer Hitze zu verglühen. Er spürte noch, dass sie ihm die Hände vor den Mund schlug, als sein Schreien lauter wurde. Dann spürte er nichts mehr, nur, wie die Lust in seinen Lenden zu einem riesigen Knoten anwuchs, schließlich riss. Er glaubte, zu zerfließen, in ihr, unter ihr, ja, vielleicht lag er mittlerweile auch über ihr.

Er hätte es nicht sagen können. Seine Welt bestand nicht mehr aus oben und unten, rechts und links. Seine Welt bestand nur mehr aus Barbara; seine ganze Welt war sie.

»Und jetzt?«, fragte Poldi nach einer Weile.

Die Wärme schwand, obwohl er immer noch dichtgepresst an Barbara lag. Seine Stimme klang ängstlich, als wäre er plötzlich wieder der kleine Junge, der einen Streich ausgeheckt hatte und nun die Strafe seiner Mutter erwartete.

Ruckartig löste sich Barbara von ihm. »Taddäus darf nie davon erfahren«, sagte sie mit harter Stimme, in der nichts von eben erlebter Lust mitschwang. »Auch sonst darf es niemand wissen, aber vor allem Taddäus nicht. Er ist ein guter Mann. Er hat das nicht verdient.«

So energisch sie zu reden begonnen hatte, so zittrig geriet ihre Stimme gegen Ende hin. Vielleicht glaubte ihr Kopf, was sie sagte, ihr Herz, so war sich Poldi sicher, tat es nicht.

Das hieß: Natürlich war Taddäus ein guter Mann; niemand konnte daran zweifeln. Aber das reichte nicht, reichte bei weitem nicht, um diese grimmige Gier in Barbara zu entfachen, die sie in seine Arme getrieben hatte.

Poldi fühlte Stolz in sich aufglimmen, warm und durchdringend, doch er währte nicht lange.

»Du musst Resa heiraten«, befahl Barbara unvermittelt.

Er war sich nicht sicher, ob er sie richtig verstanden hatte. »Was?«, entfuhr es ihm.

Sie stand auf, knöpfte die Bluse zu und strich ihren Rock glatt. »Du musst Resa heiraten«, wiederholte sie. »Dann bist du wenigstens mein Schwiegersohn.«

Hastig ging sie fort. Ihre Schultern zitterten. Poldi konnte nicht erkennen, ob sie fröstelte oder lachte oder weinte. Hatte sie es ernst gemeint? Oder hatte sie gespottet? Über ihn? Über sich selbst?

Poldi wusste es nicht. Er wusste nur, dass er selbst des Teufels Tochter geheiratet hätte, wenn Barbara es verlangte.

Er wagte nicht, ihr zu folgen, sondern blieb liegen, bis sämtliche Lust abgeebbt war, sich sein Körper steif und kalt anfühlte.

Gewiss war es falsch, was sie getan hatten. Doch er war sich sicher, dass er sterben würde, würden sie es nie wieder tun.

22. Kapitel

Cornelius hatte erwartet, dass es leichter sein würde, die Siedlung am See zu erreichen. Franz Geisse, so hieß es, hatte drei Wege um und zum Lago de Valdivia bauen lassen wollen: Einer sollte von der Nord- zur Südseite führen, einer von Melipulli nach Puerto Varas, einer von Octay über Cancura nach Osorno. Alles Orte, wo es mittlerweile größere Siedlungen gab.

Doch nun musste er feststellen, dass Geisses Pläne vorerst gescheitert waren, das Ufer über weite Strecken aus Dickicht und Urwald bestand und man ohne Boot unmöglich sein Ziel erreichen konnte.

Schließlich hatte Quidel ein solches Boot beschafft und erklärt, wie man die Westseite des Sees am besten ansteuerte.

»Woher weißt du so gut Bescheid?«

»Wir können mit einer Axt eben besser umgehen als ihr Deutschen«, erwiderte Quidel. Cornelius brauchte eine Weile, um diese Worte zu deuten. Dann erst verstand er, dass Quidel einst zu den Männern gehört hatte, die Franz Geisse zum Bau der Straße angeheuert hatte – für zwei Reales pro Tag, wie Quidel hinzufügte, und was, wie Cornelius wusste, ein Hungerlohn war. Kein Wunder, dass die Arbeitslust nicht sonderlich groß gewesen war und der Straßenbau schnell wieder eingestellt wurde, obwohl das gewiss jedermann auf die Faulheit der Mapuche geschoben hatte, nicht auf die Dreistigkeit, sie derart auszubeuten.

Quidel schwieg, nachdem sie das Boot bestiegen hatten, desgleichen, wie er stumm geblieben war, als Cornelius seinen Onkel allein nach Deutschland geschickt hatte und selbst wieder nach Corral zurückgekehrt war.

Vielleicht hatte das auch sein Gutes. Es fiel Cornelius leichter, mit Zacharias' schrecklichem Verrat fertig zu werden, wenn er nicht darüber reden musste. Am Hafen noch hatte er das Gefühl gehabt, vor Wut zu ersticken, war mit Fäusten auf den Onkel losgegangen und hätte ihn beinahe ins trübe Wasser des Hafenbeckens gestoßen. Das bleiche, erschrockene Gesicht hatte ihn zurückgehalten, schließlich auch die schuldbewussten Beteuerungen, wie sehr er sich selbst für seine Lüge verachtete, dass er jedoch keinen anderen Ausweg gesehen hätte.

»Geh mir aus den Augen!«, hatte Cornelius gesagt, und Zacharias war tatsächlich mit hängenden Schultern gegangen, ohne sich noch einmal umzudrehen.

Schon als er ihm nachblickte, spürte Cornelius keinen Hass mehr – nur tiefe Trauer, dass er so viel Zeit verschwendet und viel zu lange auf einen Mann gesetzt hatte, der unfähig war, für sein Leben Verantwortung zu übernehmen.

Seitdem versuchte er, nicht mehr an den Onkel zu denken. Vielmehr setzte er alles daran, ein wenig Geld zusammenzusparen, um nicht bettelarm vor Elisa treten zu müssen.

»Ich werde dir helfen«, hatte Quidel ernsthaft versprochen, als er endlich genug beisammen hatte.

Cornelius war sich nicht ganz sicher, wie weit dieses Versprechen reichte. Nur für den Weg bis zu der Siedlung oder auch dafür, sich dort eine eigene Existenz aufzubauen?

Sie wechselten sich mit dem Rudern ab, und obwohl Cornelius körperliche Arbeit gewohnt war, schmerzten bald seine Schultern. Es war ihm gleich, und ebenso wenig kümmerte es ihn, als er knöcheltief im Schlamm versank, kaum, dass sie nach vielen langen Stunden endlich anlegten. Alles erschien ihm leicht, seitdem er ein klares Ziel vor Augen hatte, er wieder und wieder den Brief gelesen hatte, den Elisa ihm geschrieben hatte, und der Onkel ihm nicht mehr mit zeternder Stimme in den Ohren lag.

Bei der Überquerung des Sees hatte er kaum den Blick gehoben; am Ufer sah er nun ehrfürchtig zu den Vulkanen, die die Ostseite säumten: den Osorno, der sein weißes Bild weit auf den blauen Spiegel warf, und die lotrecht ins Wasser stürzenden Felswände des Pichijuan. Grünlich schimmerte das Wasser, wo der Wald bis zum Ufer reichte. Dort, wo Quidel angelegt hatte, war dieses längst gerodet worden. Braune Erde klaffte an einigen Stellen, andere waren mit Asche bedeckt; mancherorts wuchs noch Gestrüpp und rankten sich Wurzeln über kaum vorhandene Wege. In der Ferne vermeinte er, eine Rauchsäule zum Himmel steigen zu sehen.

Noch ehe er die ersten Häuser erspähte, machte er eine Gestalt aus. Sie kam näher, langsam, vorsichtig zunächst, dann immer schneller. Er glaubte, sie etwas rufen zu hören – etwa seinen Namen?

»Mein Gott!«, entfuhr es ihm. Bis zu diesem Augenblick hatte er daran gezweifelt, dass sie die Siedlung tatsächlich so schnell finden würden. »Mein Gott! Ich kenne dieses Mädchen ... Das ist doch ...«

Sie blieb stehen, erwartete nun offenbar von ihm, dass er näher kam. Er fiel fast über die eigenen Füße, als er auf sie zurannte. Vieles an ihr war vertraut – und ebenso vieles fremd. Sie war dürr wie einst, aber viel größer; ihre Haare waren immer noch fast weiß, nur zerzauster. Die Kleidung, die sie trug und aus der sie längst herausgewachsen war, war die eines kleinen Mädchens: Ihr Rock reichte kaum über die Knie, die Ärmel ihrer Bluse nur bis zu den Ellbogen. Nun hatte er sie erreicht und starrte in ihr Gesicht. Es war blass, die Haut so dünn, dass dunkle Adern hervortraten. Er fand, dass sie elend aussah, doch das Lächeln, zu dem sich ihre Lippen verzogen, verlieh ihren Zügen ein Strahlen.

»Greta?«, fragte er.

Sie warf einen Blick über ihre Schultern, als hätte sie Angst, bei etwas Verbotenem ertappt zu werden. Ob sie und ihr Bruder immer noch unter der Fuchtel des strengen Vaters standen?

»Es ist gut, dass du wieder da bist«, sagte sie leise. Gleichwohl ihre Worte und auch ihr Lächeln nichts anderes verhießen, klang ihre Stimme nicht begeistert oder freudig, sondern ausdruckslos. »Ich habe nicht vergessen, dass du dich auf dem Schiff um uns gekümmert hast«, fügte sie hinzu. »An dem Tag, an dem Vater Viktor blutig geschlagen hat.«

Er wusste nicht, ob er ihr die Hand reichen oder sie gar umarmen sollte, und blieb steif vor ihr stehen, da auch sie nichts tat, um die letzte Distanz zu überbrücken.

»Du bist so groß geworden, Greta, und so …« Er brach ab, nein, runder und kräftiger als früher war sie nicht.

Sie lächelte immer noch, doch es wirkte nicht mehr strahlend, sondern traurig. Und noch ein anderes Gefühl mischte sich darein, das er nicht deuten konnte. Spott? Verachtung? »Du kommst zur Hochzeit, nicht wahr?«, meinte sie.

»Zu welcher Hochzeit?«

»Viktor will nicht, dass ich hingehe. Viktor will, dass ich bei ihm bleibe.« Die Traurigkeit verstärkte sich; zugleich flackerte ein Triumph auf, den er sich nicht erklären konnte. Verständnislos blickte er auf sie herab.

»Mir ist es nicht so wichtig«, sagte sie rasch.

»Was?«

Obwohl die Sonne hoch am Himmel stand, es ein klarer, hei-

432

ßer Tag war und er beim Rudern kräftig ins Schwitzen geraten war, wurde ihm plötzlich kalt.

»Nun, dass Elisa heiratet, wusstest du das nicht? Den zweiten der Steiner-Söhne. Lukas. Ich glaube, er ist der richtige Mann für sie.« Altklug klang sie, als sie seinen Traum zertrümmerte. Und zugleich wich die Traurigkeit nicht aus ihrer Miene – ebenso wenig wie der leise Triumph.

Cornelius stürmte zum Haus der von Grabergs. Es gab keine Kirche, weswegen die Trauung dort stattfand, und es gab auch keinen Pastor, weshalb Taddäus Glöckner ihnen das Eheversprechen abnahm. So hatte es Greta berichtet. Noch mehr wollte sie ihm sagen, doch da war er schon davongelaufen, so schnell, dass ihm selbst Quidel kaum folgen konnte. Seine Hose riss, als er an einer dornigen Ranke hängen blieb, Steinchen, die in seine Schuhe gerutscht waren, trieben sich spitz in seine Fersen. Er achtete nicht darauf, sondern verlangsamte seine Schritte erst, als er Stimmengemurmel hörte.

Quidel kam ihm nach; Greta dagegen war auf der eigenen Parzelle zurückgeblieben. Eben noch hatte nichts ihn aufhalten können, nun schaffte Cornelius es kaum, den Fuß zu heben.

Ich darf ihr diesen Tag nicht zerstören, ich darf es nicht.

Es war der erste vernünftige Gedanke, der in ihm aufstieg. Es folgte kein weiterer, keine Entscheidung, was jetzt zu tun war, nur Leere, tiefe Leere, und zugleich das Gefühl, magisch von dem Haus und von der Gruppe an Menschen, die sich davor versammelt hatte, angezogen zu werden.

Er löste sich aus der Starre, ging darauf zu; das dichte Gras dämpfte seine Schritte.

Er erkannte die meisten Gesichter, die Geschwister des Bräutigams, seine Eltern, Vater und Stiefmutter der Braut …

Fröhlich und heiter klangen die Stimmen, die ihn erreichten – nur eine nicht.

»Und wieder eine Frau unter die Haube gebracht«, hörte er sie sagen – Jule Eiderstett. »Damit Christine eine Dienstmagd hat und Richard bald einen Enkelsohn. Wobei für dich im Zweifelsfalle mehr zählt, dass der werte Gatte zufrieden ist, nicht die Alte.«

»Hör auf, so zu reden!«, zischte Annelie von Graberg. Auf dem Schiff hatte Cornelius sie fast immer nur liegend gesehen oder erschöpft an ihren Mann gelehnt. Hier stand sie aufrecht, mit zwar ausgezehrter Gestalt, aber stolz gestrecktem Rücken.

»Bis jetzt wurden lediglich ihre Arbeitskräfte an deinen trübsinnigen Gatten verscherbelt«, hörte Jule nicht zu lästern auf, »aber das war wohl zu wenig. Jetzt muss es auch noch das Lebensglück sein. Aber bitte, es ist deine Sache. Ich mische mich nicht ein.«

»Hör auf, so zu reden!«, wiederholte Annelie, diesmal deutlich lauter.

Einige der Versammelten drehten sich zu ihnen um, und im gleichen Augenblick fiel Jules Blick auf Cornelius. Er fühlte, wie er errötete, als wäre es schamlos, ausgerechnet jetzt zu erscheinen – obwohl er doch nichts dafür konnte, obwohl er doch nicht gewusst hatte, dass Elisa heiraten würde …

Jule zupfte an Annelies Ärmel und deutete in seine Richtung. »Mir musst du nichts erklären, meine Gute. Aber vielleicht diesem jungen Mann hier.«

Annelie riss die Augen auf und erbleichte, als sie ihn sah. Erst viel später fragte er sich, warum sie sein Anblick derart erschreckte. In diesem Moment beachtete er sie gar nicht. Der Kreis lichtete sich. Er sah die Braut – und sie ihn.

Oft hatte er sich ihr Wiedersehen ausgemalt, vor allem in den letzten Stunden, hatte überlegt, ob Vertrautheit überwiegen würde, sie aufeinander zulaufen und in die Arme fallen würden oder doch die Fremdheit vorherrschte, weil sie einander so lange nicht gesehen hatten.

Als ob Elisa ihm jemals fremd sein könnte!

Das begriff er jetzt und konnte doch nicht auf sie zulaufen und sie in die Arme nehmen, denn sie stand neben einem Mann – ihrem Mann.

Wie schön sie war! Ihre Haare, die sie ohnehin nie wirklich hatte bezähmen können, fielen lockig und glänzend über ihren Rücken. Ein Kranz aus roten und gelben Blumen lag auf ihrem Kopf. Von dunklem Grau war ihr Kleid, schlicht, aber sauber. Ihre geschwungenen Lippen waren leicht geöffnet, ihre Wangen sanft gerötet – nur ihre Augen waren nicht Elisas Augen. Keine Spur war da von dem neugierigen, offenen, warmen Blick, unter dem er sich immer so lebendig gefühlt hatte. Sie sah ihn so starr an, als wäre sie blind, ja als wolle sie blind sein.

Schweigen hatte sich um sie ausgebreitet; eine Stimme klang deutlich hervor. Magdalena Steiner, die ihn als Einzige nicht hatte kommen sehen, trat zu Elisa und hauchte ihr einen Kuss auf die Wangen. »Jetzt bist du meine Schwester. Gott segne euren Bund.«

Sie verstellte seinen Blick auf Elisa, und Cornelius konnte gar nicht anders, als den Mann an ihrer Seite zu betrachten – Lukas Steiner, der auf dem Schiff immer im Schatten seiner Brüder gestanden hatte und von dem er so gut wie gar nichts wusste. Poldi war frech und abenteuerlustig, Fritz war ernsthaft und pflichtbewusst, aber wie war Lukas?

Höflich musste er sein, sonst würde er nicht lächelnd auf ihn zutreten und den ungebetenen Gast freundlich begrüßen.

Er weiß gar nicht, was gerade geschieht, schoss es Cornelius durch den Kopf. Er hat eine Frau geheiratet, ohne zu wissen, wen sie liebt … wen sie geliebt hat.

Vielleicht liebte sie ihn gar nicht mehr, vielleicht hatte sie es in den harten Jahren, die hinter ihr lagen, verlernt.

Er wusste, dass er etwas sagen sollte, zu Lukas, zu Elisa, aber er konnte es nicht.

Da sprach ein anderer an seiner statt, Poldi, der forsche Junge vom Schiff, nun ein erwachsener Mann, breitschultrig und hochgeschossen. Seine Stimme klang krächzend, sein Blick war umwölkt.

»Das soll nicht die letzte Hochzeit sein in diesem Jahr!«, verkündete er. »Ich habe Theresa Glöckner gefragt, ob sie mich heiraten will, und sie hat eingewilligt, meine Frau zu werden.«

Aus den Augenwinkeln nahm Cornelius wahr, dass Poldi ein unscheinbares Mädchen nach vorne zog. Er beachtete es nicht, konnte nun, da Lenerl wieder zur Seite getreten war, den Blick nicht von Elisa lassen. Doch sie, die ihn eben noch angestarrt hatte, so reglos, so hoffnungslos, so tot, senkte den ihren. Er sah, wie ihre Mundwinkel zitterten, doch sie hörte nicht zu lächeln auf, als sie an der Seite ihres frischgebackenen Gemahls weitere Glückwünsche entgegennahm.

DRITTES BUCH

Feuerblume
1863 ~ 1864

23. Kapitel

Als Konrad Weber dem Hämmern lauschte, hatte er das Gefühl, sein eigener Sarg würde zugenagelt werden.

Er rührte keinen Finger, um Gotthard zu helfen, sämtlichen Besitz für die Reise einzupacken, sondern hockte nur mürrisch da. Doch anstatt dem Sohn dankbar zu sein, hätte er ihn am liebsten geschlagen, als dieser aufblickte und verkündete: »Das war die letzte Kiste.«

Eben noch war ihm das Hämmern unerträglich gewesen, nun schmerzte die Stille erst recht in seinen Ohren.

»Gut«, knurrte er. »Ich kann es kaum erwarten, dieses verfluchte Land zu verlassen! Endlich!«

Seine Trägheit strafte seine Worte Lügen. Er blieb weiterhin sitzen – so wie er in den letzten Jahren meist faul herumgelungert war. Er hatte sich nicht einmal dazu aufraffen können, zur Jagd zu gehen, obwohl das immer seine größte Leidenschaft gewesen war.

Gotthard trat unschlüssig vor ihn.

»Und nun, Vater?«

»Ach, lass mich doch in Ruhe! Lasst mich alle in Ruhe!«, herrschte er seinen zweiten Sohn an. Gotthard nahm schweigend eine der Kisten und trabte mit hängenden Schultern nach draußen.

Konrad seufzte, als er ihm nachblickte.

Moritz, sein ältester Sohn, der sich in den letzten Jahren immer aufmüpfiger gebärdet hatte, hatte Chile schon vor einer

Weile verlassen. »Was soll ich hier?«, hatte er ihm beim letzten Gespräch an den Kopf geworfen. »Du glaubst doch nicht, dass wir hier noch eine Zukunft haben? Der Boden der Hazienda ist völlig ausgelaugt, weil du dich nicht genügend um die Landwirtschaft gekümmert hast! Und wir werden nie erleben, dass irgendwann deine Straße von Melipulli nach Valdivia führt und darauf obendrein deine Eisenbahn fährt! Andere werden diese bauen, nicht du. Du hast verloren, Vater!«

Konrad hatte es nicht zugegeben, aber dass Moritz ihn verließ, hatte ihn schwer getroffen. Es schien ihm wie der letzte Akt eines zwar schleppenden, aber unvermeidbaren Niedergangs.

Begonnen hatte dieser damit, dass ihm die Arbeiter fehlten. Nicht nur, dass mehr und mehr Siedler von seiner Hazienda geflohen waren – es war auch schier unmöglich, neue aufzugreifen. In den ersten Jahren, da sich keiner der deutschen Kolonisten annahm, hatte er sie mit seinen leeren Versprechungen mühelos ködern können. Weder Peres Rosales noch Jakob Foltz, der kurzzeitig für die Deutschen zuständig gewesen war, schafften es, ihre Versorgung und die Landverteilung anständig durchzuführen. Doch seit Franz Geisse für Peres Rosales arbeitete, hatte sich alles verändert – für die Kolonisten verbessert, für ihn verschlimmert.

Franz Geisse machte aus dem sumpfigen Melipulli einen blühenden Ort, der mittlerweile nicht mehr Melipulli, sondern nach dem chilenischen Präsidenten Puerto Montt hieß. Er wies den Neuankömmlingen reichlich Land zu und alles, was sie brauchten, es urbar zu machen. Und er riss die Organisation des Straßenbaus an sich.

»Keinen Meter Wald schlagen Sie mehr, Herr Weber, ohne dass ich davon weiß und zugestimmt habe.« Das hatte Geisse verächtlich zu Konrad gesagt – damals, als der noch gehofft hatte, mit Geisse gemeinsame Geschäfte machen zu können. Aber diesem Geisse ging es ja nicht ums Geldverdienen. Er war ein verfluchter Idealist!

Gotthard schleppte sämtliche Kisten allein nach draußen.

»Was ist nun, Vater?«

Konrad rührte sich nicht.

»Kommst du?«

»Nein, ich habe noch etwas zu tun.«

»Aber …«

Gotthard verstummte, als plötzlich Hufgetrampel laut wurde. Verwirrung breitete sich in seinem Gesicht aus, als er nicht nur die Ankömmlinge erblickte, sondern auch das breite Lächeln im Gesicht seines Vaters.

»Aber das sind doch …«, entfuhr es Gotthard.

Nun erhob sich Konrad endlich, zwar immer noch schwerfällig, jedoch mit sichtlich besserer Laune.

»Genau«, sagte er befriedigt. »Das sind Rothäute.«

Für gewöhnlich ließ er keine Gelegenheit aus, über die Mapuche mit ihren langen Haaren und wilden Gesichtern zu lästern, doch nun trat er ihnen entgegen, als wären sie lang ersehnte Gäste.

»Was wollen sie hier?«, fragte Gotthard und blickte misstrauisch auf die Männer, die eben von ihren Pferden sprangen.

»Kannst du dich nicht erinnern …«

Konrad lachte auf.

Die Geschichte war bis zu ihnen gedrungen und hatte ihn außerordentlich amüsiert. Einer der Rothäute, so hieß es, hatte kürzlich die Tochter eines deutschen Siedlers geschändet – zumindest behauptete man das, obwohl Konrad sich gut vorstellen konnte, dass das Mädchen eine Hure war und sich dem Lumpen freiwillig hingegeben hatte. Der Vater war jedenfalls prompt mit einem Gewehr in dessen Lager gegangen, hatte ihn bedroht und von dort verschleppt und schließlich im Wald aufgeknüpft. Das fand Konrad wiederum, ob es nun einen Schuldigen traf oder nicht, für gut und richtig: So gab es eben eine verfluchte Rothaut weniger auf dieser Welt. Franz Geisse gefiel diese Selbstjustiz der Weißen weitaus weniger. Nicht zum ersten Mal war es dazugekommen, auch wenn die Siedler für gewöhnlich den Raub von Vieh ahndeten, nicht die Schändung ihrer Frauen, die ein Einzelfall blieb. Eindringlich hatte Geisse das Verhalten des Siedlers getadelt – ihn dafür bestraft hatte er jedoch nicht. Wie sollte er auch?

Konrad lachte auf, als er Gotthard eben davon berichtete. Immerhin standen Geisse bloß zwölf Männer zur Verfügung, die ihm bei der Verwaltung halfen, doch die besaßen nicht einmal Waffen, um die Gesetze notfalls mit Gewalt durchzusetzen.

»Aber was machen nun diese Rothäute hier?«, fragte Gotthard immer noch verständnislos, nachdem Konrad geendet hatte. Die Mapuche waren zögerlich näher gekommen.

Konrad deutete auf einen von ihnen. »Das ist sein Bruder«, erklärte er knapp.

»Von Franz Geisse?«, fragte Gotthard fassungslos.

»Mein Gott, habe ich etwa den dümmsten Sohn der Welt gezeugt? Natürlich ist das nicht der Bruder von Franz Geisse, sondern von jener Rothaut, die der Siedler aufgeknüpft hat.«

»Und was hast du mit ihm zu schaffen?«

»Hehe!« Trotz der Verärgerung über den begriffsstutzigen Sohn kicherte Konrad. »Ich werde diesem Mann hier die Möglichkeit geben, sich zu rächen – an den bösen Weißen nämlich, die sein Land besetzt haben.«

»Aber dazu gehören wir doch auch!«

Schlagartig wurde Konrad Weber wieder ernst. Sein Blick fiel auf die gepackten Kisten. »Jetzt nicht mehr«, knurrte er knapp.

Der Mann hatte kalte, schwarze Augen, die verglühender Kohle glichen – noch heiß, wenn man sie anfasst, aber nicht mehr fähig, zu wärmen. Sein Kinn war stolz gereckt, jede Faser seines Körpers angespannt.

Armseliges Pack, dachte Konrad, während er ihn eingehend musterte. Da glaubt dieser Idiot doch tatsächlich, er könne sich Hass und Wut noch leisten!

In Wahrheit war sein Kampf doch längst verloren – ähnlich wie seiner.

Konrad ließ sich jedoch nichts von seinen Gedanken anmerken, sondern setzte ein joviales Grinsen auf.

»Ich weiß, dass man deinen Bruder aufgehängt hat.« Er klang ehrlich bedauernd, machte dann eine kurze Pause und fügte nicht minder bedauernd hinzu: »Und ich weiß auch, dass das zu Unrecht geschah.«

Genau betrachtet log er nicht einmal. Wenn das Mädchen tatsächlich geschändet worden war, konnte es genauso gut ein herumstreunender Spanier gewesen sein, kein Mapuche – Pack waren schließlich die einen wie die anderen.

»Und vor allem«, ergriff er wieder das Wort, »vor allem weiß ich, wer es getan hat.«

Die Augen der Rothaut blieben starr auf ihn gerichtet. Täuschte er sich oder hatte er ein Glimmen darin wahrgenommen?

Konrad war sich sicher, dass der Mann ihn ebenso verachtete wie er ihn, aber das spielte für seinen Plan keine Rolle.

»Es sind dieselben, die euch Mapuche das Land weggenommen haben.«

Von wegen!, dachte er im Stillen. Viele der Deutschen waren

schließlich dumm genug gewesen, sich mit Gebieten abspeisen zu lassen, die völlig unbesiedelt gewesen waren, die folglich weder die Indianer noch die spanischen Hacienderos je gewollt hatten. Wäre es nach ihm gegangen, so hätte man dem Pack sämtliches bereits fruchtbare Land abgeluchst! Er selbst hatte das so gemacht, und ein Kolonist namens Hubach am Gebiet des Río Rahue auch, wie er gehört hatte – doch ausgerechnet sie verfolgte Geisse mit Misstrauen! Pack, Pack, allesamt, die Rothäute, die Spanier – und die anderen Deutschen auch.

Der Mapuche rührte sich nicht.

»Ja«, wiederholte Konrad, »ich weiß, wer deinem Bruder das angetan hat, und wenn du willst, kann ich es dir sagen.«

Wieder regte sich etwas in den schwarzen Augen. Kaum merklich richtete sich der Blick auf etwas, was nicht weit hinter Konrad stand. Der musste sich nicht erst umdrehen, um zu wissen, was es war.

Wie leicht dieses Pack zu lenken ist!, dachte er.

Nun ja, nicht grundlos hatte er eine Flasche Branntwein deutlich sichtbar dorthin gestellt.

»Worauf wartest du«, fuhr er Gotthard an, der der merkwürdigen Zusammenkunft seines Vaters und des Mapuche mit hängendem Kopf gefolgt war. »Willst du unserem Gast nichts zu trinken anbieten?«

Gotthard riss die Augen auf. »Aber, wir haben nicht mehr viel und …«

Was für ein dämlicher Junge!

»Nun mach schon!«, unterbrach er ihn streng. »Für unsere Gäste haben wir doch immer genug.«

Zögernd überreichte Gotthard dem Mapuche die Flasche. Zunächst gab dieser sich stolz und schüttelte den Kopf, doch als Konrad aufmunternd nickte, griff er zu. Konrad knirschte unmerklich mit den Zähnen, als er sah, wie das Gesöff gluckernd in die Kehle des Mannes lief.

Was für eine Verschwendung!

Allerdings konnte man diesen Rothäuten mit Branntwein am besten Herr werden – ihnen und auch den besitzlosen Spaniern. Eigentlich verstand er es ganz gut, mit ihnen umzugehen. Nachdem die meisten Deutschen seine Hazienda verlassen hatten, hatte er sich einige von ihnen als Arbeiter geholt – ungeachtet der Warnung, dass sie viel zu unzuverlässig seien. »Und lade sie bloß nie an deine Tafel ein!«, hatte man ihm geraten. »Das würden sie falsch verstehen. Sie würden dann glauben, dass sie deinen Rang einnehmen.«

Nun, er wäre nie auf die Idee gekommen, sie zu Tisch zu laden. Beim Essen war er geizig – beim Branntwein aber großzügig. Fast alle waren dem Gesöff verfallen und so gierig danach, dass sie sogar dafür arbeiteten. Warum auf Moral hoffen, wenn man sie sich anders viel leichter gefügig machen konnte?

Allerdings, gefügig oder nicht, fleißig oder faul – von Landwirtschaft verstanden sie viel zu wenig, um aus seiner Hazienda ein florierendes Unternehmen zu machen.

Als der Mapuche die Branntweinflasche senkte, glänzte es in seinen schwarzen Augen immer noch kalt.

Konrad sah Ungeziefer in seinen geflochtenen Haaren krabbeln. Wie widerwärtig! Musste er sich als Andenken an Chile jetzt auch noch Läuse und die Krätze holen?

»Also …«, sagte Konrad, das Lächeln wurde ihm mit der Zeit anstrengend, »willst du nun wissen, wer deinen Bruder aufgeknüpft hat?«

Der Mapuche nickte. Bis jetzt hatte er noch kein einziges Wort gesagt. Bald war er wahrscheinlich zu betrunken, um ihn zu verstehen – hoffentlich nicht zu betrunken, um grausame Rache zu nehmen.

»Es sind einige der Siedler, die sich am Lago de Valdivia niedergelassen haben – dem See, den ihr Purahila, Quetrupe oder Llanquihue nennt. Die Familien heißen Steiner, von Graberg und Glöckner.«

Konrad nickte bekräftigend. Vor drei Jahren hatte er Moritz einmal zum Spionieren dorthin geschickt, und dieser war mit glänzenden Augen zurückgekehrt, um von den prächtigen Häusern, den vielen Äckern und Viehställen zu berichten.

»So hätten wir auch leben können!«, hatte er dem Vater vorgehalten.

»Genügt meinem feinen Sohn etwa meine Hazienda nicht mehr?«

»Doch, doch, aber man könnte so viel mehr aus ihr machen.«

»Bin ich etwa hierhergekommen, um eigenhändig zu arbeiten?«, hatte Konrad ihm entgegengehalten.

Als er daran dachte, runzelte er die Stirn. Nur mühsam konnte er die Bitterkeit verbergen, die in ihm hochstieg.

»Pass auf, mein Guter«, er trat ganz dicht an den Mapuche heran. »Ihr schadet ihnen am meisten, wenn ihr die Männer tötet, die Frauen entführt und die Felder verwüstet. Fackelt ihre Häuser und die Ställe ab, dann haben sie nichts mehr, rein gar nichts. Dann wissen sie, wie es euch ergangen ist, nachdem man euch euer Land genommen hat.«

Als ihm der Geruch von Branntwein in die Nase stieg, leckte sich Konrad über die Lippen. Plötzlich war er durstig – nach etwas Starkem, Scharfem, nach etwas, das ihn vergessen ließ.

Er seufzte. Vielleicht war es doch ein Fehler gewesen, dieser verfluchten Rothaut eine seiner letzten Flaschen zu geben.

24. Kapitel

Sämtliche Siedler hatten sich vor dem Gebäude versammelt, das künftig als Schule dienen würde. Jeder hatte einen Beitrag dazu geleistet – entweder in Form von Holz, Nägeln und Geräten oder durch der eigenen Hände Arbeit. Nun war die Zeit gekommen, das Werk stolz zu betrachten – und am stolzesten war Jule, die eine Rede halten wollte. Zumindest hatte sie das angekündigt, obwohl sie erst mal nichts sagte, sondern eine Weile wartete – vielleicht, um den Augenblick zu genießen, da ein langgehegter Traum Wirklichkeit wurde, vielleicht, damit das Gemurmel erstarb und sie in die Stille sprechen konnte.

Elisa sah darin ein ganz und gar zweckloses Unterfangen: Still war es bei ihnen nie – nicht inmitten dieser Fülle an Kindern, von denen die wenigsten ruhig stehen konnten, schon gar nicht ihre eigenen.

Schließlich begnügte sich Jule damit, dass zumindest die Erwachsenen sie aufmerksam ansahen, und begann mit ihren feierlichen Worten: »Wir sind nicht die ersten Deutschen in Chile, die eine eigene Schule gründen. Wir sind auch nicht die ersten, die es für ungemein wichtig halten, dass wir die eigene Fähigkeit, zu lesen und zu schreiben, an die nächsten Generationen weitergeben. Aber vielleicht sind wir die ersten einer so kleinen Siedlung wie der unseren, die sich den Luxus einer solchen Schule erlauben.«

Sie blickte befriedigt auf das Gebäude. Es bestand aus einem großen Raum im Erdgeschoss und einer kleinen Kammer darüber, in der sie künftig leben würde. Elisa konnte sich des Verdachts nicht erwehren, dass ihr das – noch mehr als die Schule – am meisten am Herzen lag: eine eigene Heimstatt zu besitzen und sie mit niemandem teilen zu müssen. Einsamkeit war für Jule ein kostbares Gut, wie alle wussten. War sie zu viel mit Menschen zusammen, wurde sie noch mürrischer und schroffer, als sie sich ohnehin gab.

»In Osorno«, fuhr Jule fort, »ist vor acht Jahren die erste deutsche Schule gegründet worden, es folgten weitere in Melipulli, das nun Puerto Montt heißt, Valdivia und kürzlich in La Unión. Nun gut, in den größeren Orten kann man sich erlauben, eigens ausgebildete Lehrer einzustellen. Hier müsst ihr eben mit mir vorliebnehmen.« Ihre Stimme ließ keinen Zweifel daran, dass sie sich für diese Aufgabe nicht minder befähigt, ja eigentlich für die Bessere hielt. »Wir sind auch nicht ganz so gut ausgestattet wie die Schulen anderswo und haben leider keine Wandtafel. Immerhin aber verfügen wir über genügend Stühle und Tische.« Sie bedachte Lukas mit einem wohlwollenden Blick, weil er diese für sie hergestellt hatte. Doch ihr größtes Lob galt nicht ihm. »Vor allem aber haben wir Wandkarten«, fuhr sie fort. »Und das haben wir nur einem zu verdanken.«

Sie drehte sich um, und Elisa folgte ihrem Blick, obwohl es ihr wie immer einen schmerzhaften Stich gab, ihn zu sehen.

Cornelius stand mit etwas gesenktem Kopf nicht weit hinter Jule. Als unauffälliges Mitglied hatte er sich in ihre Gemeinschaft eingefügt, seit er damals vor sieben Jahren zu ihnen gestoßen war – von allen akzeptiert, aber nicht von jedem aufrichtig gemocht. Elisa wusste, dass er hart arbeitete und die eigene Parzelle emsig beackerte, aber weil er als alleinstehender Mann weniger Land bekommen hatte, folglich weniger Felder besaß und er obendrein weder über seine Arbeit klagte noch mit ihr prahlte, hielten ihn die meisten zwar für einen bemühten, jedoch keinen echten Bauern. Der Blick auf ihn fiel eher gönnerhaft als freundschaftlich aus, worüber Elisa wütend war, wenn sie sich denn überhaupt ein Gefühl gestattete. Wenigstens hatte er Quidel, seinen treuen Freund. Allerdings erwies sich der Mapuche als unsteter Gefährte, der oft für Wochen verschwand. Auch am heutigen Tag hatte Elisa ihn noch nicht gesehen.

»Vielleicht solltest du ein paar Worte sagen?«, forderte Jule Cornelius auf. »Diese Schule verdankt dir nicht weniger als mir.«

Rasch schüttelte Cornelius den Kopf. »Ich habe geholfen, wie alle anderen auch. Es ist dein Traum, für den du gekämpft hast.«

»Und für den du in mühseliger Arbeit Landkarten gezeichnet hast.«

Ja, an den Holzwänden des neuen Gebäudes würden eine Karte von Deutschland, eine von Europa und eine von Südamerika hängen.

Elisa hatte schon vor einigen Wochen erfahren, dass Cornelius sie zeichnen sollte – von Christl, die leichtfertig seinen Namen in ihrer Gegenwart aussprach, weil sie nichts von ihrem Schmerz wusste –, aber erst heute hatte sie das Werk zu sehen und zu bewundern bekommen.

Elisa fühlte, wie eine Hand nach ihr griff. Sie blickte auf und sah, dass Lukas, der neben ihr stand, sie anlächelte. Wie dumm es war, Cornelius so auffällig anzustarren!, schoss es ihr durch den Kopf.

Bis heute wusste sie nicht, ob Lukas etwas von ihrer tiefen Zerrissenheit ahnte, wie sehr sie sich wünschte, dass Cornelius auf ewig hierbleiben würde, und zugleich, dass er doch wieder ginge. Sie trachtete danach, ihm aus dem Weg zu gehen, und lebte dennoch für seltene Augenblicke wie diese, da sie in seiner Nähe war.

»Die Schule ist schön geworden«, murmelte Lukas.

Elisa nickte rasch.

Cornelius weigerte sich weiterhin, Jules Rede zu ergänzen, so dass sie erneut selbst das Wort ergriff und vom hohen Wert der Bildung redete. Elisa hörte nicht auf die Worte. Um Cornelius nicht länger ansehen zu müssen, glitt ihr Blick auf die Kinder, die diese Schule besuchen würden, allen voran ihre beiden ältesten Söhne.

Der erste war nach seinem Vater Lukas benannt worden, doch um die beiden voneinander zu unterscheiden, wurde er nur Lu gerufen. Der zweite hieß Leopold wie sein Onkel, der auch sein Taufpate gewesen war, und alle nannten ihn Leo. Knapp hintereinander waren die beiden auf die Welt gekommen und glichen einander wie Zwillingsbrüder – nicht nur, was Statur und Aussehen anbelangte, sondern vor allem ihrem Wesen nach: Sie hatten erst spät zu sprechen gelernt und waren wortkarg geblieben; sie sahen ihren Eltern neugierig beim Arbeiten zu und packten früh mit an. Sie liebten es, durch die Wälder zu streifen, kaum dass sie laufen konnten, und mochten es, stundenlang in der Erde zu graben. Gerade erst gestern hatten sie Überreste von Töpfen und Handmühlen gefunden, die wohl von jenen Indianern stammten, die lange vor den deutschen Siedlern am Ufer des Llanquihue-Sees gelebt hatten.

Elisa war dankbar, dass die beiden aneinander hingen und so selbständig waren, und zugleich ein wenig befremdet, dass sie sie nicht zu brauchen schienen. Gewiss, es war nur allzu verständlich, hatte sie doch immer viel zu wenig Zeit für sie gehabt. Nach den Geburten war sie schnell wieder auf den Beinen gewesen. Wie die Chileninnen hatte sie die Säuglinge in Umhangtücher gewickelt, wenn sie aufs Feld ging, und als sie zu schwer wurden, setzte sie sie – ebenso wie die Chileninnen – ab, auf dass sie selbst laufen lernten. Zeit, es ihnen beizubringen, hatte niemand. Und ehe sie sichs versah, waren aus den pausbäckigen Kleinkindern schlaksige Knaben geworden, die sich ohne ihre Hilfe in der Welt zurechtfanden.

Aus Elisas wehmütigem Lächeln wurde ein warmes, als sie ihren dritten Sohn betrachtete, der sich an ihrer Schürze festhielt.

Er hieß nach seinem Großvater Richard, aber alle nannten ihn Ricardo, so wie sich viele der Kolonisten angewöhnt hatten, sich mit spanischem Vornamen zu rufen. Elisa war sich nicht sicher, warum sie ihn mehr liebte als die älteren Brüder: Vielleicht, weil im Jahr seiner Geburt die Ernte erstmals überreich ausgefallen war und sie mehr Zeit für ihn hatte; vielleicht, weil er zu klein war, um mit den älteren Brüdern zu spielen, und darum oft so verloren wirkte.

Elisa streichelte ihm über das Haar. Seine Locken waren im Gegensatz zu den borstigen Stacheln von Lu und Leo weich. Nicht lange war es her, da geweihtes Wasser sein Köpfchen benetzt hatte und er getauft worden war – von Cornelius, den Christine und Jule kurz nach seiner Ankunft zu ihrem Pastor bestimmt hatten. Schließlich sei sein Onkel einer gewesen – dergleichen familiäre Bande müssten eine Ausbildung doch ersetzen. Cornelius hatte lautstark beteuert, für dieses Amt nicht würdig zu sein, doch Jule war ihm harsch über den Mund gefahren, so dass ihm schließlich nichts anderes übriggeblieben war, als nachzugeben.

»Hier zählt einzig, ob man eine Sache kann, nicht ob und wie lange man sie gelernt hat«, hatte Jule gesagt. »Sind wir nicht alle Lehrer und Tierärzte und Apotheker und Köche und Tischler und Schneider?«

Sie war ohne Zweifel am liebsten Lehrerin.

Elisa verdrängte die Erinnerung an Ricardos Taufe – ebenso schön wie schmerzhaft war es gewesen, als Cornelius ihren Jüngsten in seinen Armen hielt – und lauschte wieder auf Jules Stimme, die eben über die Kinder sprach, die sie unterrichten würde. Nach Lus und Leos Namen fiel der von Jacobo, der Sohn von Christl, die ein paar Monate nach Poldis Eheschließung mit Resa Glöckner deren Bruder Andreas geheiratet hatte. Christl verlor nur gute Worte über ihren Mann, rühmte ihn als den fleißigsten von allen und schließlich auch als den Einzigen, der die Mundharmonika spielen konnte, aber oft lag ein scharfer Zug um ihren Mund, und in ihren Augen war sämtlicher Glanz verloschen. Ihre Lebensgeister schienen nur dann geweckt, wenn sie schrill und böse auf Viktor fluchen konnte. Nun nannte Jule die Namen von Poldis Töchtern und warf ihnen zugleich einen strengen Blick zu: Die eine plärrte, die andere kicherte, die dritte schrie.

Resa hatte ihre Kinder so schnell hintereinander geboren wie Elisa ihre Söhne. Während Elisas Söhne sich aber gegenseitig erzogen hatten und wussten, was sich gehörte, waren Frida, Kathi und Theres ständig am Heulen und Streiten, bissen und kniffen sich oder rauften sich die Haare. Keiner gab es zu, doch jeder, selbst ihre Großmutter Christine, die Kinder mochte und ihre Familie gerne um sich scharte, war froh, wenn sie nicht in der Nähe waren. Elisa musste sich beherrschen, um nicht ungeduldig die Augen zu verdrehen – was Jule indes offen tat, um herrisch und laut zunächst die Kinder aus der Tiroler Nachbarschaft aufzuzählen und dann zu verkünden: »Magdalena Steiner wird die religiöse Unterweisung der Kinder übernehmen.«

Spott klang durch ihre Stimme – bekundend, dass sie diesen Teil der Erziehung nicht für sonderlich bedeutsam ansah.

Alle anderen hingegen nickten zustimmend. Lenerl hatte sich schon bis jetzt darin hervorgetan, sämtliche religiöse Bräuche aufrechtzuerhalten: In den letzten Jahren hatte sie dafür gesorgt, dass am sechsten Dezember der heilige Nikolaus und Knecht Ruprecht zu den Kindern kamen und es zu Weihnachten einen Christbaum gab, der hierzulande allerdings eine Maniu war, keine Tanne. Sie pochte auch darauf, dass zu Gründonnerstag die Kinder ihre Paten besuchten und diese ihnen Geschenke machten. Am Ostersonntag versteckte sie Eier, die sie mit Annelie zu färben versuchte – was bislang meist misslungen war, denn die Eier gerieten bestenfalls ockerbraun, nie jedoch kräftig grün oder blau oder rot.

»Und über die Tiere und Pflanzen«, fuhr Jule fort, »wird Fritz die Kinder belehren. Ihm verdanken wir schließlich sämtliches Wissen über die hiesige Flora und Fauna.«

Jules Blick war nun nicht mehr spöttisch, sondern ehrlich respektvoll. Elisas Blick ging zu ihrem Schwager. Als Einziger der Steiner-Söhne war er nicht verheiratet, und Elisa konnte sich nicht erinnern, ihn in den letzten Jahren lächeln gesehen zu haben. Keiner arbeitete so hart wie Fritz, keiner war so schnell und so hilfreich zugegen, wenn man ihn brauchte. Er schleppte den gelähmten Jakob herum und sorgte unermüdlich für seine Mutter und die beiden unverheirateten Schwestern. Aber mit jedem Monat schien er noch härter zu sich und den anderen zu werden, noch eigenbrötlerischer und noch unnahbarer. Elisa ahnte, dass er insgeheim unglücklich war, und vor ein paar Wochen war es das erste und einzige Mal aus ihm herausgebrochen. »Ich bin der, der für alle sorgt. Aber wer sorgt sich eigentlich um mich?«

Sie hatte nicht den Eindruck gehabt, er richte seine Worte an sie, vielmehr, dass sie nur zufällig die Klage hörte. »Was meinst du?«, fragte sie.

»Lukas ist glücklich, wenn er mit Holz arbeiten und Möbel tischlern kann. Und Poldi mag zwar faul sein, ist dennoch stolz, wenn er auf dem Feld oder im Stall steht. Doch weißt du, Elisa, ich bin nicht stolz auf meine Arbeit. Ich mache das alles, weil es notwendig ist. Aber ich mache es nicht gerne, nicht von Herzen.«

»Was würdest du denn gerne machen?«

Er sprach es nicht aus, so wie sie ihren Schmerz um Cornelius nicht zugab. Aber wahrscheinlich wusste er von ihren Gefühlen für Cornelius – so wie sie von seiner Leidenschaft für die Naturwissenschaften wusste, der er früher im Stuttgarter Museum hatte frönen können und nun einzig in den Tagen, da er in Valdivia Bier holte. Dieses wurde nach wie vor von Carlos Anwandter hergestellt, der nebst der Brauerei über eine Apotheke und obendrein ein umfangreiches Wissen über Kräuter und Pflanzen verfügte, über das er sich gern mit Fritz austauschte.

»So«, schloss Jule endlich ihre Rede. Alle seufzten erleichtert, weil sie nicht gewohnt waren, so lange ruhig zu stehen – vor allem Resa, die ihre Töchter kaum mehr bändigen konnte. »Genug geredet, genug herumgestanden. Jetzt wollen wir die Tatsache, dass wir eine eigene Schule haben, zum Anlass nehmen, gebührend zu feiern.«

Wie immer lud Annelie zum Mahl, doch anders als früher, da sie aus nichts nur wenig zaubern konnte, bog sich heute die Tafel, die man im Freien aufgestellt hatte.

Zu dem feierlichen Anlass hatten sie eines ihrer mittlerweile fast ein Dutzend Rinder geschlachtet. Annelie hatte das Fleisch mit Öl und Kräutern bepinselt, und jetzt briet es ebenso auf dem Rost wie das mit Mehl eingeriebene Lamm. Dazu wurden Süßmaiskolben und Kartoffeln gereicht, frischer Kürbis und grüne Bohnen.

In einem großen Kessel gleich neben dem Rost köchelte ein Eintopf aus Zwiebeln, Möhren und Paca – ein Nagetier, das man vor allem in der Nähe großer Gewässer leicht jagen konnte und dessen Fleisch ungemein zart war. Das mussten auch die eingestehen, die zunächst nichts essen wollten, was sie nicht kannten. In einem weiteren Kessel hatte Annelie eine Fischsuppe aus Seeaal, Süßwasserbarsch und viel Knoblauch zubereitet, und in einer Pfanne wiederum Eier gebraten.

Seit ihrer dritten Fehlgeburt hatte sie nie wieder versucht, Rhabarberkuchen zu backen, aber sie hatte Brombeeren angesetzt, die ein Auswanderer der späteren Zeit, ein gewisser Adolf Ellwanger, an den Llanquihue-See gebracht hatte. Nicht minder entbehrlich für die dicken, saftigen Schnitten, von denen die Kinder nicht genug bekommen konnten, war ein Mitbringsel von Heinrich Wiederholz, der vor einem Jahr erstmals Honigbienen in Südchile gezüchtet hatte. Annelie hielt sich mittlerweile einen eigenen Stock, der sich vor allem am Nektar der weißen Ulmo-Blüten nährte und von dem sie nicht nur mit dick-braunem Honig versorgt wurden, sondern mit betörend duftendem Wachs.

Wie immer leuchteten Annelies Augen, als sie die Speisen austeilte. Die Lust am Essen war ihr schwerlich anzusehen, denn sie war auch nach den Hungerzeiten mager geblieben, doch die Lust, anderen den Teller vollzuladen, war geblieben.

»Und wer soll das alles essen?«, fragte Elisa, als sie ihre Portion erhielt.

Gleiches ging wohl auch Richard durch den Kopf, der schon am ersten Bissen Fleisch schiere Ewigkeiten kaute. Würde man seinen Appetit zum Gradmesser seiner Laune machen, schoss es Elisa durch den Kopf, so hätte sich diese seit den ersten harten Monaten kaum zum Besseren gewandelt. Doch wenigstens beim Bier aus Valdivia langte er kräftig zu. Noch mehr als die jungen Männer neigte Richard dazu, über den Durst zu trinken – nicht unbedingt, weil er sich berauschen wollte, sondern weil ihn das Bier an die deutsche Heimat erinnerte. Wenn er dann die Augen schloss und sich wohl vorstellte, wieder dort zu sein und auf dem einstigen Gut zu leben, wirkte er für kurze Zeit mit dem Leben in der Fremde versöhnt – ähnlich wie in den Stunden, die er mit seinen Enkelsöhnen verbrachte.

Elisa stellte den Teller ab, kaum dass sie die Hälfte gegessen hatte. Wie das Bier stammte auch das Porzellan aus Valdivia. Sie besaßen nicht viel davon, die meisten mussten von üblichen Bambusplatten essen, doch es war Annelies kostbarster Schatz, dessen waghalsigen Transport sie selbst überwacht hatte – das einzige Mal, dass sie die Siedlung am See verlassen hatte.

Annelie betrachtete Elisas Teller.

»Hast du auch genug gegessen?«

»Natürlich!«, sagte Elisa schnell.

Annelie verzog zweifelnd das Gesicht, aber ehe sie etwas sagen konnte, deutete Elisa zum Lagerfeuer hin.

»Was macht die denn da?«, entfuhr es ihr.

Annelie drehte sich um. Lautlos wie immer hatte sich Greta den Siedlern genähert. Elisa konnte sich nicht erinnern, sie in den letzten Jahren jemals laufen gesehen oder laut rufen gehört zu haben. Greta tauchte immer ganz plötzlich auf, als wäre sie aus dem Erdboden gewachsen.

So unauffällig, wie sie sich genähert hatte, mischte sie sich nun unter die Siedler. Sie grüßte keinen von ihnen, ging vielmehr zielstrebig auf Cornelius zu.

Elisa hörte, wie er ihren Namen sagte, und es gab ihr unwillkürlich einen Stich, als Gretas Gesicht aufleuchtete und Cornelius ihr fürsorglich etwas von seinem Teller anbot.

Elisa sah nicht, ob sie es auch annahm, weil die beiden ihr nun den Rücken zuwandten, aber sie knirschte unmerklich mit den Zähnen. Gewiss, sie konnte Cornelius diesen Drang nach Fürsorge durchaus nachfühlen. Greta erweckte den Eindruck eines Vögelchens, das aus dem Nest gefallen war. Doch Elisa ärgerte es, dass Greta ansonsten jede freundliche Geste schroff abwies, bei Cornelius jedoch ihr allerliebstes Lächeln aufsetzte. Sie wusste, dass sie ihr das nicht vorwerfen, sondern sich lieber darüber freuen sollte, dass Greta zumindest zu einem ihrer Gemeinschaft – nebst dem seltsamen Bruder – Vertrauen fasste, aber als sie sie mit geröteten Wangen auf Cornelius einreden sah, hatte sie das Gefühl, Greta würde sich unrechtmäßig nehmen, was ihr nicht zustand und was sie nicht verdiente.

»Wie sie es nur geschafft hat, dem Bruder zu entkommen?«, entfuhr es ihr bitter.

Für gewöhnlich sah man die Geschwister nur zu zweit. Christl behauptete mit spitzer Zunge, dass Viktor seine Schwester wie eine Sklavin hielte und manchmal schlagen würde, wie einst sein Vater Lambert – aber Christl redete viel, wenn der Tag lang war. Fest stand, dass Viktor sich mit den Jahren immer mehr abgesondert hatte und sich nur auf Drängen der Schwester manchmal blicken ließ. Seit Jahren hatte er sich nicht mehr rasiert. Sein Bart wucherte dreckig bis zu seiner Brust, und sein Haar fiel ihm tief in die Stirn. Resas und Poldis kleine Töchter erschraken zutiefst bei seinem Anblick, was Elisa ihnen nicht verdenken konnte.

Annelie zuckte mit den Schultern. »Cornelius ist der Einzige, der von Herzen freundlich zu ihr ist, gönn ihr das doch.«

»Habe ich etwa gesagt, ich würde es ihr nicht gönnen?«, fuhr Elisa sie an. Noch mehr lag ihr auf der Zunge: dass sie Cornelius sogar wünschte, er möge eine Frau finden! Aber dass doch Greta unmöglich die Richtige sein könnte! Lenerl, die sich seit kurzem weigerte, auf den Namen ihrer Kindheit zu hören, und von allen nur mehr mit Magdalena angeredet werden wollte, wäre besser geeignet – und mit dieser las er auch manchmal in der Bibel. So fürsorglich wie zu Greta war er zu ihr jedoch nie.

Ein eindringliches »Mama!« riss sie aus den Gedanken. Ricardo zog an ihrem Rock und hielt anklagend ein zähes Stück Fleisch hoch, das er nicht beißen konnte. Er war immer gekränkt, wenn etwas nicht so lief, wie er es wollte, wenn die älteren Brüder ihn schikanierten, wenn er ihnen beim Laufen nicht nachkam, wenn er ausglitt und seine Hosen sich mit Schlamm vollsogen.

Elisa nahm ihm das Fleisch weg, hob ihn hoch und drückte ihn fest an sich. Lukas wusste mit seinem jüngsten Sohn wenig anzufangen und hielt ihn wegen des häufigen Greinens für verweichlicht. Elisa hingegen war gerührt, wenn er sein verzweifeltes Gesichtchen zog, und hatte oft das Gefühl, dass er stellvertretend für sie zeigen dürfte, was in ihrem eigenen Herzen wucherte und doch von Gleichmut verborgen bleiben musste.

Heute währte sein Kummer nicht lange. Nach einer Weile drängte er darauf, wieder vom Arm der Mutter gelassen zu werden, und lief auf seine Großmutter zu. Für gewöhnlich glänzten Christines Augen beim Anblick ihrer Enkelsöhne, doch obwohl er ihr die Ärmchen entgegenstreckte, missachtete sie Ricardo.

Seit Jule Pläne hegte, eine Schule zu gründen, war Christine auf ihrer Seite gestanden, doch offen zugeben konnte sie das nur selten. Sie wurde nicht müde, stets die gleichen Spitzen auszuteilen – genauso wenig wie Jule die Lust verlor, ihr zu widersprechen.

»Jetzt ist es so weit«, murrte Christine. »Jetzt sind unsere Kinder bald in der Lage, unseren Kühen etwas vorzulesen. Möchte nur hoffen, dass sie darüber nicht vergessen, wie man sie melkt.«

»Wär's dir denn lieber, wenn sie vor lauter Melken irgendwann nur mehr so dümmlich glotzen wie das äsende Vieh?«, gab Jule zurück. »Arbeit gibt's hier noch für viele Generationen, die wird keiner verlernen. Aber wir haben aus Deutschland mehr mitgebracht als Pflug und Ochse – und das muss bewahrt bleiben.«

»Erstaunlich aber ist, dass ausgerechnet du unsere Kinder erziehen willst, während du dich um die eigenen nicht geschert, sondern sie einfach im Stich gelassen hast.«

»Wenn du Angst hast, dass ich deine Kinder verderbe, kannst du dich gerne in meine Schule setzen und mich überwachen.«

»Pah! Wüsst' nicht, was ich von dir lernen könnte. Nur durch die Hände, nicht durch den Kopf erwirbt man hier etwas.«

»Aber besser ist doch, der Kopf weiß, was die Hände tun.«

»Und wo bleibt das Herz bei der ganzen Sache? Ich habe nicht den Eindruck, dass du Christls, Poldis und Elisas Kinder magst. Und nun willst du so viel Zeit mit ihnen verbringen?«

»Glaub mir«, blaffte Jule, »ich würde lieber Erwachsene belehren als Kinder, aber wenn es sein muss, gebe ich mich eben mit dem Zweitbesten zufrieden.«

»So kann nur eine wie du reden! Den größten Schatz im Leben weißt du nicht zu schätzen: die Jugend!«

»Wenn Jugend heißt, wie Poldis Töchter zu flennen, zu rotzen, zu plärren, zu zetern – dann bin ich gern steinalt.«

Ricardo gab es auf, der Großmutter ein Zeichen der Zuneigung abzuringen. Annelie indes lächelte über die beiden Streithähne. »Stell dir vor«, wusste sie Elisa zu berichten. »Jule behauptet, dass sie Christine unlängst mit einem Buch ertappt hat ... einem jener Bücher, die wir aus Valdivia haben. Aber Christine will es natürlich nicht eingestehen.«

Elisa zuckte mit den Schultern. Anstatt Christines und Jules ausdauerndem Streit zu lauschen, huschte ihr Blick erneut zu Greta und Cornelius, die noch immer vertraulich beisammenstanden.

Annelie schien das nicht zu entgehen.

»Komm!«, sagte sie, während Ricardo nun zumindest die Aufmerksamkeit seines Großvaters Jakob gewonnen hatte, der ihn auf seine lahmen Beine zog. »Hilf mir, die Sachen hineinzutragen.«

Die Äste knackten unter Poldis Schritten; er ging schnell und geduckt und drehte sich mehrmals um. Obwohl weit und breit niemand zu sehen war und er sich sicher sein konnte, dass Resa ihm nicht folgen würde, fühlte er sich beobachtet. Ganz am Anfang seiner Ehe war das anders gewesen. Sie hatte förmlich an ihm geklebt, und wenn es ihm dennoch gelang, sie abzuschütteln und sich heimlich mit Barbara zu treffen, erwartete sie ihn später stets mit misstrauischem Blick und fragte nörgelnd: »Wo bist du gewesen?«

Doch dann hatte sie die erste Tochter geboren, und alles war anders geworden. Es gab Frauen wie Elisa, die sich ihre Neugeborenen auf den Rücken banden, wenige Tage nach der Geburt wieder auf dem Feld standen und wie zuvor lebten, mit dem einzigen Unterschied, dass sie zwischendurch die Kinder stillten und wickelten. Und es gab Frauen wie Resa, deren ganze Welt mit dem Kind verändert wurde. Sie litt während ihrer ganzen Schwangerschaft und klagte lautstark darüber, und als das Kind endlich da war, war sie ständig überfordert, müde und schlecht gelaunt. Sie behandelte Poldi, als sei er nur eine zusätzliche Last, und wenn er das Haus verließ, schien sie erleichtert.

Er drehte sich wieder um; im Gebüsch raschelte es, doch es war nur einer der farbenprächtigen Vögel, der in den glasigen Himmel stob. Ja, Resa würde sie nicht beobachten, die anderen Siedler waren mit Essen und Trinken beschäftigt, und dennoch mussten sie jederzeit mit neugierigen Blicken rechnen.

Menschenleer war einst das Westufer des Sees gewesen; es hatte genügend einsame Plätzchen gegeben, wo sie sich treffen konnten. Doch in den letzten Jahren waren immer mehr deutsche Auswanderer angekommen. Ihre Schiffe hießen Australia oder Alfred, Fortunata oder Reherstieg. In einem Jahr kamen nur zwei oder drei Familien, in einem anderen gleich hundert, und sie alle strömten an den See, wo mehr und mehr Parzellen vergeben wurden.

Im Dunkel der Bäume fühlte er sich etwas sicherer, ging nun aufrechter und beschleunigte den Schritt. Nicht lange, und er erreichte eine Lichtung, die von dichtem Geäst abgeschirmt war. Vom letzten Ort ihrer heimlichen Treffen hatten sie einmal überstürzt fliehen müssen, als feste Schritte und Stimmen eine Gruppe Männer angekündigt hatten – in dieser Lichtung hingegen waren sie noch nie aufgestöbert worden.

Er musste nicht lange warten. Schon von weitem hörte er ihr Lachen. Barbara lachte mehr als früher, etwas schriller und etwas lauter, und Poldi war sich nie sicher, ob es wie einst ihre Lebensfreude bekundete oder vielmehr Verlegenheit und Schuldgefühle gegenüber der misslaunigen Tochter. Beides war zumindest nicht stark genug, ihre Lust zu töten.

Wortlos stürmte er auf sie zu. Zeit zu reden, Zeit für Zärtlichkeit, Zeit, sich einfach nur anzusehen, war rar. Er öffnete seine Hosen, sie hob den Rock. Keine Unsicherheit gab es mehr zwischen ihnen, kein verlegenes Nesteln, kein Zittern und Beben. Längst fanden ihre Körper wie von selbst zueinander; keine Fremdheit gab es zu überbrücken, nur die Gier, ihre Lust zu befriedigen, möglichst stark, möglichst schnell.

Erst als sie keuchend nebeneinander an einem Baumstamm lehnten und die Hitze ihrer Leiber abkühlte, fielen erste Worte.

»Jule hat mich vorhin so seltsam angesehen, als ich mich vom Fest fortgestohlen habe«, murmelte Barbara.

Sie klang ungewohnt bedrückt, obwohl sie ansonsten nie ihre wahren Gefühle verriet. Die Freuden ihrer heimlichen Liebe teilten sie gemeinsam – mit der Last, die sie trugen, weil die eine Mann und Tochter hinterging, der andere die Ehefrau, musste jeder selbst fertig werden.

»Jule sieht jeden auf diese Weise an. In Wahrheit, so scheint's, verachtet sie uns doch allesamt.«

»Sie blickte nicht verächtlich, eher wissend ...«, Barbara zuckte mit den Schultern. »Denkst du, es ist jemals einem aufgefallen, dass wir regelmäßig verschwinden?«, fragte sie schließlich.

Poldi schüttelte den Kopf. »Ich glaube nicht. Taddäus war es doch immer gleich, was du tust und sagst und denkst.«

Barbara seufzte. Er wusste, dass es ihre größte Sorge war, Taddäus würde von ihrer heimlichen Leidenschaft erfahren. Auch wenn diesem die einstige Schwärmerei seines späteren Schwiegersohnes nicht entgangen war und er sie halb gönnerhaft, halb gutmütig belächelt hatte, schien ihm nie ernsthaft der Gedanke gekommen zu sein, dass diese Gefühle diesen zu mehr trieben als zu verstohlenen Blicken und schamhaftem Erröten, vor allem aber: dass Barbara sie erwidern könnte.

Besonders seit Poldis Hochzeit mit Resa behandelte Taddäus ihn so, wie er alle Menschen behandelte: immer höflich, meist wortkarg, danach urteilend, wie tüchtig der andere sein Tagwerk verrichtete, nicht, welche Wünsche, Sehnsüchte und Hoffnungen ihn dabei antrieben.

»Nein«, bekräftigte Poldi, »Taddäus weiß sicher nichts von uns. Und Resa ist voll und ganz mit den Kindern beschäftigt.«

Er löste sich von ihr und schloss seine Hosen. Prüfend fuhr er sich durchs Haar, um Blätter und Ästchen zu lösen, die darin hängengeblieben war.

»Du ... du solltest ihr mehr helfen«, murmelte Barbara.

»Pah!«, machte er leichtfertig. »Das will sie doch nicht. Ihr gehört das Haus und mir das Feld – so sieht sie das selbst.«

Barbara blieb am Baumstamm gelehnt stehen. »Und dir kommt das gerade recht, nicht wahr? Wie es ihr geht, ist dir doch gleich. Hauptsache, du musst dir nicht zusätzliche Arbeit aufbürden.«

»Sprichst du als gestrenge Schwiegermutter zu mir, die sich um die Tochter sorgt? Wenn du eine solche wärst, dann dürftest du nicht hier sein!«

Ungewohnt giftig geriet sein Tonfall, obwohl es ihm im nächsten Augenblick leidtat. Manchmal neckten sie sich, manchmal stritten sie sich, manchmal schien es, als würden sie sich hassen. Und dann hatte es auch ganz nüchterne, stille Momente zwischen ihnen gegeben, in denen beinahe die Einsicht überwogen hatte, so nicht weitermachen zu können. Schweigend hatten sie sich angesehen, voneinander gelöst und waren ein jeder seines Weges gegangen, entschlossen, sich nicht wieder zu treffen. Doch nicht lange danach waren sie erneut zueinander getrieben worden – von der Lust auf ihre Körper und von der Lust, etwas Verbotenes, Heimliches zu tun.

Kurz schien Barbara getroffen, doch die Kränkung währte nicht lange. Sie löste sich von dem Baumstamm, trat auf ihn zu und berührte sachte seine Hand. Vielleicht war es als Beschwichtigung gemeint – er deutete es anders. Eben noch schien sämtliche Gier gesättigt, nun erwachte sie abermals. Mit einem keuchenden Stöhnen packte er sie fester und schob sie zurück zum Baum. Er riss ihr die Schürze vom Leib, zerrte an ihrem Ausschnitt, um ihre nackten Brüste zu packen – und hielt plötzlich inne.

Barbara erstarrte unter ihm. Sie hatte das Geräusch auch gehört. Beide lauschten angestrengt in den Wald.

»Was ist das?«, entfuhr es ihr.

Schritte kamen näher, oder nein, keine Schritte: vielmehr Getrampel, nicht von Menschenfüßen, sondern von Pferden. Ihre Gemeinschaft besaß mittlerweile drei davon – ein Luxus, an den in den Anfangsjahren nicht zu denken gewesen war. Sie wurden sorgfältig behandelt; niemand durfte eines reiten, wenn sich nicht alle dafür aussprachen. Dieses Getrampel klang jedoch nicht nach ein, zwei Tieren, sondern nach einer ganzen Horde. Und dann hörten sie das Geschrei, wild, gellend, wütend. Es klang nicht nach Lauten von Menschen, sondern von wild gewordenen Tieren.

»Mein Gott!«

Ihre Blicke trafen sich, dann liefen sie los. Im Rennen band Barbara sich die Schürze zu. Äste knackten, Schlamm spritzte hoch, nass tropfte es von den Bäumen. Dann hatten sie den Wald durchquert und die Rodungsgrenze erreicht. Von hier aus hatten sie freien Blick auf den Besitz der von Grabergs, auf die Schule von Jule in unmittelbarer Nachbarschaft und auf die Parzelle der Steiners, die rechts an die der von Grabergs anschloss. Nicht zu sehen war das Haus von Greta und Viktor, das im äußersten Westen der Siedlung lag. Vom Grund der Glöckners, der zur linken Seite der von Grabergs begann, ließ sich nur das Dach des Wohnhauses ausmachen, von Cornelius' Besitz – ein schmaler Streifen Grund zwischen der Parzelle der Mielhahns und der Steiners – lediglich der Zaun. Das Getrampel der Pferde ließ den Boden vibrieren; die spitzen Schreie schmerzten in ihren Ohren.

»Mein Gott!«, schrie Barbara wieder, als sie sahen, wer die Reiter waren, die die Häuser umkreisten, und was sie in ihren Händen trugen.

Poldi erstarrte, indessen sie weiterlief – es zumindest versuchte. Nach wenigen Schritten löste sich ihre Schürze, die sie nur unzureichend gebunden hatte, sie stolperte darüber, fiel hin und rollte über den Hang. Poldi stürzte ihr nach und beugte sich über sie. »Hast du dich verletzt?«

»Mein Gott … sie sind doch alle noch dort …«

Kurz begriff er nicht, was sie meinte. Dann fiel ihm ein, dass sämtliche Siedler bei den von Grabergs versammelt waren, um die Einweihung von Jules Schule zu feiern. Doch es war zu spät, sie zu warnen, viel zu spät.

25. Kapitel

Sie tauchten wie aus dem Nichts auf, kamen von allen Seiten. Vollkommen lautlos mussten sie sich der Siedlung genähert haben, um dann in ein furchtbares Geschrei auszubrechen. Ehe Elisa die unbekannten Angreifer sah, dachte sie noch, es seien Kinder, die jenen Lärm erzeugten, nicht die eigenen zwar, die dafür noch zu klein waren, aber die von der Tiroler Nachbarsiedlung.

Doch dann sah sie den ersten Reiter auf sich zukommen, und im nächsten Augenblick stand sie in einer Wolke Federn. Ein kopfloses Huhn tat vor ihr seine letzten Schritte, ehe es zuckend liegen blieb. Es waren die Reiter, die das Geflügel meuchelten – eins nach dem anderen. Manche teilten die Hiebe ihrer Waffen vom Pferderücken aus, andere, nachdem sie wendig abgesprungen waren.

Elisa fühlte im ersten Augenblick keine Angst, nur Empörung darüber, was man da ihren Hühnern antat – jenen Hühnern, die sie von Konrad gestohlen und durch den Urwald geschleppt hatten, deren Eier in der schwierigen Anfangszeit ein so kostbares Gut gewesen waren und deren Küken der kleine Ricardo liebte.

Als die Federn auf sie herabgeregnet waren, begriff sie immer noch nicht, was genau geschah – und warum. Die schreienden Männer zerstörten, was ihnen in die Hände fiel, töteten nicht länger nur die Hühner, auch die Gänse und Enten, mit hasserfüllten und wutverzerrten Gesichtern.

Elisas Denken lahmte. So viel Fleisch, dachte sie, als sie verständnislos auf die toten Tiere starrte, so viel Fleisch. Niemals können wir es alles essen, es wird verderben, wie schade darum …

Das Gejohle wuchs an, wurde von schrillen Pfiffen durchsetzt, die wie Kriegsrufe klangen. Sie glaubte, ihre Ohren müssten bersten, nur plötzlich verlosch jeder Ton. Nicht, weil die Männer aufgehört hatten, zu schreien. Sie sah immer noch die geöffneten Münder, sah, wie die Pferdehufe die Erde aufwirbelten. Aber der Schock ließ ihr Blut so laut rauschen, dass sie taub für alles andere wurde, gefühllos auch und starr, vor allem, als sie zusehen musste, wie die Reiter vom Geflügel abließen, um nun die Weizenfelder zu zertrampeln. Umsonst … alles umsonst.

Wie viele Stunden Arbeit wurden mit einem Schlag zunichtegemacht! Stunden, da sie dem Urwald den Boden abgerungen hatten, da sie die Wurzeln verbrannt und die verkohlten Reste fortgetragen hatten, da sie den Boden mit dem Pflug bearbeitet und schließlich das Korn, Kartoffeln und Grassamen auf den mit Asche gedüngten Boden gestreut hatten. Stunden schließlich, da sie das Getreide wachsen sahen, stolz des Augenblicks harrend, da sie es mit der Sichel ernten und es auf freiem Feld dreschen würden. So ertragreich wie in den letzten Jahren versprach die Ernte auch in diesem Jahr zu werden – und alle Mühen wettzumachen: die Schmerzen im gekrümmten Rücken, die schwieligen Hände, die von der Sonne gegerbte Haut.

Doch nun: umsonst … alles umsonst.

Größer noch als der Kummer um die zerstörte Ernte war der Schrecken, als Elisa plötzlich Rauch in die Nase stieg. Sie schrie auf – es war dies der erste Laut, den sie inmitten des Rauschen ihres Bluts wieder vernahm –, als sie erkannte, dass einige der Reiter Fackeln trugen und erst die Vorratkammern anzündeten, dann den Stall. Durchdringender und panischer noch als ihr eigener Schrei war das Muhen der Kühe.

Jetzt endlich konnte sie sich aus der Starre lösen. Sie bemerkte, dass sie einen Eimer mit Wasser in Händen hielt. Annelies Porzellan, fiel ihr ein, sie war beim See gewesen, um Wasser zu holen, damit sie gemeinsam das Geschirr abwaschen konnten …

Hastig wollte sie mit dem Eimer auf das Feuer losstürmen, es notdürftig löschen und irgendwie die Rinder retten, doch im nächsten Augenblick lag sie auf dem Boden, und das Wasser tropfte kalt über ihre Beine. Sie war nicht gestolpert, wie sie zunächst noch dachte. Ein Schatten hatte sich ihr genähert, sie niedergestoßen, lag nun auf ihr, nein, es war kein Schatten, es war einer von den langhaarigen, dunklen Männern. Schließlich zerrte er sie hoch und warf sie sich über den Rücken. Sie schrie, strampelte, schlug wild um sich. Irgendwo musste sie ihn schmerzhaft getroffen haben, denn unvermittelt ließ er sie fallen. Sie krachte mit der Schulter auf den Boden und hatte das Gefühl, dass sämtliche Knochen brachen.

»Elisa!«

Sie hatte sich kaum aufgerappelt, als sie ihren Vater kommen sah, die Hände erhoben und furchterregend eine Sense schwingend – ja, ihr Vater, der oft so träge, melancholische Richard, dessen fehlenden Arbeitseifer man damit schönredete, dass er nicht faul, sondern eben krank sei. Sie selbst zumindest hatte ihn immer so verteidigt und hatte im Stillen doch damit gehadert, warum er nicht öfter nach ihrem Wohl fragte, warum er zwar dankbar hinnahm, dass sie Enkelsöhne geboren hatte, aber nie auch nur daran dachte, welches Opfer sie dafür brachte. Doch nun zögerte er nicht mit jener Sense, die sie so oft an seiner statt geschwungen hatte, um unter Einsatz des eigenen Lebens die Tochter zu retten.

»Nicht!«, kreischte sie.

Sie sah lange vor ihm das Pferd kommen; der Reiter steuerte unmittelbar auf Richard zu, aber hielt sein Tier nicht an, als er ihn erreicht hatte, zertrümmerte vielmehr im Vorbeireiten irgendetwas auf seinem Kopf. Elisa sah nicht, was es war – nur, dass die Wucht ausreichte, seine Knochen bersten zu lassen. Rot spritzte es auf, und obwohl sie schon in diesem Augenblick wusste, dass er diesen Schlag unmöglich überleben konnte, fiel Richard von Graberg nicht hin, sondern blieb kurz aufrecht stehen. Ihre Blicke trafen sich, und seiner war wach – viel wacher als in den letzten Jahren. Kein Schmerz und kein Schock standen darin, kein Hader und auch nicht jene gleichgültige Leere, die sie oft geschmerzt hatte, sondern nur Stolz und Liebe – so überreich, als hätte sie nie mühsam um sie ringen müssen.

Dann sackte er nieder.

»Vater!«

Sie wollte zu ihm laufen, konnte es jedoch nicht. Pranken umfassten sie von hinten, bändigten sie an den Handgelenken, zerrten diese auf ihren Rücken. Erbittert wehrte sie sich dagegen, schreiend und tretend. Doch der unbarmherzige Griff ließ nicht nach. »Hilfe!«, schrie sie, ihre Kräfte schwanden, »So helft mir! So …«

Plötzlich verstummte sie. Nicht weit von dem Fleckchen, wo ihr Vater lag und wo sich eine blutige Lache ausbreitete, sah sie Annelie vorbeihuschen. Sie floh in eine der tief in den Boden eingegrabenen Gruben, in der sie Kartoffeln aufbewahrten. Zunächst verkroch sie sich ganz tief darin, dann streckte sie plötzlich wieder den Kopf heraus, um ängstlich nach der Stieftochter Ausschau zu halten. Sämtlicher Widerstand, den Elisa dem Angreifer entgegengebracht hatte, erlahmte. Mit jeder Faser ihres Körpers versuchte sie, Annelie ein Zeichen zu geben, sich nicht zu rühren und ihr erst recht nicht zu Hilfe zu kommen. Denn Annelie war nicht allein. Sie trug Ricardo auf dem Arm, der sich wand und laut nach seiner Mutter schrie. Elisa sah, dass Annelie ihre Hand auf seinen Mund schlug, um das Geschrei zu dämpfen, und sich endlich bückte, um sich ganz tief in die Grube zu kauern, wo sie geschützt war.

Elisa war so erleichtert, Ricardo in Sicherheit zu wissen, dass sie sich von ihrem Angreifer mitzerren ließ. Erst nach etlichen Schritten, da sie glaubte, er würde ihr die Arme ausreißen, und ihre Beine bis zu den Knien blutig aufgeschürft waren, erwachte erneut Widerstand.

Ja, Ricardo war in Sicherheit – aber wo hatten sich die anderen beiden Söhne versteckt?

Wieder begann sie, um sich zu treten, und kurz schien ihr Trachten Erfolg zu haben: Der Angreifer ließ sie los, und für einen Augenblick sah sie in ein vernarbtes Gesicht, in das dunkles, geflochtenes Haar fiel. Doch kaum war sie einige Schritte von ihm fortgerobbt, packte er sie abermals, diesmal, um ihr die Hände mit Hanfstricken zusammenzubinden. So fest schnürte er sie zu, dass sie ihre Finger nicht mehr fühlte. Sie konnte kaum mehr etwas sehen, denn vom Kuhstall zog eine Rauchwolke zu ihr, dick und beißend, und jetzt ging ihr auch auf, dass die Kühe nicht mehr schrien. Hatte man sie in Sicherheit gebracht? Oder waren sie verbrannt?

Der Mann zog sie zu einem Pferd. Hier war die Luft noch nicht rauchverpestet, und Elisa hatte freie Sicht auf die Schule, die bis jetzt noch nicht die Aufmerksamkeit der Angreifer auf sich gezogen hatte.

Sie betete inständig, dass dies so bliebe, denn nun sah sie, dass Jule und Christine sich dort versteckten. Genauer gesagt, versteckte sich nur Jule, während Christine vom Gebäude wegstürzte. Sie kam nicht weit. Nach wenigen Schritten rannte Jule ihr nach, packte sie und zog sie zurück. Die Münder der beiden Frauen standen weit offen. Sie schrien miteinander, wie sie trotz aller Streitereien noch nie geschrien hatten. Elisa konnte ihre Worte nicht verstehen, nur sehen, dass Jule sich durchsetzte und Christine hinter die rettende Wand zerrte.

Die beiden Frauen waren in Sicherheit – doch als Elisa ihren Kopf umdrehte, erfasste sie ein eisiger Schreck. Wieder verstummte alles in ihr, das schrille Rufen der Angreifer und das Knacken des brennenden Holzes, abermals blieb nur das Rauschen des eigenen Bluts zurück. Lukas lag da auf dem Boden, reglos wie ihr toter Vater.

»Lukas …« Ihr Mund formte die Silben seines Namens, aber in diesem Augenblick warf der Mann sie über den Pferderücken, und sie sah nur mehr die aufgewühlte Erde, über der bedrohlich nahe ihr Kopf baumelte.

»Lukas …«

Hektisch zerrte der Mann an den Zügeln seines Pferdes, und als es ihr endlich gelang, sich ein wenig aufzurichten, erkannte sie auch den Grund für seine Eile. Bis jetzt waren die Angreifer auf nur wenig Gegenwehr gestoßen – nun erhob sich Widerstand. Endlich kam Hilfe – von Barbara und Poldi, Fritz und Andreas, Taddäus und ein paar Männern aus den Nachbardörfern, die sich mit allem bewaffnet hatten, was ihnen in die Hände gefallen war: Äxten und Macheten, Sensen und Hacken. Sie sah, dass einer von ihnen einen der Angreifer vom Pferd zerrte und auf ihn einschlug.

»Die Kinder!«, schrie Elisa Barbara zu. »Schau nach meinen Kindern!«

Sie war sich nicht sicher, ob sie gegen das laute Kampfgeschrei ankam. Im nächsten Augenblick konnte sie nichts mehr rufen. Der Mann schlug ihr auf den Kopf, schwang sich hinter ihr aufs Pferd und trieb es noch ungeduldiger an.

Er wird nicht weit kommen, hoffte Elisa, die Zäune werden ihn aufhalten … die Zäune, die sie in den letzten Jahren aus Stämmen und Buschwerk so mühsam aufgebaut hatten. Doch er ritt weiter und weiter, ohne auf ein Hindernis zu stoßen. Wahrscheinlich hatten er und seine Männer die Zäune niedergerissen, bevor sie in das Dorf stürmten.

Aber Fritz und Poldi, tröstete Elisa sich, Fritz und Poldi werden sie aufhalten … oder Lukas …

Aber nein, Lukas lag ja da … reglos wie ihr Vater. War er tot wie er?

Noch lauter als das Geschrei war nun das Klirren von Sicheln und Messern. Sie versuchte, einen letzten Blick auf Lukas zu erhaschen, doch sie sah nicht ihn, sondern einen anderen blutüberströmt dort liegen – Taddäus Glöckner.

Mein Gott, sie töten alle Männer!

Da war das Letzte, was sie dachte. Sie erhielt erneut einen Schlag auf den Kopf, wohl, damit sie endlich stillhielt. Diesmal fiel er so hart aus, dass ihre Welt in Schwärze versank.

Als Elisa zu sich kam, lag sie immer noch quer über dem Pferderücken. Jeder Schritt, den das Tier tat, versetzte ihr einen schmerzhaften Schlag in die Magengrube. Sie wusste nicht, was schlimmer war: die Übelkeit, die in ihr hochstieg, oder die schmerzende Brust, als der Atem knapper wurde.

Sie musste alle Kräfte zusammennehmen, um den Kopf zu heben. Zunächst sah sie nichts weiter als die Füße fremder Männer, die mit staubigen Ledersandalen bekleidet waren. Mit Ächzen richtete sie sich noch weiter auf, erblickte nun das zottelige lange Haar, das den Männern über ihren Rücken fiel und von Silberbändern gehalten wurde, und die farbenprächtigen

Ponchos mit langen Fransen, die sie trugen. Manch einer hatte ein Stirnband aus Leder um den Kopf gebunden, andere Tücher.

So starr waren ihre Blicke auf den Weg vor sich gerichtet, dass sie den ihren nicht bemerkten. Sämtliches Geschrei war verstummt; ihre Gesichter waren nicht mehr hassverzerrt. Sie waren zwar nach fremder Tracht gekleidet, wirkten jedoch wie gewöhnliche Männer. Nichts schienen sie mit den Ungeheueren gemein zu haben, die eben das Dorf überfallen, die Ernte zerstört und die Ställe in Brand gesetzt hatten, die schließlich auf ihren Vater losgegangen waren, auf Taddäus Glöckner, auf Lukas ...

Als die Erinnerung an das Grauen mit ganzer Wucht zurückkehrte, quollen Tränen über Elisas Wangen. Sie ließ den Kopf wieder sinken, bezwungen von noch größerer Übelkeit und Entsetzen.

Plötzlich hörte sie nicht weit von sich ein Lachen – ein heller, warmer Ton, mit dem sie in ihrem Elend nicht gerechnet hatte.

»Katherl?«, presste sie hervor.

Abermals hob sie den Kopf – und tatsächlich war es die schwachsinnige Steiner-Tochter, die man ebenfalls über ein Pferd geworfen hatte und die sich an dieser rüden Behandlung nicht zu stören schien. Und das Katherl war nicht die einzige weitere Gefangene. Elisas Blick kreuzte sich mit dem ausdruckslosen, nahezu erloschenen von Magdalena.

»Magdalena ...«

Übermächtig wurden Übelkeit und Schmerzen, und als Elisa den Kopf sinken ließ, wurde es wieder schwarz um sie.

Als sie erwachte, lag sie nicht mehr auf dem Pferd, sondern auf sandigem Boden. Heißer Atem traf sie, und sie spürte eine Hand über ihre Wange streicheln. Mit einem Aufschrei fuhr sie hoch, um wild um sich zu schlagen und sich gegen den Angreifer zu wehren.

»Elisa!«, brachte eine vertraute Stimme sie zum Innehalten. »Elisa, ich bin es doch.«

Magdalena …, fiel es ihr wieder ein. Sie haben auch Magdalena mitgenommen …

Sie ließ die Hände sinken. Magdalena saß neben ihr und nicht weit davon das Katherl, die noch heller lachte als vorhin und es wohl ungemein lustig fand, auf welch abenteuerlichen Ausflug sie da geraten war. Ein stechender Schmerz fuhr Elisa in die Schläfen. Sie griff sich an den Kopf und fühlte, dass ihre Haare verkrustet waren – von Schlamm, vielleicht auch von Blut.

»Die Kinder … Was ist mit meinen Kindern?«, rief sie heiser.

»Es geht ihnen gut«, sagte Magdalena leise. Ihr Blick war immer noch ausdruckslos – so, als ginge sie das, was ihnen widerfuhr, nichts an. »Ich habe gesehen, dass Barbara sie versteckt hat.«

»Aber mein Vater … Lukas … Taddäus … Sind sie alle tot?«

Magdalena zuckte mit den Schultern. »Ich weiß es nicht.«

Elisa sah sich um. Die Pferde beglotzten sie träge. Die Männer dagegen hatten sich über eine Quelle gebeugt, die nicht weit von ihrem Rastplatz plätscherte. Ob des Geräuschs von Wasser wurde Elisa bewusst, wie trocken und rissig die eigenen Lippen waren, aber sie wagte nicht, die Aufmerksamkeit auf sich zu ziehen, indem sie um Wasser bat.

»Wohin bringen sie uns? Was haben sie mit uns vor?«

»Ich weiß es nicht …«

Magdalena schloss ihre Augen und begann, etwas zu murmeln; wahrscheinlich suchte sie wie so oft Kraft im Gebet. Katherl indes hörte nicht auf zu lachen.

Jule richtete sich auf und rieb sich den schmerzenden Ell-bogen. Obwohl sie die letzte Stunde zusammengekrümmt in der Schule gekauert war, hatte sie das Gefühl, jeden einzel-nen Schlag abbekommen zu haben, der einen der Siedler traf. Durch die Ritzen hatte sie alles beobachtet – wenn sie nicht gerade damit beschäftigt gewesen war, Christine gewaltsam davon abzuhalten, den anderen zu Hilfe zu eilen. Ihr Wider-stand war bald erschlafft, erst jetzt blickte sie sie vorwurfsvoll an. »Hast mir fast alle Knochen gebrochen«, murrte sie.

Jule zuckte mit den Schultern: »Wär's dir lieber gewesen, die Mapuche hätten es an meiner statt getan?«

Christine antwortete nicht, sondern stieß einen Schrei aus und stürzte davon. Als Jule ihr folgte, sah sie Lukas inmitten eines der zerstörten Felder liegen. Sie hatten beide gesehen, wie die Mapuche Richard erschlagen hatten, jedoch nicht, dass es auch Christines Sohn getroffen hatte. Während Christine sich über Lukas beugte, hielt Jule nach anderen Opfern Ausschau.

Nicht weit von der Schule sah sie Poldi und Barbara neben-einander knien. Nahm sie zunächst noch an, es wären Schre-cken und Aufregung, die sie hatten zusammenbrechen lassen, erkannte sie bald, dass Taddäus dort lag – mit unnatürlich ver-renkten Gliedern, die Augen starr und offen. Sie musste ihn nicht erst untersuchen, um festzustellen, dass er tot war. Auch Poldi und Barbara schienen das begriffen zu haben, doch sie waren weder zu Worten noch zu einer Regung fähig.

Hinter ihnen standen Lu und Leo, nicht die aufgeweckten, abenteuerhungrigen Knaben von sonst, sondern zwei ängstli-che Kinder, die sich an den Händen festhielten und mit einem Ausdruck der Verwirrung erst auf den toten Taddäus starrten, dann auf ihren weinenden Bruder Ricardo, der mit Annelie aus einem Erdloch gekrochen kam und verzweifelt nach sei-ner Mutter schrie.

Barbara löste sich aus ihrer Starre und erhob sich abrupt. »Die Kinder sollten das nicht sehen!«, erklärte sie energisch. Sie schob Lu und Leo vom Toten fort, nahm schließlich Ricardo auf den Arm und wollte ihm tröstend über die Stirn streicheln, aber das Kind trat um sich und rief weiterhin nach seiner Mutter.

Jule wandte sich an Lu und Leo. »Geht in die Schule und rührt euch dort nicht vom Fleck, bis man euch holt.«

Sie konnte sich nicht vergewissern, ob die beiden ihrem Befehl folgten. Im nächsten Augenblick hörte sie ein lautes Schluchzen, dann fiel ihr Annelie um den Hals und klammerte sich an sie so fest wie eine Ertrinkende.

»Richard …«, stammelte sie, »Richard …«

Jule seufzte und erduldete die Umarmung für wenige Augenblicke, ehe ihr die Nähe dieses zitternden Körpers zu viel wurde und sie ihn zwar sanft, aber entschieden von sich löste.

»Richard ist tot …«

Annelies Schluchzen wurde rauher, erstarb schließlich, doch sie war nicht die Einzige, die heulte, auch Resa stimmte mit ihren Töchter ins Greinen ein – Resa, weil sie nun den toten Vater erblickte, die Töchter, weil sie eigentlich immer flennten.

Jule runzelte ungehalten die Stirn und wollte auch sie barsch zur Schule schicken, doch Poldi kam ihr zuvor. Eben noch war er steif neben Taddäus gehockt, nun fuhr er auf und schrie seine Frau an: »Kannst du nicht einmal dafür sorgen, dass die Kinder ihren Mund halten?«

Die Mädchen schwiegen augenblicklich wegen des ungewohnten Tonfalls; Resa dagegen starrte ihren Mann mit aufgerissenen Augen an. Jule hatte schon oft erlebt, dass Poldi an Resa herumnörgelte, jedoch noch nie, dass er sie derart anschrie. Augenblicklich schien es ihm leidzutun, denn er begann, unruhig auf den Lippen zu kauen.

»Es tut mir leid ... «

Er drehte sich zu Barbara um, die ihren Kummer um den toten Gatten nicht zeigte, sondern immer noch mit dem sich windenden Ricardo kämpfte.

»Es tut mir so leid«, wiederholte er, diesmal nicht an seine Frau, sondern an seine Schwiegermutter gewandt. Barbara senkte den Kopf, dann floh sie mit Ricardo in Richtung Schule.

Jule trat zu Lukas. Christine war neben ihm niedergesunken und barg seinen Kopf in ihrem Schoß. Seine Lider flackerten, er atmete flach, auf seinem Hinterkopf klaffte eine blutige Wunde.

Jule beugte sich hinab und klopfte mit dem Mittelfinger auf Stirn und Schläfen. Der Laut, den sie zeugte, war dumpf.

»Was machst du denn?«, zeterte Christine.

»Ich will sehen, ob sein Schädel gebrochen ist.«

Wieder flackerten die Lider, und diesmal öffnete Lukas seine Augen. Sein Blick war glasig, und eine Weile musste er darum kämpfen, etwas sagen zu können. Dann brachen die Worte aus ihm hervor: »Elisa ... wo ist Elisa?«

Jule gab keine Antwort. »Sammle Luft in deinen Wangen!«, befahl sie rüde.

»Jetzt lass ihn doch erst in Ruhe zu sich kommen!«, keifte Christine.

Lukas tat, was sie wollte, und blähte die Wangen auf. Jule schien mit dem Ergebnis zufrieden. »Wenn die Luft nicht entweicht, ist der Schädel auch nicht gebrochen. Dennoch sollte er nicht aufstehen. Jemand muss ihn ins Haus tragen, dort kann ich mir die Wunde ansehen.«

Sie hob den Blick und stellte fest, dass sich ein kleiner Kreis um sie gebildet hatte; Annelie wischte sich die Tränen von den Wangen; Fritz und Andreas, die eben noch erbittert gegen die Mapuche gekämpft hatten, starrten ratlos auf den Verletzten.

»Was steht ihr rum!«, fuhr Jule sie an. »Habt ihr nicht gehört, was ich gesagt habe? Tragt ihn ins Haus!«

Fritz nickte und zog Andreas hinter sich her – offenbar um eine Bahre zu holen.

Annelie murmelte etwas vor sich hin.

»Was redest du denn da?«, herrschte Jule sie an.

»Man muss Richards Begräbnis vorbereiten«, gab sie leise zurück. »Wenn bei uns zu Hause jemand starb, gab es Rinderbraten und Klöße …«

Jule schnaubte. »Den Rinderbraten kannst du dir sparen – die Kühe sind bereits geröstet. Und für wen willst du eigentlich kochen? Hier sind alle entweder verschleppt oder tot.« Annelies Schultern bebten. Sie schluchzte wieder auf.

Christine funkelte Jule an: »Musste das denn sein?«

Erst im nächsten Augenblick ging ihr auf, was Jules Worte bedeuteten. Hektisch blickte sie um sich, ihre Mundwinkel begannen zu zucken. »Magdalena … Katherl … Elisa …«

Als sie Elisas Namen nannte, klang ihre Stimme am verzweifeltsten. »Mein Gott, sie haben meine Töchter geraubt!«

Fritz kehrte mit Andreas zurück und stellte ein Brett neben Lukas ab, um den verletzten Bruder vorsichtig darauf zu hieven.

»Keine Sorge, Mutter«, sagte er, und seine Stimme klang kalt vor Grimm. »Keine Sorge. Wir werden sie wieder bringen.«

Cornelius stand entsetzt vor den zerstörten Ställen. Die Häuser waren heil geblieben, doch die Felder allesamt zertrampelt, die Rinder verbrannt, die Hühner geköpft oder erschlagen. Die Vorratskammern waren sämtlich geplündert und verwüstet – einzig der Besitz der Mielhahns war verschont geblieben.

Zu spät, er kam viel zu spät.

»Bringst du mich heim?«, hatte Greta vorhin gefragt, und wie immer hatte er ihren Wunsch nicht abschlagen können. Sie war längst eine erwachsene Frau, aber wenn er sie anblickte, sah er das kleine, vor Schreck erstarrte Mädchen mit den aufgerissenen Augen vor sich, das einst auf dem Schiff ihren verletzten Bruder zum betrunkenen Arzt gebracht hatte. Nicht immer konnte er erahnen, was in Gretas Kopf vorging – vor allem dann nicht, wenn sie ihr befremdendes Lächeln aufsetzte, das ihr Gesicht nicht warm und freundlich wirken ließ, sondern zu einer kalten Maske verzerrte. Doch manchmal hatte er das Gefühl, dass sie die Einzige war, die sich von Herzen freute, dass er hier lebte und der er etwas Gutes tun konnte.

Als sie schließlich ihr Haus erreicht hatten, hatte sie plötzlich ängstlich gewirkt und sich nach allen Seiten umgesehen. »Viktor soll nicht wissen, dass ich bei … ihnen war«, hatte sie leise gesagt.

Cornelius fragte weder, warum Viktor die anderen Siedler mied, noch, wie er sie bestrafte, wenn sie ihm nicht gehorchte. Mehrmals hatte er versucht, das herauszufinden – doch entweder war sie ihm eine Antwort schuldig geblieben oder hatte sich in Ausflüchte verstrickt.

Von Viktor war jedenfalls weit und breit nichts zu sehen.

»Kann ich dich allein lassen?«, hatte er gefragt. Im Heim der Mielhahn-Geschwister fühlte er sich unwohl. So schmucklos und verdreckt wie es war, versprach es nicht die Gemütlichkeit der anderen Häuser und erinnerte an das schreckliche Zimmer bei Rosaria, in dem er mit seinem Onkel gehaust hatte.

»Ach bitte«, hatte Greta jedoch gebeten, »bleib ein wenig.«
Und so war er widerwillig geblieben, selbst dann noch, als plötzlich die Schreie und das Pferdegetrampel zu ihnen drangen – so gedämpft zunächst, dass man es nicht für einen Angriff, sondern für ausgelassenes Feiern halten konnte. Dies zumindest hatte Greta gleichmütig gemeint.

Doch dann hatte er inmitten dieses Gejohles plötzlich eine Stimme herausgehört, verzweifelt und voller Panik.

Elisa.

Elisa schrie um Hilfe. Dessen war er sich so gewiss, dass er nicht einmal mehr seine Jacke nahm, sondern hinausstürzte. Am Seeufer entlang waren mittlerweile Wege aus Baumstämmen gebaut, die man aufeinander nagelte und mit Schnittholz, manchmal auch mit einem Gitterrost belegte. Über eines dieser Hölzer stolperte er in seiner Hast und fiel fast in den See. All die Eile nutzte nichts. Als er endlich ankam, hatte sich Stille über die zerstörten Felder und Scheunen gelegt ... und über die Toten.

Er wusste nicht, wie lange er einfach nur steif dastand und auf dieses Bild der Zerstörung blickte, nur, dass irgendwann Quidel an seiner Seite auftauchte – leise und unauffällig wie aus dem Nichts.

»Warum?«, stammelte Cornelius. »Warum nur?«

»Ich habe versucht, sie aufzuhalten. Sie haben nicht auf mich gehört.«

»Aber warum?«, fragte Cornelius wieder.

»Wahrscheinlich hat sie die Rache getrieben.«

»Rache wofür? Wir haben ihnen doch nichts getan!«

Quidel sagte schlicht: »Zu viele meines Volkes sind gewaltsam gestorben.«

Cornelius wusste, was er meinte. Er hatte von anderen deutschen Siedlern gehört, die willkürlich Mapuche aufknüpften, wenn sie überzeugt waren, dass diese Vieh gestohlen hatten. Noch schlimmer für das Volk waren aber die steten Bemühungen der Spanier, ihr Gebiet einzugrenzen. Galt lange Zeit der Río Bío-Bío als Grenze zwischen ihnen und den Mapuche, war diese vor vier Jahren plötzlich überschritten worden, und man hatte Grenzposten im Araukarierland errichtet. Mangin, ein Führer der Mapuche, hatte daraufhin zu einem Aufstand aufgerufen – den General Saavedra, der Verwalter von Araukanien, nutze, um Stimmung gegen die Mapuche zu machen, noch mehr Militärposten und Siedlungen entlang der Flüsse Malleco und Toltén zu gründen und jegliche Rebellion blutig niederzuschlagen.

Ein lautes Klagen riss ihn aus den Gedanken. Es war Christine Steiner, die da weinte und sich verzweifelt auf die Brust schlug.

»Meine Töchter ... Sie haben meine Töchter mitgenommen. Und Elisa! Auch Elisa ist fort!«

Cornelius stürzte auf sie zu.

»Elisa? Was haben sie mit Elisa gemacht?«, schrie er.

Fritz Steiner blickte ihn an, seine Augen wirkten wie tot. Erst jetzt sah Cornelius dessen Bruder vor ihnen liegen – Lukas, Elisas Mann ...

»Ist er ... ist er ...«

»Er lebt«, sagte Fritz knapp, sein Blick blieb leer. »Scheinbar ist nur unsere Siedlung betroffen. Die Tiroler haben zwar den Lärm gehört, aber die Mapuche sind nicht zu ihnen gekommen. Seltsam ...«

Wie Fritz konnte sich auch Cornelius keinen Reim darauf machen. Die Siedlung der Tiroler lag etwa eine halbe Stunde von ihnen entfernt. Im Winter waren die Wege kaum passierbar, aber jetzt im Spätsommer hätten die Mapuche mühelos dorthin reiten können – wenn es ihnen denn um Rache an den Weißen gegangen wäre und nicht, wie Cornelius in den Sinn kam, nur um Rache an den von Grabergs, Glöckners und Steiners. Wobei er nicht verstehen konnte, warum gerade diese Familien so viel Hass auf sich gezogen hatten.

Doch es war keine Zeit, über die Gründe, die die Männer angetrieben hatten, nachzudenken, vielmehr über die Folgen.

»Die Frauen …« In der Aufregung geriet seine Stimme stammelnd, »die Frauen … wir müssen …«

»Wir werden die Frauen zurückholen«, führte Fritz den Satz zu Ende. »Und du«, er deutete hinter Cornelius, »du wirst uns begleiten.«

Cornelius fuhr zu Quidel herum, der ihm lautlos gefolgt war. »Wohin werden sie sie bringen?«, fragte er.

Quidel zuckte mit den Schultern. »Ich bin mir nicht sicher. Die Männer gehörten keinem Stamm an, den ich kenne. Sie haben einen fremd klingenden Dialekt benutzt. Vielleicht stammen sie gar nicht aus Chile, sondern aus Argentinien – viele meines Volkes leben am Ostabhang der Anden. Das würde bedeuten, dass sie über Peulla Richtung Andenpass reiten.«

»Aber was werden sie mit ihnen tun? Werden sie sie … werden sie sie töten?« Er konnte es kaum aussprechen.

»Nein, das glaube ich nicht. Wenn Mapuche einst die Frauen der Spanier entführt haben, so, um sie für sich arbeiten zu lassen, nie, um sie umzubringen. Wir müssen den Spuren folgen, ich kann sie lesen!«

Cornelius nickte dankbar, doch noch ehe er etwas sagen konnte, ertönte hinter ihm lautes Protestgeschrei. Er fuhr herum, sah Poldi unvermittelt auf Quidel losstürzen und ihn an den Schultern packen. Poldi schüttelte ihn brutal. »Verfluchter Hurensohn! Du bist doch einer von ihnen! Was machst du überhaupt hier? Hast für sie spioniert, nicht wahr?«

Stoisch wie immer ließ Quidel die rüde Behandlung über sich

ergehen, doch Cornelius ging dazwischen und stieß Poldi unwirsch zurück.

»Red keinen Unsinn!«, herrschte er ihn an. »Das wäre so, als würde man dich für die Taten eines Konrad Weber verantwortlich machen!«

Poldi starrte ihn an, aber Cornelius hatte nicht den Eindruck, er würde ihn sehen und hören. »Verflucht!«, schrie Poldi, entwand sich Cornelius' Griff, um ein zweites Mal auf Quidel loszugehen. Die Augen traten ihm förmlich aus den Höhlen vor lauter Wut. »Verflucht, verflucht!«

»Schluss jetzt!«

Ehe Cornelius erneut Quidel beschützen konnte, schritt Fritz ein. Mit der Faust hieb er auf die Brust des jüngeren Bruders und zwang ihn so, zurückzuweichen.

»Hör auf!«, zischte er.

Anders als Cornelius brachte Fritz' Stimme ihn zur Vernunft. Die blanke Wut schwand aus Poldis Blick, Verzweiflung machte sich stattdessen breit. Er ballte seine Hände zu Fäusten.

»Aber …«, setzte er an und klang dabei hilflos wie ein Kind.

»Keine Streitereien«, sagte Fritz knapp. »Ohne Quidels Hilfe haben wir keine Möglichkeit, diese Männer zu finden und Elisa, Magdalena und das Katherl zu retten. Du, Poldi, außerdem Cornelius, Quidel und ich werden ihnen folgen. Wir müssen zusammenhalten. Hast du mich verstanden?«

Poldi sagte nichts, ballte seine Fäuste noch fester zusammen, aber nickte schließlich.

»Ja«, bekräftigte Cornelius an seiner statt Fritz' Worte. »Ja, wir müssen zusammenhalten.«

26. Kapitel

Elisas Kopfschmerzen hatten nachgelassen. Einer der Männer hatte den Frauen mit gleichmütigem Gesichtsausdruck zu trinken gegeben, ohne dass sie darum betteln mussten, und als es weiterging, ließ man sie aufrecht auf dem Pferd sitzen.

Mit der Zeit verkamen Furcht und Schmerz zu einem dumpfen Pochen. Trotz aller Ungewissheit darüber, was mit ihnen geschehen würde, konnte Elisa sich der Schönheit des Landes nicht entziehen. Da es unerträglich war, an ihre Kinder und an Lukas auch nur zu denken, ergab sie sich dem Schauen – und kurzzeitig auch dem Trugbild, dass keine gewaltsame Entführung, sondern freiwillige Erkundung sie in diese fremde Gegend führte.

Der dunkle, dampfige Regenwald mit den immergrünen Riesenfarnen, durch den die erste Wegstrecke geführt hatte, lichtete sich. Laub- und Nadelbäume, die nun folgten, standen nicht so dicht beisammen wie die Araukarien. Die Südbuchen begannen sich nun im Spätsommer bereits zu verfärben, und aus ihrem kräftigen Grün wurde, vor allem als es höher ging, leuchtendes Gelb und Orange. Dazwischen schimmerten sowohl saftige Wiesen als auch karge, graue Flächen. Zunächst konnte sie sich nicht erklären, warum hier nichts wuchs, und sie überlegte, ob Menschen hier brandgerodet hatten. Doch weit und breit gab es keine Spuren von Häusern oder Dörfern, und schließlich fiel ihr ein, was Fritz einmal erzählt hatte: dass mancher Vulkan in den letzten Jahrzehnten ausgebrochen war und graue Schneisen in das Land geschlagen hatte.

Doch auch inmitten der Ascheberge und Lavafelder wuchsen Pflänzchen: die Sprossen der nährenden Alfalfa oder der dicht verzweigte Wolfsmilchstrauch mit seiner halbkugeligen Krone. Als schließlich der See nicht mehr zu sehen war, das Grün der Wiesen verblasste und dem gelb-braunen Ton der Strauchsteppe wich, stiegen die Pferde über dornige Mimosenbäumchen hinweg. In dieser Einöde schien selbst das Gestrüpp zu verkümmern, und anderswo mächtige, hier nur mannshohe Bäume wirkten bucklig und dürftig. Als die öden Weiten schließlich an Hügel und schroffe Berge stießen, kehrten auch die Farben zurück: das Smaragdgrün mancher Lagune und tiefes Blau glasklarer Flüsse und Bäche, durch die flinke Fische schossen.

An deren Ufer schlugen sie in den nächsten Tagen stets das Nachtlager auf. Als man sie am ersten Abend vom Pferd riss, erstarrte Elisa vor Schreck. Doch es geschah ihnen nichts weiter, als dass man ihnen einen Schlafplatz zuwies und sogar eine Schale Essen reichte. Elisa schlang es gedankenlos herunter und wusste später nicht mehr, was sie gegessen und ob es geschmeckt hatte, nur, dass es schwer wie Stein im Magen lag. Während Dunkelheit über sie hereinbrach, rückte sie dicht mit Magdalena und dem Katherl zusammen. Aneinandergekauert schlotterten sie vor Kälte, kaum dass die Sonne gesunken war. Näher ans Feuer wollten sie jedoch nicht gehen, denn dort saßen die Männer beisammen und redeten grummelnd miteinander. Elisa lauschte auf jedes Wort, doch die Sprache war ihr fremd, und sie hatte keine Möglichkeit, herauszufinden, ob es ihr Schicksal war, über das sie entschieden, oder sie sich nur über Nichtigkeiten austauschten. Irgendwann übermannte sie trotz der Kälte die Erschöpfung. Sie nickte ein und erwachte erst am nächsten Morgen mit steifen Gliedern und Übelkeit im Magen. Ihre Träume waren von den Schrecknissen des letzten Tages verschont geblieben, und auch weiterhin versuchte sie mit aller Macht, sämtliches Fühlen und Denken abzutöten, sich vom eintönigen Schaukeln der Pferde beruhigen zu lassen und sich damit zu trösten, dass keiner der Männer ihnen bis jetzt Gewalt angetan hatte.

So verhielt es sich zumindest die ersten drei Tage. Am vierten legten sie zur Mittagszeit keine Rast ein wie sonst, und während Elisa noch ihr Durst zu schaffen machte, stellte sich heraus, dass es eine weitaus größere Bedrohung gab als diesen.

»Elisa«, raunte Magdalena plötzlich ihren Namen. Sie hatten in den letzten Tagen kaum Worte gewechselt, vielmehr stillschweigend die Übereinkunft getroffen, dass sie ihre Ängste nur vergrößern würden, würden sie über ihre Lage sprechen. Doch nun brach Magdalena das Schweigen.

»Elisa, einer der Männer starrt dich fortwährend an.«

Elisa hatte stets den Kopf gesenkt gehalten. Sie konnte sich nicht erinnern, aufdringlich in eines der dunklen Gesichter geblickt zu haben. Auch jetzt versuchte sie, nur aus den Augenwinkeln zu erkennen, wen Magdalena meinte. Doch noch ehe sie den Mann erblickt hatte, hielten die Pferde ruckartig an, und einer brach unvermittelt in ein wütendes Geschrei aus, in das ein anderer nicht minder ärgerlich einstimmte.

Elisa klammerte sich an das Pferd fest und gab vor, nichts zu sehen und nichts zu hören. Das Katherl hingegen stieß schrille Rufe aus – vielleicht aus Furcht, vielleicht, weil sie an dem unerwarteten Gezänk Spaß hatte.

»Sei doch ruhig«, versuchte Magdalena, sie zu beschwichtigen.

Immer mehr Stimmen mischten sich in den Streit ein. Die lauteste allerdings verstummte jäh. Im nächsten Augenblick stapfte jemand auf Elisas Pferd zu und hielt es an der Mähne fest. Zugleich legte sich eine Hand um Elisas Leib und zog sie nach hinten. Sie schrie auf, wehrte sich dagegen – und erkannte zu spät, dass jener Reiter, der sie auf seinem Pferd mitnahm, sie nicht bedrängen, sondern vielmehr schützen wollte. Sein Griff lockerte sich, wohingegen der andere nach ihrem Fuß schnappte und einfach daran zerrte. Sie verlor das Gleichgewicht, kippte vom Pferderücken und glaubte schon, mit dem Kopf nach vorne auf die Erde zu fallen. Gerade noch rechtzeitig hielt sie der Mann, der sie heruntergezogen hatte, fest, doch sein Griff geriet wenig behutsam. Kaum war sie auf dem Boden gelandet, umfassten seine Pranken nicht länger ihre Schultern, sondern ihren Nacken und zerrten sie mit sich.

Elisa hörte Magdalena und das Katherl schreien. Sie sah nur schwankenden Boden unter sich, konnte weder erkennen, wohin der Mann sie brachte, noch verstehen, was er mit wütender Stimme zu ihr sagte. Das Einzige, was sie begriff, war, dass er sie von den anderen Frauen fortbringen würde.

Sie können uns doch nicht trennen, sie ...

Sie wusste nicht, ob sie sich wehren sollte oder ob sie ihre Lage dadurch noch verschlimmerte. Nach Momenten, die ihr endlos währten, blieb der Mann endlich stehen – nicht ganz freiwillig, wie sie im nächsten Augenblick erkannte. Ihr Blick fiel auf seine Füße und schließlich auf ein zweites Paar, die dicht vor seinen standen.

Der Griff um ihren Nacken lockerte sich, hart fiel sie zu Boden. Als sie sich aufrichtete, standen die beiden Männer starr voreinander – der Angreifer und ein älterer, dessen Gesicht ihr fremd war und der nicht zur Truppe derer gehört hatte, die ihre Siedlung überfallen hatten.

Eine Weile maßen sie sich nur stumm, dann erklangen erste Worte, nicht wutentbrannt und streitlüstern wie vorhin, sondern kalt und klar. Elisa strich sich die Haare aus dem Gesicht;

zuletzt redete nur mehr der ältere Mann, der andere ließ dagegen seinen Blick sinken. Elisa sah, dass er seine Hände zu Fäusten ballte, aber ansonsten rührte er sich nicht, auch dann nicht, als der Alte einen lauten Ruf ausstieß. Die anderen kamen vorsichtig näher, und Elisa schloss erleichtert Magdalena in die Arme.

»Was wollte er nur ... was wollte er ...«, stammelte sie bebend.

Magdalena antwortete nicht. »Sieh doch nur!« Sie deutete hinter Elisa, und als sie sich umdrehte, sah sie eine dünne Rauchsäule gen Himmel steigen – ein Zeichen, dass sie die menschenleere Gegend hinter sich gelassen hatten.

Dicht standen die Häuser des kleinen Dorfes nebeneinander, manche rund, manche oval, wieder andere rechteckig. Sie waren aus dem Holz der Araukarie errichtet, und der starke Geruch des Holzes war hier in der Fremde etwas wohltuend Vertrautes. Elisa atmete ihn tief ein.

»Ruca«, so hießen diese Häuser, fiel ihr wieder ein. Unscharf konnte sie sich erinnern, wie Lukas einmal mit Quidel über ihre Bauweise gesprochen hatte – Lukas, der sich immer für alles interessierte, was mit Holz zu tun hatte ...

Elisa schluckte schwer, als sie an ihn dachte.

Noch ehe sie sich im Dorf umblicken und erkennen konnte, welche Pflanzen in den kleinen Gärten wuchsen und welche Tiere die Menschen neben den Pferden hielten, bekam sie einen Stoß versetzt und wurde in eine der Rucas gedrängt.

Nach dem grellen Sonnenlicht sah sie zunächst nichts. Erst mit der Zeit erkannte sie, dass die Wände mit Stroh verkleidet waren und der Boden mit Ledermatten ausgelegt. Von außen war ihr die Ruca riesig erschienen, doch das Innere war durch dünne Holz- oder Weidenstellwände in mehrere Räume unterteilt, so eng und klein, dass sich höchstens vier Menschen zugleich darin befinden konnten. Im Raum neben ihnen musste ein Feuer brennen, denn nicht nur Hitze hüllte sie ein, sondern auch dichter Rauch.

Magdalena blickte sich ebenso angespannt um wie sie, nur das Katherl sank müde auf den Boden. Sämtliches Gekicher und Gerufe war verstummt.

»Gott sei Dank, dass wir zusammen sind«, seufzte Elisa.

Sie zuckten beide zusammen, als Licht auf sie fiel. Jemand hatte den Ledervorhang, der die Ruca verschloss, zur Seite geschoben, und trat herein. Doch zu ihrer Erleichterung war es keiner der finsteren Männer, sondern eine Frau, die sie zunächst neugierig betrachtete, dann aber ihren Blick sinken ließ und sich vermeintlich gleichgültig gab.

Nachdem sie sich abgewandt hatte, musterten Elisa und Magdalena die Frau ihrerseits. Um ihren Körper war ein quadratisches Tuch aus rauher Schafwolle gebunden, das eine leuchtende Schärpe über der linken Schultern zusammenhielt. Darunter trug sie enganliegende Leibkleider aus Leder; die Arme waren nackt. Wie manche der Männer hatte sie um die Stirn ein Band gebunden. Außerdem waren die dunklen Haare zu vielen kleinen Zöpfen geflochten und wurden mit einer silbrig glänzenden Spange zusammengehalten. Die Schärpe an der Schulter war nicht der einzige Schmuck – zudem trug sie Armreifen, Ketten und Ringe.

Nun trat sie an die Wand und nahm etwas von einem Haken. Erst jetzt sah Elisa, dass Tontassen, Krüge und Werkzeuge dort aufgehängt waren, außerdem weitere Kleidungsstücke und Decken. Es war eine Art Zange, die sie an sich nahm und mit der sie im Boden scharrte. Zunächst begriff Elisa nicht, was sie damit bezweckte – dann sah sie, dass an dieser Stelle ein Loch in den Boden gegraben worden war. Köstlicher

Geruch stieg hervor, als die Frau zunächst eine steinerne Platte fortschob, dann einige gegarte Blätter der Nalca-Pflanze, die auf einen heißen Stein geschichtete Kartoffeln und Fleisch bedeckten.

Elisas Magen knurrte.

»Bitte … bitte … wir müssen etwas essen.«

Die Frau blickte hoch und hatte erneut darum zu kämpfen, ihre Neugierde zu zügeln. Unauffällig huschte ihr Blick zunächst über Elisa, dann über Magdalena. Schließlich gab sie ihnen etwas zu essen, jedoch kaum etwas von dem Fleisch, stattdessen große Blätter, die mit senfkorngroßen Samen gefüllt waren. Sie schmeckten fremd, aber Elisa würgte sie gierig herunter.

Nachdem der ärgste Hunger gestillt war, erwachten neue Lebensgeister – und Furcht. Magdalena rückte näher zu ihr heran und nahm ihre Hand. »Was werden sie nur mit uns tun?«, stellte sie jene Frage, die sie bis jetzt eisern gemieden hatten.

Trotz der Hitze fröstelte Elisa. »Der Mann, der mich vom Pferd riss, scheint voller Hass auf uns zu sein.«

»Aber am Ende hat er uns nichts getan, sondern sich dem Alten gebeugt.«

»Vielleicht hat er eigenmächtig unsere Siedlung überfallen, ohne Zustimmung des … des …« Elisa versuchte, sich daran zu erinnern, was Quidel ihnen einst über sein Volk erzählt hatte und wie der Ranghöchste eines Dorfes hieß. Es fiel ihr nicht ein. »Nun … dieser Alte scheint nicht so böse und wutentbrannt zu sein. Vielleicht, vielleicht lässt er uns wieder nach Hause gehen.«

Elisa hatte hoffnungsvoller klingen wollen, als ihr zumute war.

»Vielleicht«, sagte Magdalena knapp, ehe sie ihre Hand losließ und die eigenen Hände zum Gebet faltete.

In den nächsten Stunden murmelte sie stets vor sich hin. Das Katherl war längst eingeschlafen. Elisa hingegen fand keine Ruhe. Das monotone Flüstern von Magdalena beschwichtigte sie nicht, sondern wühlte sie auf.

»Das Gebet gibt dir Kraft, nicht wahr?«, stellte sie schließlich fest, fast neidisch, dass die andere etwas fand, was dem zermürbten Geist Ruhe schenkte, während sie in der Enge der Ruca zu ersticken glaubte.

Magdalena blickte langsam auf. »Wenn ich bete, dann erscheint alles andere als so bedeutungslos.«

»Alles? Wirklich alles?«

Magdalena antwortete nicht darauf. »Ich habe früher immer bedauert, dass wir protestantisch und nicht katholisch sind. Ich habe mir manchmal ausgemalt, Nonne zu werden.«

»Du wolltest in ein Kloster gehen?«, rief Elisa überrascht.

»Möchtest du denn nicht heiraten?«

»Heiraten? Ich?« Magdalena lachte trocken. »Niemals!«

Es war nicht lange her, da Elisa sich überlegt hatte, ob Magdalena nicht die rechte Frau für Cornelius wäre. »Aber willst du denn keine Kinder?«, fragte sie erstaunt.

»Schau dir Jule an! Sie hat keine Kinder und keinen Mann – und ist doch glücklich.«

»Ja, aber Jule hat ihre Familie einfach verlassen. Das würdest du doch niemals tun.«

»Ich will so eine Familie gar nicht erst haben. Ich mag Kinder, wenn es nicht meine eigenen sind.«

Sie senkte ihren Kopf, fuhr fort, ihr Gebet zu murmeln, und diesmal unterbrach Elisa sie nicht. Sie ließ sich auf den Boden sinken und konnte sich nun nicht länger dagegen wehren, dass die schrecklichen Bilder des Überfalls vor ihr aufstiegen. Richard ... wie er niedergefallen war ... Annelie, die sich mit Ricardo in einem Erdloch versteckt hatte ... und Lukas ... ihr

Lukas ... lebte er noch? Wer sorgte an ihrer und seiner statt für die Söhne?

Vielleicht gab das Magdalena am meisten Kraft – nicht ihr Glaube, nicht ihr Gebet, sondern weil es niemanden gab, den sie so bedingungslos liebte, dass sie in Sorge um ihn vergehen musste.

Elisa schloss die Augen. Nicht länger waren es die grausamen Bilder, die sie verfolgten. Jäh erschien ihr das Gesicht von Cornelius. Sie hatte keine Kraft, sich wie in all den letzten Jahren die Gedanken an ihn zu verbieten, gab sich vielmehr der Vorstellung hin, er würde tatsächlich hier sein, ruhig und besonnen, würde sie trösten, würde sie beschwichtigen. Es wird doch alles gut, würde er sagen, würde sie in den Arm nehmen, sie an sich pressen, so wie einst an der Küste, nach dem Schiffsbrand ...

Ach, Cornelius, dachte sie.

Sie verging vor Sorge um ihre Söhne und um Lukas, sie sehnte sich fast schmerzhaft danach, den kleinen Ricardo in den Arm zu nehmen und ihn zu trösten. Aber erst beim Gedanken, dass sie Cornelius womöglich niemals wiedersehen würde, weinte sie.

Drei Pferde besaß die Siedlung – eines gehörte den von Grabergs, eines den Glöckners, eines den Steiners. Cornelius schlug vor, dass sie abwechselnd zu zweit auf einem reiten sollten, doch Quidel erklärte freiwillig, er würde darauf verzichten und lieber laufen. Auf diese Weise könnte er auch am besten die Spuren der Mapuche verfolgen.

Cornelius fragte sich insgeheim, ob das sein einziger Beweggrund war oder ob er nicht lieber einem neuerlichen Konflikt mit Poldi aus dem Weg gehen wollte. Doch machte er sich zunächst auch Sorgen, ob Quidel den Gewaltmarsch durchhalten würde, so zeigte sich später, dass er mühelos mit den trabenden Pferden mithalten konnte.

Die Mapuche verwendeten keine Sättel – und auch die deutschen Siedler mussten notgedrungen darauf verzichten, da es am See keinen einzigen Sattelmeister gab. Stattdessen legten sie mehrere Schaffelle und Wolldecken auf den Pferderücken und zurrten diese mit einem breiten Ledergurt fest. Ein Gutes hatte das: So hatten sie zugleich Decken für die Nacht dabei. Ebenfalls um den Pferderücken gebunden wurde die Maleta, eine große Ledertasche mit ihrem Proviant: etwas Röstkaffee, Brot und Käse.

Trotz der trüben Stimmung konnte sich Cornelius nur mühsam ein Auflachen verkneifen, als er Poldi sah. Der glaubte offenbar, sich zum größten Abenteuer seines Lebens rüsten zu müssen, und hatte alles angezogen, was er besaß: Nicht nur feste Reitstiefel mit den Sporen, sondern gleich mehrere Hemden, einen Poncho darüber und obendrein einen Stroh- und Filzhut übereinander.

»Du wirst dich zu Tode schwitzen«, meinte Fritz kopfschüttelnd. Aber er verbot ihm nur, die Pistole zu tragen – die einzige Waffe, die die Siedler besaßen –, und nahm sie selbst an sich. Was Poldi sich jedoch nicht abnehmen ließ, war sein Jagdmesser. Cornelius sah es aufblitzen, als Poldi ein langes Hanfseil, mit dem sie über Nacht die Pferde anbinden würden, über seinen Schultern zusammenrollte, und machte sich Sorgen.

Poldi ging zwar kein zweites Mal auf Quidel los, dennoch war sein Hass auf den Mapuche unverkennbar. Wie würde er sich erst verhalten, wenn sie mit den Männern zusammentrafen, die die Siedlung überfallen hatten? Und würden sie diese wirklich so einfach finden?

Quidel gab sich zuversichtlich, die Spuren lesen zu können, und zeigte ihnen schweigend die erste Wegstrecke. Die freien

Flächen, die auf den dichten Regenwald folgten, verhießen noch menschliche Spuren – Apfelhaine, Zäune und ausgetretene Wege. Doch je weiter sie ritten, desto ursprünglicher und wilder wurde das Land. Nach der ersten Nacht begegneten sie keinem Menschen mehr, nur wilden Schaf- und Pferdeherden. Mehrmals bot Cornelius Quidel sein Pferd an, doch jedes Mal lehnte er es ab. Wenigstens drosselte Fritz fühlbar das Tempo, um den Mapuche nicht zu erschöpfen. Um die Mittagszeit des zweiten Tages, als die Sonne gnadenlos auf sie herabbrannte, sprang Cornelius von seinem Pferd, um zu Fuß neben dem Freund zu gehen. Der deutete in Richtung der schneebedeckten Kordilleren. »Wie ich es mir dachte. Sie sind in die Berge geritten.«

»Und wenn wir sie finden?«, fragte Cornelius. »Was sollen wir dann tun? Denkst du, dass sie uns die Frauen wohlbehalten wiedergeben?«

Quidel zuckte mit den Schultern. »Die Männer waren allesamt jung. Ich glaube nicht, dass ihr Kazike dabei war. Mit ihm müssen wir sprechen.«

Cornelius hatte Quidel schon das eine oder andere Mal von einem Kaziken sprechen gehört, aber nie genau ergründet, wer das war. Da die Mapuche in kleinen Sippenverbänden lebten – größere Städte gab es nicht –, vermutete er, dass es eine Art Stammeshäuptling war, und genau das bestätigte Quidel, als Fritz nun nachfragte.

»Unsere Sippen heißen Lobchen«, antwortete er. »Und jede Lobche hat einen Kaziken. Er ist der oberste Richter und Ratgeber. Er muss vernünftig sein, großzügig und gut reden können. Er ist dem Dorf wie ein Vater.«

»Und es gibt niemanden, der über ihm steht?«

»Die Lobchen eines Gebietes versammeln sich regelmäßig und wählen unter den Kaziken zwei Führer – die Toqui; einer ist für das Wohlergehen in Friedenszeiten verantwortlich, der andere in Kriegszeiten. Einst hatte Letzterer nur für kurze Zeit die Macht, denn Kriege zwischen den Stämmen währten nie lange. Aber dann kamen die Spanier … Und wann hat seither jemals Frieden geherrscht?«

Die dunklen Augen glänzten traurig.

»Aber Chile ist seit 1818 von Spanien unabhängig«, warf Fritz ein.

»Und wenige Jahre später hieß es, dass die Mapuche dieselben Rechte bekämen wie jeder Bürger Chiles«, antwortete Cornelius an Quidels Stelle. »Aber kaum einer hat sich daran gehalten. Die spanischstämmigen Chilenen haben viele Mapuche versklavt und zur Minenarbeit gezwungen.«

»Und jetzt«, fügte Quidel hinzu, »dringen sie in unser Gebiet vor und metzeln unsere Leute nieder.«

»Pah!«, mischte sich Poldi plötzlich ein. Cornelius hatte nicht bemerkt, dass er dem Gespräch aufmerksam gelauscht hatte.

»Es heißt doch, dass die chilenische Regierung den Indianern ihr Land abgekauft hat. Warum hätte sie es kaufen sollen, wenn sie es sich auch gewaltsam nehmen könnten?«

»Das mag sein«, sagte Cornelius. »Aber Tatsache ist, dass die chilenische Regierung viel zu wenig bezahlt hat. Die Mapuche ihrerseits betrachten das Land nicht als persönlichen Besitz. Sie betreiben nur wenig Ackerbau. Wenn der Boden ausgelaugt ist, ziehen sie weiter. Sie wussten gar nicht, was sie taten, als sie der Regierung das Land überließen.«

»Wenn sie nichts von Ackerbau verstehen, dann können sie uns wohl kaum vorwerfen, dass wir ihren Boden bewirtschaften. Ach«, Poldi ballte seine Hände zu Fäusten und hob sie zum Himmel, »wie sie unsere Felder niedergeritten haben! Wie sie die Tierställe angezündet haben!«

»Das waren einige wenige«, sagte Cornelius, »das waren …«

»Verfluchtes Indianerpack war das, so viel steht fest!«

Cornelius wollte zu einer wütenden Entgegnung ansetzen, aber Fritz kam ihm zuvor.

»Wenn du dich nicht beherrschen kannst, Poldi, dann dreh auf der Stelle um!«

Poldi schwieg tatsächlich, ritt jedoch aus Protest fortan zwanzig Schritte hinter ihnen. Keiner sagte es, aber alle waren insgeheim erleichtert.

»Du hast gesagt, dass die Männer die Frauen nicht töten werden«, sagte Cornelius, als Poldi aus ihrer Hörweite verschwunden war. »Aber müssen wir befürchten, dass sie ihnen … dass sie ihnen …« Er konnte es nicht aussprechen.

»Dass sie ihnen Gewalt antun?«, schloss Quidel an seiner Stelle. »Nun, unsere Männer dürfen mehrere Frauen haben, und einst verhalf es ihnen zu großem Ansehen, wenn ein paar Spanierinnen darunter waren. Aber das ist lange her.«

Fritz schüttelte den Kopf und machte ein gleichzeitig angewidertes wie besorgtes Gesicht.

Quidel schwieg eine Weile, dann sagte er in die Stille hinein: »Dieser General Saavedra, der vor kurzem mit seinem Heer die Grenze Araukaniens überschritten hat, lässt Häuser und Felder in Brand stecken und die Männer ermorden – die Frauen und Kinder aber gefangen nehmen. Ich habe eine Frau getroffen, die das erlebt hat und …«

Er suchte nach den richtigen Worten, fand sie jedoch nicht.

»Du hast es mir nie erzählt«, meinte Cornelius verwirrt – nicht sicher, ob der Freund ihn einfach nur hatte schonen wollen oder ob er trotz aller Vertrautheit der Meinung war, dass das Leiden seines Volkes nur ihn anginge.

»Warum sollte ich?«, gab Quidel ungewohnt barsch zurück. »Wir sind verpflichtet, unsere Träume auszusprechen, nicht unsere Sorgen.«

»Eure Träume auszusprechen?« Es war Fritz, der sich neugierig einschaltete.

»Was wir für uns denken, ist unsere Sache«, gab Quidel zurück. »Aber wir sind verpflichtet, den anderen unsere Träume zu erzählen. Es könnte eine Vision dabei sein, die Gott uns schickt, und die dürfen wir nicht verschweigen.«

»Und woher wisst ihr, was ein gewöhnlicher Traum ist und was eine Botschaft Gottes?«

»Die Machi deutet sie, die Medizinfrau. Und außerdem fühlt man es doch.«

Je heißer es wurde, desto dünner gerieten ihre Gespräche. Irgendwann blickte ein jeder nur mehr vor sich auf den Weg. Unter kreisenden Kondoren durchquerten sie die Hochebenen, und Cornelius, der bis jetzt noch vermeint hatte, die eine oder andere Hufspur auszumachen, hätte beim besten Willen nicht sagen können, ob sie die richtige Richtung nahmen.

Quidel hingegen gab ihnen den Weg vor, ohne zu zaudern.

»Wenn sie wüssten, dass jemand wie ich ihnen folgte – sie hätten ihre Spuren besser verwischt«, erklärte er mit dem Anflug eines Lächelns.

Cornelius schwankte zwischen Erleichterung und Sorge. Vielleicht würden sie sie tatsächlich einholen. Aber wann? Und was mussten die Frauen bis dahin durchmachen?

Ach, Elisa, Elisa, beschwor er sie innerlich, halte durch. Ich bin auf dem Weg zu dir. Ich lasse dich nicht im Stich …

Er wusste, dass sie und die Tiere eine Pause brauchten, aber doch erschien es ihm wie eine unerträgliche Verzögerung, als sie am Abend zum zweiten Mal ihr Nachtlager aufschlugen. Wie erlebte Elisa diese Nächte, da es schlagartig eisig kalt wurde?

Abwechselnd schliefen sie und bewachten das Feuer. Als Cornelius' Zeit für die Nachtruhe gekommen war, musste er sich regelrecht zwingen, ruhig liegen zu bleiben und die Augen zu schließen. Unruhig scharrte er mit den Beinen über den Boden. Irgendwann übermannte ihn kurz der Schlaf, doch alsbald fuhr er wieder hoch.

Er hörte Gemurmel. Fritz und Quidel saßen dicht vor dem Feuer beisammen und unterhielten sich, was Cornelius überraschte. Auch wenn Fritz dem Mapuche viel respektvoller begegnete als Poldi und ihm manche Frage stellte, hatte er bis jetzt nicht das Gefühl gehabt, dass sein Interesse für dessen Kultur sonderlich tief ginge.

Cornelius stieg über den schnarchenden Poldi hinweg zu ihnen.

»Worüber redet ihr?«, fragte er. Fritz zuckte kaum merklich zusammen, als hätte er ihn bei etwas Verbotenem ertappt.

»Über Träume«, sagte Quidel schlicht. »Nur über Träume.«

Nun war Cornelius noch erstaunter, aber er wollte Fritz nicht bedrängen. Sein Gesicht, ansonsten meist grimmig, wirkte irgendwie traurig und verloren.

War es die Sorge um die Frauen, die sein Gemüt bedrückte? Oder dachte er an die Toten – Richard von Graberg und Taddäus Glöckner?

Cornelius wusste, dass Fritz alles für seine Familie getan hätte, aber er hatte keine Ahnung, wer ihm wirklich nahestand und was er aus Liebe und Begeisterung, nicht bloß aus Pflichtbewusstsein tat.

Schweigend erwarteten sie die Dämmerung. Die Berge leuchteten rosa, als sich erste dünne Lichtfäden um ihre Spitzen woben.

»Das Land ist so schön«, sagte Fritz leise. »Und wir bemerken es kaum, weil wir immer nur auf die Erde vor unseren Füßen starren.«

Cornelius war froh, dass sie zeitig aufbrachen, doch seine Anspannung vertrieb die Müdigkeit nicht. Drückende Schwere lastete über seine Augen. Manchmal schloss er sie und ritt blind.

Einmal wäre er fast eingenickt, und als er hochfuhr, sah er, dass die anderen stehen geblieben waren und aufgeregt in die Ferne deuteten. Zuerst waren nur dunkle Pünktchen zu sehen, schließlich wurden Gestalten daraus. Nach vielen Tagen begegneten sie erstmals wieder Menschen – einer Maultierkarawane, die von Argentinien kam und die Salz mit sich führte.

Dies zumindest erklärten die Männer, die sie anführten und deren Worte Quidel übersetzte.

»Es sind nur Händler mit friedlichen Absichten«, erklärte er. Poldi ließ sich nicht so leicht davon überzeugen. »Von wegen!«, zischte er. »Das sind Rothäute. Wer weiß, was sie tatsächlich im Schilde führen.«

Sein Griff ging zu seinem Jagdmesser, aber Fritz beugte sich vor und fiel ihm in den Arm. »Es ist jetzt nicht die Zeit, den Helden zu spielen. Uns musst du nichts beweisen!«

»Was heißt beweisen! Ich will die Frauen zurückholen!«

»Ach ja, um die Frauen geht's dir? Um welche denn genau? Tatsächlich nur um Magdalena, das Katherl und Elisa, oder willst du nicht vielmehr Barbara beweisen, welch tapferer Kerl du bist? Oder nein, du willst ihr gar nichts beweisen, du weißt schlichtweg nicht, wohin mit deiner Ohnmacht, jetzt, da Taddäus tot ist, aber du immer noch mit Resa verheiratet bist. Du bist so leicht zu durchschauen, Poldi. Glaub nicht, ich wüsste nicht …«

»Halt dein Maul!«, unterbrach Poldi ihn rüde. Immerhin schwieg er nun und versuchte auch gar nicht erst, erneut das Messer hervorzuziehen.

Quidel tauschte weitere Worte mit den Männern, dann zog die Karawane weiter.

»Und? Haben sie die Frauen gesehen?«, fragte Cornelius begierig. Er war wieder hellwach.

»Und selbst wenn – sie würden ja doch lügen«, konnte sich Poldi nicht zu murren verkneifen.

»Gesehen haben sie niemanden«, sagte Quidel. »Aber sie wissen von einer größeren Siedlung. Sie liegt ungefähr einen Tagesmarsch von hier entfernt.«

27. Kapitel

Die restliche Wegstrecke verlief schweigsam. Nach einer weiteren Nacht, wuchs ihre Anspannung. Poldi schien vor Ungeduld nahezu zu bersten, und während Cornelius dessen Unbeherrschtheit weiterhin Sorge bereitete, wirkte Fritz vor allem nachdenklich und in sich versunken. Der Einzige, der förmlich aufzublühen schien, war Quidel. Leichtfüßig nahm er auch die steilste Wegstrecke, mit der ihre Pferde zu kämpfen hatten, und erwartete sie oben meist lange im Voraus. Irgendwann tat er nicht einmal mehr das, sondern lief weiter und weiter, wohl gewiss, dass die anderen seine Spuren schon entdecken würden. Ob er selbst noch jenen folgte, die die Mapuche hinterlassen hatten, sagte er nicht. Poldi bekundete laut seinen Zweifel daran, aber Cornelius erklärte entschlossen, dass er niemandem so vertraute wie Quidel.

Und schließlich blieb dieser plötzlich stehen. Nach einem Stück Steppe waren sie in einen Wald gelangt mit struppigen Nadelbäumen und dornigem Gebüsch. »Hast du … hast du etwas gehört?«, fragte Cornelius gespannt.

Quidel gab ihnen ein Zeichen, zu schweigen, und winkte sie zu sich heran. Behutsam sprangen sie vom Pferd.

»Dort!«, sagte Quidel.

Cornelius sah angestrengt in die Richtung, in die Quidel deutete, doch er erblickte nichts als unverändert flirrenden Himmel. Erst nach einer Weile glaubte er, eine dünne Rauchsäule auszumachen, die nach oben stieg.

»Wahrscheinlich ist es die Siedlung.«

Poldi stampfte wütend auf. »Na endlich!«, rief er und drängte sich ungeduldig an ihnen vorbei. Cornelius sah erst jetzt, dass er unbemerkt die Pistole an sich gebracht hatte, die Fritz bis jetzt in seinem Gürtel stecken und ihm verwehrt hatte. »Du kannst doch nicht einfach losstürmen!«, fuhr er ihn an, aber Poldi fuchtelte nur mit der Waffe herum und schien genau das im Sinn zu haben.

»Nicht!« Quidel stellte sich ihm in den Weg. »Keine Gewalt!«

Poldi starrte ihn wütend an. »Ich habe nicht mit der Gewalt begonnen!«, schrie er auf. Als Quidel ihn festhielt, entzog er ihm ruckartig den Arm und hielt ihm die Pistole bedrohlich vor die Nase.

Quidel wich kein Jota zurück, aber Fritz ging entschlossen dazwischen.

»Wir tun, was Quidel sagt!«

»Aber …«

Da packte Fritz ihn seinerseits am Arm, schlug ihm die Pistole aus der Hand und zerrte ihn von den anderen fort. Seine Stimme war laut genug, dass Cornelius jedes einzelne Wort hören konnte. »Du triffst hier nicht die Entscheidungen!«, zischte Fritz.

»Unser Bruder wäre fast gestorben … seinetwegen«, murrte Poldi. »Und denk an Richard von Graberg und …«

»Wenn es darum geht, was die Mapuche uns angetan haben – warum nimmst du dann nicht auch Taddäus' Namen in den Mund? Weil dir sein Tod etwa ganz zupasskommt?«

Poldis Gesicht lief dunkelrot an. »Du wagst es …«

Mit geballten Fäusten wollte er auf ihn losgehen, und schon hob Fritz abwehrend die Hände, doch ehe es zum Kräftemessen der beiden Brüder kam – Cornelius war sich sicher, dass der jüngere dabei unterlegen wäre –, erstarrte Poldi.

Auch Cornelius zuckte zusammen, und schließlich nahm auch Fritz sie wahr – die schleichenden Schritte, die langsam, aber unausweichlich immer näher kamen und einen festen Kreis um sie zogen.

Cornelius fuhr herum. Bäume und Gestrüpp standen zu dicht, um Gesichter auszumachen, aber nun sah er zwischen den Ästen eine der Boleadoras – eine furchteinflößende Waffe der Mapuche.

Er hob beschwichtigend die Hände: »Ruhig, ganz ruhig«, murmelte er, weniger, um die lautlosen Angreifer im Zaum zu halten, als seine eigenen Begleiter zu beschwichtigen.

Bei Poldi stieß er dabei auf taube Ohren. Eben noch rasend vor Zorn auf seinen Bruder, bückte er sich rasch nach der Pistole und drehte sich wild im Kreis damit, bereit, notfalls auch ins Gebüsch zu schießen.

»Nicht!«

Es waren Cornelius und Fritz, die aus einem Mund schrien, aber es war Quidel, der zum lautlosen Sprung angesetzt hatte, Poldi zu Boden zog und ihm die Pistole aus der Hand riss. Nur knapp vor Cornelius' Fußspitze kam sie zu liegen, doch er hob sie nicht auf, sondern blieb starr und mit erhobenen Händen stehen. Wieder raschelte es im Gebüsch, als sich die Mapuche erhoben, sich endlich zeigten und ihren Kreis um sie noch dichter zogen.

Quidel ließ rasch von Poldi ab, trat ihnen entgegen und redete in Mapudungun, der Sprache der Mapuche, auf sie ein. Cornelius versuchte, unter den Männern einen Anführer auszumachen, doch ihre Trachten glichen einander ebenso bis aufs Haar wie ihre unbewegten, ausdruckslosen, stolzen Gesichter. Sie wirkten nicht offen gewaltbereit, jedoch mit ihren Waffen durchaus bedrohlich.

Eine Weile sprach nur Quidel. Poldi, der sich langsam aufgerappelt hatte, wollte etwas dazwischenrufen, doch Fritz rammte ihm wütend den Ellbogen in den Leib, um ihn zum Schweigen zu bringen.

Schließlich ertönte auch die Stimme einer der Männer, dunkel und kehlig.

»Was ist?«, fragte Fritz. Ihrer aller Nerven waren zum Zerreißen gespannt.

»Wir sollen mit ins Dorf kommen«, erklärte Quidel knapp. Er beugte sich, hob die Pistole auf und hielt sie weit vom Leib entfernt, zum Zeichen, dass er sie nicht als Waffe einsetzen würde.

Der Kreis der Männer lichtete sich ein wenig, so dass sie vorbeitreten konnten. Sonderlich freundlich war der Ausdruck ihrer Gesichter jedoch nicht geworden.

Nicht lange währte es, bis sie das Dorf erreichten. Quidel hatte Cornelius einst erzählt, dass sein Volk vor allem von der Jagd lebte und nur selten Ackerbau betrieb, doch hier schien es anders zu sein. Schafe und Ziegen grasten an den Rändern von Weizen-, Mais- und Gerstenfeldern. Sie kamen an einem Schweinekoben vorbei, und ein paar Hühner staksten über die Erde. An den Hütten rankten sich Bohnen hoch; in weiteren Beeten wurden Kartoffeln angebaut und etwas, was wie Pfefferschoten aussah.

In der Koppel hinter dem Schweinekoben sah Cornelius Tiere, die er nicht kannte – nicht so groß wie Pferde und dicht behaart, mit schwülstigen Lippen und geblähten Nüstern.

»Was ist das?«, fragte er verwundert.

Fritz war seinem Blick gefolgt. »Ich denke, das sind Lamas. Sieh zu, dass du Abstand hältst – sie spucken, wenn du ihnen zu nahe kommst.«

»Sie geben Milch und Wolle«, schaltete sich Quidel ein. »Früher, als wir noch keine Pferde und Rinder hielten, waren sie unsere wichtigsten Tiere. Jetzt sind die meisten verwildert. Leben in riesigen Herden in der Pampa.«

Cornelius ließ seinen Blick schweifen. Zwischen den Häusern standen vereinzelt auch Lederzelte. Die Haut der Menschen, die ihnen aus diesen entgegenkamen, war sonnengegerbt, aber nicht bei allen gleich dunkel. Manch einer war so weiß wie sie – er wusste nicht, ob das von einer Laune der Natur rührte oder davon, dass die Mapuche über Jahrhunderte Spanierinnen geraubt und sich mit ihnen vermischt hatten.

Einer der Männer war wiederum dunkelschwarz. Ein erstaunter Aufschrei entrang sich seiner Kehle.

»Ein Neger!«, rief Fritz – eher fasziniert als abfällig.

»Er kommt wahrscheinlich aus dem Norden Amerikas«, erklärte Quidel. »Viele Negersklaven fliehen von dort hierher nach Chile, gerade jetzt, da dort Bürgerkrieg herrscht. Mein Volk nimmt sie gerne auf und …«

Plötzlich verstummte Quidel. Ein Mann hatte sich vor ihnen aufgebaut; er war nicht unter denen gewesen, die sie vorhin umstellt und ins Dorf geführt hatten. Sein Gesicht war ausdruckslos wie das der anderen, aber mit deutlich mehr Falten und – wie Cornelius schien – aufmerksamer und wacher. Eine Weile senkte sich Stille über sie, dann richtete er sein Wort an Quidel.

Er sprach langsam und gesetzt, und obwohl Cornelius nicht verstand, was er sagte, fasste er augenblicklich Vertrauen. Dieser alte Mann hatte nichts mit den unberechenbaren, brutalen Kriegern gemein, die ihre Siedlung überfallen hatten.

Die anderen belauschten den Wortwechsel ebenso angespannt wie sie. In einigen Gesichtern regte sich Zustimmung; andere wirkten verärgert.

Cornelius war es, als würde einer der Jüngeren das Wort »Huincas!« ausstoßen – ein abfälliger Begriff der Mapuche für die Weißen.

Der alte Mann tat so, als bemerke er die Unruhe seiner Stammesgenossen nicht. Als es an Quidel war, ihm zu antworten, hörte er ihm in aller Ruhe zu.

Zuletzt herrschte wieder Stille. Cornelius' Nerven waren zum Zerreißen gespannt. Was würde man ihnen antun? War dies das Dorf, wohin man die Frauen gebracht hatte?

Schließlich hob der Alte wortlos seine Hand, woraufhin einer der Jüngeren Cornelius die Zügel seines Pferdes abnahm. Er wusste nicht recht, was das zu bedeuten hatte, aber überließ ihm sein Tier – ganz anders als Poldi, der sich schützend vor sein Pferd stellte.

»Nicht!«, rief er wütend.

»Lass ihn nur machen!«, meinte Quidel beschwichtigend. »Sie wollen unsere Pferde doch nur versorgen!«

»Von wegen!«, rief Poldi grimmig. »Stehlen wollen sie sie wahrscheinlich!«

Er warf Fritz einen auffordernden Blick zu, doch obwohl der ebenso skeptisch wie Poldi die Stirn runzelte, gab er dem jüngeren Bruder ein Zeichen, sich zu fügen.

Während die Tiere fortgeführt wurden, trat Cornelius zu Quidel.

»Und? Was sagt er?«

»Dass er unsere Pferde versorgen lässt, ist ein gutes Zeichen. Es bedeutet, dass er uns seine Gastfreundschaft gewährt. Und er hat auch versprochen, dass wir zu essen bekommen.«

»Und die Frauen, was ist mit den Frauen? Sind sie hier?«

Quidel zuckte mit den Schultern. »Als ich von ihnen sprach, hat er nichts von ihnen gesagt. Aber das muss noch nichts bedeuten. Warten wir es ab.«

Sie wurden in eines der Häuser geführt, wo sie dampfige,

schwere Luft empfing. Cornelius schwindelte kurz; erst jetzt merkte er, wie sehr ihm der anstrengende Ritt der letzten Tage zugesetzt hatte und wie hungrig er war.

Alles hätte er gegessen, was man ihm anbot – doch zu seinem Erstaunen befanden sich in den Schüsseln, die ihnen gereicht wurden, erstaunlich wohlschmeckende Speisen, die nicht nur satt machten, sondern auch dem Gaumen schmeichelten. Es gab Suppe mit Fleisch und gerührten Eiern; ein Gericht aus Kartoffeln und Bohnen, schließlich eine Art Mus aus Beeren, süßen Kräutern und gestampften Pinienkernen.

Poldi machte zunächst den Eindruck, als wolle er vor lauter Trotz und Misstrauen die Speisen verweigern, doch schließlich überwog auch bei ihm der Hunger, und er würgte gierig alles hinunter.

Sie hatten gerade das Mahl beendet, als der Alte das Haus betrat. Vorhin hatte er nur Quidel in die Augen gesehen, nun musterte er auch die anderen eindringlich. Sein Blick war warm und klar. Als er Poldi streifte, hoffte Cornelius eindringlich, der jüngste Steiner-Sohn würde nichts Unüberlegtes tun, und gottlob beherrschte der sich tatsächlich.

»Bitte ... bitte«, hörte Cornelius sich unwillkürlich stammeln. »Wenn die Frauen hier sind, dann lasst sie mit uns zurückgehen. Sie gehören doch zu uns. Sie haben Kinder, die nach ihnen rufen.«

Quidel übersetzte die Worte rasch. Der Alte schwieg, einzig sein Blick verhärtete sich ein wenig. Er schien nachdenklich – vielleicht hin- und hergerissen von tiefer Skepsis gegenüber allen Weißen und der Tatsache, dass einer aus seinem eigenen Volk als deren Bittsteller kam.

Schließlich trat er auf Quidel zu. Cornelius hielt instinktiv den Atem an, doch noch ehe der Alte etwas sagen konnte, wurde von draußen wütendes Gebrüll laut.

»Was geschieht da draußen, was geschieht?«

Nie war Elisa die Ruca so klein vorgekommen; nie hatte ihr das Gefühl, von aller Welt abgeschnitten zu sein, so zugesetzt wie in dem Augenblick, da sie von den Fremden erfuhren, die in das Dorf gekommen waren.

Eintönig waren die Stunden verlaufen, die sie in der Ruca verbracht hatten. Wenn Magdalena nicht gerade betete, erging sie sich in abenteuerlichsten Vermutungen. So glaubte sie zu wissen, warum der riesige Innenraum des Hauses in viele kleine Bereiche unterteilt war: Die Mapuche würden schließlich Vielweiberei betreiben; wahrscheinlich lebten in den Lederwänden jeweils eine Frau mit ihren Kindern.

Elisa wusste nicht, ob sie recht hatte. In jedem Fall hörten sie nie etwas von anderen Frauen und bekamen nur jene zu Gesicht, die ihnen regelmäßig zu essen brachte und ihre täglichen Arbeiten verrichtete.

Auch über sie stellte Magdalena Vermutungen an. Der Stoff ihrer Kleider war fein und bunt, folglich kostbar, was wiederum bedeuten könnte, dass sie sich im Heim des Häuptlings befänden – ein gutes Zeichen, hieße es doch, dass sie unter dessen Schutz stehen würden.

Elisa wusste auch diesmal nicht, wie viel sie glauben sollte, war aber erleichtert, dass der Grimmige nicht wieder aufgetaucht war und die Frau sie mittlerweile manchmal sogar verstohlen anlächelte. Als sie ihnen das letzte Mal zu essen reichte, war die Portion an gedörrtem und geräuchertem Fleisch etwas größer ausgefallen, und ihr bei der Arbeit zuzusehen, lenkte Elisa von düsteren Gedanken ab. Mit sichtlichem Geschick nähte sie an Ponchos, Satteldecken und Taschen, Umhängen und Schärpen. Sie flocht Taue, knüpfte Netze und Körbe und stellte schließlich aus einer gräulichen Masse Töpfe her.

»Wahrscheinlich Ton«, meinte Magdalena.

Es war nicht das einzige Material, über das die Mapuche verfügten. Elisa sah auch Platten, Teller und Kessel aus Kupfer. In manchen von ihnen zerstieß die Frau stark riechende Pflanzen und kochte schließlich einen Sud daraus. Später schwenkte sie Kleidungsstücke darin, die sich dann verfärbten, in Rot oder Schwarz, Grün oder Blau.

Als es in der Ruca wenig Neues zu beobachten gab, spähte Elisa immer öfter durch die Ritzen nach draußen. Sie sah alle möglichen Arten von Tieren, die die Mapuche hielten – manche vertraut, manche fremd – und dann schließlich, kurz nach der Mittagszeit, hatte sie plötzlich das Getrampel von Hufen vernommen, das eine Horde Reiter ankündigte.

Alle hoben überrascht den Kopf, und die Mapuchefrau sprang auf und eilte nach draußen, um nachzusehen, was dort geschah. Wenige Augenblicke später kam sie mit glühendem Gesicht zurück und vollführte wilde Gesten. Elisa verstand ihre Worte nicht, aber sie war sich sicher, dass die Aufregung nur verheißen konnte, dass Fremde ins Dorf gekommen waren.

»Vielleicht … vielleicht unseretwegen!«

Noch dichter presste sie nun ihr Gesicht an die Ritzen. Zunächst sah sie nichts, dann aber glaubte sie in äußerster Ferne eine Gestalt zu sehen, die nichts mit den Mapuche gemein hatte. Das Haar war nicht dunkel, sondern rötlich-braun, die Haut nicht gegerbt, sondern viel heller. War es ein Trugbild, oder hatte Cornelius sie gesucht und gefunden?

Er stand mit dem Rücken zu ihr gekehrt, doch ehe er sich zu ihr umdrehte und sie Gewissheit erhielt, war er in einer Ruca verschwunden.

»Was geschieht da draußen, was geschieht?«, stammelte sie immer wieder.

Magdalena zuckte hilflos die Schultern, Stille breitete sich aus.

Elisa hockte so starr, dass ihr schließlich die Füße einschliefen und sie aufstehen musste. Das Blut schoss kribbelnd in die Glieder. Sie sah, dass auch Magdalena gespannt nach draußen starrte, doch als sich ihre Blicke kurz trafen, sagten sie kein Wort, als ob die Hoffnung auf Rettung augenblicklich schwinden würde, wenn sie ihr zu früh nachgaben.

Elisa wollte sich eben wieder hinknien, als sich plötzlich vor dem Zelt etwas tat. Laute Schritte rammten sich in den Boden, dann wurde die Ledertür aufgerissen. Einen kurzen Moment lang blendete sie die Sonne so stark, dass Elisa nur schattenhaft einen großgewachsenen Mann sah, der auf sie zustürmte, und der erste Laut, der ihr über die Lippen kam, war einer der Erleichterung.

Cornelius ... Cornelius war gekommen, sie zu retten.

Doch als der Mann zu schreien begann, wusste sie, dass sie sich geirrt hatte. Erst jetzt sah sie, dass sein Haar viel zu lang war, um Cornelius zu gehören, seine Züge viel zu grimmig, sein Gesicht viel zu böse.

Die dunklen Augen funkelten, als er sie weiterhin anschrie, sie schließlich am Arm packte und mitzerrte.

Magdalena kreischte angstvoll auf, doch Elisa konnte nicht schreien. Der Mund wurde ihr trocken, und sie stolperte über die eigenen Füße.

Im nächsten Moment sprangen zwei Gestalten gleichzeitig auf den Mann zu, um Elisa zu befreien – Magdalena mit todernstem Gesicht, die Mapuchefrau mit lautem Gezeter. Ein einziger grober Schlag genügte, sie beide wegzustoßen – Magdalena so fest, dass sie zu Boden fiel. Elisa sah noch, wie sich das Katherl – ausnahmsweise nicht lachend – über die Schwester beugte, dann hatte der Mann sie schon ins Freie gezerrt. Das Zetern der Mapuchefrau verstummte, vielleicht aus Empörung, vielleicht aus Angst.

Nachdem sie ihm zunächst wehrlos gefolgt war, versuchte Elisa, sich zu befreien, und schrie laut um Hilfe. Doch der Mann brach sämtlichen Widerstand brutal, indem er sie plötzlich nicht länger am Arm, sondern am Haar mit sich zog. Der Schmerz trieb ihr Tränen in die Augen, als er ihr büschelweise Strähnen ausriss. Aufheulend sackte sie in die Knie, doch das führte nur dazu, dass er sie noch gröber mit sich zerrte.

Eine Weile bestand ihre ganze Welt lediglich aus Schmerz, Angst und Dunkelheit.

Sie hatte ihre Augen fest geschlossen, und als sie sie endlich wieder öffnete, war das Bild vor ihr verschwommen. Weit und breit waren weder Menschen noch Tiere, noch Rucas zu sehen. Er hatte sie in einen Wald mit einem Teppich aus trockenen Nadeln gebracht. Spitz gruben sich einige in ihre Fußsohlen, als er endlich ihre Haare losließ und sie zu Boden schleuderte.

Rasch wälzte sie sich herum und strich sich das Haar aus dem Gesicht. Ihre Kopfhaut brannte wie Feuer, als sie angstvoll ihren Blick hob.

»Was starrst du mich so an?«, fuhr er sie an. »Das ist es doch, was du von meinesgleichen erwartest!«

Sie war sich nicht sicher, ob sie seine Worte richtig verstanden hatte. Beherrschte er tatsächlich ihre Sprache? Nie hatte sie ihn auf Deutsch reden gehört, aber vielleicht hatte ihm das bis jetzt nur der Stolz verboten, nicht das Unvermögen.

Schon fuhr er fort: »Der Kazike hat mich nicht anhören wollen, sondern hat mich einfach weggeschickt. Den Überfall hielt er für einen Fehler, pah! Und zuletzt hat er lieber auf den gehört, der mit den Weißen kam. Aber es ist kein echter Mapuche, wer mit dem Feind paktiert.«

Nur langsam drangen seine Worte zu Elisa. Quidel … vielleicht sprach er von Quidel …

Das sanfte, ernste Gesicht des meist schweigsamen Mapuche stieg vor ihr auf. Womöglich hatte er die anderen Männer hierhergeführt, verhandelte eben um ihre Freilassung … was dieser andere Mann um jeden Preis verhindern wollte.

Sie wollte sich aufrichten, doch in diesem Augenblick traf sie schmerzhaft seine Faust auf der Brust. Ihr Atem setzte aus.

»Rühr dich nicht!«, fuhr er sie an. In seinen eben noch kalten Blick trat ein gefährliches Glimmen. Erst in diesem Moment bemerkte sie, wie er an seinen Beinkleidern nestelte, und sie begriff, was er vorhatte.

»Bitte nicht!«, flehte sie und versuchte wieder, auf die Beine zu kommen. Erneut schlug er auf sie ein, diesmal nicht ganz so fest, doch abermals blieb ihr die Luft weg, als er sich nun auf sie warf, zuerst ihr Gesicht in die Hände nahm, um jedes Fleckchen ihrer weichen Haut abzutasten, schließlich tiefer wanderte, gewaltsam ihre Schenkel spreizte.

»Nicht!« Ihre Stimme hatte jede Kraft verloren, war kaum lauter als ein Hauch.

»Darum wurde mein Bruder kaltblütig erschossen. Weil er eine Weiße geschändet haben soll! Aber das hat er nicht getan, und weißt du auch, warum nicht?«

Drohend beugte sich sein Gesicht über ihres. Sie spürte seinen heißen Speichel. »Weil er weiße Frauen verachtet hat! Weil er sie hässlich fand! Nie hätte er eine genommen, die von denen abstammt, die unser Land besetzt haben.«

Elisa wollte um sich schlagen, doch er packte ihre Handgelenke und drückte sie über ihren Kopf in die Erde. »Es tut mir leid, für deinen Bruder«, stammelte sie.

»Es soll wenigstens einen Grund geben, warum er ermordet wurde!«

Mit einem grimmigen Aufschrei schlug er ihr ins Gesicht. Sie wusste nicht, wie oft, nur, dass sie das Gefühl hatte, ihre Haut würde zerreißen. Als ihr Kopf endlich still lag, bohrten sich die Nadeln in ihren Nacken.

Eine Weile konnte sie nur starr liegen; sie merkte kaum, wie er an ihren Röcken riss, sie hochschob, die nackte Haut befingerte. Warm floss etwas über ihr Kinn, vielleicht Speichel, vielleicht Blut. Als sich seine Finger in ihre Oberschenkel krallten, kehrten die Kräfte zurück. Ihre Hände waren nun frei, und sie schlug erneut auf ihn ein. Er lachte nur trocken auf, quetschte seinen Körper noch gieriger an ihren.

Ihre Hände boxten ins Leere, sie vermeinte, unter seinem Gewicht zu ersticken. Als der gleißende Himmel sich über ihr verdunkelte, war sie sich sicher, ohnmächtig zu werden. Vielleicht hatte das sein Gutes, schoss es ihr durch den Kopf; so musste sie wenigstens nicht bewusst erleben, was er ihr antat. Doch die Schmerzen in ihrem Gesicht, ihrer Kopfhaut, ihrem Nacken hielten unvermindert an. Nein, sie wurde nicht ohnmächtig, der Himmel hatte sich nur verdunkelt, weil sich plötzlich eine Gestalt über den Mapuche beugte, ihn von ihr fortriss. Sie wälzte sich zur Seite, blieb einige Augenblicke keuchend liegen, griff an ihre Lippen, geschwollen und gefühllos. Als sie sich aufrichtete, überkam sie Schwindel. Eine Weile sah und hörte sie nichts mehr, und nachdem ihr Blick endlich wieder klar geworden war, war der Mapuche verschwunden und Cornelius stand vor ihr.

Plötzlich war da kein Schmerz mehr, keine Angst und kein Entsetzen, nur mehr Wärme. Cornelius griff nach ihrer Hand, ohne darauf zu achten, dass Blut davon perlte, und zog sie an sich.

»Wo …wo …«, brachte sie hervor.

»Keine Angst, er ist fort!«

Sie fragte nicht, womit er den Mapuche in die Flucht geschlagen hatte. Erst viel später überlegte sie, ob drohende Worte genügt hatten, er seine Fäuste einsetzen oder gar mit der Pistole fuchteln musste. In diesem Augenblick zählte es nicht – nur Cornelius zählte, dass er bei ihr war, sie umarmte, ihren Kopf an seine Brust presste. Langsam beruhigte sich ihr Atem, aber ihre Beine zitterten weiterhin.

»Er wollte seinen Bruder rächen«, stammelte sie. »Er wollte mir Gewalt antun, um seinen Bruder zu rächen.«

»Es ist vorbei, Elisa. Quidel hat mit dem Kaziken gesprochen. Er hatte nichts mit dem Überfall zu tun, es war eine Sache der Jungen. Als der Kazike erklärte, dass er euch freilassen würde, kam es zu einem Streit, sogar zu einem Handgemenge. Wenn wir Poldi nicht zurückgehalten hätten, er hätte einige der Männer eigenhändig erwürgt. Am Ende hat er sich selbst ein blaues Auge eingefangen. Aber nun …«

Beschwichtigend redete er eine Weile auf sie ein, doch sie verstand nur wenige seiner Worte und was sie verhießen. Nur, dass er hier bei ihr war – das verstand sie.

Zunächst reichte es ihr, an ihn gelehnt zu stehen. Doch irgendwann war das zu wenig, um sich zu beweisen, dass sie lebte, dass niemand mehr sie bedrohte, dass sie frei war. Sie umschlang seinen Nacken und presste sich noch fester an ihn. Ihre Füße standen zwar still, aber das Zittern stieg höher und erreichte ihre Brust. Sie schluchzte auf, und dann brachen sich die Tränen ihre Bahn. Sie weinte, und er hielt sie, und als es endlich vorbei war, wusste sie nicht, ob es Stunden oder nur wenige Augenblicke gewährt hatte.

Sie löste ihren Kopf von seiner Brust, ließ ihn jedoch nicht los. »Ich dachte, ich würde dich niemals wiedersehen. Ich dachte, ich müsste in der Fremde leben … ohne dich …«

Er streichelte über ihre Wangen, und obwohl diese Berührung behutsam und zögerlich war, brachte sie die Erinnerung an die Schläge zurück, die der Mapuche ihr zugefügt hatte – und den Schmerz. Ihre Kopfhaut brannte nach wie vor; nicht nur ihre Lippen fühlten sich geschwollen an, sondern auch das rechte Auge.

»Lukas …«, brachte sie hervor.

»Er lebt noch«, sagte er hastig. »Er wurde übel am Kopf erwischt, aber Jule hat ihn versorgt. Du weißt: Auf ihre heilenden Hände ist Verlass. Und deinen Söhnen geht es allen gut.«

»Aber Vater …«, murmelte sie tonlos.

»Richard und Taddäus sind tot.«

Eine Weile standen sie schweigend beisammen; sie wusste nichts zu sagen, um den schrecklichen Verlust in Worte zu fassen. Wieder wollte er ihren Kopf an seine Brust drücken, doch mitten in der Bewegung sträubte sie sich.

Es war immer noch zu wenig, viel zu wenig.

Die Schmerzen ließen nach, die quälenden Erinnerungen erloschen, die Angst vor dem, was kommen würde, zählte nicht.

Sie hob den Kopf und starrte in sein Gesicht. Kurz blieb ein letzter Abstand zwischen ihnen, dann überbrückte sie auch diesen und küsste ihn auf den Mund – küsste ihn so, wie sie ihn einst nach dem Schiffsbrand geküsst hatte, zärtlich und vorsichtig zuerst, dann gierig und leidenschaftlich, hitzig und verzweifelt. Nie hatte sie Lukas so geküsst, nie in seinen Armen gleiche Wärme gefunden, jene Sehnsucht, ihn fester, immer fester zu halten, ihn niemals loszulassen. Ihre Lippen schmerzten von dem Schlag, aber dieser Schmerz geriet kümmerlich im Vergleich zu der wohligen Vertrautheit, als sich sein Mund öffnete, ihre Zungen aneinanderstießen, bald einen Rhythmus fanden – des sich Kostens, sich Schmeckens, sich

Neckens. Sie fuhr über seine Haare, seinen Nacken, seinen Rücken, und sie fragte sich, wie sie all die Jahre über darauf verzichten hatte können, ohne zu verdursten und zu verhungern und zu verkümmern.

Aber vielleicht war sie ja verkümmert, war zu einer ganz anderen Elisa geschrumpft, einer, deren Leben nur aus Pflicht bestand, einer, die sich diese Glückseligkeit verboten hätte, einer, die in diesem Augenblick nie und nimmer Cornelius küssen, sondern vor Sorgen um den verletzten Lukas vergehen würde …

Die Erinnerungen kehrten zurück und vertrieben die Wärme, Erinnerungen an die schreienden Kühe, den niederbrechenden Vater, an Lukas, wie er reglos lag, und sie nicht wusste, wie schlimm es um ihn stand.

Abrupt löste sie sich von Cornelius und starrte ihn fassungslos an. »Mein Gott, was tun wir nur!«

»Elisa …«

Es war fast schmerzhaft, ihn loszulassen. Sie tat es dennoch, trat erst langsam ein paar Schritte zurück, drehte sich dann um und lief davon. Ihre Füße gerieten in Gestrüpp. Nadeln und Dornen rissen ihre Haut auf, die Sonne brannte unbarmherzig auf sie herab.

Sie kam nicht weit, war zu rasch von Erschöpfung bezwungen – Erschöpfung und Verwirrung.

»Elisa …«

Cornelius war ihr gefolgt, aber wahrte nun Abstand. Er zog sie nicht wieder an sich – und sie dankte ihm und verwünschte ihn zugleich im Stillen dafür.

»Ach, Elisa …«, setzte er mehrmals an. »Ach, Elisa.« Eine Weile konnte er nichts anderes sagen als wieder und wieder ihren Namen. Dann brachen noch mehr Worte aus ihm hervor. »Ich weiß, ich habe zu lange gewartet. Ich habe mich zu lange von den Launen meines Onkels gängeln lassen. Es ist alles meine Schuld. Als ich endlich zu euch gestoßen bin, war es zu spät. Aber du musst wissen: Ich kam nur deinetwegen, und ich bin deinetwegen geblieben. Ich wollte dich doch nie mit meiner Gegenwart quälen! Ich wollte dich glücklich machen! Vielleicht ist das vermessen, aber …«

Die Sehnsucht, ihn noch einmal zu küssen, seinen Mund, seine Wangen, seine Stirn, seine Augen, wurde übermächtig. Die Hitze, die allein bei dem Gedanken daran durch ihren Körper strömte, war fast unerträglich. Niemals hatte sie diese Hitze in den Nächten mit Lukas gefühlt, den stillen, dunklen Nächten mit schnellen, nicht wirklich unangenehmen, aber immer auch verlegenen Umarmungen. Sie fühlte sich bei Lukas geborgen, doch nie hatten ihre Lippen geglüht, nie alles in ihr nach ihm gelechzt, nie die Gier sie erfasst, ihn an sich zu pressen und mit ihm zu verschmelzen. Die Hitze erfasste ihren ganzen Körper, rieselte über den Rücken, verhärtete ihre Brüste, brachte die Beine zum Beben, schlug einen Knoten in ihren Magen.

Ihre Stimme hingegen, als sie endlich sprach, klang kalt und nüchtern. »Das darf nie wieder passieren, hörst du? Nie wieder!«

Er senkte den Blick. »Wenn du willst, dass ich aus deinem Leben verschwinde, werde ich gehen. Ich weiß nicht, wohin, aber ich werde gehen.«

Allein der Gedanke daran trieb Tränen in ihre Augen. »Nein«, seufzte sie. »Nein! Wir dürfen uns nie wieder küssen, wir dürfen uns nie wieder einen Augenblick der Schwäche erlauben. Aber du darfst nicht gehen. Du musst in meiner Nähe bleiben! Ach, Cornelius … Ich könnte nicht leben ohne dich.«

Sie trat an ihm vorbei, ohne ihm in die Augen zu sehen. Die Hitze verglühte. Alles an ihr, was eben noch so hungrig gepocht hatte, schien zu gefühllosem Stein zu erstarren.

28. KAPITEL

Der Heimritt verlief schweigend. So starr war Cornelius' Blick auf den Weg gerichtet, dass er kaum etwas von der Landschaft wahrnahm. Nicht nur die Erinnerung an Elisas schmerzlichen Gesichtsausdruck, nachdem sie sich von ihm gelöst hatte, bedrückte ihn – auch der Abschied von Quidel. Als sie im Dorf die Pferde getränkt hatten, war der Mapuche zu ihm getreten und hatte ganz unerwartet erklärt, dass er vorerst nicht mit ihm zurückkehren, sondern für die nächste Zeit hierbleiben wolle. Es sei nicht sein Stamm, doch er fühle sich mit den Menschen verbunden, gerade in diesen schweren Zeiten, und der Kazike habe ihn gefragt, ob er bleiben und ihn die Sprache der Weißen lehren könne.

»Dein Entschluss kommt plötzlich«, hatte Cornelius schmerzlich verwirrt gesagt. Quidel hatte ihn nur angeschaut; wie so oft hatte es keiner Worte bedurft, um zu erklären, was in ihm vorging: dass er hier unter seinesgleichen leben konnte – in der Siedlung der Deutschen aber unter Fremden, von denen ihm nicht wenige, ähnlich dem misstrauischen Poldi, insgeheim den Überfall anlasteten. Und dass er nie wirklich Teil ihrer Gemeinschaft gewesen war, immer nur sein Freund. Weil das so war, wollte Cornelius ihm den Abschied, trotz aller Bestürzung, nicht unnötig schwermachen, aber er fühlte sich einsam und verloren, als er von Quidel fortritt.

Die anderen teilten diese Trauer zwar nicht, doch nach der ersten Erleichterung, dass alles gut verlaufen war, hatte sich eine düstere Stimmung über die gesenkt. Das Katherl, das vor

Poldi auf dem Pferd ritt, juchzte wie immer, aber die Mienen der anderen waren wie erstarrt.

Elisa sah ihn kein einziges Mal an. Magdalena war eigentlich immer ernst und betete auch jetzt in einem fort. Fritz war in Gedanken versunken, die Cornelius nicht erahnen konnte. Und Poldi wirkte ärgerlich. Ein offener Kampf wäre ihm sichtlich lieber gewesen als ein friedliches Auseinandergehen. So aber hatte sich sein Hunger nach Rache nicht erfüllt, und seit sie das Dorf verlassen hatten – mit stoischen Gesichtern waren die Mapuche Spalier gestanden –, blickte er sich ständig um, wohl in der Hoffnung, dass doch noch jemand versuchen würde, sie gewaltsam aufzuhalten. Die Bande, die der eine gewaltsame Mapuche um sich geschart hatte, hatte sich indessen zerstreut. Über Quidel hatte der Kazike ihnen ausrichten lassen, dass sie auf dem Rückweg nichts zu befürchten hätten, und er hatte ihnen sogar zwei Pferde überlassen – eines für Elisa, das andere für Magdalena und das Katherl. Ohne Zweifel waren es alte Tiere, auf denen kein junger Mapuche mehr geritten wäre; bei höherem Tempo stand ihnen bald weißer Schaum vor dem Mund, weswegen sie nur langsam vorankamen. Dennoch empfand Cornelius das Geschenk, von dem Poldi behauptete, es sei eine mehr schlechte als rechte Wiedergutmachung für den Überfall, als großzügig und alles andere als selbstverständlich.

Cornelius fragte sich, ob es anders gewesen wäre, wenn sie Spanier gewesen wären. Am allermeisten hatte ihnen zweifellos Quidel geholfen, und wiederholt seufzte er in Gedenken an den Freund. Gerne hätte er mit jemandem über den Abschied von ihm gesprochen, doch ihre kleine Truppe verharrte auch noch am nächsten Tag, als sie morgens mit steifen Gliedern vom harten Boden aufstanden, in Schweigen.

Immer noch hielt Elisa ihren Blick gesenkt. Cornelius konnte den Schmerz wittern, der hinter vermeintlich gleichmütiger, erstarrter Fassade brodelte, aber er wusste kein anderes Mittel, ihn zu lindern, als sich so gut wie möglich von ihr fernzuhalten.

Zunächst war er als Letzter geritten; gegen Mittag schloss er schließlich zu Fritz auf. Obwohl eigentlich der Umsichtigste, der stets auf den Weg und mögliche Hindernisse achtete, schien dieser ihn nun gar nicht wahrzunehmen. Sein Blick war in sich gekehrt und ließ unbeachtet das Land vorüberziehen, dessen Schönheit er vor wenigen Tagen noch bewundert hatte. Erst nach einer Weile, da Cornelius an seiner Seite ritt, sah er auf.

»Woran denkst du?«, fragte Cornelius unvermittelt.

Fritz zuckte zusammen, als hätte er ihn ertappt.

»An die Träume …«, murmelte er schließlich gedankenverloren.

»Wie?«, fragte Cornelius verständnislos. Nicht nur, dass Fritz so in sich versunken wirkte – obendrein war die übliche grimmige Entschlossenheit aus seinem Gesicht gewichen. Cornelius versuchte, sich mühsam zu entsinnen, was Fritz in den letzten Tagen gesagt und getan hatte und ob ihm irgendetwas widerfahren war, was ihn in seinen Grundfesten erschüttert hatte. Doch er konnte sich an nichts Besonderes erinnern – nur an sein stetes Trachten, Poldis Durst nach Rache zu zähmen.

»Du wirkst so … verloren«, sagte Cornelius nach einer Weile, da nichts mehr von Fritz kam. Er war sich nicht sicher, ob er mit diesem Wort die Wahrheit traf, aber es fiel ihm kein besseres ein, den sonderbaren Gemütszustand zu benennen.

»Es geht mir einfach nicht aus dem Kopf, was Quidel erzählt hat«, setzte Fritz an, als Cornelius schon gar nicht mehr mit einer Antwort rechnete. »Du weißt schon, vor einigen Tagen, noch ehe wir das Dorf der Mapuche erreichten. Er sagte, dass man Träume nicht für sich behalten dürfe, sondern sie erzählen müsse.«

Cornelius runzelte die Stirn. »Und das beschäftigt dich?«

»Ich frage mich, ob es ein Fehler war, dass ich meine Träume meist verschwiegen habe.«

Cornelius wurde immer noch nicht schlau aus ihm. »Was hast du denn letzte Nacht geträumt?«, fragte er dennoch, um den guten Willen zu bekunden, ihn zu verstehen.

Fritz schüttelte mit flüchtigem Lächeln den Kopf. »Das meine ich nicht. Ich träume nicht viel, wenn ich schlafe; meist kann ich mich am nächsten Morgen nicht daran erinnern. Aber ... aber ich träume, wenn ich wach bin! Eigentlich immerzu! Ja, ich hatte ... ich habe diesen einen großen Traum! Und habe viel zu selten darüber gesprochen. Wer dennoch zufällig davon erfahren hat, dem war meist gleichgültig, was ich will und was ich mir vom Leben erhoffe.«

Seine Stimme klang nun nach dem altvertrauten Fritz – grimmig, weil er insgeheim unzufrieden war, zugleich entschlossen, dennoch nie zu schwächeln und allen anderen trotzig zu beweisen, wie sehr sie ihn brauchten. Offen forderte er nie Lob und Dank ein, ging es Cornelius durch den Kopf, als er ihn betrachtete, vor allem nicht von seiner Mutter, von der er beides insgeheim wohl am sehnlichsten erwartete.

»Und, was ist das?«, fragte Cornelius. »Was ist es, wovon du träumst und was du dir vom Leben wünschst?«

Anstatt zu antworten, gab Fritz seinem Pferd die Sporen. Es stob über dichtes Buschwerk hinweg; Sand wirbelte hoch in die Luft und regnete auf Cornelius nieder, als er ihm folgte. Als Einziger konnte er mit Fritz' Tempo mithalten, während Poldi ihnen zwar empört nachschrie, jedoch mit den langsamen Pferden zurückblieb. Nachdem Fritz endlich sein Pferd angehalten hatte, waren die anderen außer Sichtweite.

»Sieh nur!«, erklärte er mit geröteten Wangen, eine Aufregung verheißend, die Cornelius nicht verstand. »Dort vorne kann man schon den Llanquihue-See erkennen!«

Von der Anhöhe war nicht mehr zu sehen als ein silbrig-flimmernder Streifen, der einem Trugbild der drückenden Sonne glich.

»Und dort!« Fritz deutete nun in Richtung Norden. »Dort ist Valdivia.«

Cornelius nickte. »Ich weiß. Ich habe lange dort gelebt.«

»Und du hast mir viel von der Stadt erzählt. Hast mich manches Mal dorthin begleitet, um Erledigungen zu machen. Nur jetzt, Cornelius, jetzt wirst du mich nicht begleiten.«

»Wovon redest du?«, fragte Cornelius verblüfft.

Fritz' Stirn, eben noch gerunzelt, glättete sich.

»Ihr werdet in die eine Richtung reiten – zum See. Und ich nehme die andere – nach Valdivia.«

»Aber …«

Fritz sah ihn nicht an. Eine Weile mahlten seine Kiefer; er schien damit zu ringen, die endgültige Entscheidung auszusprechen, aber dann presste er zwischen schmalen Lippen hervor: »Ich komme nicht mehr mit euch mit.«

»Ich verstehe immer noch nicht …«, setzte Cornelius unschlüssig an.

»Weißt du«, Fritz wandte sich zu ihm, sah nun kurz weder grimmig noch entschlossen oder trotzig drein, sondern wehmütig. »Weißt du, ich wollte nie auswandern. Meine Familie wäre wohl zu Hause verhungert – ich hingegen nicht. Ich habe die Bekanntschaft dieses Professors der Naturwissenschaften gemacht, damals im Stuttgarter Zoo, und dieser wollte mich unter seine Fittiche nehmen. Aus mir … aus mir hätte wirklich etwas werden können. Nun, es ist anders gekommen, hier gibt es diesen Professor nicht, aber es gibt Carlos Anwandter und einige andere Apotheker, und alle haben sie großen Respekt vor meinem Wissen über Tiere und Pflanzen. Ich war vor drei Monaten das letzte Mal in Valdivia, und da hat Anwandter mich gefragt, ob ich für ihn arbeiten will. Er möchte nicht nur seine Brauerei erweitern, sondern auch seine Apotheke, vielleicht sogar eine Filiale im fernen Valparaíso gründen. Er könnte mir noch viel beibringen, hat er gesagt, und er wäre sich sicher, dass ich es mit meiner Auffassungsgabe rasch lernen würde.«

Je länger er redete, desto gehetzter kamen seine Worte. Nun, da er sich nicht länger verbat, jenes Angebot von Anwandter und den eigenen Lebenstraum zu verschweigen, platzte alles aus ihm heraus. Die Wehmut wich aus seinem Blick; seine Augen leuchteten auf, und als Cornelius ihn anstarrte, fielen ihm erstmals Fritz' Ähnlichkeiten mit Poldi auf. Für gewöhnlich hatten die beiden Steiner-Brüder wenig gemein, doch in diesem Moment schienen sie ihre Rollen getauscht zu haben. Poldi wirkte seit dem Überfall der Mapuche verschlossen und übellaunig. Fritz dagegen sprach mit dem Überschwang und der Leidenschaft eines Kindes, dem die ganze Welt offenzustehen scheint und das alles zu schaffen glaubt, legt es nur genug Willensstärke und Mut darein.

Cornelius wollte ihm die Freude nicht nehmen, aber kam doch nicht umhin, vorsichtig einzuwenden: »Wir brauchen dich jetzt noch mehr als sonst. Denk an die Toten!«

Fritz seufzte, schüttelte jedoch entschlossen den Kopf. »Ich habe immer geglaubt, dass ich unentbehrlich bin. Aber wenn es so wäre … hätte es mir meine Mutter nicht öfter gesagt? Nein, ich bin nicht unentbehrlich – auch jetzt nicht. Und ich glaube auch nicht, dass die Toten eine große Lücke reißen. Ich mochte Richard von Graberg, aber er war mehr Last als Stütze für die Seinen. Über Verstorbene soll man nur Gutes reden, aber du weißt es, und ich weiß es auch: Annelie und Elisa und auch mein Bruder Lukas – sie sind besser ohne ihn dran. Was wiederum Taddäus anbelangt …« Er schien kurz zu zögern, ob er aussprechen durfte, was ihm durch den Kopf ging, und tat es schließlich doch: »Er ist Poldis Schwiegervater gewesen – nicht meiner. Soll doch Poldi sein Fehlen wettmachen.«

»Du meinst es also ernst«, murmelte Cornelius.

Fritz seufzte abermals. »Du verstehst vielleicht nicht, warum ich die Meinen ausgerechnet in der Stunde der Not verlassen will, jetzt, da die Rinder verbrannt sind, die Felder vernichtet, die Vorratskammern zerstört. Aber gerade darum muss ich gehen! Wenn ich jetzt bliebe, dann gäbe es so unendlich viele Dinge zu tun … Wieder würden Jahre ins Land gehen, ohne dass sich etwas veränderte, und irgendwann wäre es zu spät, zu gehen. Ich werde meine Familie von Valdivia aus unterstützen, so gut es geht. Ich werde Geld schicken … Essen … Vieh … Aber mehr kann ich für sie nicht tun, verstehst du? Ich habe doch auch schon genug für sie getan, oder etwa nicht?«

Erstmals schlich sich ein Ausdruck von Zweifel in sein Gesicht, der verriet, dass er sich seiner Sache doch nicht so sicher war, wie er den Anschein machte.

Unvermittelt musste Cornelius an seinen Onkel Zacharias denken, das Gefühl der Verantwortung, das ihn so lange an ihn gekettet, ihn schließlich zermürbt und unglücklich gemacht hatte. Er empfand es bis heute als richtig, dass er nach dem Schiffsbrand zunächst bei ihm geblieben war, aber in Valdivia hatte er zu lange darauf gewartet, dass Zacharias wieder der Alte wurde, und ihn nicht früh genug nach Deutschland zurückgeschickt. Am Ende hatte Zacharias sein Pflichtgefühl schamlos ausgenutzt – und es hatte ihn Elisa gekostet.

»Ja«, sagte Cornelius da entschlossen, »ja, Fritz, du hast genug getan. So viel mehr als jeder andere hätte tun können. Du hast es verdient – verdient, frei zu sein, verdient, dein eigenes Glück zu suchen.«

Hinter ihnen ertönte Gemurmel. Die anderen waren nachgekommen, und Cornelius fragte sich, wie diese wohl auf Fritz' Entschluss reagieren würden. Ehe sie sie erreichten, fügte er noch rasch hinzu: »Sei dankbar.«

»Wofür?«, fragte Fritz.

Cornelius hatte sich von ihm abgewandt und sah zu Elisa, die starr auf ihre Hände blickte. »Für den Mut, deinem Herzen zu folgen«, sagte er leise. »Ich konnte ihn erst aufbringen, als es zu spät war.«

Nie hatte Elisa erlebt, dass Christine Steiner derart wütend war. Zunächst war sie unendlich erleichtert gewesen, als sie zurückkehrten, und hatte sie alle der Reihe nach umarmt. Am längsten hatte sie Elisa in den Arm genommen, so fest, als wolle sie sie nie wieder loslassen. »Dass ich dich wiederhabe … dass ich dich wiederhabe …«

Doch dann schwand die Erleichterung aus ihrem Blick, er wurde unsicher, sorgenvoll.

»Fritz«, murmelte sie, als sie feststellte, dass er fehlte. »Wo ist Fritz?«

Als sein Bruder wäre es wohl Poldis Aufgabe gewesen, ihr die Wahrheit zu sagen, doch dieser scharrte betreten mit den Füßen, und so erzählte schließlich Cornelius stockend, dass Fritz entschieden hätte, nicht wieder heimzukehren, sondern in Valdivia zu leben.

Christine wurde erst bleich, dann rot. Ihre Stimme klang

manchmal schroff und keifend, aber nie wurde sie so laut wie jetzt; ihre Bewegungen waren immer entschlossen, aber nie so wild und hektisch. Sie fuchtelte mit den Händen in der Luft herum und stampfte mit den Füßen. »Er kann doch nicht gehen, nicht jetzt! Wir brauchen ihn doch! Mehr als je zuvor brauchen wir ihn! Er kann sich nicht einfach aus der Verantwortung stehlen!« Die Worte gingen ihr aus; immer aufs Neue wiederholte sie: »Doch nicht jetzt, doch nicht ausgerechnet jetzt!«

Stumm und verlegen standen sie im Kreis.

Endlich hörte Poldi auf, mit den Füßen zu scharren, und warf vorsichtig ein: »Vielleicht hat er es gerade jetzt tun müssen …«

»Wie kann er es wagen? Wie kann er uns einfach im Stich lassen?«, tobte Christine und blickte ihren Jüngsten an, als wäre dieser am Entschluss seines Bruders schuld.

Für einen kurzen Moment machte Poldi den Eindruck, als würde er zurückzucken, doch dann hielt er ihrem Blick trotzig stand und erklärte entschlossen: »Er hat jahrelang getan, was du wolltest. Lass ihn nun tun, was er will.«

Christine starrte ihn fassungslos an.

»Er wird jede Münze, die er verdient, uns zugutekommen lassen«, fuhr Poldi fort. »Er wird sich immer noch abrackern für uns. Aber eben auf seine Weise.«

Er wandte sich ab und ging davon. Stille breitete sich aus. Elisa war erleichtert, als sie ihre Söhne mit Annelie herbeieilen sah. Annelie wirkte so schmal, blass und verloren wie einst nach den Fehlgeburten. Elisa stürzte auf ihre Söhne und wollte sie alle gleichzeitig umarmen. Lu und Leo blieben steif und entwanden sich rasch wieder ihren Armen, Ricardo dagegen vergrub sich wimmernd in sie. Nach einer Weile musste sie sich regelrecht zwingen, ihn loszulassen.

»Lukas? Wo ist Lukas?«

Annelie brachte sie zu ihm. Seine Kopfwunde war unter einem dicken Verband verborgen. Binnen weniger Tage war er bestürzend abgemagert; auch sein strahlendes Lächeln, als er sie sah, konnte nicht die Spuren verbergen, die Schmerzen und Sorgen in seinem grauen Gesicht eingebrannt hatten.

»Gott sei Dank«, sagte er immer wieder. »Gott sei Dank bist du zurückgekehrt.«

Sie konnte nichts sagen, nur stumm seine Hand halten und sie fest drücken.

»Jule hat mir verboten, aufzustehen«, erklärte er. »Ich fühle mich ganz wie mein Vater.«

»Dein Vater ist einst so schwer verletzt worden, dass er nie wieder laufen kann. Aber du … du wirst wieder gesund werden!«

Tränen traten in ihre Augen – sie war sich nicht sicher, ob vor Erleichterung, weil sie wohlbehalten zurückgekehrt war, vor Trauer, weil nicht alle ihrer Lieben überlebt hatten, oder vor Scham, weil sie Cornelius geküsst hatte.

Man hatte die Toten bereits begraben. Noch am Tag des Überfalls, so erfuhr Elisa, war ein Streit darüber ausgebrochen, wo das am besten zu geschehen habe – ob in einem nahe gelegenen Waldstück oder auf einem der Friedhöfe der größeren Orte. Barbara wünschte sich für Taddäus Letzteres – zumindest so lange, bis sie erfuhr, dass die katholischen Chilenen den protestantischen Einwanderern nur Beerdigungen an den Außenmauern ihrer Friedhöfe gestatteten, nicht innerhalb des Friedhofs.

Dann habe man sich schnell geeinigt, hatte Elisa von Jule erfahren. Wenn schon ungeweihte Erde genügen musste, so lieber solche fernab einer Kirche, die die Toten als Sünder betrachteten. Ein kleines Stückchen Boden zwischen Wald und Schule war darum zum Friedhof bestimmt worden – und dort standen inzwischen zwei Holzkreuze: eines für Taddäus Glöckner, eines für Richard von Graberg.

Nun versammelten sie sich erneut davor, damit alle gemeinsam Abschied nehmen konnten. Selbst Lukas ließ es sich nicht nehmen, dabei zu sein, obwohl er sich kaum auf den Beinen halten konnte und durch den Kopfverband immer noch frisches Blut sickerte.

Vor den Gräbern fühlte sich Elisa unendlich verlassen. Richard von Graberg war nie eine stabile Säule ihrer Gemeinschaft gewesen und Taddäus Glöckner ein unauffälliger Zeitgenosse, aus dem niemand recht schlau wurde, doch als sie die Runde der Siedler musterte, wirkten sie verwaist, verwirrt, hilflos. Annelie glich einem Vögelchen, das aus dem Nest gefallen war, Barbara war völlig erstarrt und konnte niemandem in die Augen blicken. Christine weinte pausenlos – Elisa war nicht sicher, ob um die Toten, die ihr beide nicht sonderlich nahegestanden waren, um Fritz, der nicht wiedergekehrt war, oder um sie alle, die sie nicht wussten, wie es weitergehen sollte.

Cornelius sprach ein Gebet für die Toten. Elisa schien es so, als würde seine Stimme bei jedem Wort leiser werden. Erst nach einer Weile begriff sie, dass der Wind sie zunehmend übertönte. Die Hitze der vergangenen Tage war das letzte Aufbäumen des Sommers gewesen. Binnen weniger Stunden sank die Temperatur.

Elisa fröstelte, als der Wind ihren Rock blähte. Sie hatte das Gefühl, die Kälte würde sich in sämtliche ihrer Glieder verbeißen, um fortan nicht mehr zu weichen. Kurz drehte sie sich von den Gräbern weg, ließen ihren Blick über die zerstörten Felder und Vorratskammern schweifen. Bis auf den dürren Hahn und ihre Pferde, so hatte sie erfahren, waren alle Tiere tot.

Elisa fröstelte noch mehr. Der Winter schien in diesem Jahr früher als sonst zu kommen.

Greta stand auf der Türschwelle ihres Hauses.

Sie wagte es nicht, einfach ins Freie zu gehen, aber zugleich war sie nicht bereit, ins Haus zurückzukehren, auch dann nicht, als Viktor sie mehrmals dazu aufforderte. Sie tat, als hätte sie ihn nicht gehört.

»Sie betrauern die Toten«, sagte sie leise. »Wir … wir sollten bei ihnen sein.«

Von ihrem Haus aus konnte man die Gräber nicht sehen, aber man hörte in der Ferne Gemurmel. Das glaubte sie zumindest – vielleicht war es auch nur der Wind, der um das Haus pfiff.

»Du gehst dort nicht hin!«, befahl Viktor schroff. Panik lag in seiner Stimme. Sie wusste, dass er dicht hinter ihr stand, es aber dennoch nicht wagte, näher zu kommen, so, als wäre ein unsichtbarer Bannkreis zwischen sie gezogen.

Sie drehte sich langsam zu ihm um, blieb jedoch auf der Schwelle stehen. »Und wenn ich es will?«

Er schüttelte den Kopf und wirkte so verzweifelt, als hätte er einen engen Angehörigen verloren, nicht die von Grabergs oder Glöckners.

»Du teilst ihre Trauer doch gar nicht! Du könntest gern darauf verzichten, ihnen dein Beileid ausdrücken! Du möchtest nur zu ihnen, weil du Cornelius sehen willst, das weiß ich ganz genau. Aber schlag ihn dir aus dem Kopf. Cornelius liebt Elisa und nur sie.«

Er klang trotzig wie ein kleines Kind.

Greta senkte ihren Kopf und starrte auf die Schuhspitzen.

»Was weißt du schon davon?«

Vorsichtig trat er einen Schritt näher. »Ich weiß, dass ich dich mehr liebe, als Cornelius es jemals könnte.«

Greta lachte trocken auf. Manchmal hatte sie Angst vor Viktor. Manchmal fühlte sie eisige Verachtung. Und manchmal fragte sie sich verzweifelt, wie lange sie seinen trotzig-weinerlichen Tonfall noch ertragen konnte.

»Und was nutzt mir das?«, zischte sie. »Du bist doch nur mein Bruder …«

Sie blickte nicht hoch, nahm nur aus den Augenwinkeln wahr, wie er den unsichtbaren Bannkreis endgültig überschritt und auf sie zustürzte. Sie war sich nicht sicher, ob er sie umarmen oder schlagen würde. Beides geschah oft, und beides so plötzlich und willkürlich, dass sie es meist nicht kommen sah. Sie hatte gelernt, dass es schneller vorbeiging, wenn sie sich nicht wehrte, sondern es einfach über sich ergehen ließ – genauso wie später sein Schluchzen und seine Selbstbezichtigungen, wenn er ihr eine Ohrfeige verpasst hatte. Meist küsste er die roten Flecken, die sich auf ihren Wangen gebildet hatten und in den nächsten Tagen bläulich anliefen. Dann konnte sie seine klebrigen Tränen spüren, und wenn sie auf ihre Lippen perlten, sogar schmecken.

Heute schlug er sie nicht; er packte sie nur an den Händen und zog sie hinein. Sie stolperte beinahe über die Schwelle, konnte sich dennoch aufrecht halten.

»Du gehst doch nicht, oder? Du gehst doch nicht?« Er klang noch panischer als zuvor, als ginge es nicht um ihre Anwesenheit bei der Trauerfeier, sondern um die Entscheidung, weiterhin ihr Leben mit ihm zu teilen oder nicht.

Gretas Mundwinkel verzogen sich zu einem Lächeln. Sie wusste genau, wie dieses Lächeln wirkte. Einmal war sie vor der glatten Oberfläche des Sees gestanden, hatte hineingestarrt und sich selbst auf diese Weise angelächelt – gequält und zugleich spöttisch, traurig und zugleich grausam.

»Nein, ich gehe nicht, ich bleibe.«

Ihr Lächeln verstärkte sich, und er ließ sie los, zutiefst verwirrt plötzlich, als sei das, was er sich eben noch erbittert gewünscht hatte, in Wahrheit seine größte Strafe.

29. Kapitel

Der Herbst war kalt, nass und grau. War es immer so gewesen, dass zu dieser Jahreszeit die Sonne seltener schien, oder wirkte das Leben so trüb, weil die Ernte ausgeblieben war und die Vorratskammern klaffende Leere aufwiesen?

An das Wetter im letzten Jahr konnte sich Elisa kaum erinnern – jedoch noch allzu gut daran, wie sie voller Stolz auf die Berge von Kartoffeln und Getreidesäcken geblickt hatte, an die Dankbarkeit, dass sie die Mahlzeiten nicht länger rationieren und nicht wochenlang nur Kraut essen müssten wie in den Jahren nach ihrer Ankunft. Nun wäre sie schon froh gewesen, wenn sie den Winter über wenigstens genügend Kraut gehabt hätten.

Einige der Tiroler Nachbarn waren bereit, ihnen etwas von der eigenen Ernte abzugeben, doch sie hatten selbst ihre Familien zu ernähren. Ihre Großzügigkeit würde ihnen eine Weile helfen – jedoch nie und nimmer über den ganzen Winter.

Nicht nur Elisa erging sich in Sorgen. Auch Annelie konnte ihre Mutlosigkeit nicht verbergen. Sie nahm Richards Namen nur selten in den Mund, und Elisa sah sie nie um ihn weinen, aber ihre Augen glänzten nicht, als sie vorschlug, sie sollten möglichst viele Avellano-Nüsse sammeln, man könnte diese kochen und essen. Und sie hätte von einer klebrigen, wohlschmeckenden Rinde gehört – wenn sie nur wüsste, wie sie aussähe –, auch davon könnten sie sich ernähren. Doch obwohl sie sich viele Gedanken um das Essen machte, so fehlte ihre übliche Entschlossenheit, ja Kampfbereitschaft, aus wenig viel zu machen. Sie kochte und buk nicht und ging auch nicht selbst in den Wald, um nach Früchten oder Pilzen zu suchen. Alles, was sie sagte, schien sie selbst nicht zu betreffen.

Nachdem ihr die Ideen ausgingen, wie sie möglichst viel Essen herbeischaffen könnten, schlug Christine vor, dass die Männer Wildschweine jagen sollten.

Geantwortet wurde mit einem Schulterzucken. Schon früher hatte sich dergleichen als nutzloses Unterfangen herausgestellt. Sie wussten zwar, dass im Wald Wildschweine lebten, doch sie waren so scheu, dass man sie nur selten sah, und das Unterholz war zu dicht, um ihnen nachzujagen.

Die Männer – Poldi, Cornelius, Andreas und Lukas – entschieden sich darum auch nicht für die Jagd, sondern dafür, nach Puerto Montt, dem einstigen Melipulli, aufzubrechen. In der Anfangszeit hatten sie regelmäßig ihre Rationen dort bekommen, doch nach den ersten reichen Ernten waren sie nicht länger als Bittsteller erschienen, sondern hatten Würste, Schinken und Kräuter, manchmal auch Butter und Brot verkauft.

Elisa half Lukas, sich für die Reise zu rüsten. Im vermeintlich fröhlichen Tonfall sprach er über die Stadt, als sei es eine angenehme Abwechslung, wieder einmal vom See wegzukommen und zu erfahren, was sich dort alles verändert hatte. Die einstigen Baracken waren längst niedergerissen worden, stattdessen waren eine Bierbrauerei, eine Schlosserwerkstatt und eine Ziegelbrennerei entstanden. Schiffsbauer und Schneider, Metzger und Bäcker hatten sich niedergelassen, und Franz Geisse hatte nicht nur eine Knaben-, sondern auch eine Mädchenschule gegründet.

Lukas sprach in einem fort, doch als er das Bündel mit dem mageren Proviant schulterte, ächzte er plötzlich.

Elisa sah ihn besorgt an. Er sprach ungern über die Schmerzen, die seine Kopfverletzung verursachten, und ließ immer nur Jule, nie seine Frau, danach sehen. »Es geht schon, es geht schon«, war das Einzige, was er dazu zu sagen hatte, und ihre Ängste wegen des früh einbrechenden Winters hatten Elisa zunächst vom Zustand ihres Mannes abgelenkt. Jetzt musterte sie ihn allerdings eindringlich und stellte erschrocken fest, in welch tiefen, dunklen Höhlen seine Augen verschwanden. Nicht nur von Auszehrung kündeten sie, sondern auch von fortwährenden Beschwerden, obwohl er sich jeden weiteren Schmerzenslaut verkniff.

»Bist du sicher, dass du nach Puerto Montt gehen kannst? Solltest du nicht besser hierbleiben?«, fragte sie.

»Ach was!«, rief er leichtfertig. »Nach Osorno wäre es vielleicht zu weit, aber nach Puerto Montt schaffe ich es.«

Elisa zweifelte daran, wusste sie doch, wie diese Märsche aussahen: Kaum Verpflegung hatten die Männer dabei, sie mussten sich mühsam durch Schlamm und Wald quälen und des Nachts unter Bäumen schlafen.

»Es reicht doch, wenn die anderen …«, setzte sie an.

»Bitte!«, unterbrach Lukas sie. »Ich muss es tun!«

Sein erschöpfter Blick wurde flehentlich, und erst jetzt begriff sie, wie ohnmächtig er sich gefühlt haben musste, als die Mapuche sie verschleppt hatten und er nicht unter denen sein konnte, die sie befreien wollten. Und gewiss trieb ihn noch etwas anderes an: der Wunsch, Fritz zu ersetzen, dessen Fehlen Christine lauter beklagte als das der Männer, die den Tod gefunden hatten.

»Du musst mich nicht um Erlaubnis fragen«, murmelte Elisa widerstrebend. »Wenn du denkst, dass du gehen musst, dann geh!«

»Aber du sollst wissen, dass ich es für dich tue … für unsere Söhne.«

Elisa folgte seinem Blick. Leo und Lu hatten von dem kindlichen Glauben, dass das Leben ein großes Abenteuer und die Welt grundsätzlich verheißungsvoll war, nichts eingebüßt. Beim Wiederaufbau der zerstörten Scheunen und Getreidespeicher halfen sie tatkräftig mit. Der kleine Ricardo machte ihr viel mehr Sorgen. Er war schweigsamer als sonst, wirkte verschreckt und klammerte sich ständig an sie. Manchmal klagte er über Schmerzen, und sie wusste nicht, ob sie vom feuchten Klima rührten, den knappen Mahlzeiten oder der Furcht, dass das durchstandene Grauen womöglich erneut über ihn hereinbrechen könnte.

»Kehr um, wenn es zu schwer wird«, sagte Elisa leise, obwohl sie sich sicher war, dass Lukas niemals umkehren würde, ganz gleich, wie elend er sich fühlte.

Die Männer brachen am nächsten Morgen zeitig auf und zogen eine zweirädrige Ochsenkarre hinter sich her – schon auf den ersten Schritten ein mühsames Unterfangen, da Regenfälle aus den Wegen Schlammwüsten gemacht hatten.

Danach wurde es noch stiller in der Siedlung. Christl lästerte anfangs über Viktor, der nicht mitgegangen war und sich nicht zum ersten Mal vor Männerarbeit drückte, aber irgendwann verstummte auch sie.

Sie rationierten das wenige Getreide, das sie hatten, strikt. Annelie mischte Rinde unter das Mehl, und das Brot, das sie damit buk, war außen hart, innen speckig und machte nicht satt.

Elisa begnügte sich mit wenig und gab so viel wie möglich ihren Söhnen – vor allem Ricardo, der nachts oft auffuhr und über wüste Träume klagte. Nicht nur Elisa sparte sich jeden Bissen ab, auch Christine steckte ihren Enkelsöhnen – im Übrigen viel lieber als Poldis Töchtern – regelmäßig etwas zu.

Jule beobachtete das missbilligend, und obwohl ihr Annelie

ein Zeichen gab, zu schweigen, konnte sie sich eines Tages ihre harten Worte nicht verbeißen: »In Zeiten der Not ist es besser, die Mütter zu stärken, nicht die Kinder.«

Christine fuhr auf. »Was willst du damit sagen?«, herrschte sie sie wütend an.

»Sieh dir doch Elisa an, bleich und ausgezehrt wie sie ist! Wenn sie sämtliches Essen an ihre Kinder weitergibt – wer soll im Frühjahr dann noch für diese Kinder sorgen?«

Christine setzte zu einer wütenden Entgegnung an, aber Elisa kam ihr zuvor.

»Mach dir keine Sorgen«, erklärte sie schnell, »ich bin zäh.«

»Siehst du«, grummelte Christine. »Es ist ihre Entscheidung!«

»Mag sein«, murrte Jule. »Aber die Wahrheit ist doch: Wenn die Erwachsenen sterben, dann sterben die Kinder auch. Wenn die Kinder sterben, können die Erwachsenen neue kriegen.«

Christine verstummte vor Empörung, doch Annelie, die ansonsten am besten mit Jule zurechtkam, fuhr sie wütend an: »Was du sagst, ist grausam!«

»Das ist nicht grausam«, verteidigte sich Jule, »das ist die Natur. Gegen diese kämpfen wir hier – und dass es ein brutaler Kampf ist, kein lustiges Spiel, das haben wir doch gewusst, als wir hierherkamen, oder?«

Elisa zog Ricardo an sich. »Ob du recht hast oder nicht«, sagte sie leise, »ich will dergleichen nie wieder hören.«

Später, als Christine fortgegangen war – nicht ohne Jule mit einem letzten verächtlichen Blick zu bedenken –, trat diese zu Elisa, und noch ehe sie abwehrend die Hände heben konnte, hatte Jule schon ein Stück Brot aus ihrer Schürze hervorgezogen und reichte es ihr. »Ich will, dass du mindestens die Hälfte davon isst, und zwar vor meinen Augen, sonst gebe ich's dir nicht.«

Verwirrt blickte Elisa sie an – nicht sicher, was die ansonsten grobe Frau dazu antrieb: echte Freundlichkeit oder nur der Wunsch, Christine auszustechen, indem sie ihr etwas Gutes tat.

Sie fühlte sich zu schwach, es zu ergründen, nahm das Brot und schlang es, wie gewünscht, vor Jules Augen herunter. Die eigene Gier verstörte sie – die Gier danach, sich endlich einmal satt zu fühlen, wenn auch nur für kurze Zeit. Danach traten ihr Tränen in die Augen, weil sie bei keinem einzigen der hungrigen Bissen an ihre Söhne gedacht hatte. So schwer wie ein Stein lag ihr das Brot im Magen, obwohl sie in der folgenden Nacht zum ersten Mal halbwegs tief schlafen konnte.

Nach einer Woche kehrten die Männer zurück, und Elisa las in ihren Blicken, dass sie keine guten Nachrichten brachten – vor allem aber kaum Nahrung.

»Seit Monaten ist kein Schiff in Puerto Montt angekommen, um eine Ladung Lebensmittel zu löschen, was bedeutet, dass die Vorräte dort ebenso knapp werden«, berichtete Cornelius. »Wir haben nahezu gebettelt, aber die Menschen meinten trotzig, dass wir ihnen in Zeiten des Überflusses auch nichts abgegeben hätten. Es ist schon öfter passiert, dass über Monate kein Schiff anlegte und die Bewohner hungern mussten.«

Jule runzelte die Stirn. Annelie sah so betroffen aus, als würde sie jeden Augenblick zu weinen beginnen.

Poldi dagegen stampfte wütend auf. »Ruiz de Arce ist der größte Versager, den man sich auf Gottes Erdboden nur denken mag!«, schrie er.

Erst nach einer Weile begriff Elisa, wer das war – ein Händler von Ancud nämlich, der üblicherweise den Transport von Nahrungsmitteln nach Puerto Montt überwachen sollte.

»Und nun?«, fragte Elisa. Ihr Magen zog sich zusammen, nicht nur vor Hunger, sondern auch vor Furcht.

»Hier … das haben wir mitgebracht.«

Cornelius stellte einen Bambuskorb mit den mageren Mitbringseln auf den Boden. Am Meeresstrand von Puerto Montt hatten sie Fische gefangen und Muscheln gesammelt, und bei dem Marsch durch den Wald Pilze und Beeren gepflückt. Alles zusammen sah mickrig aus; drei, vielleicht vier Tage würde es sie satt machen, aber was kam dann? Wann würde in Puerto Montt das nächste Schiff anlegen?

Es war Juli geworden, der Winter hatte eben erst begonnen.

»Fritz«, murmelte Christine. Es war das erste Mal seit langem, dass sie seinen Namen in den Mund nahm. »Fritz wird uns doch etwas schicken! Er wird uns nicht im Stich lassen!«

Cornelius schüttelte düster den Kopf. »Er wird es gewiss versuchen, aber die Wege sind jetzt im Winter unpassierbar. Und der See ist zu unruhig, als dass sich ein Boot darüber wagt.«

Schweigend standen sie eine Weile beisammen.

»In einem Monat … in einem Monat gehen wir wieder nach Puerto Montt.«

Es waren die ersten Worte, die Lukas sagte, und erst jetzt musterte Elisa ihren Mann eingehender. Erschöpft wirkten sie alle, doch keiner war so blass wie er. Seine Augen waren noch tiefer in den Höhlen versunken. Am Abend nach ihrer Rückkehr fing er zu husten an – und hörte nicht mehr damit auf.

Elisa konnte nächtelang nicht schlafen. Sorgen hielten sie wach, der Hunger, der manchmal zu Übelkeit führte, manchmal zu schmerzhaften Magenkrämpfen, und Lukas' Husten. Er kämpfte damit, ihn zu unterdrücken, schaffte es jedoch nicht. Jedes Mal, wenn er von neuen Anfällen geschüttelt wurde, klang sein Atem noch röchelnder. Am Morgen nach einer besonders schlimmen Nacht verlangte sie von ihm, dass er im Bett bleiben und sich ausruhen müsse, doch er schüttelte stur den Kopf, stand auf und ging nach draußen, um das Dach einer Vorratskammer zu reparieren – was seinen stetigen Husten etwas übertönte.

Elisa lag es auf der Zunge, ihm vorzuhalten, dass sie diese Kammer nicht brauchten, wo es doch keine Vorräte aufzubewahren gab, aber dann schwieg sie. Sie ahnte, dass ihm das Hämmern die Gewissheit schenkte, Herr der Lage zu sein – so wie Annelie nun wieder das Kochen aufnahm, obwohl es kaum etwas zu kochen gab. Von ihnen allen setzte ihr der Hunger am wenigsten zu. Und als die Trauer um Richard langsam von ihr abfiel, wurde sie wieder erfindungsreich. Mit Lu und Leo streifte sie durch die Wälder, kam mit Wildbeeren, Haselnüssen und kleinen Samen, die wie Pinienkerne schmeckten, zurück und mischte sie unter den Eintopf aus Kraut und Kartoffeln – zumindest solange sie beides hatten.

Als die drei Säcke, die sie von den Tiroler Nachbarn hatten, zur Neige gingen, blieb Annelie noch länger in den Wäldern und kam mit Körben voller Gurgai zurück – einem Pilz, der sich nach starken Regenfällen an der Rinde einiger Bäume bildete und wie Blumenkohl schmeckte.

»Und wenn er giftig ist?«, fragte Elisa zweifelnd.

Annelie zuckte die Schultern, Jule hingegen meinte bitter: »Na großartig! Immerhin bleibt uns die Freiheit zu entscheiden, ob wir an einem giftigen Pilz sterben oder am Hunger.«

Als giftig stellte sich der Gurgai nicht heraus, aber richtig satt machte er auch nicht – genauso wenig wie das Stück Leder, das Annelie eine ganze Nacht hindurch in einem Topf Wasser weich kochte und das sie am nächsten Morgen mühsam herunterwürgten, um zumindest etwas im Magen zu haben.

Lu und Leo weigerten sich zunächst, es zu essen, doch Jule schmatzte vermeintlich genießerisch mit dem Mund und rief: »Wie? Ihr wollt euch entgehen lassen, Schuhe und Sattel zu essen?«

Das fanden die Knaben wiederum so lustig, dass sie eine Weile erst recht nichts essen konnten, sondern kicherten. Der ungewohnte Laut befremdete Elisa – und stimmte sie zugleich erleichtert. So ausgemergelt waren die Kinder wohl nicht, wenn sie noch lachen konnten.

Die Erleichterung währte allerdings nicht lange. Das Kichern erstarb wieder, und die Kinder wurden von Tag zu Tag bleicher und schwächer. Lu und Leo ertrugen es stoisch, Ricardo ständig greinend – ein Laut, der Elisa, anders als in guten Zeiten, ungemein störte. Mühsam musste sie es sich verkneifen, ihn in ähnlichem Tonfall anzukeifen wie Resa ihre heulenden Töchter. Eines Tages jedoch hätte sie Ricardo liebend gerne greinen gehört – als er nämlich wie Lukas zu husten begann und keine Luft mehr bekam, um zu weinen.

Er quälte sich noch mehr als sein Vater, spuckte schleimigen Auswurf aus und glühte schließlich vor Fieber.

Bis zu diesem Moment hatte Elisa immer die Fassung zu wahren versucht, hatte Hunger und schlaflose Nächte durchgestanden, die Sorgen um den kranken Mann und die Kinder, doch als sie den von Krämpfen und Atemnot geschüttelten Lieblingssohn an sich presste und ihm nicht helfen konnte, brach sie in Tränen aus. »Was soll ich denn tun, damit er wieder gesund wird? Jule! Nun, sag doch etwas! Wie kann ich ihn stärken?«

Annelie hielt ihrer Verzweiflung nicht stand. Hektisch stürzte sie zum Herd und begann dort, in einer Schüssel zu rühren, die – wie Elisa insgeheim vermutete – leer war. Barbara, die in den letzten Wochen oft zu Gast war, duckte sich hinter dem

Webstuhl und arbeitete noch emsiger. Erst jetzt fiel Elisa auf, dass sie seit Beginn des Hungerwinters, ja, schon seit Taddäus' Tod nicht mehr gesungen hatte.

»Was soll ich denn tun?«, rief sie wieder. Sie schüttelte Ricardo leicht und klopfte auf seine Brust, in der Hoffnung, er könne dadurch besser atmen.

»Jule, nun sag doch etwas!«

Jule zuckte mit den Schultern. Obwohl ihr Blick von Ratlosigkeit verschleiert war, klang sie nüchtern wie eh und je, als sie sagte: »So ist der Lauf der Welt. Die Schwächsten und Kleinsten trifft es in Hungerszeiten zuerst.«

Elisas Tränen versiegten. Mit blankem Entsetzen starrte sie von Jule auf ihr krankes Kind und wieder auf sie zurück, suchte schließlich Christines Blick – Christine, die doch sonst immer mit Jule stritt!

Christine aber ließ Jules Worte unwidersprochen, trat nur zu ihr und strich dem kleinen Ricardo über das glühend heiße Köpfchen. Er hatte aufgehört zu husten, wimmerte nur leise.

»Du musst jetzt stark sein, Elisa«, flüsterte sie.

In Elisas Ohren klang es, als wäre er schon tot. Hastig zog sie das Kind unter Christines Händen weg, als wäre deren Berührung gefährlich.

»Ich lass nicht zu, dass er stirbt! Nicht Ricardo!«, schrie sie.

Erst nachdem ihre Worte verklungen waren, ging ihr auf, wie grausam sie klangen, verhießen sie doch, dass sie den Tod von Lu oder Leo viel leichter hingenommen hätte. Selten hatte sie so unverhohlen eingestanden, dass sie den Jüngsten am meisten liebte, und sie biss sich verlegen auf die Lippen, während weitere Tränen über ihre Wangen strömten.

Annelie hörte auf, in der leeren Schüssel zu rühren. »Ich habe es schon einmal vorgeschlagen, aber ihr habt mir widersprochen. Ich meine, dass wir es nun trotzdem tun sollten – nämlich die Saatkartoffeln wieder aus der Erde graben. Anders stehen wir die nächsten Wochen nicht durch.«

Elisa fühlte sich zu ausgelaugt und zu erschöpft, um über Annelies Vorschlag nachzudenken. Mit dem Vorwand, das Kind ins Bett zu bringen, floh sie aus der Stube. Ricardo dicht an sich gepresst, legte sie sich nieder, doch trotz ihrer Müdigkeit war an Schlaf nicht zu denken. Es quälte sie, wenn Ricardo hustete – und es quälte sie noch mehr, wenn er es nicht tat. War das nicht womöglich ein Zeichen, dass ihm sämtliche Kräfte schwanden, dass er irgendwann ganz zu atmen aufhören würde?

Zwei Tage und zwei Nächte wich sie nicht von seiner Seite. Jedes Mal, wenn sie einnickte, fuhr sie alsbald wieder auf. Manchmal lag er lethargisch in ihren Armen, manchmal schwitzte er, manchmal wimmerte er, und am allerschlimmsten war es, wenn er etwas von Dämonen stammelte, die auf seiner Brust hockten.

Elisa schlug mit ihren Händen um sich, zum Zeichen, dass sie sie verjagen würde. »Sie haben keine Macht über dich! Ich bin doch hier, Ricardo, ich bin hier!«

Wenn sie ihn nur lange genug wiegte, schlief er kurz ein. Dann wieder boxte er wild um sich, als wäre sie nicht die beschützende Mutter, sondern eines von den dunklen Wesen, die ihn jagten.

Obwohl immer wieder Menschen zu ihr hochstiegen, glaubte sie sich manchmal ganz allein mit Ricardo auf der Welt. Annelie, das wusste sie, kam einmal mit Kartoffeln – den ausgegrabenen Saatkartoffeln –, doch da war Ricardo schon zu schwach, um etwas zu essen. Lukas nahm sie nur wie einen Schatten wahr, der – nicht minder hilflos wie Ricardos Brüder – auf das kranke Kind starrte und stets rasch wieder ging, um weiter an der Vorratskammer zu zimmern. Er hustete selbst immer noch, aber Elisa – einzig darauf bedacht, dass ihr kein Lebenszeichen von Ricardo entging – achtete nicht auf das Befinden ihres Mannes.

Am dritten Tag ließ Ricardos Husten nach, aber sein Fieber stieg an.

»Wir müssen einen Arzt holen!«, schrie Elisa, obwohl sie wusste, dass es keinen gab. Zumindest nicht hier am See. In Puerto Montt lebte ein Arzt namens Franz Fonck, und in Osorno hatte ein gewisser Doktor Herrguth seine eigene Apotheke aufgemacht, aber hier am See mussten sie sich selbst helfen.

»Vielleicht … vielleicht kann er doch herkommen«, klagte Elisa wider jede Hoffnung. »Irgendwie …«

»Aber es regnet doch«, sagte Annelie leise. »Es regnet seit drei Tagen.«

Sie hatte es gar nicht gemerkt.

Am vierten Tag hörte der Regen schließlich auf, und Ricardo schien erstmals seit langem wieder bei Bewusstsein, obwohl sein Gesicht nach wie vor glühte. Er murmelte etwas, und als Elisa sich dicht über ihn beugte, glaubte sie, seine Worte zu verstehen.

Eine Geschichte wollte er hören, eine Geschichte … am liebsten die von Feuerblume.

Vage erinnerte sie sich daran, dass Quidel früher den Kindern Märchen der Mapuche erzählt hatte. Sie selbst hatte es nie getan; die Zeit hatte ihr gefehlt, vielleicht auch die Lust. Nun erzählte sie die Geschichte der Feuerblume so mitreißend, so lebendig, so farbenfroh, wie sie nur konnte.

»Einst lebte eine Zauberin, die durch und durch böse war. Sie kannte weder Mitleid noch Gnade und liebte es, andere Menschen zu quälen. Als sie gewahrte, dass der junge Kalwuen, der Häuptlingssohn, sich in ein Mädchen aus dem Stamm verliebt hatte, so packte sie es und verschleppte es tief in den Urwald. Feuerblume hieß das Mädchen, und es irrte hilflos zwischen den riesigen Bäumen umher, ohne heimzufinden. Kalwuen erkrankte vor lauter Liebesweh und stand kurz vor dem Tod. Doch dann … dann kam die große, gute Erdenmutter Machi an sein Lager und rief: Steh auf, mein Sohn, steh auf!«

Voller Gram blickte Elisa auf Ricardo, und sie meinte, ihre Brust würde vor Weh zerspringen. Wie gerne hätte sie ihm das auch gesagt, dass er wieder aufstehen und zu Kräften finden solle! Doch das Einzige, was er konnte, war die Augen zu einem schmalen Schlitz zu öffnen. »Weiter …«, forderte er, »erzähl weiter …«

Und Elisa erzählte weiter: »Ja, das sagte Machi zum jungen Kalwuen: Steh auf und ziehe gen Süden, bis du zu dem Ufer eines großen Sees kommst, der von mächtigen Bergen umgeben ist. Dort wohnen meine zwei jüngsten Brüder, die Riesen Osorno und Calbucco. Die kannst du fragen, wo die böse Zauberin mit dem Namen Malacaitu haust.«

»Mala… Mala…«, versuchte Ricardo, den Namen nachzusprechen, schaffte es jedoch nicht. Er hustete trocken.

»Kalwuen tat, wie ihm geheißen, erhob sich vom Krankenbett und machte sich auf einen langen Fußmarsch. Er versank in der Erde des Waldes, und er wurde nass vom fortwährenden Regen, der von den Ästen und Blättern auf ihn perlte. Doch irgendwann schimmerte es silbrig durch die Baumriesen. Er hatte den See erreicht.«

»Unseren See …«, murmelte Ricardo und schloss die Augen.

»Ja«, sagte Elisa und konnte nur mühsam das Schluchzen unterdrücken, »unseren See …«

Sie war sich nicht sicher, ob Ricardo ihr überhaupt zuhörte, und fuhr dennoch fort: »Als Kalwuen den See erreichte, steckte sich Osorno gerade eine Pfeife an. Riesige Rauchwolken schossen in den Himmel. Und Calbucco begann, mit Flammen zu züngeln, weil das sein liebstes Spiel war. Kalwuen erschrak zutiefst, aber noch größer war seine Angst um Feuerblume. So wagte er sich zu den Riesen und fragte sie nach ihrem Verbleib. Abermals schossen Rauch aus dem Osorno und Flammen aus dem Calbucco, doch als sie sahen, dass Kalwuen sich nicht verschrecken ließ, sondern seine Liebe stark und aufrichtig war, da stellten sie das schaurige Schauspiel ein und wiesen Kalwuen den Ort, wohin die arme Feuerblume verschleppt worden war. Und wieder kämpfte er sich tagelang durch den hohen Wald, bis er endlich auf eine Lichtung stieß, wo rot die Copihue blühte. Und dort … dort schloss er Feuerblume in die Arme.«

Elisa schloss Ricardo in die Arme, noch fester als je zuvor. Nie, nie wieder wollte sie ihn loslassen, ihn an keine der dunklen Schicksalsmächte verlieren!

Er atmete ruhig und fest, zumindest solange es dunkel war. Im Morgengrauen lösten sich plötzlich seine verkrampften Fäuste, seine Lider zuckten. Er weinte nicht mehr, schien keine Angst mehr vor den Dämonen zu haben, die das Bett umlauerten. Als am Vormittag erstmals die Sonne hinter den Wolken hervorkam, als erstes wankelmütiges Zeichen, dass irgendwann wieder der Frühling kommen und das Leben weitergehen würde, war er bereits tot.

30. Kapitel

Alle kamen sie, um sie zu trösten, jeder auf seine Art und jeder, ohne wirklich zu Elisa durchzudringen. Kein warmes Wort, keine liebevolle Berührung erreichten sie. In den letzten Tagen hatte sie geglaubt, dass es nur mehr Ricardo und sie gäbe – nun war sie ganz allein.

Lukas hörte auf, die Vorratskammer auszubessern, und verkündete stattdessen, vom Husten geplagt, dass er dem toten Kind eigenhändig einen Sarg zimmern wollte.

»Leg dich ins Bett, sonst holst du dir den Tod«, sagte Elisa. Ihre Stimme war tonlos, wie die einer Fremden, und eigentlich war es ihr gleich, was er tat.

»Er wird nicht einfach in einen Fetzen Leinen gehüllt«, erklärte Lukas beinahe trotzig, »er wird einen Sarg bekommen.«

Für Elisa war es undenkbar, dass ihr kleiner Ricardo begraben werden sollte – ob in einem Sarg oder nicht. Er lag in der Stube aufgebahrt, und Elisa blieb an seiner Seite, auch wenn sie sich nicht überwinden konnte, ihn noch einmal zu berühren. Magdalena betete unermüdlich für ihn, und selbst Christl, die sich immer über die fromme Schwester lustig gemacht hatte, saß über Stunden an ihrer Seite und murmelte mit ihr.

Elisa konnte nicht beten. Mit einem Ausdruck der Verwirrung starrte sie auf die Steiner-Schwestern und die anderen Frauen, die kamen, um dem Kleinen die letzte Ehre zu erweisen – und hatte das Gefühl, dass es nichts mit ihr zu tun hätte, ja, dass sie sich um ein fremdes Kind scharten.

Sie merkte kaum, dass Lu und Leo sich mit Resas Töchtern

zankten und sich schließlich sowohl von Christine als auch von Jule schallende Ohrfeigen einfingen. Und sie bemerkte ebenso wenig, wie sie kleinlaut zur Mutter geschlichen kamen und sich auf ihren Schoß setzten.

Ganz kurz überkam sie eine Ahnung von Wärme, aber diese erlosch sofort. Sie wusste, dass sie etwas sagen sollte, über ihre Gesichter streicheln, dankbar sein, weil sie noch gesund und munter waren, aber sie rührte sich nicht. Irgendwann lösten sich die beiden von ihr und wagten sich nicht wieder in ihre Nähe.

»Ich habe meine Kinder schon viel früher verloren«, sagte Annelie leise, »aber ich weiß, wie es sich anfühlt. Es gibt keinen Trost.«

Elisa zuckte nur die Schultern.

»Du bist eine starke Frau, du wirst es überwinden«, sagte Christine.

Abermals zuckte Elisa nur mit den Schultern.

Irgendwann kam auch Poldi, um ihren Kummer zu teilen.

»Es tut mir so leid«, sagte er, und dann begann er zögernd, die Melodie eines Kinderliedes zu summen. Elisa stiegen Tränen auf, die ersten seit Ricardos Tod. Aber sie schluckte sie. »Sei still!«, fauchte sie ihn an, und Poldi verstummte.

Schließlich wagte keiner mehr, mit ihr zu reden. Das einzige Geräusch, das in die Stille drang, war Lukas' Hämmern, als er den Sarg zimmerte.

Elisa ertrug es nicht. Sie hielt sich die Ohren zu, floh zum ersten Mal vom toten Ricardo und lief weg, immer tiefer in den Wald hinein. Erst als der Schlamm bis zu ihren Knien schwappte, drehte sie wieder um. Sie konnte sich nicht überwinden, nach Hause zurückzukehren, sondern verkroch sich in einem der Ställe, als es dämmerte – der Einzige, der beim Überfall der Mapuche heil geblieben war. Sie kletterte auf den

Heuboden, ließ sich einfach fallen und vergrub ihr Gesicht im klammen, laschen Heu.

»Geh weg!«, schrie sie, als sie Schritte hörte. Sie stammten von Annelie, die ihr sagte, sie müsse doch etwas essen.

»Geh weg!«, schrie sie nochmals – und Annelie ging.

Nach einer Weile ertönten wieder Schritte. Sie setzte sich auf, rüstete sich, auch diesen ungebetenen Gast zu verjagen. Doch als sie erkannte, dass es Cornelius war, der zu ihr hochkletterte und sich neben sie ins Heu setzte, hatte sie keine Kraft, ihn fortzuschicken. Nicht ihn.

Sie ließ sich erneut ins Heu sinken, starrte hoch zur Decke – von Lukas gezimmert, so wie alle Dächer hier … von Lukas, der jetzt für Ricardo einen Sarg machte.

»Er ist tot«, sagte sie leise. Zum ersten Mal konnte sie die bittere Wahrheit aussprechen. »Mein kleiner Ricardo ist tot.«

Cornelius sagte nichts. Er bekundete kein Beileid, nickte nicht einmal, nahm einfach ihre Hand und drückte sie fest.

Elisa ging wieder zurück ins Haus, wachte bei ihrem toten Kind und floh dann stets aufs Neue auf den Heuboden. Und immer folgte Cornelius ihr kurze Zeit später und war da, um gemeinsam mit ihr zu schweigen.

Das war so in den Tagen, in denen Lukas an Ricardos Sarg hämmerte – und das war auch noch so in den Tagen, als das Hämmern längst verklungen und der Sarg fertig war, man Ricardo in ihn gebettet und begraben hatte.

Elisa verlor jedes Zeitgefühl; sie wusste nicht, wie lange ihr Kind tot war; sie wusste nicht, ob ihre Trauer abnahm oder wuchs; sie wusste nicht, ob sie je wieder ins Leben zurückfinden würde oder ob es ihr immer fremder wurde. Sie wusste nur, dass es diese stillen Stunden mit Cornelius gab. Dann fühlte sie, dass tief vergraben unter Kummer und Schmerz noch etwas in ihr pochte, was nicht völlig erstarrt und betäubt war.

Am meisten half ihr, dass er gar nicht versuchte, sie zu trösten. Er überbrückte den letzten Abstand, der zwischen ihnen klaffte, nie. Sie selbst war es, die eines Tages kaum merklich näher an seinen Leib rückte und sich schließlich an ihn schmiegte.

Lange Zeit hatte sie sich mit aller Macht verboten, diese Wärme zu suchen und sie zuzulassen. Doch nun, da sich alles so tot und sinnlos anfühlte, gab es nichts, hinter dem sie sich verschanzen konnte, weder Stolz noch Ehrgefühl, weder Vernunft noch Gleichgültigkeit. Ein ödes Niemandsland schien zwischen ihr und der restlichen Welt aufzuragen, unfruchtbar und voller Gräber, nur Cornelius war an ihrer Seite, und es war gut, dass er da war. Als er sie an sich zog, begann sie zu weinen, und sie weinte noch mehr, als ihr aufging, dass es eigentlich schäbig war, sich in diesen dunklen Stunden kurz so wohl zu fühlen. Für diesen gestohlenen Moment nicht hungrig. Für diesen gestohlenen Moment nicht erschöpft. Für diesen gestohlenen Moment nicht tieftraurig.

Doch Scheu und Scham vergingen. Als sie nach einer Weile den Kopf hob und Cornelius anblickte, klang ihre Stimme nüchtern, fast kalt: »Es ist meine Schuld.«

»Wovon redest du?«, fragte er verwirrt. »Davon, dass der kleine Ricardo sterben musste? Aber das ist doch nicht deine …«

»Nein«, sagte sie rasch, »nein, das meine ich nicht. Ich habe für Ricardo getan, was ich konnte. Aber es ist meine Schuld, dass wir … dass wir beide nicht zusammen leben können. Ich habe dir versprochen, zu warten. Aber ich habe nicht gewartet, nicht lange genug. Ich hatte zu wenig Geduld.«

Ihre Tränen versiegten.

»Das ist nicht wahr«, sagte er heiser. »Du kannst nichts dafür.

Mein Onkel hat deinen Brief versteckt. Sonst wäre ich viel eher zu dir gekommen ... Aber Elisa, das ist so lange her. Das zählt jetzt nicht mehr. Jetzt hast du Lukas.«

»Ricardo war mein Sohn ... viel mehr als seiner. Meine beiden großen – das sind Steiner-Kinder, so wie Fritz oder Lukas. Tüchtig, zäh, wortkarg und ein wenig unnahbar. Aber Ricardo ... Ricardo war so sanft, so bedürftig, manchmal ein wenig verloren. Es war so leicht, ihn zu lieben. Manchmal habe ich ihn angeschaut und mir vorgestellt, dass er dein Kind wäre.«

»Daran darfst du nicht einmal denken«, rief er. »Lukas ...«

»Lukas ist ein guter Mann«, fiel sie ihm mit rauher Stimme ins Wort, »ein anständiger, fleißiger Mann. Er war immer der stillste unter seinen Brüdern – und der, mit dem man es am besten aushält. Ja, er ist ein guter Mann. Aber ich liebe ihn nicht. Ich habe ihn nie geliebt. Ich habe ...«

»Bitte!« Er klang nun flehentlich. »Bitte! Sprich es nicht aus!« Sie tat es nicht – aber schweigen konnte sie auch nicht. Etwas anderes brach aus ihr heraus. »Ich habe Lukas geheiratet, um Annelie auszustechen. Um meinem Vater zu beweisen, dass ich willens und fähig bin, kräftige Söhne zu gebären. Annelie hat versagt, aber ich, ich konnte ihm Enkelkinder schenken, nicht nur eines, gleich drei hintereinander, und das vermeintlich ohne Mühen. Immer stand ich sofort wieder auf dem Feld und arbeitete hart wie zuvor.«

»Elisa, du hast allen Grund, auf das stolz zu sein, was du hier geleistet hast – und natürlich auch auf deine Söhne. Mach es nicht schlecht!«

»Aber ich liebe Lu und Leo viel zu wenig. Ich bin froh, dass sie so selbständig sind ... und so unauffällig. Ja, das ist es, was ich an meinem Mann und meinen Söhnen schätze – dass sie mich nicht stören! Wie erbärmlich ist das! Wie schäbig! Nur

Ricardo habe ich geliebt, weil ich mir bei Ricardo denken konnte ...«

»Sag es nicht noch einmal.«

»Aber ich weiß nicht, wie ich weitermachen soll. Ich weiß nicht, wie ich an Lukas' Seite leben kann, so, als wäre nie etwas zwischen uns geschehen.«

»Es ist nichts zwischen uns geschehen!«

»Doch«, sagte sie. »Doch! Wir haben uns geküsst. Und ich kann es nicht vergessen. Ich spüre deine Lippen immer noch auf meinen. Ich weiß, wie dein Haar sich anfühlt, wenn ich darüberstreiche. Und ich möchte so gerne darüberstreichen! Über jedes Fleckchen deiner Haut, möchte es anfassen und riechen und küssen, und ... Ich ... ich ... liebe dich, Cornelius. Ich habe nie aufgehört, und ...«

Sie verstummte, als er seine Hand vor ihren Mund presste. Dennoch ließ sie sich nicht davon abhalten, diese Hand zu nehmen, sie kurz zu drücken, sie an ihren Mund zu ziehen, diesmal, um seine Finger zu küssen, jeden einzelnen, und als sie damit fertig war, beugte sie sich nach vorne, umgriff seinen Nacken und küsste seinen Mund. Kurz versteifte er sich, wollte zurückweichen, doch als sie sich hungrig und fordernd an ihn drängte, öffnete er seine Lippen.

Noch küssend ließ sie sich zurück ins Heu sinken, ohne seinen Kopf loszulassen. Als er über ihr zu liegen kam, schüttelte er kurz den Kopf.

»Ich wollte immer nur, dass es dir gut geht«, stammelte er. »Ich wollte ...«

»Dann halt mich fest! Halt mich fest!«

Er senkte seine Lippen auf ihre, ganz vorsichtig, ganz langsam, so, als hätten sie sich noch nie geküsst, als müssten sie den Mund des anderen erst bedächtig erforschen, als hätten sie alle Zeit der Welt.

Vielleicht war das auch so. Niemand würde sie hier suchen, niemand sie stören. Nicht gierig, nicht hastig mussten sie übereinander herfallen, um hektisch der Lust hinterherzujagen. Ganz langsam konnte ihr Feuer wachsen, eine schwache Glut zunächst, die sich noch mit tröstlichen Zärtlichkeiten begnügte. Er küsste sie auf den Mund, auf die Nase, auf die Augen; sie streichelte seine Haare, seine Stirn, seine Wangen, und lange Zeit genügte es – genügte, um die Ahnung zu nähren, dass sie nicht zu Stein erstarrt war, dass sie nicht nur Trauer und Schmerz fühlen konnte, sondern auch Nähe und Geborgenheit und Glück.

Dann richtete er sich wieder auf, und auch sie erhob sich. Sie standen voreinander, ließen lange Zeit nur die Blicke über ihre Leiber schweifen, ehe auch die Hände folgten. Sie rissen sich ihre Kleidung nicht vom Leib; sie zogen sich ganz gemächlich aus, ohne Kälte zu spüren, ohne Scham, ohne Gedanken daran, dass jenseits dieser Welt, in der es nur sie beide gab, noch eine andere lauerte.

»Halt mich!«, murmelte sie wieder, als sie nackt waren. »Halt mich fest.«

Und sie umarmten sich, pressten Haut auf Haut, Fleisch auf Fleisch. Seine Härchen kitzelten sie, sein Geschlecht drückte sich hart gegen ihren Bauch.

So zögerlich die Lust erwacht war, so ungestüm brach sie sich nun Bahn. Ja, sie wollte ihn halten, ihn besitzen, sich ihm hingeben, ihn ganz und gar aufnehmen, an ihm zerfließen. Sie sackten auf die Knie, fielen ins weiche Heu. Mancher Halm stach in ihre Haut, doch sie achtete nicht auf den Schmerz, genoss es nur, genoss es, sich endlich hinzugeben, ganz ohne die Halbheiten, denen ihr Leben der letzten Jahre unterworfen war. Sie hatte glückliche und erfüllende Tage erlebt, aber stets war sie auf der Hut gewesen, zu viel von dem zu verraten, was in ihr vorging; stets hatte sie sich gescheut, die eigenen Gedanken und Gefühle zu gründlich zu erforschen.

Bei Cornelius musste sie sich nicht zurückhalten, musste sich kein Seufzen und Stöhnen, kein Lachen oder Weinen verkneifen, musste sich kein Fleckchen seiner Haut aufsparen. Überall konnte sie ihn anfassen, überall seine suchenden Hände und Lippen hinweisen. Schließlich öffnete sie sich ihm, heiß und feucht und verlangend.

Als er sie endlich ausfüllte, glaubte sie, vor Wohligkeit zu zerplatzen, doch kaum geschah das, wand sich die Lust zu einem neuen Knoten, der Schauder über den ganzen Körper jagte, in langsamen Wellen oder in verzücktem Beben.

Sie strich über seinen Rücken, flehte erstickt, er möge weitermachen, immer weiter, so lange, bis es endlich genug war und noch viel mehr als das: genug Nähe, genug Liebe, genug Begierde – und genug Vergessen.

Später schlief sie in seinen Armen ein, und als sie erwachte, lag sie immer noch dicht an ihn gepresst. Der Schweiß war erkaltet, das Klopfen ihres Herzens hatte sich verlangsamt, der Atem war ruhiger geworden.

»Ich liebe dich so sehr«, murmelte sie und weinte. Weinte um sich, um ihn, um Ricardo, um alle anderen, und weinte ob der Ahnung, dass hinter diesem Tal der Tränen ein schmaler Lichtstreif schimmerte.

Es war bereits dunkel, als sie zurückkehrte. Kaum drang Licht durch die Fensterläden, und als sie die Stube betrat, war sämtliches Holz im Herd zur matten Glut verglommen. Lautlos huschte sie durch den Raum. Sie wollte kein Geräusch machen, um Lukas und die beiden Söhne nicht aufzuwecken, die wahrscheinlich schon lange oben in ihren Betten schliefen.

Im Gehen legte sie ihr Umhangtuch ab. Nichts war von der

Wärme geblieben, die sie in Cornelius' Umarmung gefunden hatte; ihre Kleidung fühlte sich nass und klamm an.

Fast hatte sie die Holzleiter erreicht, als sie an der Tür eine Bewegung wahrnahm. Sie fuhr herum und sah nur einen Schatten, nicht, wer es war.

»Christine … Christine …«, stammelte Annelie.

Elisa war verwirrt. Warum sprach Annelie nicht ihren Namen aus, sondern den ihrer Schwiegermutter? Und warum klang es so, als würde sie schluchzen?

Da erst sah sie den zweiten Schatten – den von Christine Steiner, die völlig in sich zusammengesunken war. Annelie stand über sie gebeugt – wahrscheinlich schon seit längerem, ohne je von ihr zu weichen und Holz nachzulegen.

»Was … was …«, entfuhr es Elisa.

Von ihrem Kopf rieselte Heu. Sie fuhr sich durchs Haar und ertastete noch mehr Halme.

Sie wissen es, durchfuhr es sie, sie wissen, was ich getan habe … was Cornelius und ich getan haben.

»Ich …«, setzte sie an.

»Christine …«, stammelte Annelie wieder.

Da richtete sich Christine abrupt auf. Als Elisa näher trat, sah sie im rötlich-schwachen Lichtschein, dass Tränen in ihren Augen glitzerten. »Jule sollte hier sein.« Ihre Stimme klang gebrochen. »Auch wenn sie ihm nicht helfen kann, so sollte sie wenigstens bei ihm sein.«

Da erst wusste Elisa, dass etwas Schlimmes geschehen war, etwas viel Schlimmeres als das, was sie selbst gerade getan hatte – aus Trauer, aus Verzweiflung, aus Sehnsucht und aus Liebe …

Es gab so vieles, was sie in Cornelius' Arme getrieben hatte, aber nichts, was ausreichte, um sich selbst zu verzeihen – nicht, als Christine fortfuhr und sie erfasste, was geschehen war.

»Elisa, es ist Lukas …«

Das Entsetzen traf sie wie ein Schlag. Ihre Knie zitterten, sie schwankte, und während Christine steif stehen blieb, eilte Annelie neben sie, um sie zu stützen.

»Was ist passiert?«, schrie Elisa.

Ihr Entsetzen war nicht das schlimmste Gefühl – vielmehr, dass sich zu ihrer Furcht um Lukas eine andere gesellte, eine viel schäbigere: die Furcht, dass Annelie womöglich Cornelius' Geruch wahrnehmen würde, der an ihr klebte.

Unwirsch riss sie sich von ihr los. »Was ist passiert?«, fragte sie wieder, diesmal etwas leiser.

»Er hatte die ganze Zeit über Fieber … nur hat es niemand bemerkt«, berichtete Christine stockend. »Vorhin wollte er wieder das Dach der Vorratskammer reparieren. Doch scheinbar ist er ohnmächtig geworden. Vielleicht lag es nicht am Fieber, sondern an seiner Kopfverletzung. Er ist … er ist zusammengebrochen und vom Dach gefallen.«

Plötzlich hörte Elisa Gemurmel von oben. Es erinnerte an die düsteren Tage, in denen Magdalena für ihr totes Kind gebetet hatte. Jetzt saß sie wohl am Krankenbett des ohnmächtigen Bruders, den Annelie, wie Christine berichtete, reglos auf dem Boden liegend gefunden hatte und der sein Bewusstsein seitdem nicht wiedererlangt hatte.

Elisa schwankte. Wieder stützte Annelie sie, und diesmal hatte sie keine Kraft, sie zurückzustoßen. »Und Jule?«, rief Elisa. »Was hat Jule gesagt?«

Christine wandte sich ab. Ihre Schultern zitterten.

»Sie hat gesagt, dass sein Blick nicht auf Licht reagiert«, murmelte Annelie an ihrer statt, »und dass das ein schlechtes Zeichen ist.«

Sie schwiegen. Das einzige Geräusch, das zu ihnen drang, war Magdalenas Gemurmel. Als sie für Ricardo gebetet hatte, hatte das Hämmern von Lukas diesen Laut fast übertönt. Nun würde er vielleicht nie wieder ein Dach decken … und nie wieder einen Sarg zimmern.

Doch wer würde ihm einen machen?

Das schoss Elisa durch den Kopf, als sie nach oben stürzte, obwohl sie sich im nächsten Augenblick selbst dafür verfluchte, dass sie an so etwas Unwichtiges zuerst dachte. Aber an alles andere konnte sie kaum denken: dass sie nicht bei Lukas gewesen war, als er vom Dach stürzte. Dass sie ihn betrogen hatte. Dass es tatsächlich so schlimm um ihn stand, wie Jule sagte.

Bis sie an seinem Bett stand, hatte sie noch Hoffnung, dass Jule sich irrte. Doch als sie ihn da starr liegen sah wie einen Toten und sein Atem kaum die Brust hob, wusste sie, dass er sterben würde, wenn nicht heute, dann morgen oder in zwei Tagen.

Magdalena stand auf und gewährte ihr den Platz an Lukas' Bett, aber Elisa konnte nicht näher treten. Sie stand wie erstarrt da.

Was habe ich nur getan?, dachte sie. Was habe ich nur getan?

Sie wehrte sich, als Magdalena sie sanft zu ihrem Mann schob. Sie hatte es nicht verdient, hier zu sein. Sie hatte diesen unermüdlichen, fleißigen, sich aufopfernden Lukas nicht verdient.

31. Kapitel

Nun also auch Lukas, dachte Greta.

Er war kaum eine Stunde tot, als sie davon erfuhr. Nur zufällig war sie am Haus der von Grabergs vorbeigekommen – nicht, weil sie einen derer Bewohner, sondern Cornelius suchte. Die ganze Brut, wie Viktor die Siedler nannte, konnte ihr gestohlen bleiben. Aber Cornelius, der sie früher regelmäßig besucht hatte, vor allem während des kalten Winters und der Hungerzeit, war nun schon seit Tagen nicht mehr bei ihr erschienen, und sie vermisste ihn. Zuerst hatte die Unruhe sie nur schleichend befallen, dann hatte sie nichts anderes mehr tun können, als ständig nach ihm Ausschau zu halten, und zuletzt hatte sie sich von Viktor fortgeschlichen. Eigentlich war das ein fast unmögliches Unterfangen. Doch der Hunger schwächte ihn so sehr, dass er manchmal schon bei Tageslicht einschlief. Sie selbst spürte diesen Hunger kaum; viel mehr als nach Brot verzehrte sie sich danach, dass Cornelius nach ihrem Wohlergehen fragte.

Ehe sie ihn bei den von Grabergs fand, stürzte Christine ihr entgegen, redete weinend auf sie ein, und nach einer Weile begriff Greta, dass Lukas gestorben war und die alte Steiner doch tatsächlich glaubte, sie wäre gekommen, um ihr das Beileid auszudrücken. Bevor sie es richtigstellen konnte, erklärte Christine schon, dass sie ihre Hilfe brauchte. Greta solle doch bitte nach Poldi suchen. Als Einzigen habe ihn die traurige Nachricht noch nicht erreicht. Er sei in den Wald gegangen, um Holz zu holen.

So ist es also, dachte Greta, als sie auf Christine starrte. Sie will etwas von mir. Würde sie sonst überhaupt mit mir sprechen?

Während Christine darum kämpfte, sich ihre Tränen zu verkneifen, weinte Christl, die nach ihr aus dem Haus gekommen war, ungeniert. Greta blickte verächtlich auf sie. Als ob sie ihren Bruder Lukas geliebt hätte! Von wegen! Christl war eitel und schamlos. Das sagte zumindest Viktor über sie, der zwar den Menschen auswich, Christl Steiner aber manchmal mit scheelem Blick aus der Ferne beobachtete. Viktor sagte auch, dass Christl zur Liebe nicht fähig sei – nicht zu jener Liebe, die er für sie, Greta, hegte und die sie umgekehrt für ihn empfand. Das glaubte, hoffte er zumindest.

In den letzten Monaten dachte Greta oft, dass sie Viktor nicht liebte, sondern vielmehr hasste, vor allem, wenn er wieder und wieder zu ihr sagte: »Ich hab doch nur dich.«

Früher waren ihr diese Worte Zeichen der eigenen Macht über ihn gewesen – heute waren sie ihr lästig. Ja, er hatte nur sie – im Guten wie im Schlechten. Manchmal bewies er es ihr, indem er sie so fest umarmte, dass sie fast erstickte, manchmal indem er sie schlug.

Christl verschwand wieder im Haus, aber Christine stierte nach wie vor auf sie. »Also, kannst du Poldi …«

Greta hatte sich schon umgedreht, bevor Christine die Bitte zu Ende bringen konnte.

Sie war sich nicht sicher, ob sie Poldi tatsächlich suchen wollte. Schließlich war sie wegen Cornelius hierhergekommen – was ging es sie an, dass Lukas Steiner verreckt war? Er war doch Elisas Mann, nicht ihrer. Ob Cornelius Elisa trösten würde?

Der Gedanke beunruhigte sie, und sie beschleunigte ihre Schritte. Rasch erreichte sie die Rodungsgrenze und trat in den Wald hinein.

Vielleicht war es gar keine so schlechte Idee, Poldi zu suchen. Es war immer irgendwie … lustig, ihn zu beobachten. Ihn und Barbara. Wie sie sich umarmten und aufeinander wälzten, wie sie sich küssten, als wollten sie sich auffressen, und wie sie hinterher verschämt ihre Kleidung ordneten. Ja, das war lustig und faszinierend und ekelhaft und packend und abstoßend zugleich. Und es bereitete ihr eine diebische Freude, dass die beiden sie nie bemerkten.

Ob Christine tatsächlich glaubte, dass Poldi nur in den Wald gegangen war, um Holz zu holen? War sie tatsächlich so blind? Greta achtete darauf, dass kein Ast unter ihren Füßen knackte. Sie stellte sich vor, die beiden zu überraschen und Poldi in dem Augenblick vom Tod seines Bruders zu berichten, wenn er sich mit rotem Gesicht in Barbara schraubte und vor Lust schrie.

Gretas eigene Wangen röteten sich bei dem Gedanken. Doch was sie schließlich von den beiden hörte, war kein lustvolles Ächzen und Stöhnen, sondern ein lautstarker Streit.

Wie langweilig, dachte Greta enttäuscht.

Sie fand sie bei der üblichen Lichtung, gab sich jedoch nicht zu erkennen, sondern versteckte sich hinter zwei Bäumen. Poldi versuchte gerade, Barbara zu umarmen, aber die stieß ihn weg.

»Nicht! Nicht!«, schrie sie beinahe hysterisch. »Es ist nicht die rechte Zeit.«

Poldi runzelte die Stirn, ungeduldig und zermürbt. Wahrscheinlich hielt sie ihm das nicht zum ersten Mal vor.

Heuchlerin!, schimpfte Greta innerlich. Warum war Barbara überhaupt in den Wald gekommen, wenn sie ihn dann doch wegstieß?

»Seit Taddäus tot ist, scheinst du mich zu verachten«, klagte Poldi.

»Ich verachte dich nicht. Ich fühle mich nur schäbig, und …«

»Darf ich dich nie wieder umarmen, nie wieder halten?«

Barbara zuckte zusammen. »Ich kann mir nicht vorstellen, dass es wieder so wie früher wird … wie früher werden darf«, murmelte sie hilflos.

»Barbara!«, rief Poldi eindringlich ihren Namen. »Barbara, bitte hör mir zu! Ich weiß, du fühlst dich schuldig … und wir haben uns ja auch schuldig gemacht. Und doch: Wir haben die Mapuche nicht hergelockt. Wir haben die Ernte nicht vernichtet. Wir haben weder Richard von Graberg noch deinen Mann getötet. Das alles war ein schreckliches Unglück, aber wir müssen irgendwie weiterleben. Und das kann ich nicht, wenn ich das Gefühl habe, nie wieder glücklich sein zu dürfen, nie wieder lachen zu können, nie wieder …«

»Mit mir kannst du nicht lachen!«, unterbrach sie ihn trotzig. »Ich hab's verlernt mit Taddäus' Tod.«

Greta ging in die Hocke, während Poldi unruhig auf und ab schritt. Eben noch hatte er verzweifelt geklungen, als er nun fortfuhr, wirkte er trotzig.

»Ich bin der jüngste Sohn; ich konnte mir immer am meisten erlauben, die meisten Frechheiten, die meisten Dummheiten. Nicht, dass meine Mutter sie mir alle nachgesehen hätte. Mir brummt heute noch der Kopf, wenn ich an ihre Ohrfeigen denke. Aber … aber insgeheim hat sie über meine Untaten gelächelt. Über Fritz und Lukas hat sie nie gelacht. Glaub mir, Barbara, wenn irgendjemand dir das Lachen wieder schenken kann, dann bin ich es, nur ich.«

Er war dicht vor ihr stehen geblieben. Barbara, das fühlte Greta deutlich, kämpfte darum, sich gleichgültig zu stellen. Sie hielt den Kopf trotzig gesenkt und zeigte kein Gefühl. Doch als Poldi sie am Kinn packte und sie zwang, ihn anzublicken, schluchzte sie auf.

Wie erbärmlich!, dachte Greta. So wenige Worte reichen, um sie zum Heulen zu bringen?

Die Tränen, die über Barbaras Wangen perlten, widerten sie an.

Zugleich dachte sie schadenfroh, dass auch Poldi bald weinen würde, wenn er erst erfahren hätte, dass sein Bruder krepiert war – wohl noch viel heftiger als Barbara.

Barbara würde Lukas' Tod schließlich kaum bekümmern. Von allen Steiner-Söhnen wollte sie nur Poldi. Gierig war sie auf ihn – und irgendwie war auch Greta gierig darauf, die beiden zu sehen, wie sie sich auf der Erde wälzten. Sie musste nicht mehr lange darauf warten.

Barbaras Tränen weichten sämtlichen Widerstand auf. Kraftlos sank sie in Poldis Arme, als er sie zu sich zog und sein Kinn in ihre Haare vergrub.

Ewig schienen sie so verharren.

Nun macht schon!, dachte Greta ungeduldig.

»Ich habe es dir schon so oft angeboten«, erklärte Poldi. »Dass du bei uns lebst. Nicht bei Andreas und Christl. Resa braucht Hilfe mit den Mädchen.«

»Poldi, es geht doch nicht …«

»In unserem Haus wirst du nichts anderes sein als meine Schwiegermutter«, unterbrach er sie rasch. »Auch auf dem Feld und im Stall und in der Scheune. Aber hier, auf dieser Lichtung, hier bist du die Frau, die ich liebe.«

Für einen kurzen Moment löste er sich von ihr, um sie dann umso heftiger an sich zu reißen. Diesmal ließ Barbara ihn gewähren, antwortete mit einem schrillen Laut, der halb Stöhnen war, halb Schluchzen. Dann sank sie zu Boden, schob ihre Röcke hoch und spreizte ihre Beine, um ihn aufzunehmen.

»Es darf nicht aufhören«, murmelte Poldi erstickt, als er zuzustoßen begann. »Ich kann nicht leben ohne dich. Es darf nicht aufhören!«

Barbara antwortete mit einem Stöhnen und grub ihre Nägel tief in seinen Rücken. »Es wird nicht aufhören«, gab sie heiser zurück, und dann verstummten ihre Worte. Das Einzige, was zu hören war, war ein Keuchen und Ächzen und Hecheln und Japsen.

Greta fühlte, wie ihre Wangen glühten, als sie zusah, wie die beiden sich liebten. Rasch entschied sie sich dagegen, sie mit der Nachricht von Lukas' Tod zu überraschen. Poldi würde es gewiss mehr zerstören, wenn er es erst später erfuhr – und sich dann niemals sicher sein konnte, ob Lukas in dem Augenblick seinen letzten Atemzug getan hatte, als er stöhnend in Barbara eindrang.

Ja, damit müsste er fortan leben: dass er so gierig auf seine Schwiegermutter war, dass er nicht lange genug am Krankenbett seines Bruders ausgeharrt hatte.

So geräuschlos wie möglich schlich Greta fort. Als sie sich in ausreichender Entfernung zu den beiden befand, kicherte sie.

Dass sie so gar keine Hemmungen kannten, die beiden!, ging es ihr genüsslich durch den Kopf. Und dass schon wieder jemand gestorben war!

Greta kicherte wieder.

So viele Tote … ihre brennende Mutter … und ihr blutüberströmter Vater hatten nur den Anfang gemacht. Dann waren Richard von Graberg gefolgt, Taddäus Glöckner und nun Ricardo und Lukas Steiner.

Sie mied die Häuser der anderen und kehrte ins eigene zurück. Als sie näher kam, verstummte ihr Lachen, und die diebische Schadenfreude wich Furcht. Sie war so lange unterwegs gewesen; gewiss war ihr Fehlen nicht unentdeckt geblieben.

Leise öffnete sie die Tür und blickte sich um. Viktor schien nicht zugegen, und schon wollte sie erleichtert ausatmen.

Doch dann ertönte plötzlich seine Stimme. Er saß ganz ruhig in der trüben Ecke. »Wo bist du gewesen?«

Die Angst und die Anspannung, die er in ihr entfachte, als er langsam auf sie zuschritt, waren fast schmerzlich – und irgendwie erregend. Viktors Gesicht war zu einer Grimasse verzogen, aber bevor er sie zur Rede stellen konnte, sagte sie schnell: »Lukas Steiner ist tot, ich hab's eben erfahren.«

Viktor zuckte befremdet die Schultern. Der Klang des Namens schien keinerlei Erinnerung in ihm auszulösen. Wahrscheinlich wusste er nicht einmal genau, wie viele Steiner-Söhne es überhaupt gab.

»Warum bist du einfach gegangen?«, fuhr er sie an.

Kurz suchte sie nach einer Ausrede, mit der sie ihn beschwichtigen konnte. Doch als er näher an sie herantrat und sich sein Gesicht noch mehr verzerrte, merkte sie, dass sie das gar nicht wollte.

»Ich musste hier raus«, erklärte sie trotzig. »Ich ertrag's hier nicht.« Plötzlich musste sie lächeln. Es war so leicht, in Viktor Gefühle auszulösen: Er war stark, wenn sie ihm Sicherheit gab. Er war wütend, wenn sie vor ihm zu fliehen versuchte. Und er war verzweifelt, wenn sie ihn sämtliche Verachtung spüren ließ.

»Was willst du damit sagen? Dass du mich, deinen Bruder, nicht erträgst? Ich bin alles, was du noch hast!«

Sie schüttelte den Kopf. Das ist nicht wahr, wollte sie ihm sagen. Sie hatte nicht nur ihn. Sie hatte auch Cornelius – Cornelius, der immer lieb und gut und fürsorglich zu ihr war. Doch sie wusste, dass sie ihn mit anderen Worten noch viel stärker treffen konnte. »Ja«, sagte sie heiser. »Ja, ich habe nur dich. Aber das ist nicht viel. Das ist sogar jämmerlich wenig.«

Sie lachte auf, als ihm seine Züge noch mehr entglitten. Sie glaubte schon, er würde zusammensinken, von ihren Worten getroffen wie von einem Faustschlag. Doch dann erhob er sich, ja sprang auf sie zu. Er roch nach Bier. Nicht nur aus seinem Mund strömte der säuerliche Geruch, sondern auch von der Kleidung. Wahrscheinlich hatte er sich bekleckert.

»Du stinkst!«, höhnte sie. »Wie du stinkst! Hast du dir in die Hosen gemacht? So wie einst, als Kind?«

Drohend hob er seine Hand, aber sie wich nicht zurück, sondern hob trotzig ihr Gesicht und lachte wieder.

»Schlag mich«, forderte sie ihn auf, »ja, bitte, schlag mich doch!«

Es tat so weh, wenn er schlug, und irgendwie tat es auch gut. Er ließ die Hand jedoch wieder sinken. Keine Wut stand mehr in seinem Gesicht, nur Hilflosigkeit.

»Bitte Greta … sag so etwas nicht …«

Wie weinerlich er klang. Und wie sehr sie ihn dafür verachtete. Wenn er zuschlug, bewies er wenigstens, dass aus dem zarten Knaben ein kräftiger Mann geworden war. Wenn er hingegen jammerte, nicht einmal das.

»Wie erbärmlich du bist!«, höhnte sie. »Wie armselig! Vater hatte recht, Vater hatte ja so recht. Er wusste immer, dass du zu nichts taugst!«

»Halt deinen Mund!«

Endlich hob er die Hand erneut; sie wappnete sich gegen das klatschende Geräusch und sehnte es zugleich herbei, den brennenden Schmerz, den Geschmack von Blut, wenn er so fest zuschlug, dass ihre Lippen aufplatzten. Doch er schlug sie nicht, sondern packte sie an den Haaren, riss erst ihren Kopf nach hinten und schleifte sie dann durch das halbe Zimmer, um sie an die Wand zu pressen. Sie spürten den kalten Wind, der durch die Ritzen drang, und noch deutlicher fühlte sie seinen Körper, zäh und sehnig.

Dass er sie auf diese Weise hielt, war neu. Sie lachte schrill.

»Warum lachst du?«, schrie er. »Und warum redest du so böse mit mir? Warum verachtest du mich? Du gehörst doch zu mir! Du bist meine Schwester! Du bist meine Frau, du bist alles, was ich habe.«

Mit jedem Wort zog er sie fester an sich, zerdrückte sie, erstickte sie. Der Schmerz, der ihr durch die Glieder fuhr, war altvertraut – doch es war auch etwas anderes dabei, etwas, was sie nicht kannte. Sie musste jäh an die Leiber von Poldi und Barbara denken, wie sie sich aufeinander wälzten, wie sie sich befingerten, wie sie sich wanden – so, als würden sie Schmerzen erleiden, aber eben noch etwas anderes, Gier und Lust, Hingabe und Erfüllung.

Viktor vergrub seine Nase in ihren Haaren und riss gleichzeitig daran. Er küsste ihre Wangen und biss zugleich hinein. Ob auch Poldi Barbara biss?, fragte sich Greta. Sie war nie nahe genug an die beiden herangekommen, um es zu sehen. Ja, ob er sie biss, bis Blut kam?

Bei ihr kam kein Blut. Viktor wich nun etwas zurück und presste seine Hände gegen ihre Wangen. Es schien, als wollte er ihren Kopf zerquetschen, um alles zu bekommen, was darin war.

»Du gehörst mir doch! Du …«

»Ein jämmerlicher Schwächling bist du«, unterbrach sie ihn scharf. »Wenn ich alles bin, was du hast, hast du es zu nichts gebracht, Viktor. Zu rein gar nichts!«

Er ließ kurz los, starrte sie mit einem Ausdruck von Verwirrung an, dann legten sich seine Hände um ihren Hals und drückten zu. Sie glaubte, ihr Kehlkopf müsse zerspringen –

vor Schmerz und vor diesem anderen Gefühl. Die Augen traten ihr aus dem Gesicht.

Ob auch Poldi Barbara würgte? Wenn die Leiber der beiden sich aufeinander wälzten, so schien es manchmal, als würde einer den anderen zermalmen, so dass am Ende nicht zwei Körper blieben, sondern ein einziger.

»Tu's doch!«, presste Greta tonlos hervor.

Viktors Griff ließ nach, doch kaum hatte sie wieder etwas Bewegungsfreiheit, schnellte ihr Kopf nach vorne, und sie küsste ihn mitten auf den Mund.

Poldi und Barbara küssten sich so – küssten sich, als wollten sie sich auffressen. Beinahe verdutzt starrte Viktor sie an. Als sie zurückwich, versuchte er nun seinerseits, ihre Lippen zu erhaschen.

Sie wartete – wartete, bis der Druck seiner Lippen fordernder wurde, bis seine Zunge in ihre Mundhöhle vordrang, bis sie die ihre traf, dann biss sie zu, so fest und schmerzhaft, wie sie nur konnte. Viktor heulte auf, fuhr zurück und schlug ihren Kopf hart gegen die Wand. Für einen kurzen Moment schien der Anblick seines Gesichts in viele kleine Splitter zu zerstieben. An den Schultern hielt er sie nun gepackt und schlug sie wieder und wieder gegen die Wand.

»Das machst du nicht! Das darfst du nicht mit mir machen!«, kreischte er panisch.

Was meinte er – ihn küssen oder ihn beißen?

Greta schwindelte es. Alles um sie herum wurde schwarz; ihr Kopf schien nichts anderes zu sein als ein gefühlloses Loch. Ruckartig riss sie sich ihre Bluse vom Leib, bot blind dem Bruder ihren nackten bleichen Körper dar. »Ich mache, was ich will«, murmelte sie, »du bist nichts ohne mich. Rein gar nichts bist du.«

Er beugte sich vor, schlug seine Hände auf ihre Brüste, zunächst nicht, um sie zu berühren, sondern nur, um ihre Blöße zu bedecken. Doch sobald seine Hand auf ihrem Fleisch ruhte, konnte er sie nicht mehr zurückziehen.

Das Bild vor Gretas Augen klärte sich. Sie sah ihn an, sah, wie er rot wurde, dann erbleichte, wie sein Blick zu flackern begann, um plötzlich wieder ganz starr zu werden, sah die Gier, die ihn überkam, sah, wie die Lust, eine kranke, abartige Lust seine Gedanken aushöhlte.

Schließlich ließ er ihre Brüste los, doch als sie ihre Bluse wieder über den nackten Leib ziehen wollte, schlug er ihre Hände weg, packte sie an den Gelenken und hielt sie über ihrem Kopf fest. Eben noch hatte sie vermeint, er wolle sie zerquetschen, jetzt schien es ihr, als zöge er sie in die Länge, immer weiter, bis sie zerreißen würde. Als er ihre Hände endlich wieder losließ, fielen sie ihr kraftlos auf die Brust.

»Gar nichts bist du ohne mich. Wenn ich gehe, bist du zerstört!«

»Aber du gehst nicht!«, kreischte er. »Du gehörst mir.«

Greta schloss die Augen. Sie dachte an Poldi und Barbara, während Viktor erst an ihrem Rock nestelte, dann an seiner Hose, als sie sein Geschlecht an ihren nackten Schenkeln fühlte, warm und hart, als er in sie eindringen wollte, aber ihre Scham nicht fand, schließlich beide Hände zu Hilfe nehmen musste, um ihr Knie anzuheben, ihre Beine zu spreizen und zuzustoßen – Hände, die zitterten.

Greta zitterte nicht, sondern machte sich steif, als unter der Wucht seiner Stöße ihr Körper immer wieder gegen die Holzwand geworfen wurde. Sie spürte keinen Schmerz, aber auch nicht länger Lust, spürte weder die Wärme seines Atems noch das Blut, das über ihre Schenkel tropfte, oder seine Nässe, als er nach wenigen ruckartigen Stößen in ihr zu zerbersten schien.

Er wich zurück. Ihr Rock rutschte über die nassen Beine nach unten.

»Was habe ich getan!«, stöhnte er auf.

Seine Lippen zuckten, seine Augen spuckten Tränen.

Gretas Augen hingegen blieben trocken. Sie lachte rauh, aber weinen konnte sie nicht.

32. Kapitel

Sie begruben Lukas drei Wochen nach seinem Sohn Ricardo. Es war leicht, in der noch aufgewühlten Erde ein neuerliches Loch zu graben.

Christine weinte fortwährend und stammelte etwas vom zweiten Sohn, den sie nun verloren hätte, woraufhin Jule bitter bemerkte: »Fritz ist nicht tot. Also rede nicht so, als wäre er es.«

»Lass sie doch«, sagte Annelie leise, und Jule schwieg tatsächlich. Später, als sie bei einem kärglichen Mahl, das niemand anrührte, beisammensaßen, blieb Jule immer noch stumm, und Christine hatte zu weinen aufgehört. Sie wirkte uralt; binnen weniger Tage hatten sich tiefe Falten in ihr Gesicht gegraben, ihr Haar hatte an Farbe verloren und war schütter geworden. Hatte der Kummer sie zur Greisin gemacht, so glich Poldi nun einem Kind. Der Gram seiner Mutter machte ihn hilflos; dass er der einzige Sohn an ihrer Seite verblieben war, überforderte ihn sichtlich. Mehrmals wollte er etwas zu ihr sagen, doch er schaffte es nicht.

Am Ende wandte er sich nicht an seine Mutter, sondern an Elisa. »Ich werde dir helfen, wo immer ich kann«, versprach er ihr. Die Scham über sein Mitleid und seine Hilfsbereitschaft, obwohl sie doch beides nicht verdiente, trieb ihr das Blut ins Gesicht. Es war das erste starke Gefühl, das ihre Starre durchbrach.

Sie brachte kein Wort hervor, nickte nur und fragte sich im Stillen, wie es ihr künftig gelingen sollte, die Fassade zu wahren und vor den anderen zu verbergen, was ihr neben der Trauer um Lukas zur Qual wurde. Unmöglich schien es ihr, dass die anderen sie nicht bemerkt hatten – diese zögerlichen, schuldbewussten Blicke, die sie Cornelius bei der Beerdigung zugeworfen hatte! Als sie ihn begrüßt hatte, hatte sie das Gefühl gehabt, sie müsste im Erdboden verschwinden.

Dass ausgerechnet Cornelius die Gebete sprach, hatte sich nicht verhindern lassen, ein jeder erwartete das von ihm – und trotzdem zürnte sie ihm insgeheim dafür, empfand es als anmaßend, ja, als Beleidigung für Lukas.

Wie konnte er es wagen!, ging es ihr auch jetzt durch den Kopf, als sie sah, wie er Christine zu trösten versuchte, ihr die Hand auf die Schultern legte und die alte Frau es ihm gestattete. Wie konnte er es wagen!

Vor allem aber – und dieser Gedanke setzte ihr noch mehr zu: Wie konnte sie selbst es wagen, die trauernde Witwe zu mimen, wo sie doch im gleichen Moment, da Lukas vom Dach gestürzt war, größte Lust in den Händen eines anderen Mannes gefunden hatte, obendrein nur wenige Wochen nachdem ihr geliebtes Kind gestorben war?

Wie herzlos, wie skrupellos, wie verroht musste sie sein!

Als sich die Trauernden endlich zerstreuten, war sie zutiefst erleichtert. Nur Annelie blieb an ihrer Seite und fragte hilflos, ob sie nicht doch etwas essen wolle, nachdem sie keinen Bissen angerührt hatte.

»Ich will allein sein!«, erklärte Elisa knapp und eilte nach oben in die Kammer, wo erst Ricardo, dann Lukas gestorben waren.

Ja, nun war sie allein – Resa hatte vorhin die älteren Söhne mitgenommen, damit sie die Mutter nicht in ihrer Trauer störten –, doch die Einsamkeit, nach der sie sich eben noch gesehnt hatte, war so unerträglich wie die Gesellschaft von

Menschen. Gedanken hackten auf sie ein wie hungrige Vögel.

Ich habe ihn betrogen … ich habe ihn betrogen … Lukas war immer gut und treu, und ich habe ihn betrogen …

Das Schlimmste war, dass inmitten all dieser Schuldgefühle nicht das Bild von Lukas vor ihr erstand, sondern das von Cornelius, wie er sie hielt und streichelte und küsste, und dass diese Erinnerung inmitten aller Qualen so viel Sehnsucht heraufbeschwor, so viel Wärme, so viel Ahnung, alles könne irgendwie wieder gut werden. Aber es durfte doch nicht gut werden! Sie hatte es nicht verdient!

Sie zuckte zusammen, als es klopfte. Harsche Worte lagen ihr auf den Lippen, weil sie damit rechnete, dass Annelie zu ihr geschlichen käme. Doch sämtliche Anklage erstarb, als sie sah, wer sie besuchte.

Cornelius war gekommen. Er schloss die Tür, trat in die Mitte des Raumes, und sie war zu schwach und ausgelaugt, um es ihm zu verbieten.

»Wir müssen reden«, sagte er leise.

Sie ließ sich auf das Bett sinken, das Bett, in dem ihr Mann und ihr Sohn gestorben waren, und sie wusste nicht, was respektloser war: dass sie hier war oder Cornelius oder sie beide zusammen.

»Warum bist du gekommen?«, fragte sie heiser. Ihre Stimme klang fremd in ihren Ohren.

»Ich sagte doch, wir müssen …«

»Warum bist du überhaupt hierhergekommen?«, unterbrach sie ihn scharf. »Warum bist du einst nicht in Valdivia geblieben oder mit deinem Onkel zurück nach Deutschland gefahren?«

»Weil ich zu dir wollte«, sagte er schlicht.

»Warum so spät?« Sie merkte erst, dass sie schrie, als sie die

Frage schon gestellt hatte. »Warum so spät … zu spät? Und warum bist du nicht gleich wieder gegangen? Warum hast du unsere Qual auch noch vergrößert?«

»Elisa …« Er trat zu ihr. Erst jetzt ging ihr auf, dass er noch nie in diesem Raum gewesen war. Warum auch? Hier hatte er nichts verloren. Hier hatte sie mit ihrer Familie gelebt. Hier hatte sie sich die Sehnsucht nach ihm verboten, auch, ja vor allem dann, wenn sie in Lukas' Armen gelegen hatte.

Unwillkürlich duckte sie sich unter seiner Hand weg. Sie wusste nicht, ob er sie liebkosen wollte oder ihr eine Strähne aus dem aufgelösten Gesicht streichen, nur, dass sie es nicht ertragen konnte, ihn zu spüren und sich einzugestehen, dass sie ihn liebte. Noch mehr als zuvor, noch inniglicher, noch verzweifelter.

»Fass mich nicht an!«, schrie sie, und plötzlich wusste sie, wie sie der Schuld Herr werden konnte, der Scham und der Trauer, der Sehnsucht nach seiner Wärme und der Lust, die sie bei der Erinnerung an den Heuboden befiel. Sie wusste, wie sie die Liebe zerstören, wie sie ihn dazu bringen konnte, sie zu verachten und zu meiden.

Durch Worte nämlich, viele Worte, böse, kalte, harte, verletzende Worte. Jedes einzelne war falsch und gelogen und ungerecht, und jedes einzelne gab ihr das Gefühl, sie könne wieder freier atmen, könne wieder Kraft in ihre erstarrten Glieder zurückbringen.

»Mein Vater, Gott habe ihn selig, hatte recht, ja, so recht hatte er! Wir waren noch auf dem Schiff, als er mich vor dir gewarnt hat. Kein Bauer wärst du, hat er gesagt, kein Handwerker, nicht einmal ein sonderlich kräftiger Mann. Aber solchen brauchte man in diesem fremden Land, nicht einen, der lieber Bücher liest und seinem Onkel nachläuft wie ein williges Hündchen. Du hast mich gehen lassen, einfach gehen lassen –

damals an der Küste, weil dir dein Onkel wichtiger war als ich, dein Onkel, der dich später nach Strich und Faden betrogen und dich an der Nase herumgeführt hat! Hast du dich eigentlich geschämt für deine Blindheit, deine Dummheit, deine Willfährigkeit? Und dann, als du an den See gekommen bist … dann warst du zu feige und zu schwach, um einzusehen, dass du nicht in meiner Nähe bleiben durftest. Du hast gewartet, nicht wahr, du hast einfach darauf gewartet, dass ich danniederliege? Und du musstest nicht sonderlich lange warten. Schamlos ausgenutzt hast du es, dass mir dieser Mapuche beinahe Gewalt angetan hat. Was muss es für ein Triumph gewesen sein, dass ich dir danach willig in die Arme sank! Und erst als Ricardo starb, wie leicht war es da für dich, den Tröstenden zu spielen!«

Sie verhaspelte sich an ihren Worten – Worten, denen sie im Stillen selbst heftig widersprach. Ich habe ihn doch zuerst geküsst, dachte sie, ich habe ihn gewollt, ich habe ihn geliebt, ich liebe ihn immer noch, und von allem tut das am meisten weh.

Doch das konnte sie nicht sagen, nicht das.

»Sei wenigstens jetzt kein Schwächling, Cornelius, sondern ein Mann. Komm mir nicht nachgekrochen, sondern geh! Geh endlich! Verschwinde aus meinem Leben! Erinnere mich nie daran, was wir getan haben, nie, nie, nie!«

Erst jetzt bemerkte sie, dass sie aufgesprungen war, während sie erbarmungslos auf ihn einhackte. Unmerklich war er zurückgewichen. Der Blick, der sie traf, wirkte erloschen, und noch schlimmer war, dass er nichts sagte.

»Geh!«, schrie sie wieder. »Geh, und komm nie wieder zurück!«

»Ich … ich wollte dir nie weh tun, Elisa, nie, das musst du mir glauben.«

Er sprach so leise, dass sie nicht wusste, ob sie ihn richtig verstanden hatte. Dann drehte er sich um und folgte ihrem Befehl.

Nicht!, wollte sie ihm nachrufen, als sie hörte, wie er die schmale Holzleiter herunterstieg. Nicht! Es tut mir leid! Ich meinte es nicht so! Ich liebe dich doch!

Aber ihre Kehle war wie ausgedörrt; sie konnte kein weiteres Wort hervorbringen, und dann waren seine Schritte verstummt. Kraftlos sank sie in sich zusammen. Sie mied das Bett, ließ sich einfach auf den Holzboden fallen, und dort lag sie immer noch, als spät am Abend Annelie zu ihr hochstieg und ihr etwas zu essen brachte.

Der Nebel hatte sich verdichtet, wofür Cornelius dankbar war. Er war sich sicher, dass er keine Sonne, und wäre sie noch so schwach, ertragen würde, als er vom Haus der von Grabergs wegging. Er setzte Schritt vor Schritt, gleichgültig, in welche Richtung er ging, gleichgültig, dass er mehrmals ausrutschte und fast in den Matsch fiel.

Tief in ihm drinnen pochte eine strenge Stimme darauf, dass er sich nicht gehen lassen, nicht fallen durfte – weder kraftlos zu Boden noch in tiefes Selbstmitleid. Doch er schaffte es nicht, die Dämonen seiner Jugend zurückzuweisen, die ihn hinter dem trüben Licht belauerten; er konnte der Melancholie nicht Herr werden, die die ganze Welt in einem lustlosen Grau zerrinnen ließ und sämtliche Farben schluckte wie der Nebel.

Ich bereite den Menschen nur Kummer, ich bringe ihnen Unglück. Meiner Mutter, Matthias, Onkel Zacharias ... nun auch Elisa ...

Er wusste, dass es falsch war, die Schicksale dieser Menschen miteinander zu verknüpfen. Mit seiner Mutter hatte er vor dem Tod gestritten, aber an Matthias' traurigem Ende traf ihn keine Schuld. Elisa hatte er womöglich Unrecht getan, aber Zacharias hatte ihn verraten, nicht umgekehrt.

Dennoch fühlte er sich wie ein unheilbringender Schatten, der sich dunkel über der anderen Lebensfreude legte und sie erstickte.

Ganz gleich, was ich tue, es ist nie das Richtige; es ist immer zu wenig, oder ich komme zu spät ...

Wieder rutschte er aus, mehr instinktiv als willentlich griff er nach einem Ast, um sich festzuhalten. Rauhe Rinde bohrte sich in seine Handfläche.

Er durfte nicht fallen, versuchte er sich zu beschwören. Er durfte nicht liegen bleiben. Wenigstens das war er Elisa schuldig – Elisa, die ihn fortgeschickt hatte, die gefordert hatte, er solle kein Schwächling sein, sondern ein Mann.

Ja, sie hatte recht. Wenn er schon nicht dazu taugte, sie glücklich zu machen, so hatte er es doch immer mühelos zustande gebracht, zu gehen. War er nicht einst vor seiner Mutter geflohen? Hatte nicht Matthias ihn als Feigling beschimpft, der vom Leben davonrannte?

Seine Schritte gerieten entschlossener. Ja, es war ein erbärmliches, unrühmliches Talent, was er da besaß – aber er konnte gehen, gehen, gehen, immer weiter fort, von Elisa, von den anderen Siedlern, von seinem eigenen Heim, hinein in ein nasses, klammes, graues Niemandsland. Und wenn er nur lange genug ging, vielleicht konnte er dann auch vor seiner Melancholie fliehen, vor der Schuld, die ihn quälte, vor der Vergangenheit.

Doch plötzlich endete sein Marsch. Ein Schatten trat aus dem Nebel, dünn, weiß und geräuschlos.

Er hatte keine Ahnung, wie lange sie sich hier schon aufhielt. Ihr Körper war so steif vor Kälte, dass er nicht einmal mehr zitterte.

»Gütiger Gott, Greta! Was machst du hier?«

Erst jetzt fiel ihm ein, dass sie weder bei Ricardos noch bei Lukas' Beerdigung zugegen gewesen war, ja, dass er sie die Wochen vorher kaum gesehen hatte.

»Greta, was ist mit dir?«

Ihre Augen waren schreckgeweitet. Ansonsten lächelte sie, wenn sie ihn ansah, und ihr Blick leuchtete auf. Doch nun starrte sie ihn an wie einen Fremden.

»Greta!«, rief er immer wieder ihren Namen. »Du frierst erbärmlich!«

Sie trug über ihrem mageren Leib nur eines der dünnen Kleider, aus denen sie längst herausgewachsen war. Es reichte kaum bis zu den Knien und bedeckte die Ellbogen nicht.

Er berührte sie vorsichtig an ihren Schultern, und da erst zuckte sie zusammen, erkannte ihn und fand ihre Stimme wieder.

»Es ist etwas Schlimmes passiert … mit Viktor …«

Sie brach ab und nahm ihn an der Hand; ihr Griff war zugleich kalt und zart. Er erinnerte sich daran, wie sie einst auf dem Schiff seine Hand genommen hatte, als Jule den blutenden Viktor versorgt hatte. So lange war das her, dass er den Eindruck hatte, es hätte sich in einem anderen Leben zugetragen – nur Greta war dieselbe geblieben. Vergebens suchte er frauliche Züge an ihr; immer noch erschien sie ihm wie ein Kind, gleichzeitig scheu und schutzbedürftig.

Vorsichtig zog sie ihn mit sich, und er folgte ihr willig. Der Nebel wurde immer dichter, verschluckte die letzte Ahnung, dass sie sich inmitten bewohnten Gebiets befanden, wo Menschen lebten und atmeten, weinten und lachten. Knietief versank er im Gras, nass tropfte es von den Bäumen, dann erreichten sie schließlich den Wald.

Nach ein paar Schritten blieb Greta abrupt stehen und deutete nach oben. »Was soll ich denn jetzt tun?«

Zuerst erkannte Cornelius nicht, worauf sie zeigte. Doch schließlich traten aus dem milchigen Weiß der Nebelschwaden dunkle Konturen hervor: von einem Baum, einem Ast, einem festen Strick, schließlich einem Menschen, der daran hing.

Ein Schrei brach aus Cornelius' Kehle. »O mein Gott!«

Greta hatte seine Hand losgelassen. Während er sich bekreuzigte, schlug sie ihre Arme vor der Brust zusammen, als könnte sie sich auf diese Weise vor dem grässlichen Anblick schützen.

»Ich konnte ihn nicht davon abhalten … Was soll ich denn jetzt tun?«

Sie stand so starr wie vorhin, als sie plötzlich vor ihm aufgetaucht war. Als Cornelius sie an sich zog, zitterte er selbst viel mehr als sie. Ihre Augen waren stumpf, sie weinte nicht.

»O mein Gott!«, rief Cornelius wieder, als er vergebens versuchte, sie zu wärmen.

Viktor Mielhahn hing wohl noch nicht lange an diesem Baum. Seine Füße baumelten im Wind, der nun aufzog und zögerlich den Nebel vertrieb; sein Gesicht war zwar ungesund blass, aber nicht von Totenflecken übersät. Über bläulichen Lippen quoll seine Zunge hervor.

»Ich war dabei«, stammelte Greta. »Er hat sich vor meinen Augen erhängt.«

Viktor war tot, aber Cornelius war für sie da.

Viktor war tot, aber Cornelius kümmerte sich um sie. Nur um sie, um sie ganz allein. Es gab keinen, der störte, weder Viktor, der ihr immer den Umgang mit anderen Menschen verboten hatte, noch die Siedler, die viel öfter *über* die sonderlichen Mielhahn-Geschwister sprachen als *mit* ihnen.

Cornelius brachte sie zurück ins Haus, suchte nach einem

wärmenden Tuch, legte es fest um sie. Dann kniete er sich vor den Ofen, um Feuer zu machen.

Wohlige Wärme breitete sich in Greta aus, noch ehe die ersten Funken sprühten.

Viktor war tot, aber Cornelius war für sie da.

»Ich will nicht, dass es jemand erfährt«, sagte sie leise. »Es ist eine Sünde.«

Ihr war es gleich, was es war, aber sie ahnte, dass Cornelius so dachte.

Er nickte. Nachdem er Feuer gemacht und sich vergewissert hatte, dass ihr warm wurde, verließ er das Haus. Greta machte sich keine Sorgen deswegen. Sie wusste, er würde wiederkommen. Sie wusste, dass er Viktors Leichnam vom Baum schneiden und hierherschleifen würde, ihm einen Sarg zimmern und ihn verschließen, und erst viel später würde er die anderen holen und von einem schrecklichen Unglück reden, das Viktor widerfahren sei. Vielleicht würde er sagen, dass er im See ertrunken wäre oder von einem Baum gefallen, aber die Wahrheit würde er verheimlichen. So wie Viktor und sie nie verraten hatten, wie ihr Vater Lambert geendet hatte.

Ja, nur sie würden es wissen, dass Viktor sich erhängt hatte, sie und Cornelius.

Cornelius, der sich um sie kümmerte. Nur um sie, um sie ganz allein.

»Warum?«, fragte er später, als er wiederkehrte, nass, schmutzig und durchgefroren. »Warum hat er das nur getan?«

Greta hatte sich nicht von der Stelle gerührt, während er fort war.

»Er fühlte sich so einsam«, sagte sie leise. »Er war nicht ganz richtig im Kopf.«

Sie schwieg, und er begnügte sich mit den knappen Worten, anstatt nachzubohren.

Das war gut. Cornelius durfte einen Teil, jedoch nicht die ganze Wahrheit wissen, sonst würde er nicht mehr für sie sorgen – nur für sie, für sie ganz allein.

»Halt mich!«, murmelte sie. »Bitte halt mich!« Und Cornelius hielt sie ganz fest.

Viktor hatte sich auch gewünscht, dass sie ihn halten möge, aber Viktor hatte sie diese Nähe nicht gewährt. Sie hatte ihn von sich gestoßen, immer und immer wieder.

»Was hast du nur getan?«, hatte sie ihn angeschnaubt – damals, an jenem Tag, da er sie mit Gewalt genommen hatte.

Immer wieder hatte sie das gefragt: Wie konntest du nur? Was bist du für ein Mensch? Wie erbärmlich muss jemand sein, der das tut?

Anfangs reagierte er störrisch, später ärgerlich, schließlich gab er sich der Verzweiflung hin.

»Ich wollte das nicht, ich wollte das nicht!«, rief er ein ums andere Mal. Sogar vor ihr hingekniet hatte er sich, um ihre Vergebung zu erbetteln.

Spöttisch grinsend hatte Greta auf ihn herabgestarrt. »Du bist krank, Viktor, du bist krank im Kopf. Warum lebst du überhaupt noch?«

Jedes Mal, wenn er sie anflehte, ihm zu verzeihen und ihn zu halten, fragte sie das. Schließlich nahm er den Strick und erklärte, er würde sich aufhängen.

Weiterhin hatte sie spöttisch gegrinst. »Das traust du dich nie und nimmer«, hatte sie kühl erklärt.

»Ich habe auch Vater getötet!«

»Aber nicht, weil du es wolltest. Ich habe dir das damals befohlen.«

»Aber du hast mir nicht befohlen, dass ich dich … dass ich dich …« Er konnte das Schreckliche, das er ihr angetan hatte, nicht aussprechen.

Da sagte sie kühl: »Du hättest es nicht gekonnt, wenn ich mich wirklich gewehrt hätte.«

Entsetzt starrte er sie an: »Aber warum hast du es nicht getan? Warum lässt du mich leben mit dieser Schuld?«

Sie antwortete nicht darauf. »Du widerst mich an, Viktor. Du bist ein erbärmlicher Schwächling.« Und dann hatte sie noch einmal gefragt: »Warum lebst du überhaupt noch?«

Sie war sich nicht sicher gewesen, ob es ihm gelingen würde, aber schließlich hatte er sich erhängt, und sie hatte seelenruhig dabei zugesehen. Als es vorüber war, hatte sie nicht gewusst, ob sie lachen oder weinen sollte, und schließlich beides unterlassen. Nun lachte sie nicht, sondern weinte, weinte stundenlang in Cornelius' Armen – Cornelius, der sie tröstete und der sie nicht losließ und der für sie da war, nur für sie, für sie ganz allein.

33. Kapitel

Der August war verregnet, aber nicht mehr so kalt, und als die Männer diesmal aus Puerto Montt zurückkehrten – dass sie ohne Lukas aufgebrochen waren, hielt allen schmerzhaft sein Fehlen vor Augen –, hatten sie einige Hühner bei sich, einen mageren, aber kräftigen Ochsen, drei große Säcke Getreide und ebenso viel Mais.

Annelie kümmerte sich um die Hühner und war sorgsam darauf bedacht, mit den Eiern sparsam umzugehen. Einzig Greta bekam ungewöhnlich großzügige Mengen davon. Wie alle anderen sprach sie von der »armen Greta«, nachdem sich herumgesprochen hatte, dass ihr Bruder von einem Baum erschlagen worden war. Cornelius hatte ihn gefunden, erzählte man sich, und der Unglückliche hätte einen so grauenhaften Anblick geboten, dass Cornelius rasch einen Sarg gezimmert und ihn mit Gretas Hilfe hineingelegt hatte, um die anderen davor zu bewahren.

Elisa hatte keine Kraft, zum Begräbnis zu gehen, bei dem, wie sie später erfuhr, ein jeder versuchte, sich ein freundliches Wort über den sonderlichen Viktor abzuringen, aber es den wenigsten gelang, aufrichtig zu klingen. Sie hatte auch keine Kraft, Greta zu bedauern, von der man sagte, dass sie sich trotz des großen Leids großartig hielt. Und sie hatte keine Kraft, darüber nachzudenken, warum ausgerechnet Cornelius Viktor gefunden hatte.

Sie, der es nie an Tüchtigkeit gemangelt hatte, saß nun stundenlang in der Stube, starrte vor sich hin und rührte sich kaum. Mit sorgenvollem Blick stand Annelie oft neben ihr, streichelte ihr vorsichtig über das Haar und versuchte, sie mit allem möglichen Tratsch aufzumuntern.

»Stell dir vor«, erzählte sie eines Tages mit einem bemüht leichtfertigen Ton. »Die Männer haben erzählt, dass kürzlich in Puerto Montt schon wieder eine Kirche brannte.«

Elisa reagierte nicht.

»Ich frage mich, wann diese Streitigkeiten endlich ein Ende finden«, fuhr Annelie ungerührt fort. »Dieser erbitterte Kampf zwischen den protestantischen und katholischen Auswanderern … Das kann doch unmöglich Gottes Wille sein. Ich sag's dir: Die Streitigkeiten begannen erst, als der Bischof von Ancud diese Jesuiten aus Westfalen hierher eingeladen hat. Und die können sich einfach nicht damit begnügen, für ihre eigenen Schäfchen da zu sein, sondern sind hartnäckig darauf aus, unsereins zu bekehren.«

Immer noch blickte Elisa nicht auf.

»Hier haben wir unsere Ruhe, aber eine Schwägerin von Barbara hat erzählt, dass die Jesuiten mittlerweile nicht mehr nur in Puerto Montt, sondern auch in Puerto Octay und Quilanto an jeder Straßenecke predigen.«

»Annelie«, sagte Elisa leise, »lass es gut sein.«

Annelie tat so, als hätte sie das überhört. »Und was die brennenden Kirchen anbelangt – nun, die Jesuiten haben damit angefangen. Zuerst brannte ein protestantisches Gotteshaus, dann ein katholisches. Ich wünschte nur, es würde endlich Frieden einkehren und nicht jeder nach Rache dürsten und …«

»Annelie!« Diesmal war Elisas Tonfall schärfer. »Ich will nichts mehr davon hören!«

Bestürzt blickte Annelie auf sie herab. Sie ersparte sich weitere Worte, doch nicht ihre Fürsorge. Immer wieder trug sie ihr zu essen auf, und am nächsten Morgen zerbrach sie eines der Eier, verrührte es mit einem Kraut, das Elisa nicht kannte, und stellte ihr den Becher direkt vor die Nase.

»Wenn du auch sonst nichts essen magst – trink zumindest das! Es wird dich stärken!«

Als Elisa auf den gelb zerfließenden Dotter starrte, musste sie würgen. Mit einer ruckartigen Bewegung schob sie den Becher weit von sich.

»Ich weiß, es fehlt das Salz, aber …«

Elisa presste die Hand vor den Mund, als sie noch stärker würgen musste. Erstmals seit langem löste sie sich aus ihrer Starre. Sie stürzte abrupt aus dem Haus, schaffte es gerade noch ein paar Schritte von der Tür fort, dann übergab sie sich, während sie sich an der hölzernen Wand abstützte.

Annelie war ihr gefolgt und trotz ehrlicher Sorge in ausreichendem Abstand von ihr stehen geblieben. »Wirst du krank? Es wäre kein Wunder, so geschwächt wie dein Körper ist.«

Elisa blickte misstrauisch um sich, doch niemand hatte bemerkt, was sich vor dem Haus der von Grabergs zutrug. Seitdem es wärmer geworden war und sie ausreichend zu essen hatten, ging ein jeder wieder seinem Tagwerk nach. Auch Jule trieb täglich die Kinder in die Schule, die allerdings, nach dem Hungerwinter erstmals wieder gestärkt, nicht ruhig sitzen bleiben wollten.

Elisa scharrte Erde über das Erbrochene. In ihrem Mund schmeckte es nach Galle.

»Ach, du Arme«, seufzte Annelie mitleidig. »Vielleicht solltest du …«

»Ich bin nicht krank«, brach es aus Elisa hervor. »Ich bin schwanger. Gott vergib mir, aber ich bekomme ein Kind.«

Sie schlug die Hände vor den Mund, als würden ihre Worte

nicht minder übel riechen wie die Essensreste, die sie erbrochen hatte.

Annelie trat näher und umarmte sie schweigend. Kurz wich Elisa vor der Berührung zurück, aber dann gab sie sich der Wohltat hin, die in jenem festen, warmen Druck lag. Ihre Schultern erzitterten – vor neuerlicher Übelkeit und krampfartigem Schmerz, der im flauen Magen grummelte.

»Das ist doch eine wundervolle Nachricht«, sagte Annelie leise. »Dir wurde so viel genommen in der letzten Zeit. Aber nun wirst du etwas haben, was dir von Lukas bleibt ... Nun wirst du ...«

Jäh riss Elisa sich von ihr los. Ein neuerliches Zittern überkam sie, während sie sich abermals übergab. Sie hatte nichts mehr im Magen, würgte nur Galle hoch – trotz allem Elend erleichtert, dass sie Annelie nicht ins Gesicht sehen musste.

»Es ist nicht von Lukas«, gestand sie keuchend.

Ehe Annelie etwas sagen konnte, unterbrach sie wildes Gegacker. Jener dürre Hahn, der einst als einziger den Überfall der Mapuche überlebt hatte und der – als hätte er es geahnt, andernfalls im Kochtopf zu landen – den Winter über im Wald verschwunden war, stakste nun schon seit Tagen den Hennen hinterher, die lärmend vor ihm flohen.

Aus den Augenwinkeln sah Elisa, wie Annelie nach dem Hahn trat. »Willst du wohl aufhören, du Schuft?«

Ungewollt verzerrten sich ihre Lippen zu einem Lächeln; es tat beinahe weh und währte nicht lange. Seufzend richtete sie sich wieder auf, um sich dann matt an die Hauswand zu lehnen.

»Es liegt in seiner Natur«, murmelte sie. »Er kann nicht anders. Aber ich hätte anders gekonnt. Ich hätte mich nicht hinreißen lassen dürfen ...«

Annelie stellte keine Fragen. Kein aufgeregtes Wer und Wo und Wann kam aus ihrem Mund. Ihre Blicke trafen sich, und in dem von Annelie lag tiefes Verständnis – so, als wären sie sich immer nahegestanden, und so, als hätte nie etwas zwischen ihnen gestanden, weder die anfängliche Verachtung oder Eifersucht noch das leise Befremden, das Elisa nie ganz hatte abschütteln können.

»Es war keine Laune des Augenblicks«, sagte Annelie leise. »Ich weiß, dass du ihn seit Jahren liebst.«

»Was nicht sein durfte!«, fuhr Elisa auf. Die Kehle schmerzte von den kraftvollen Lauten – den ersten seit langem.

»Genau!«, rief Annelie, trat auf sie zu und nahm ihren Kopf in beide Hände. »Was nicht sein durfte! Aber was jetzt sein darf!«

Elisa schüttelte den Kopf. »Es war, kurz bevor Lukas starb. Ich werde mir nie verzeihen, dass …«

Annelie packte sie fester; Elisa hatte das Gefühl, ihre Augen würden sich förmlich in ihr Gesicht graben. »Es gibt auch etwas, was ich mir nie verzeihen werde«, sprach Annelie. »Ach, Elisa … Ich dachte damals, ich hätte das Richtige getan … und dass ich es hätte tun müssen … für Richard, für dich, für Lukas … Doch das ist nicht wahr. Im Grunde tat ich es nur für mich.«

»Wovon redest du?«

Annelie ließ sie los und trat zurück, als könnte sie einstigen Verrat nicht bekennen, solange sie Elisa berührte. Sie sah sie nicht länger an, sondern sprach nur immer wieder die gleichen wirren Worte, die Elisa zunächst nicht verstand. Erst langsam reifte Begreifen. Von einem Brief war die Rede. Von einem Boten, der ihn gebracht hatte. Von Cornelius, der ihr geschrieben hatte, als noch Zeit gewesen wäre – Zeit, sich gegen die Ehe mit Lukas zu entscheiden.

»Ach, Elisa, es tut mir so leid! Wenn du nur wüsstest, wie sehr ich damit hadere, dass ich …«

»Es ist gut jetzt«, unterbrach Elisa sie schroff. Ihre Stimme klang fremd in ihren Ohren. Genauso wie sich ihr Körper fremd anfühlte, seit sie wusste, dass sie schwanger war. »Es ist gut jetzt«, wiederholte sie etwas gemäßigter. »Ich will es nicht hören.«

Sie straffte ihre Schultern, fühlte langsam, wie jene Kraft zurückkehrte, die sie die letzten Wochen über vermisst hatte – und zugleich Kälte, so viel Kälte.

»Auch wenn du mir nicht verzeihen kannst, Elisa«, stammelte Annelie hilflos, »so solltest du doch wissen …«

Erneut unterbrach Elisa sie: »Und selbst wenn ich nun alles weiß, ja, selbst wenn ich dich hassen und dir niemals vergeben würde – was ändert es noch? Ganz gleich, was du getan hast, und ganz gleich, ob es richtig war oder falsch … Ich habe mich an Lukas versündigt. Ich habe ihn betrogen, als er auf dem Sterbebett lag. Er hat sich für uns aufgeopfert, er hat sich krank nach Puerto Montt geschleppt, um für mich und unsere Söhne zu essen zu holen. Er hat Ricardo einen Sarg gezimmert …«

Ihre Stimme brach.

»Und dafür willst du dich bestrafen? Bis ans Ende deines Lebens?«

»Weißt du, was das Schlimmste ist: Ich war zu feige, die Schuld auf mich zu nehmen. Ich habe sie auf Cornelius geschoben! Beschimpft habe ich ihn und verflucht! Dabei war ich es doch …«

»Was immer du zu ihm gesagt hast – du warst nicht ganz bei dir nach Lukas' Tod. Aber jetzt solltest du noch einmal mit ihm reden. Vertrau dich ihm an! Überlegt gemeinsam, was ihr nun tun sollt!«

Annelie überwand ihre Scheu und trat erneut auf Elisa zu. Diesmal berührte sie nicht ihr Gesicht, sondern ihren Leib.

Noch war er ausgezehrt vom Hungerwinter, noch kündete keine Wölbung von beginnendem Leben. Ein schmerzhafter Ausdruck huschte über Annelies Gesicht. »Es ist euer Kind«, sagte sie. »Was immer auch geschehen ist: Es ist euer gemeinsames Kind.«

Der Frühling kam in diesem Jahr schnell und heftig, mit warmen Stürmen und kräftigem Licht, als gelte es nach dem strengen Winter jede Halbheit zu meiden. Der Nebel riss auf, die Luft klärte sich; nicht nur der Osorno stand mit seinem weißen Kleid zum Greifen nah vor ihnen, sondern auch die ferne Andenkette. Der dunkle See glänzte in der Sonne türkis und spiegelte das durchdringende Grün der Wälder, die binnen weniger Tage ihr Frühlingskleid trugen. Die eben noch wie erstarrte Welt schien förmlich aufzubrechen angesichts der Pflänzchen und Gräser und Blumen, die an das Sonnenlicht drängten.

Für Cornelius war es stets mehr Pflicht als Lust gewesen, den Acker zu pflügen und zu säen; nie hatte er die tiefe Freude empfunden, die früher in Elisas Gesicht geschrieben stand, wenn sie stolz auf ihr Tagwerk blickte. Nun jedoch verstand er, warum sie aus der Arbeit Kraft zu schöpfen schien. Auch ihm schenkte sie in diesen Tagen viel: Ablenkung von allen trüben Gedanken und vor allem die Überzeugung, dass das Leben immer irgendwie weiterging und kein Schmerz, kein Hader sich dem steten Wechsel aus Werden und Vergehen widersetzen kann.

Lange hatte er sich überlegt, wie er wieder Frieden mit Elisa schließen konnte. Doch nach wie vor wusste er nicht, was er in dieser Sache tun sollte – nur die Natur gab ihm entschieden vor, was zu tun war. Er schuftete vom Morgengrauen bis zum Abend, schlief wie betäubt und stürzte sich am nächsten Tag abermals entschlossen in die Arbeit, dankbar, dass hier kein Scheitern, kein Fehlen, kein Schuldigwerden drohte – nur jeden Tag ein neuer kleiner Erfolg winkte: ein hoher Holzstoß, ein neues Dach, eine saubere Stube, ein vom Unkraut befreites Beet.

Dass er nach dem Tod ihres Bruders bei Greta lebte, hinterfragte niemand – wahrscheinlich, weil die meisten in der allgemeinen Geschäftigkeit keine Zeit hatten, und er selbst gewöhnte sich schnell daran, insgeheim dankbar, dass Greta so still und unaufdringlich war. Aus kargen Zutaten bereitete sie ihm regelmäßig ein Mahl, betrachtete ihn ernsthaft, wenn er es aß, und behauptete, sie wäre selbst schon satt. Er wusste meist nicht, was er mit ihr reden sollte, aber er war froh, nicht allein zu sein, und wahrscheinlich war sie das auch, obwohl sie ihn nie daran teilhaben ließ, was in ihrem Kopf vorging – zumindest nicht bis zu diesem Abend.

Er kehrte mit erdigen Händen vom Feld zurück, doch ihn erwarteten weder Herdfeuer noch der Duft nach Eintopf, sondern lediglich eine kalte, verschmutzte Stube. Greta zeigte nicht ihr sanftes, trauriges Lächeln, das ihn rührte, sondern war völlig in sich zusammengesunken.

Entsetzt stürzte er auf sie zu, glaubte zunächst, sie sei ohnmächtig geworden, doch als er sie hochzog, stand sie sofort auf.

»Was ist passiert, Greta?«, fragte er.

Ihr Gesicht war totenblass. »Viktor …«, murmelte sie.

Er glaubte sie zu verstehen. »Du vermisst ihn«, meinte er. »Du trauerst um ihn.«

Sie schüttelte den Kopf. »Nein, das ist es nicht.«

Dann brach es aus ihr hervor, schnell und aufgeregt, so wie ein kleines Kind spricht, das nicht weiß, womit es anfangen soll und wie viel es überhaupt verraten darf. Niemand solle es wissen, rief sie, niemand es je erfahren. Er müsse unbedingt verheimlichen, was sie ihm nun sagen würde. Sie würde es auch ihm verschweigen – wenn sie es denn könnte. Aber sie konnte es leider nicht.

»Was hast du denn, Greta?«

Sie legte ihre Hände auf ihren Leib, der flach und dürr wie immer war. »Ich kriege ein Kind!«, stieß sie aus.

Cornelius starrte sie an. Nein, dachte er, nein, das ist unmöglich – und er dachte das nicht, weil der Gedanke, dass Viktor der eigenen Schwester Gewalt angetan hatte, so ungeheuerlich war, sondern weil Greta ihm selbst noch als Kind erschien, viel zu dünn, viel zu schwach, viel zu zart, um mit einem schwanger zu gehen und es zu gebären.

»Ich überlebe das nicht!«, rief sie.

Erst als sie es wieder und wieder sagte, begriff er, dass sie nicht die Schwangerschaft meinte, sondern die Schande. Sie brach zusammen. Ihr Kopf schlug hart gegen die Wand.

Nie hatte er sich so hilflos in ihrer Gegenwart gefühlt. Er griff nach ihren Händen.

»Steh auf!« Er zog sie hoch und dann an sich. Ihr Körper war kalt und so leicht, dass er ihn kaum spürte. Wie hatte sich Viktor nur an ihr vergehen können? Wie ausnutzen, dass er der so viel Stärkere gewesen war?

»Du verachtest mich doch nicht?«, fragte sie bang.

»Es war doch nicht deine Schuld. Viktor …«

Er brach ab. Jetzt wusste er, warum er hatte weitermachen können – nicht nur wegen der Macht des Frühlings, der Neuanfang verhieß, nicht nur wegen der Arbeit, die er sich aufbürdete und die ihm ein wenig Seelenfrieden schenkte, sondern weil er Greta beschützen musste. Vor allem: weil er sie beschützen *konnte*.

Er zog sie fest an sich. So vielen Menschen hatte er Unglück gebracht, auch Elisa, vor allem ihr, so Schlimmes, so Unerträgliches, dass sie ihn am liebsten nie wieder sehen wollte – nur Greta, Greta hatte er nie Leid zugefügt. Ihr half er, ihr war er eine Stütze.

»Hab keine Sorge«, sagte er schnell. »Niemand wird es je erfahren, was Viktor … was Viktor dir angetan hat. Wir werden eine Lösung finden.«

Wie jedes Jahr im Frühling waren die Wege schlammig. Elisa musste achtgeben, nicht auszurutschen, und als sie über ein loses Holzbrett stolperte, dachte sie wehmütig an Lukas. Nach dem letzten Winter hatte er hier stundenlang gehämmert, um die Wege auszubessern. Gab es auch keine ausreichende Straße um den See – obwohl Franz Geisse deren Bau nun schon seit Jahren ankündigte –, zumindest ihre Parzellen sollten sicher verbunden sein.

Die Strecke, die sie nun nahm, war sie selten gegangen, eigentlich die ganzen letzten Jahre nicht. Als sie hinter einer Ecke das Haus der Mielhahn-Kinder erblickte, befiel Elisa deshalb kurz ein schlechtes Gewissen. Früher hatte sie es auf den unnahbaren, feindseligen Viktor schieben können, sich nicht um die Geschwister zu kümmern. Doch ohne Zweifel war es sträflich nachlässig, in all den Wochen seit seinem unerwarteten Tod kein einziges Mal nach seiner Schwester gesehen zu haben.

Auch die meisten anderen Frauen hatten das nicht getan. Christl hatte bei der Nachricht von Viktors Tod sogar hämisch gelacht und behauptet, dass Greta nun völlig verlottern würde, woraufhin Christine sie zwar für das Lachen gemaßregelt hatte, nicht aber für die Worte. Jeder war insgeheim überzeugt, dass Greta sich nicht allein durchbringen konnte – und jeder gab vor, von den eigenen Sorgen und Lasten zu sehr zermürbt zu sein, um ihr beizustehen.

Nur Cornelius, so wusste man, war in der schweren Zeit bei ihr, und als Elisa davon gehört hatte, hatte sie statt der Eifersucht, die früher seine Fürsorge manchmal ausgelöst hatte, vor allem Erleichterung gespürt. Wenn Cornelius für Greta sorgte, musste es sonst niemand tun – auch sie nicht. Als sie heute Morgen den Beschluss gefasst hatte, hierherzukommen, trieb sie darum weniger die Sorge um Greta, sondern die Suche nach ihm.

Annelie hatte recht. Sie musste mit ihm sprechen. Sie musste ihm sagen, dass sie ein Kind erwartete. Sie wusste nicht, was dann geschehen würde und was sie sich erhoffen sollte, denn immer noch wucherten so viel Schmerz und Schuld und Leere in ihrem Herzen. Aber allein der Gedanke daran, das Geheimnis nicht länger nur mit der hilflosen Annelie teilen zu müssen, nahm ihr unendlich viel Gewicht von den Schultern.

Das Gras roch durchdringend. Inmitten alter bräunlicher Halme brachen hellgrüne Triebe durch. Es knackte unter ihren Füßen – das einzige Geräusch, denn ansonsten herrschte Totenstille. Wenn nicht das Mielhahn-Haus vor ihr aufgeragt wäre, so hätte sie das Gefühl gehabt, ganz allein auf dieser Welt zu sein. Für einen kurzen Moment schloss Elisa die Augen, erinnerte sich an die einstige Wildnis, die sie am See vorgefunden hatten – als der Wald noch nicht gerodet, der Boden noch nicht von den Wurzeln befreit war und als die Siedler kaum menschliche Spuren hinterlassen hatten.

Tief atmete sie die frische Luft ein. Auch damals war es ihr gelungen, förmlich aus dem Nichts ein Leben aufzubauen. Vielleicht schaffte sie das noch einmal – weiterzuleben und weiterzukämpfen, sich nicht von ihrer Schuld zerfressen zu lassen, das Kind, das in ihrem Leib wuchs, nicht als Schande zu sehen, sondern als Hoffnung und als Zeichen, dass auf den Tod das Leben folgt. Plötzlich musste sie an die Geschichte denken, die sie Ricardo erzählt hatte, ehe er starb – die Geschichte von Feuerblume, die so viel zu durchleiden hatte und so viele Kämpfe auszustehen, ehe sie mit ihrem Liebsten vereint war.

Als sie die Augen öffnete, zuckte sie zusammen. Wie aus dem Nichts stand Greta vor ihr. Hätte nicht das niedergedrückte Gras ihre Schritte verraten, so hätte Elisa glauben können, sie sei wie ein Geist vor ihr erstanden.

So lautlos wie sie erschienen war, so lautlos verhielt sie sich weiterhin. Sie sagte nichts, atmete flach, nur ihr Mund verzog sich zu einem eigentümlichen Lächeln, das Elisa unwillkürlich frösteln ließ.

Krampfhaft versuchte sie, es zu erwidern. Greta sah besser aus als erwartet. Sie war zwar mager und bleich wie immer, aber ihre Haare hingen ihr nicht wirr ins Gesicht, sondern waren fest geflochten. Jetzt sah Elisa auch die Rauchsäule, die vom Haus hochstieg, die Vorhänge hinter den Fenstern und die neuen Dachschindeln, welche die alten, brüchig gewordenen ersetzt hatten. Das Mielhahn-Heim wirkte nicht heruntergekommen, wie Christl immer lästerte, sondern nahezu heimelig.

Langsam trat Elisa näher. Mehrmals setzte sie zum Reden an, doch erst nach einer Weile konnte sie ihre Worte aussprechen.

»Es tut mir so leid«, murmelte sie. »Ich meine Viktors Unfall, und dass ich erst jetzt …«

Greta winkte ab, als wollte sie den Gedanken an ihren Bruder wie eine lästige Fliege verscheuchen.

Ihr Lächeln verstärkte sich, keinerlei Schmerz grub sich in ihre Züge ein.

»Es braucht dir nicht leidtun, ich habe doch jetzt Cornelius.«

Elisa wusste nichts zu sagen. Eben noch hatte sie sich für Greta gefreut, dass sie nicht ganz allein mit Viktors Tod fertig werden musste, nun stieg Befremden hoch – über die sichtliche Leichtigkeit, mit der Greta den einen Mann in ihrem Leben durch einen anderen ersetzte.

Sie beschloss, nichts dazu zu sagen. »Zu ihm will ich«, erklärte sie knapp. »Ich muss mit Cornelius sprechen.«

Greta stand regungslos da. »Er ist auf dem Feld. Er hat keine Zeit für dich. Aber es ist gut, dass du gekommen bist. Ich muss dir etwas erzählen.«

Bis jetzt hatte Greta an ihr vorbeigestarrt, doch nun trafen sich erstmals ihre Blicke. In Gretas Augen leuchtete es auf – der Glanz schien Elisa allerdings unnatürlich. Wieder fröstelte sie, als sie eine Ahnung überkam, dass sie das, was Greta ihr zu sagen hatte, nicht hören wollte.

»Aber ich muss mit ihm reden. Ich muss wirklich zu Cornelius, um …«

Sie brach ab, denn sie war einfach an Greta vorbeigegangen. Diese bemühte sich nicht, sie aufzuhalten. Weiterhin stand sie regungslos da, wartete sogar, bis Elisa einige Schritte zurückgelegt hatte, dann rief sie ihr nach: »Ich bekomme ein Kind!«

Elisa fuhr herum. Greta lächelte sie immer noch an, freudestrahlend und triumphierend nun.

»Was sagst du da?«, keuchte Elisa.

Eine leichte Röte überzog Gretas Wangen. »Ich weiß, ich weiß. Es war nicht anständig, nicht bis zur Hochzeit zu warten.«

Elisa schluckte trocken. »Welche Hochzeit?«

Sie brachte die Worte kaum hervor. Dennoch musste sie etwas sagen. Solange sie Fragen stellte, solange sie keine Antworten bekam, war es noch keine Gewissheit – jene Ahnung, die jäh ihre Welt zu verdunkeln schien, obwohl die Frühlingssonne genauso kräftig schien wie eben noch.

Greta hob ihre Hand, um die Augen vor den grellen Strahlen abzuschirmen. »Die Hochzeit von Cornelius und mir natürlich!«, rief sie – so kraftvoll, wie Elisa sie noch nie reden gehört hatte. »Wir werden heiraten, wir werden ein Kind haben und wir werden eine Familie sein, eine sehr glückliche Familie! Ganz anders, als meine Eltern, Viktor und ich es waren. Mein Vater war böse, meine Mutter war feige, und Viktor war krank im Kopf, aber Cornelius und ich …«

Sie redete in einem fort. Elisa sah noch, wie sich ihre Lippen bewegten, aber die Worte drangen nicht zu ihr, schienen vielmehr irgendwo im grünen, feuchten Boden zu versickern. Elisa glaubte, ihr Kopf würde platzen.

»Willst du mir nicht alles Gute wünschen?«, fragte Greta abschließend.

Das verstand Elisa nun wieder, aber sie antwortete nicht. Sie merkte erst, dass sie lief, als ihre Brust bereits schmerzte, sie kaum mehr atmen konnte und ihr der Schweiß aus allen Poren trat.

Die Übelkeit, die sie ansonsten nur am Morgen quälte, überkam sie mit aller Macht. Sie sank in den Schlamm des Seeufers und erbrach sich. Auch als ihr Magen längst geleert war, blieb sie kraftlos knien. Sie erhob sich erst wieder, als der Schlamm, mit dem sich ihr Kleid vollgesogen hatte, erstarrt war. Kleine Brocken fielen von ihr ab und hinterließen eine graue Spur, als sie langsam auf das eigene Haus zuschritt.

Wie Asche, ging es ihr durch den Kopf, als sie darauf starrte, wie Asche …

Als wäre dort, wo sie hintrat und woher sie kam, die Erde verbrannt …

Annelie lachte bei ihrem Anblick; der Ausdruck ihres Gesichts entging ihr zunächst. »Was ist denn mit dir passiert? Du bist ja über und über schmutzig!«

Elisa blickte auf sich hinab. Nicht nur auf ihren Kleidern, auch auf ihren Handflächen klebte der Schlamm. Selbst ihr Gesicht fühlte sich verkrustet an. Als sie auf Annelie zutrat, zitterten ihre Knie. Ihre Brust schmerzte nach wie vor, als würde sie bei jedem mühseligen Atemzug zerreißen.

»Schwör mir!«, setzte sie heiser an. »Schwör mir bei Gott, Anna Aurelia von Graberg, dass du nie auch nur einer Seele verraten wirst, dass Cornelius der Vater meines Kindes ist!«

Annelie schien erst jetzt ihren leeren Blick wahrzunehmen und wich erbleichend vor ihr zurück. »Gütiger Himmel, was ist denn …«

»Schwöre es! Das bist du mir schuldig!«, schrie Elisa. »Schwöre es!«

Annelie schien zu ahnen, dass es sinnlos war, ihr zu widersprechen. »Ich schwöre es«, sagte sie schnell, »ich schwöre alles, was du willst, aber was hat Cornelius …«

»Sei still!«, schrie Elisa und stampfte so fest auf, dass der getrocknete Schlamm von ihren Kleidern herabrieselte. »Sei still! Sprich seinen Namen in meiner Gegenwart nie wieder aus! Nie wieder, hörst du, nie wieder!«

Annelie nickte betroffen. Elisa indes stürmte an ihr vorbei und riss sich noch im Laufen die dreckige Kleidung vom Leib.

34. Kapitel

Elisas vierter Sohn wurde mitten im Sommer, Ende Februar des Jahres 1863, geboren. Christine, Jule und Annelie standen ihr bei, doch sie bedurfte ihrer Hilfe kaum. Von allen Geburten erschien ihr diese am leichtesten und am schnellsten. Vielleicht war das aber nur so, weil ihr die Schmerzen des Leibes so lächerlich gering erschienen im Vergleich zu dem Weh, das ihr die letzten Monate über die Seele förmlich zerfraß. Sie hatte sich Sorgen gemacht, dass ihr Trübsinn sich auf das Kind übertragen würde, und hatte immer wieder versucht, sich zusammenzureißen und nur nach vorne zu schauen. Solange sie sich mit Arbeit betäuben konnte, war es ihr etwas leichter gefallen. Doch in der Woche vor der Niederkunft, da ihr Leib zu behäbig und ihre Füße zu geschwollen waren, um lange zu stehen, hatte sie oft geweint.

Tränen kamen ihr auch jetzt, als das Kind kräftig, ja nahezu empört brüllte – diesmal vor Erleichterung, dass sie, die sich innerlich wie tot gefühlt hatte, etwas so Lebendiges, Gesundes, Starkes hervorbringen konnte.

Noch ehe sie es berühren konnte, nahm Annelie das Neugeborene in die Arme – nicht lange allerdings, denn auch Christine wollte es halten.

»Es ist ein Junge!«, rief sie aus. »Du hast wieder einen Jungen geboren! Wie … wie soll er heißen?«

Elisa senkte beschämt ihren Blick und hoffte, man würde ihr die glühend roten Wangen nicht ansehen. Wie eine Verräterin kam sie sich vor, da Christine sich über ein Enkelkind freute, das gar nicht ihres war. Sie ahnte, dass Christine sich insgeheim wünschte, der Knabe möge Friedrich heißen, nach seinem Onkel Fritz, doch es war ihr unvorstellbar, den Sohn nach einem der Steiner-Brüder zu benennen.

»Magdalena …«, sie deutete auf Lukas' fromme Schwester, die zwar nicht bei der Geburt geholfen hatte, aber die ganze Zeit hiergeblieben war, um für sie und das Kind zu beten. »Magdalena soll seine Patin werden«, erklärte Elisa. »Sie soll den Namen bestimmen.«

Magdalena zuckte mit den Schultern; Elisa war sich nicht sicher, ob sie sich geehrt fühlte oder ihr die Patenschaft eine Last war. Sie dachte an das, was sie ihr anvertraut hatte, als die Mapuche sie verschleppt hatten: dass sie Kinder mögen würde, solange es nur nicht die eigenen wären.

Magdalena stand auf und musterte das Neugeborene, berührte es jedoch nicht.

»Wir haben schlimme Zeiten hinter uns«, begann sie ruhig zu sprechen, »den Überfall, den langen Winter, den Hunger … und schließlicht Ricardos und Lukas' Tod. Doch Gott hat sich nicht von uns abgewandt. Dieses Kind ist das Zeichen, dass er bei uns ist. Der dreiundzwanzigste Vers im ersten Kapitel von Matthäus lautet: ›Sie werden ihm den Namen Immanuel geben, das heißt Gott ist bei uns.‹« Sie sprach mit der Stimme einer Fremden, der nichts auf der Welt etwas anhaben konnte, so dass Elisa fast neidisch war auf diese vermeintliche Härte, die der von Jule glich.

Magdalena hatte keine unerträglich schwere Schuld zu tragen; sie wusste nicht, wie sich ein gebrochenes Herz anfühlte. Allerdings konnte sie wohl auch nicht jene Wärme nachfühlen, die Elisa jäh durchströmte, als Christine ihr das Kind in die Arme legte. Es schrie immer noch, aber nicht mehr ganz so zornig und ganz so durchdringend.

Tränen rollten ihr über die Wangen, als sie über das Köpfchen strich.

»Immanuel«, sagte Christine nachdenklich. »Nun … vielleicht ist das gar kein schlechtes Omen. Hieß so nicht jener Präsident von Chile, der uns Deutschen immer geholfen hat und Puerto Montt seinen Namen gab, Manuel Montt?«

Jule nickte. »Und Präsident Manuel Montt ist immerhin ein Nachfolger von jenem Peter Lisperger aus Worms, der im 16. Jahrhundert nach Chile kam und dort der reichste Mann wurde.«

Magdalena hatte sich wieder gesetzt und ihr Gebet aufgenommen. Jule drückte kundig Elisas Leib, auf dass er die Nachgeburt ausspuckte.

Elisa achtete nicht darauf. Das Kind hatte aufgehört zu schreien und die eben noch zusammengekniffenen Augen geöffnet. Sie versank in diesen Anblick. Erstmals seit langem wagte sie an Cornelius zu denken – Cornelius, den sie in den letzten Monaten strikt missachtet hatte, den sie mit kaltem Lächeln und gleichgültiger Stimme empfangen hatte, als er ihr erklären wollte, warum er Greta heiraten müsste. Cornelius, dem sie vermeintlich ohne jedes Gefühl erwidert hatte, sie sei unendlich erleichtert, dass er Greta als Frau nähme, so hätte er wenigstens eine, sie würde ihn nie und nimmer heiraten, nun, da sie Lukas' Kind in sich trüge, das Vermächtnis ihrer Liebe.

Ja, so hatte sie ihn fortgeschickt, hatte alles getan, um ihn aus dem Herzen zu verbannen; nun aber wurde es überwältigt von Wärme und Zuneigung – und Traurigkeit.

Cornelius, dachte sie, voller Wehmut und Sehnsucht, kurz gefangen in die Erinnerungen an ihn und ihre Umarmungen.

Dann vertrieb sie den Gedanken und versuchte zu vergessen, dass es sein Sohn war, den sie in den Armen hielt.

»Manuel«, murmelte sie, »Manuel …«

Eine Woche später, an einem unerträglich heißen Märztag, kam Greta mit einer Tochter nieder. Cornelius hatte Jule holen wollen oder zumindest eine der anderen Frauen, doch Greta beharrte darauf, das Kind allein zu gebären. Nur er solle bei ihr bleiben, das würde genügen. Allerdings ließ sie sich nicht von ihm berühren, nicht einmal Wasser bringen, um sich abzukühlen. Hilflos musste er an ihrem Bett stehen und zusehen, wie sie sich wand und quälte. Sie verbiss sich jedes Schreien, stöhnte nur, und auch nach vielen Stunden, da sie beide längst schweißgebadet waren, kam kein Wehklagen über ihre Lippen. Bis zuletzt zweifelte er daran, dass ein dürrer, schmaler Körper wie der ihre ein Kind herauspressen konnte. Doch irgendwann erschien zwischen ihren Beinen ein Köpfchen, und wenn er schon nicht ihren Leib berühren durfte, erwartete sie nun doch, dass er es herauszöge. Er tat es mit zitternden Händen; die klebrige Haut des Kindes zu befühlen, erregte zwar keinen Ekel, war ihm aber irgendwie unheimlich. Doch die Unsicherheit schwand, als dieses winzige Wesen plötzlich zwischen ihren Beinen lag – noch durch die bläuliche Nabelschnur mit dem Leib der Mutter verbunden. Es schrie genauso wenig wie die Mutter, stieß nur ein Fiepsen aus, das eher wie das einer Maus als das eines Menschenkindes klang.

Cornelius wischte sich den Schweiß ab.

Gretas Kopf war nach hinten gesackt; ihre Haare schienen so weiß, dass sie sich kaum vom Kissen abhoben. Damit sie das Kind sehen konnte, legte er es ihr auf den nackten Bauch, aber ihre Augen starrten an die Decke.

»Soll ich nicht doch Jule holen, wenigstens jetzt?«

»Ich möchte sie nach deiner Mutter nennen«, murmelte sie.

Erst viel später fragte er sich, wie sie wissen konnte, dass sie einer Tochter das Leben geschenkt hatte, da sie das Kind noch nicht einmal angesehen hatte. In diesem Augenblick fühlte er nur Verwirrung über ihr Ansinnen – und unerwartet Ärger. Wie konnte sie das von ihm verlangen? War das Opfer, das er für sie brachte, nicht groß genug? Er log für sie, schottete sich von den anderen ab, nahm hin, dass Elisa durch ihn hindurchblickte, als gäbe es ihn nicht, ja – und das war noch schlimmer –, als hätte es ihn nie gegeben.

»Wir sollten sie …«, er ließ sich vorsichtig an der Bettkante nieder, betrachtete das Kind, das winzig klein war, aber einen gesunden Körper hatte. Ein dünner Flaum wuchs ihm auf dem Kopf, der von einer gelblichen Masse, die wie gestockte Eier aussah, verklebt wurde. »Wir sollten sie vielleicht lieber nach deiner Mutter nennen.«

Vorsichtig hob er die Hand und berührte das Köpfchen. Es fühlte sich weich, warm und feucht an. Der Ärger auf Greta schwand, auch all seine Verbitterung, dass er in diese Lage geraten war, und zurück blieb tiefe Ehrfurcht, vor dem Neugeborenen und noch viel mehr vor der Unschuld, die es ausströmte. Es wusste nichts, rein gar nichts. Nichts von der Sünde seines leiblichen Vaters. Nichts von seiner Liebe zu Elisa. Nichts von seiner Zerrissenheit, weil er sich für Greta verantwortlich fühlte und zugleich mit seinem Geschick haderte. Es war einfach da und musste beschützt, umsorgt, geliebt werden.

Greta richtete sich auf, blickte jedoch immer noch nicht auf die Tochter. Sie gab seinem Willen nach, ohne von ihrem abzulassen. »Emma Cornelia«, murmelte sie.

Er widersprach nicht. »Emma Cornelia«, wiederholte er, streichelte über das Köpfchen und fühlte das erste Mal seit Monaten tiefen Frieden mit sich, mit der Welt, vor allem mit diesem Geschöpf. »Ich werde sie Emilia rufen.«

Erst viel später ging ihm auf, dass ihr Name dem von Elisa

glich. Doch schon in diesem Moment wusste er, dass er all die Liebe, die er in seinem Herzen trug und die Elisa nicht haben wollte, künftig dem Kind schenken würde – vielleicht nicht seiner leiblichen, aber ganz und gar seiner Herzenstochter.

VIERTES BUCH

❧

Tod, Not, Brot
1880

35. Kapitel

*H*ier bin ich! Hier!«
Einen kurzen Moment lang wusste Emilia nicht,
woher die Stimme kam. Doch als Gekicher folgte, hob sie den
Kopf und sah Manuel auf einem der Bäume sitzen. Sie erwiderte sein Lachen.

»Was machst du denn da oben?«, fragte sie und legte den Kopf
in den Nacken.

»Vielleicht die schöne Aussicht genießen?«, schlug er spöttisch vor.

Wieder lachte sie so heftig, dass ihr beinahe eine Fliege in den
weit geöffneten Mund geriet. Wild schlug sie um sich, um das
lästige Getier zu vertreiben. Im Spätsommer wurden sie regelmäßig zur Qual – die »Colihuachos«, die die deutschen
Siedler Pferdefliegen nannten, obwohl sie nicht von Pferden,
sondern von Rindern angezogen wurden.

»Ich will zusehen, ob Jacobo es auch allein schafft«, rief Manuel ihr zu.

»Du bist gemein!«, schalt Emilia ihn gutmütig, um alsbald
selbst wendig hochzuklettern. Früher hatte sie Angst vor hohen Bäumen gehabt. Doch Manuel hatte ihr gezeigt, wie man
sicher von Ast zu Ast stieg, und sie wollte ihm an Geschick-
lichkeit, Kraft und Mut in nichts nachstehen. Tatsächlich hatte man von dem Baum eine gute Aussicht, und sie war froh,
eine kurze Pause einlegen zu können.

Der Tag, an dem das Vieh zusammengetrieben wurde, war
stets besonders anstrengend. Jedes Jahr erfolgte dieselbe Pro-

zedur: Im Sommer liefen die Kühe frei herum; im Herbst wurden sie in die Ställe gebracht. In den ersten Jahren war es fast ein Ding der Unmöglichkeit gewesen, die großen Herden zusammenzuhalten. Kein Chilene war vor ihnen auf die Idee gekommen, so viele Rinder gleichzeitig einzusperren. Ohne eigens dafür abgerichtete Hunde wäre es ein zweckloses Unterfangen gewesen, und selbst die Hunde kamen den Rindern nicht anders bei, als dass sie sich die Kälber schnappten. Mit lautem Brüllen lockten diese die Muttertiere an, und war das Kalb erst mal mit dem Lasso eingefangen, blieb die Mutter bei ihm.

Emilia ließ sich auf den Ast neben Manuel nieder. Kurz knarrte er bedrohlich, aber das Holz war hart genug, um ihrem Gewicht standzuhalten.

»Du bist gemein!«, schimpfte sie abermals. »Immer machst du dich über den armen Jacobo lustig!«

»Warum wohl?«, erwiderte er mit einem verschwörerischen Grinsen. »Ich habe immerhin schon vier Kälber eingefangen! Jacobo bis jetzt noch kein einziges!«

Emilia kicherte. Manuel gehörte nicht zu den fleißigsten Jungen, sonst würde er nicht auf dem Baum sitzen, während das Vieh eingetrieben wurde. Doch im Vergleich mit einem faulen Tollpatsch – wirklich jeder nannte Christl Steiners Sohn so, nur Christl nicht –, war es leicht, sich als Held zu fühlen. Auch Emilia konnte davon ablenken, dass es für sie selbst viel Schöneres gab als die Arbeit, indem sie auf die noch trägeren Töchter von Poldi verwies.

Diese jammerten nun schon den ganzen Tag über die Arbeit, die ihnen aufgebürdet worden war: Sie sollten beim Viehtrieb helfen und Quila ernten, womit man das Vieh später über den grasarmen Winter brachte. Außerdem sollten sie die Melkschuppen kehren, jene Bretterverschläge aus nur drei Wänden – eine Seite stand weit offen –, deren Dach die Rinder vor dem Nordwind schützte.

Gerade erst hatten sie Emilias Hilfe eingefordert, doch die dachte gar nicht daran, ihr gemütliches Plätzchen auf dem Baum wieder zu verlassen.

»Jacobo ist heute fast von Rosetta getreten worden«, erzählte sie.

»Ach, der Arme!«

Manuel lachte, bis sich die Äste bogen.

Rosetta war ohne Zweifel die wildeste Kuh, aber wenn es Jacobo war, der von ihr getreten wurde, so suchte ein jeder ganz selbstverständlich die Schuld bei ihm und nicht bei diesem »Teufelsvieh«, wie Jule Rosetta einmal genannt hatte.

»Und wie viel Milch wohl die Theres heute melken wird?«, fragte Emilia schelmisch.

»Ein halbes Glas?«, schlug Manuel vor und beugte sich zu ihr, um ihr ein Ästchen aus den Haaren zu streichen.

Eigentlich hatte Emilia genauso große Angst vor dem Melken wie Theres. Christine hatte es einst den Mädchen beigebracht. Nur drei Euter durften ausgemolken werden, das vierte musste fürs Kalb unberührt bleiben. Mit Daumen und Zeigefinger wurde ein Ring gebildet und mit diesem die Euter in die Länge gezogen. Dabei musste man mit Mittel-, Ring- und kleinem Finger rasche knetende Bewegungen machen.

Emilia hasste den Geruch der Tierleiber; sie fürchtete sich vor dem Schwanz der Kühe, der ihr manchmal schon schmerzhaft ins Gesicht geschlagen worden war, und am meisten vor den bedrohlichen Hufen. Und doch hatte sie immer ihren Eimer Milch zusammenbekommen – allein der Stolz gebot es ihr, nicht eher aufzugeben –, wohingegen Theres am Ende meist mehr Tränen als Milch vorzuweisen hatte.

»Glaubst du …«, setzte Emilia an.

»Psst!«

Sie hörten Schritte und spähten nach unten. Zuerst sahen sie Frida, Poldis älteste Tochter, die durch das Buschwerk eilte. »Emilia! Manuel!«, rief sie mit ihrer schrillen Stimme.

Emilia erstickte fast vor unterdrücktem Lachen, als Frida nach vorne und nach hinten starrte, jedoch nicht auf die Idee kam, auch nach oben zu blicken. Manuel stieß Emilia heftig an, damit sie sich beherrschte. »Psst!«, machte er wieder und schüttelte den Kopf.

Mehrmals rief Frida ihre Namen, dann ging sie weiter. Erst jetzt sah Emilia die flachen, runden Holztröge, die sie mit sich schleppte und aus denen die Kühe getränkt wurden. Wahrscheinlich wäre es ihr zupassgekommen, die mühselige Aufgabe, sie mit Wasser zu füllen, auf sie abzuwälzen.

Es dauerte nicht lange, bis die beiden anderen Schwestern folgten. Poldis Töchter traf man nur zu dritt an, und wo immer sie auftauchten, war meist auch Jacobo nicht weit. Wenn er nicht gerade wie vor drei Wochen von einem Hund gebissen wurde oder vergebens darum kämpfte, mit dem Lasso Kühe einzufangen, schritt er stolz wie ein Gockel durch die Gegend. Seine Nase war dabei so weit in die Luft gereckt, dass ihm, wie Jule des Öfteren lästerte, wohl irgendwann der Regen direkt in die Nasenlöcher fallen und ihm das Hirn, so denn eines vorhanden, aufweichen würde. Worauf er so stolz war, wusste niemand – nur dass Christl den Sohn, der ihr einziges Kind geblieben war, hemmungslos verwöhnte. Von Poldis Töchtern lernte er auf jeden Fall keine Bescheidenheit, versuchten diese doch schon seit Kindestagen, sich gegenseitig auszustechen und ihn zu beeindrucken, was wohl weniger an seinen Begabungen lag als daran, dass er der künftige Erbe des prächtigen Glöcknerhofs war – wie Jule auch hierüber lästerte.

Als die Mädchen verschwunden waren, hielten Manuel und Emilia nach Jacobo Ausschau.

»So hoch, wie er die Nase hält, ist er wahrscheinlich gegen einen Baum gelaufen«, spottete Manuel, als nichts von ihm zu sehen war.

Emilia kicherte. »Welche der drei Schwestern wird Jacobo wohl heiraten?«, fragte sie.

»Wahrscheinlich alle drei«, schlug Manuel vor.

»Aber Christl will, dass Jacobo nach Valdivia geht! Ich frage mich nur, wer später ihren Hof übernehmen soll.«

Manuel zuckte die Schultern. »Vielleicht einer meiner Brüder …«

Emilia konnte sich nur schwer vorstellen, dass die Wahl auf einen der beiden fiel. Lu und Leo waren unzertrennlich und machten alles gemeinsam – in diesen Tagen streiften sie wieder einmal durch die Wälder. Sie waren ohne Zweifel gute Jäger, und mit dem Lasso gingen sie ungleich geschickter um als Jacobo, aber wenn es ums regelmäßige Mitanpacken ging, konnte man auf sie genauso wenig zählen wie auf Poldis Töchter. Lu und Leo waren stark und tüchtig, wenn sie arbeiteten, aber sie arbeiteten eben nur, wenn sie Lust hatten.

»Vor einer Woche hat meine Mutter sie dazu bewegen wollen, Fleisch auszuliefern«, wusste Manuel zu berichten. »Aber stell dir vor: Sie haben die Hälfte einfach stehen lassen!«

Er wirkte grimmig, während er das sagte. Wahrscheinlich, so ahnte Emilia instinktiv, war er weniger über die Unzuverlässigkeit der Brüder verärgert als vielmehr über die Tatsache, dass ihm seine Mutter noch nie diese verantwortungsvolle Aufgabe zugewiesen hatte.

Wenn sie eines ihrer Rinder schlachteten, wurde das Fleisch in Stücke geschnitten und an der freien Luft getrocknet – meist auf Platten aus Bambusrohren, die man auf den Dächern auslegte. Später wurde es dann fest eingerollt in lederne Säcke gesteckt und diese zentnerschwere Last in die größeren Orte am See gebracht.

Manuel wusste nicht nur alles über die Rinderzucht, sondern stets auch den aktuellen Fleischpreis – immer weiter stieg dieser an, was bedeutete, dass die Viehzucht ihnen ungleich mehr Wohlstand brachte als jemals der Getreideanbau. Doch so aufgeschlossen und neugierig Manuel sich auch zeigte: Immer schickte die Mutter die älteren Brüder das Fleisch verkaufen, niemals ihn.

Dies war, wie Emilia wusste, nicht das einzige Ärgernis. Wäre es nach Manuel gegangen, so hätte man auf dem Hof der von Grabergs noch viel mehr Tiere gehalten – so wie es die meisten Zillertaler taten, die Bruggers und Hecheleitners, die Krölls und Schönherrs. Doch seine Mutter, deren Wort ungeschriebenes Gesetz war, beharrte darauf, dass sie nicht mehr Tiere hielten als unbedingt nötig.

Einmal hatte Emilia einen Streit der beiden belauscht. »Aber so werden wir niemals reich!«, hatte Manuel wütend gerufen, und Elisa Steiner, geborene von Graberg, hatte entschlossen erwidert: »Wir müssen auch nicht reich werden. Dass wir genug Land und genug zu essen haben und Medizin aus der Apotheke kaufen können, wenn wir krank sind – das ist das Einzige, was zählt.«

Emilia war stets ein wenig bestürzt, wenn Manuel seinem Ärger über die strenge Mutter Luft machte – und immer auch ein wenig gerührt, weil er nur ihr gegenüber so offen seine wahren Gefühle zeigte, niemals aber vor Jacobo oder Poldis Mädchen.

Sie beugte sich etwas vor, weil sie erneut Schritte hörte. Sie klangen viel zu eilig, um Jacobo anzukündigen, und schließlich sahen sie, dass nicht er es war, der den Mädchen folgte, sondern chilenische Arbeiter. Sämtliche Seebauern hatten mittlerweile welche eingestellt, und waren diese auch froh über das regelmäßige Einkommen, so zeigten sie sich oft fassungslos darüber, wie das Rind gehalten wurde. Weder die Einlagerung von Futter für den Winter war den Chilenen bekannt noch das Errichten von Ställen.

»Wo Jacobo nur bleibt?«, fragte Emilia unschuldig.

»Wahrscheinlich ist er beim Kaiblziagn«, antwortete Manuel trocken.

Wieder kicherte Emilia laut. Diese Geschichte sorgte nun schon seit Wochen für großes Gelächter: Bei jeder Familie, die Tiere hielt, hing der Kaiblstrick am Türstock, um damit jederzeit in den Stall eilen und einer trächtigen Kuh beim Gebären helfen zu können. Christl Steiner hatte es immer irgendwie zu verhindern gewusst, dass sich Jacobo dabei die Hände schmutzig machte, doch eines Tages wollte er sich unbedingt auch in dieser Sache beweisen. Anstatt jedoch das Kalb aus dem Leib der Kuh zu ziehen, hatte er so ungeschickt am Strick gezerrt, dass dieser gerissen und er der Länge nach in die Kuhscheiße gefallen war.

Christine, die sich ansonsten jedes schlechte Wort über ihren Enkelsohn verkniff, hatte daraufhin düster zu Christl gesagt: »Der braucht einmal eine tüchtige Frau, wenn er durchkommen will.«

»Mit einer von Poldis Töchtern würd's schnurstracks ins Verderben gehen«, hatte Jule eingeworfen. »Die sind lieber auf dem Tanzboden als im Kuhstall.«

»Glaubst du etwa, dass eine von Poldis Töchtern meinen Jungen kriegt?«, hatte Christl sie angekeift.

»So oder so«, meinte Christine, »die Jungen haben es heute so viel leichter als seinerzeit wir.«

Emilia verdrehte die Augen, als sie an diese Worte dachte.

Ständig wurde ihnen das vorgehalten: dass sie wie die Maden im Speck leben würden und den Hunger der Anfangszeit niemals kennengelernt hätten. Dass sie sich die Ödnis bei ihrer Ankunft gar nicht vorstellen könnten angesichts des Paradieses, das ihre Eltern und Großeltern geschaffen hatten. Selbst die gutmütige Annelie, die lieber für die Kinder kochte, als sie streng zu erziehen, wurde nicht müde, ihren üblichen Spruch zu wiederholen: »Wir hatten den Tod, dann kam die Not – und ihr bekommt nun das Brot.«

Immer klang es ein bisschen so, als würde man es ihnen nicht gönnen – zumindest nicht von Herzen. Das hieß, Christl gönnte ihrem Sohn alles, genau genommen, viel mehr als er eigentlich verdiente. Nur bei dem Gedanken, irgendwann eine Schwiegertochter dulden zu müssen, wurden ihre Züge spitz und abfällig.

Emilia fragte sich manchmal, warum niemand auf die Idee kam, dass auch sie im rechten Alter wäre, um Jacobos Braut zu werden. Nicht, dass sie sich das wünschte! Gott bewahre! Aber sie war sich nicht sicher, woran das lag. Etwa, weil sie die Tochter von Cornelius und Greta Suckow war, die sich von der Gemeinschaft meist fernhielten? Oder weil sie seit ihren Kindertagen ständig mit Manuel zusammen war und sich niemand den einen ohne den anderen vorstellen konnte?

Als sie noch klein war, hatte sie manchmal gehört, wie darüber getuschelt wurde: dass sich Elisa Steiner, geborene von Graberg, und Cornelius Suckow hartnäckig meiden würden. Dass Greta alle Menschen hasste. Und dass darum niemand verstehen könne, warum die Kinder so selbstverständlich zueinander gefunden hatten. Man erklärte es sich schließlich damit, dass die beiden in derselben Woche geboren worden waren und dass Annelie von Graberg wie eine Mutter für die von Greta oft vernachlässigte Emilia sorgte – gutlaunig und glücklich, wenn sie ein hungriges Mäulchen mit Leckereien stopfen konnte. Und irgendwann gehörten die beiden so selbstverständlich zusammen wie Lu und Leo.

»Ich glaube, er kommt nicht mehr! Die Luft ist rein!«, erklärte Manuel nach einer Weile, als nach wie vor nichts von Jacobo zu sehen war. Behende schwang er sich von einem Ast zum nächsten.

»Und wenn uns doch jemand sieht?«, rief Emilia vorsichtig und klammerte sich an den Baumstamm.

»Nun komm schon«, lockte er sie. »Und beeil dich! Ich muss dir nämlich unbedingt etwas zeigen, ehe es Abend wird!«

Emilia folgte Manuel mit zunehmender Verwirrung. Je eindringlicher sie fragte, wohin er sie bringen würde, desto entschiedener schüttelte er den Kopf. Derart geheimnisvoll gab er sich ansonsten nie. Sie hatten beide kaum laufen gelernt, da waren sie bereits gemeinsam durch den Urwald gestreunt und hatten sich stets alles gezeigt, was neu und fremd war. In der Nähe der Rodungsgrenze kannte Emilia jeden Baum, doch Manuel führte sie immer tiefer in den Wald hinein. Unwillkürlich erschauderte sie. Sie mochte es, auf Bäume zu klettern – vorausgesetzt, der See war noch im Blickfeld. Doch sie scheute die Dunkelheit, wenn die dichten Kronen das Himmelslicht abschnitten, das Moos sämtliche Schritte dämpfte und die sumpfigen Wasserlachen bedrohlich gluckerten.

Manuel bemerkte ihr Zögern nicht. Entschlossen ging er immer weiter. »Nun mach schon! Ich musste mir ein Versteck suchen, das sicher ist! Nicht, dass Jacobo oder die drei Mädchen zufällig darüber stolpern.«

»Ein Versteck?«, fragte Emilia erstaunt. »Aber wofür denn?«

»Sieh selbst!«, rief er stolz und vollführte eine einladende Geste.

Emilia blickte sich um und war wenig beeindruckt. Er hatte sie auf eine Lichtung gebracht, die sich kaum von anderen unterschied, nur, dass das Gestrüpp und Gras am Boden von vielen Schritten niedergetreten waren. Als Emilia in die Mitte der Lichtung trat, fiel sie fast über einen Baumstamm. Irgendwer hatte ihn von allen Ästen befreit.

»Wer hat nur …«, setzte sie an.

»Ich war das!«, rief Manuel.

Er schob sichtlich angestrengt den Baumstamm zur Seite, und jetzt sah Emilia einen rundlichen Stein darunter liegen. Nicht minder ächzend, wälzte Manuel auch diesen fort und gab ein Erdloch frei. Emilia spähte neugierig hinein. Das Loch war mit Holz ausgelegt und mit großen Säcken gefüllt. Manuel zog einen herauf, öffnete ihn und gewährte ihr einen Blick hinein. Als Emilia die Rinde sah, die sich darin befand, war sie enttäuscht.

»Was, zum Teufel, ist das?«

»Rinde natürlich!«

»Das sehe ich selbst. Aber …«

»Vom Lingue-Baum«, fügte Manuel vielsagend hinzu.

»Und was machst du damit?«

»Ich mache gar nichts damit. Aber die Gerberei in La Unión zahlt 50 Rinderfelle für 180 Säcke Lingue-Borke. In Puerto Montt sind die Preise etwas schlechter. Aber Abnehmer findet man überall genug.«

»Und warum willst du unbedingt Rinde verkaufen?«, fragte sie verwirrt.

Er antwortete nicht darauf. »Offenbar ist sehr lange getestet worden, welches Material sich zum Gerben von Rinder- und Schafsfellen am besten eignet. Man kann auch Pangui dafür nehmen. Das ist die Wurzel einer Sumpfpflanze. Man muss sie einfach nur aufschneiden und trocknen. Aber es ist sehr mühselig, diese Wurzeln aus der Erde zu ziehen. Die Rinde gewinnt man viel leichter. Auch die Rinde vom Ulmo-Baum wäre geeignet – aber eben nicht so gut wie die der Lingue. Ich habe zufällig herausgefunden, dass hier viele dieser Bäume wachsen.«

Emilia drehte sich im Kreis. Sie wusste, dass es riesige Bäume gab und ganz winzige, solche mit Blättern und solche mit Nadeln – aber dass sich ihre Rinden unterschieden, darauf hatte sie nie geachtet. Kurz war sie ärgerlich, weil Manuel ein Geheimnis vor ihr hatte, doch schließlich überwog ihr Interesse.

»Wie hast du diesen Ort nur gefunden?«, fragte sie. Die Lichtung war ihr zwar nicht ganz so unheimlich wie der dichte Wald, dennoch war ihr kalt, und sie sehnte sich nach dem Sonnenlicht zurück.

»Ich bin als Kind schon oft hierhergekommen. Wenn ich … wenn ich einmal allein sein wollte. Mutter hat erzählt, dass mein Vater auch gern allein war. Offenbar war er sehr still und hat kaum geredet. Nun, die Rinde aber, die ich …«

Emilia blickte ihn stirnrunzelnd an. Sie kannte Manuel in- und auswendig, und dass er die Einsamkeit suchte, war ihr neu. Wahrscheinlich übertrieb er, dachte sie, und es war nur ein, zwei Mal geschehen, dass er vor den Hänseleien der Älteren hierher geflohen war. Noch mehr freilich erstaunte sie, dass er seinen Vater erwähnte. Christine Steiner erklärte oft, dass sie täglich für den verstorbenen Lukas betete. Die anderen sprachen jedoch kaum von ihm, weder Manuels Mutter Elisa noch sein Onkel Poldi oder Manuel selbst.

»Die Rinde kann man …«

»Hat deine Mutter dir viel erzählt?«, unterbrach sie ihn.

»Von der Rinde?«

»Nein, du Dummkopf! Von deinem Vater!«

Er zuckte mit den Schultern. »Alles, was ich von ihm weiß,

weiß ich von Großmutter Christine. Wobei diese noch häufiger von meinem Onkel Fritz spricht als von meinem Vater.«

»Ist dein Onkel auch gestorben?«

»Nein, er hat hier eine Weile gelebt, aber er ist schon vor langer Zeit weggegangen. Oh, ich kann's ihm so gut nachfühlen! Ich würde auch so gerne …«

Emilia hörte ihm gar nicht mehr richtig zu. Gedankenverloren setzte sie sich auf den entrindeten Baumstamm. »Wenn ich keinen Vater hätte, würde ich es bei meiner Mutter niemals aushalten«, murmelte sie. »Sie wird immer merkwürdiger. Hab ich dir schon erzählt, dass sie gestern … ach, das ist nicht so wichtig! Eigentlich will ich gar nicht darüber nachdenken. Mein Vater sagt immer, dass ich Rücksicht auf sie nehmen muss. Sie sei nur so seltsam geworden, weil sie ihre ganze Familie verloren hat. Zuerst ihre Mutter, dann ihren Vater, schließlich ihren Bruder. Für sie hat es sich einfach nicht gelohnt.«

»Was?«, fragte Manuel und setzte sich zu ihr.

»Nun, nach Chile zu gehen«, erklärte sie. Sie zögerte kurz, denn sie war sich nicht sicher, ob sie fortfahren sollte, aber nun, da er ihr sein Geheimnis anvertraut hatte, sprach sie erstmals ihre verborgenen Gedanken aus. »Weißt du, ich würde so gerne nach Deutschland zurückkehren«, sagte sie sehnsuchtsvoll. »Die Nichte von Barbara Glöckner bekommt regelmäßig Briefe von der Verwandtschaft. Und beim letzten Mal hat irgendeine Cousine ihr ein Bild von Kaiser Wilhelm geschickt. Sie hat geschrieben, dass dieser ein großartiger Mann sei, und er trägt einen ganz merkwürdigen Bart, der …«

»Wie?«, unterbrach Manuel sie ungeduldig. »Dein größter Wunsch ist es, nach Deutschland zu gehen? Ich dachte immer, dein größer Wunsch wäre …«

Er brach ab. Emilia sah, wie sich seine Wangen röteten, als er kaum merklich näher rutschte. Seine Oberschenkel waren nun ganz dicht an ihre gepresst.

»Ja?«, fragte sie rauh.

Er grinste, wurde ernst. Dann schnellte plötzlich sein Kopf vor, und er küsste sie mitten auf den Mund. Emilia zuckte zurück. Er hatte sie schon manches Mal geküsst, aber immer nur auf die Wangen oder auf die Nasenspitze, nie auf ihre Lippen.

»Das«, sagte er leise. »Ich dachte immer, das wäre dein größter Wunsch.«

Sie erschauderte, nicht länger vor Kälte, sondern vor dem sonderlichen Prickeln, das sich in ihrem Körper ausbreitete. Sie fühlte, wie ihr glühende Röte ins Gesicht schoss – umso mehr, als er sich ein zweites Mal vorbeugte, diesmal ganz langsam, und sie abermals küsste. Eigentlich küsste er sie nicht, sondern presste seine Lippen einfach nur auf ihre, um eine Weile so zu verharren. Doch allein das war mehr Vertraulichkeit, als einzufordern er jemals gewagt hatte.

Dieses Mal zuckte Emilia nicht zurück. Sie wartete darauf, dass noch etwas anderes geschehen würde, seine Lippen fordernder würden, seine Zunge ihre zu erhaschen versuchte, er seinen Arm um sie legen würde. Doch nichts dergleichen geschah. Mit einem nervösen Kichern beendete er den Kuss.

»Emilia … Emilia, willst du mich heiraten?«

Sie konnte nicht leugnen, dass sie sich schon öfter ausgemalt hatte, er würde endlich diese Frage stellen. Schon als kleines Mädchen war sie sich gewiss gewesen, dass Manuel einmal ihr Mann werden würde. Und dennoch kam es nun überraschend. Sie lachte auf.

»Nein, ich meine das im Ernst!«, rief er. »Ich will dich heiraten, Emilia! Und ich will von hier fortgehen! Deswegen sammle ich auch die ganze Rinde. Um sie an eine der Gerbereien zu verkaufen und zu etwas Geld zu kommen.«

»Willst du etwa auch nach Deutschland gehen?«, fragte sie. So selbstverständlich Manuel und sie auch zusammengehörten – wie genau eine gemeinsame Zukunft aussehen würde, hatte sie sich nie überlegt.

Manuel sprang auf und ging unruhig auf und ab. Sein Gesicht nahm einen grimmigen Ausdruck an. »In einem gottverlassenen Nest hocken wir hier. Seit ich denken kann, wird immer über dasselbe gesprochen. Über Kühe und über Getreide! Über die schlammigen Wege, die immer noch unzureichend sind, und darüber, dass keine anständigen Brücken über den Maullin führen. Wirklich! Ich kann es nicht mehr hören! Anderswo haben die Deutschen Bierbrauereien, Schnapsbrennereien und Gerbereien errichtet, große Fabriken mittlerweile, die unermesslich viel Geld einbringen. Hier hingegen gibt's gar nichts, nur Ställe und Felder! Warum nur bin ich ausgerechnet am See geboren? Warum nicht als Sohn von Fehlandt, Schülcke, Porchelle, Hoffmann, Kunstmann, Haverbeck? Tüchtige Männer sind das allesamt! Haben es hier zu Reichtümern gebracht! Oh, und Carlos Anwandter erst …«

Emilia hatte ihren Blick gesenkt. Es war nicht zum ersten Mal, dass er ihre Siedlung schlechtredete, aber noch nie hatten sich seine wütenden Worte zu einer so endlosen Litanei gereiht.

»Wenn du also die Rinde verkaufst …«, setzte sie an, um ihn zum eigentlichen Thema zurückzubringen.

Manuel blieb stehen. »Ich weiß, es ist falsch, immer nur zu hadern. Auch wenn ich hier geboren bin – diese anderen Männer haben es schließlich ebenfalls aus eigener Kraft geschafft, aufzusteigen. Kilian Meckes, zum Beispiel. Er war ein einfacher Zimmermann und ist jetzt unerhört reich, weil er Kirchen und Brücken baut. Das will ich auch!«

»Wie? Du willst Zimmermann werden?«

»Natürlich nicht!«, rief er ungeduldig. »Aber ich will mir ein eigenes Geschäft aufbauen. Ich ... ich habe mir überlegt, dass ich in den Handel einsteigen könnte, in den Handel mit den Dampfmaschinen, die aus Europa kommen.«

Emilia runzelte skeptisch die Stirn. »Diese Dampfmaschinen sind sehr teuer«, sagte sie. »Und du denkst, du bekommst genügend Geld zusammen, wenn du diese Rinde verkaufst?«

»Nein, nein, aber wenn ich erst mal etwas zusammenhabe, dann kann ich nach Valdivia gehen. Dort gibt es Banken und die verleihen Kredite. Ich muss nur ihr Vertrauen gewinnen und zeigen, wie tüchtig ich bin.«

Emilias Blick wurde sehnsüchtig. »Diese Familien, denen die Banken gehören ... die fahren regelmäßig nach Europa. Ich wünschte, ich könnte auch ...«

Manuel ließ sich wieder neben sie auf den Baumstamm fallen. Er wirkte nicht länger grimmig, eher gehetzt. Er ergriff ihre Hand und drückte sie fest. »Also, willst du mich heiraten?«

Diesmal beugte sie sich vor, um ihn zu küssen. Sein Geruch war ihr längst vertraut, nun war es auch das Gefühl seiner Lippen. Sie waren etwas trocken, jedoch weich und rund. Sie wagte es, vorsichtig daran zu knabbern, und das prickelnde Gefühl kehrte wieder. Erst als sich ihre Lippen voneinander lösten, ging ihr auf, dass sie ihm gar keine Antwort auf den Antrag gegeben hatte.

36. KAPITEL

*E*lisa kämpfte sich durch das kniehohe Colihue-Gras; es war hart und scharf und schnitt ihr schmerzhaft in die Haut. Nicht mehr lange und es würde so hoch stehen, dass es bis zu ihren Hüften reichte. Ein Seufzen entfuhr ihr, wenn sie an die Arbeit dachte, die dann bevorstand: das Heuen. Das Colihue-Gras wuchs nicht nur höher als anderes, sondern war widerstandsfähiger, weswegen die Sense viel öfter geschliffen werden musste. Allerdings lohnte sich die Mühe – neben der Quila gab es kein besseres Winterfutter für Rinder, und kaum einer besaß wiederum kräftigere, wohlgenährtere Rinder als sie.

Am Ende der Wiese blieb sie kurz stehen. Von hier aus hatte man den besten Blick, nicht nur auf den See und den Osorno, sondern auch über den eigenen Besitz. Früher war sie zu gehetzt gewesen, um irgendwo zu verweilen, doch nun blieb sie manchmal stehen und betrachtete mit Stolz, was sie erreicht hatte.

»Die Arbeit läuft dir ohnehin nicht davon«, hatte Annelie ihr geraten. »Sie soll ruhig mal auf dich warten. Ruh dich also zwischendurch aus und freu dich deines Lebens!«

Elisa konnte sich nicht erinnern, wann sie sich in den letzten Jahren über ihr Leben gefreut hatte, aber ihr Besitz verhieß jeden Tag eine tiefe Befriedigung. Nur selten stieg die Ahnung hoch, dass der Stolz auf das Land nicht genügte, um die Verletzungen, die sie zugefügt und erlitten hatte, zu heilen und die Leere, die sich manchmal in ihr auftat, zu überdecken.

Allerdings: Sagte Annelie nicht immer wieder, dass man hier aus wenig viel zu machen hätte und aus nichts alles?

Nun gut, so machte sie eben aus Schmerz und Einsamkeit, Kränkung und Schuld diese trotzige Liebe zum eigenen Land. Am liebsten war ihr der Anblick des Gartens, den sie erst vor wenigen Jahren angelegt hatten. Er war von Apfel-, Pflaumen- und Kirschbäumen sowie von Beerensträuchern umgrenzt. Mit den Stachelbeeren hatten sie wenig Glück gehabt, doch die Johannisbeeren waren gut angewachsen. Außerdem hatten sie Gemüse angesetzt und Blumen: Die Lilien waren rasch einge- gangen, doch die Tulpenzwiebeln waren ebenso aufgegangen wie die Krokusse, die Rosen und der Lavendel, und die wachs- artigen, glockenförmigen Blüten der Copihue wehten leuch- tend rot im sanften Wind.

Der Garten befand sich unmittelbar vor dem Wohnhaus, das in den letzten zwei Jahrzehnten deutlich gewachsen war. Sie hatten die Stube unterteilt und weitere Wohnfläche ange- baut, so dass das Erdgeschoss mittlerweile aus drei Räumen und das Dachgeschoss aus zwei Kammern bestand. Oben leb- te sie mit Manuel. Unten Annelie mit den zwei älteren Söh- nen.

Immer noch stand diese am liebsten am Herd, doch oft kochte sie nicht im Wohnhaus, sondern im eigenen Küchengebäude nebenan. Es befand sich zwischen der Werkstatt, der Vor- ratskammer, wo Kartoffeln und Getreide aufbewahrt wurden, und einem Lagerhaus für Chica und Feuerholz. Einen eigenen Schuppen gab es schließlich für die Apfelmühle und -presse, und dahinter folgten, von einem Zaun getrennt, die Ställe: einer für Hühner und Gänse, ein weiterer für Rinder und Schafe. Den Abschluss bildete die Rundscheune, »Campanarios« ge- nannt, wo das Dreschen mit den Pferden besorgt wurde. Seit sie stärker auf Viehzucht denn auf Getreideanbau setzten, gab es dort weniger Arbeit zu tun als einst. Für Elisa war das eine Erleichterung, weil sie Pferde immer noch nicht sonderlich mochte.

Sie ritt selten aus und hätte auch beim Korndreschen gerne auf sie verzichtet – so wie früher. Damals hatten sie die gebundenen Garben mit den Ähren nach innen ausgelegt, und dann hatte ein halbes Dutzend Menschen ihre Dreschflegel im Takt niedersausen lassen, bis sich das Korn von den Garben gelöst hatte. Doch Lu und Leo, die ihre Zeit lieber für Ausflüge nutzten, hatten ihr mehrmals vorgehalten, dass man nicht der Menschen Arbeitskraft verschwenden sollte, was auch die Hufe der Pferde erledigen konnten.

Lange hatte Elisa dagegengehalten und darauf gepocht, dass besagte Hufe viel weniger treffsicher seien als die Dreschflegel und dass zu viel Getreide verschwendet würde, aber schließlich hatte sie nachgegeben. Zeit verrann, Sitten veränderten sich – nur das Land blieb, das Land hielt allem stand.

Elisa stieg etwas höher und kam an Jules Schule vorbei. Es war nicht ihre Stimme, die laut von dort erklang, sondern die von Barbara. Sie sang aus voller Kehle und wurde von äußerst schiefen Tönen begleitet. Diese stammten von dem Klavier, das Poldi letztes Jahr von Valdivia hierher hatte bringen lassen. Jeder hatte ihm prophezeit, dass es ihm unmöglich gelingen würde, dieses Monstrum heil über den See zu schaffen, doch er hatte einige junge Männer dafür bezahlt – allesamt Österreicher. Sie stammten aus dem Braunauer Ländchen beim Böhmerwald und hatten ihre Kolonie, die in den letzten Jahren stetig gewachsen war, darum Nueva Braunau genannt. Nicht bei jedem waren sie beliebt, weil viele Katholiken darunter waren, aber sie waren jung und kräftig und begabte Handwerker. Sie hatten es schließlich geschafft, das Klavier hierherzubringen, aber jeder einzelne Ton, den man auf dem Instrument erzeugte, war schief und schmerzte in den Ohren.

»Für seine gute Schwiegermutter scheut man ja keine Kosten und Mühen!«, lästerte Jule.

Das Klavier war nicht das einzige Geschenk, das Poldi aus Valdivia heranschaffte – man wusste nicht genau, ob für Resa oder für Barbara. Auch andere Musikinstrumente waren dabei, so eine Geige, die ähnlich schief klang wie das Klavier, außerdem wertvolles Porzellan und bestickte Kissen mit Sinnsprüchen wie: »Gottes Ruh' und Frieden, sei diesem Haus beschieden«.

Auch Christine besaß viele solche Kissen, allerdings hatte sie die nicht teuer gekauft, sondern selbst bestickt:

»Arbeiten ist des Bürgers Zierde, Segen ist der Mühe Preis!«

»Hab auf der Welt die schönsten Stunden doch nur in meinem Heim gefunden.«

Auf einem stand schließlich kein Sinnspruch, sondern die launige Klage: »Wir sind Deutsche und die deutsche Sprache muss erhalten werden, notfalls so. Die Jungen sprechen alle Spanisch.«

Ohne Zweifel war das eine Übertreibung, denn hier am See sprachen alle deutsch. Nur in Valdivia oder Osorno vermischten sich die Sprachen. Die jungen Leute sagten, dass sie die Papen gesempert hätten, wenn sie Kartoffeln ernteten oder die Vacken geletschert, wenn sie Kühe molken.

Elisa ging weiter, Barbaras Gesang wurde leiser. Sie kam am Stall vorbei und hörte, wie dort die Tür zuschlug. Zuerst glaubte sie, dass sie nicht ordentlich verschlossen worden war und der Wind sie aufgestoßen hätte, doch als sie näher trat, sah sie Manuel unter einer der Kühe knien.

»Manuel!«, schalt sie.

Er war nicht der einzige von den jungen Leuten, der dergleichen tat, doch sie verabscheute es bei jedem gleichermaßen: anstatt in den Eimer zu melken und sich daraus zu bedienen, machten sie sich ein Spiel daraus, direkt aus den Eutern der Kühe zu trinken.

»Muss das denn sein?«, setzte sie mahnend hinzu. »Komm mit ins Haus. Annelie hat sicher …«

»Hab keine Lust«, meinte er knapp, nahm einen letzten Schluck und richtete sich dann auf. »Muss auch gleich wieder weg.«

Elisa stemmte ihre Hände in die Hüften. »Und wohin, wenn man fragen darf?«

Sie klang nicht mahnend wie vorhin, aber insgeheim schmerzte es sie, dass Manuel sich ihr immer mehr entzog.

»Lu und Leo müssen sich auch nie rechtfertigen, wenn sie irgendwo hingehen«, meinte er knapp.

»Bei ihnen weiß ich wenigstens, dass sie nicht allein unterwegs sind.«

»Wer sagt dir, dass ich allein bin?«

Elisa seufzte. Sie liebte Manuel, und sie stritt mit ihm – seit der Stunde seiner Geburt. Noch ehe er das erste Wort sprechen konnte, hatte er sich als trotzig erwiesen. Sie konnte sich nicht erinnern, dass sich die ersten drei Kinder jemals so laut, zornig und willensstark verhalten hatten. Ob man ihn wusch, fütterte oder ankleidete – nie ging es ohne Gebrüll vonstatten. Bei keinem der Söhne war ihr so oft die Hand ausgerutscht, und auch wenn sie ihre fehlende Gelassenheit manchmal bedauerte, hatte sie stets die Gewissheit gehabt, dass er die Maulschellen verdiente. Jetzt war er zu groß, um ihn zu schlagen, dennoch sprach sie häufig ein Stoßgebet, dass es ihr irgendwann leichter fallen würde, den rechten Umgang mit ihm zu finden.

Eigentlich gefiel es ihr, dass er so unbeugsam, entschlossen und wild war – nur hoffte sie, er würde seine Energien auf die Arbeit richten, nicht ständig gegen sie.

»Ich treffe mich mit Emilia«, sagte Manuel, und ehe sie darauf antworten konnte, fügte er schnell hinzu: »Ich weiß, du magst sie nicht.«

Elisa seufzte abermals, entschied aber, gar nicht erst darauf einzugehen. Noch schwerer als mit Manuels Trotz war mit der engen Freundschaft zu leben, die ihn und Emilia von Kindesbeinen an verbunden hatte. Nur ungern hatte sie die beiden zusammen gesehen, war jedoch nie entschieden dagegen vorgegangen, denn es gab keine anderen gleichaltrigen Kinder, und sie hatte zu viel zu arbeiten, um Manuel ausreichend selbst zu beschäftigen. Und auch wenn sie es hingenommen hatte, dass Emilia häufig ihr Gast war – dem Mädchen näherzukommen, hatte sie vermieden. Ganz anders verhielt sich Annelie. Sie liebte Emilia wie ein eigenes Kind, bekochte sie, wusch, kämmte und kleidete sie und verhinderte auf diese Weise, dass sie den verwahrlosten Anblick ihrer Mutter Greta bot.

Insbesondere wenn Cornelius auf einer seiner Handelsreisen unterwegs gewesen war, hatte Emilia ganze Tage im Haus der von Grabergs zugebracht. Elisa hatte dann noch länger im Freien gearbeitet und am Abend oft gegrummelt, warum Greta sich nicht selbst um ihr Kind kümmerte.

»Du bist zu hart«, hatte Annelie sie sanft gerügt. »Greta tut, was sie kann. Aber es liegt ihr einfach nicht im Blut, sich um andere zu kümmern. Emilia ist wiederum ein liebes Mädchen. Du darfst ihr nicht zum Vorwurf machen, dass sie Gretas und Cornelius' Tochter ist.«

Das wusste Elisa auch, und insgeheim schämte sie sich für ihre Vorbehalte, aber sie konnte sich einfach nicht überwinden, auf das Mädchen zuzugehen.

Auch jetzt wollte sie nicht über Emilia reden. »Ich habe gehört, du hast dich vom Kuhtreiben gedrückt«, lenkte sie ab.

Manuel verdrehte ungeduldig die Augen, wie immer in letzter Zeit, wenn sie zu einer Standpauke ansetzte. Wortlos wollte er an ihr vorbeigehen.

»Bleib gefälligst stehen, wenn ich mit dir rede!«, rief sie erbost und packte ihn am Arm.

»Worüber sollen wir denn reden?«, erwiderte er. »Du verstehst mich ja doch nicht!«

»Was verstehe ich nicht? Etwa, warum du dich nicht ausreichend um das Vieh kümmerst?«

Er schüttelte den Kopf. »Dass ich Emilia liebe – das verstehst du nicht!«, bekannte er leise.

Für einen kurzen Moment schien der Boden unter ihr zu wanken. Sie ließ ihn los, doch nun blieb er freiwillig stehen und starrte ihr trotzig ins Gesicht, bereit, sein Bekenntnis zu wiederholen.

Dass ich sie liebe.

Elisa atmete heftig ein. Manchmal hatte sie dergleichen befürchtet, sich dann jedoch fürs Blindstellen und Aussitzen entschieden. Irgendwann würde das Band der Freundschaft schon lockerer werden. Irgendwann würden die beiden nichts mehr miteinander anfangen können. Irgendwann wären sie erwachsen, also keine Kinder mehr, die Spielkameraden brauchten. Ja, so hatte sie es gehofft, obwohl ihr nicht entgangen war, dass die beiden eigentlich immer mehr, statt immer weniger Zeit miteinander verbrachten.

»Du hast doch keine Ahnung, was Liebe ist.« Der Schreck ließ sie barscher sprechen, als sie beabsichtigte.

»Und woher, Mutter, weißt du es?«, entgegnete er trotzig. »Du machst nicht den Eindruck, als hättest du jemals geliebt.«

Nur mühsam konnte sie ihre Hand im Zaum halten. Es war, weiß Gott nicht, die erste Frechheit, die er sich erlaubte, aber selten hatte etwas sie so geschmerzt wie dieser Vorwurf, und gerne hätte sie ihn mit einer schallenden Ohrfeige dafür bestraft. Doch damit, das wusste sie, hätte sie alles nur schlimmer gemacht.

»Manuel«, sagte sie leise. »Manuel, dich liebe ich doch. Von ganzem Herzen. Ich will, dass du glücklich wirst!«

Anstatt ihn zu schlagen, hob sie die Hand, um über sein Haar zu streichen. Er ließ es gewähren, dann versteifte er sich und zuckte zurück.

»Dann ist ja alles gut«, beschied er ihr knapp. »Denn mit Emilia … mit Emilia bin ich sehr glücklich. Ich will sie heiraten.« Und ohne ihre Entgegnung abzuwarten, stürmte er davon.

»Probier mal!«

Wie so oft war Annelie mit Backen beschäftigt, und als Elisa das Haus betrat, hielt sie ihr prompt etwas unter die Nase. Mehl staubte von ihren Ellbogen. Bis zu den Gelenken waren ihre Hände mit klebrigem Teig bedeckt.

»Was ist das?« Elisa mochte das saftige Brot, das Annelie buk, und auch ihren zarten Lammbraten, doch nichts von all dem Klebrigen und Süßen, für dessen Zubereitung sie größten Einfallsreichtum einsetzte.

»Ich habe wieder mal einen Kuchen aus Maniu-Kirschen gebacken. Bis jetzt ist der immer zu trocken geworden, denn die Maniu-Kirschen schmecken zwar süß, aber sie sind weniger saftig als die üblichen Kirschen. Doch stell dir vor: Ich habe einfach ein paar Äpfel daruntergemischt, und nun schmeckt der Kuchen vorzüglich.«

Da Elisa ihn nicht kosten wollte, steckte sich Annelie den Bissen selbst in den Mund und verzog ihr Gesicht genießerisch.

Ihre Freude am Kochen war immer die gleiche gewesen – ihre Freude am Essen sah man ihr jedoch erst seit wenigen Jahren an. Der einstmals zarte Körper war rundlich geworden, seit Annelie ihr vierzigstes Lebensjahr überschritten hatte, und Jule drohte ihr regelmäßig an, dass sie noch fett werden würde, sollte sie ihren Appetit nicht zügeln.

»Woher hast du die Maniu-Kirschen?«, fragte Elisa mehr aus Höflichkeit denn aus ehrlichem Interesse.

»Lu und Leo haben sie mir mitgebracht. Einen ganzen Eimer voll.«

Lu und Leo brachten immer irgendetwas mit, wenn sie von tagelangen Wanderungen zurückkehrten – wahrscheinlich, wie Elisa insgeheim ahnte, um nicht gescholten zu werden, weil sie sich so oft aus dem Staub machten. Annelie konnten sie mit Essen ködern; ihr selbst hatten sie vor einiger Zeit das Fell eines Graufuchses geschenkt, ein äußerst begehrtes Gut, weil dieses warm und weich war und sich der scheue Graufuchs viel schwieriger fangen ließ als andere Waldbewohner.

»Wenn du schon keinen Kuchen willst, so wenigstens etwas anderes?«, fragte Annelie.

Elisa schüttelte rüde den Kopf. »Mir ist der Appetit vergangen.«

Zu ihrer Überraschung fragte Annelie nicht nach, sondern nickte wissend, als habe sie mitbekommen, was eben im Stall vorgefallen war.

Sie schlug ein Tuch über den Kuchenteig und wandte sich einer anderen Schüssel zu. Wahrscheinlich befand sich darin der Teig für einen weiteren Kuchen, für Strudel oder Spätzle. Vor vielen Jahren hatte sich Annelie zwar dazu entschieden, nie wieder Rhabarberkuchen zu backen. Doch auf andere deutsche Spezialitäten wollte sie nicht verzichten, umso mehr, als nicht weit von hier, in Frutillar, ein Deutscher eine große

Bäckerei gegründet hatte und sie dessen gerühmten Köstlichkeiten in nichts nachstehen wollte.

Es war nicht der einzige Wettstreit, den sie mit roten Wangen ausfocht. In Nueva Braunau hatte man vor zwei Jahren zu Weihnachten eine Gans gegessen, die mit Maronen und Kartoffeln gefüllt war. Seitdem hatte sich Annelie immer wieder an dem Gericht versucht, auch dann noch, als Weihnachten lange vorbei war. »Ich seh's kommen«, hatte Jule damals gespottet, »diese Ostern wirst du keine Eier färben und verstecken, sondern Maronen.«

Längst galt Annelies Ehrgeiz allerdings nicht nur den Leckereien. In den letzten Jahren hatte sie stets große Freude daran gefunden, ihr Haus nicht nur behaglich, sondern nahezu luxuriös einzurichten.

»Mit lauter unnützen Dingen, die man nicht braucht!«, lästerte Jule oft, obwohl sie regelmäßig die eigene Wohnung über der Schule verließ, um sich bei den von Grabergs nicht nur bewirten zu lassen, sondern sich auch auf einem der weichen Stühle auszuruhen.

Aus Valdivia war mehr und mehr Mobiliar und Hausrat herangeschafft worden: ein Himmelbett mit geschnitzten Pfosten, Teppiche und Steppdecken, ein Bettwärmer und eine Bratpfanne aus Gusseisen, Bilder mit breitem Messingrahmen, schließlich auch ein eigener Geschirrschrank, in dem außer Porzellan auch dicke Stoffservietten aufbewahrt wurden, die Annelie bestickte.

»Eine hässliche Vettel wird nicht schöner, nur wenn du ihr ein hübsches Kleid überziehst«, pflegte Jule zu sagen, »und aus der Wildnis wird nicht Deutschland, nur wenn du all das Zeugs herbeischleppst.«

Trotzdem war Jule meist dabei, wenn Annelie nach Valdivia oder einem der anderen größeren Orte am See aufbrach.

Nachdem sie immer frisches Roggenbrot oder Kuchen mitgebracht hatte, hatte sich auch dort bald herumgesprochen, was für eine begnadete Köchin Annelie war. Seitdem wurde sie häufig zu Vereinsfeiern eingeladen, und in Frutillar lauschte sie jeden ersten Samstag im Monat dem Quartett der Feuerwehrleute, das dort spielte – im Übrigen, wie getuschelt wurde, nicht ganz so gut wie das Orchester, das Carlos Anwandter in Valdivia ins Leben gerufen hatte und das regelmäßig Lieder von Schubert zum Besten gab.

Tagelang erzählte sie nach der Rückkehr von den edlen Gewändern und Frisuren, die die »Städter«, wie man sie nannte, im Unterschied zu den ärmlichen Seebauern trugen: die Männer Frack und Spazierstock, die Frauen Kleider und Spitzen an Kragen und Ärmel und mit Eisen gebrannte Locken.

Elisa ließ sich am Esstisch nieder. Sie glaubte schon, dass Annelie nicht weiter auf ihre Auseinandersetzung mit Manuel eingehen würde, doch nach einer Weile der Stille sagte diese unvermittelt: »Du solltest es nicht tun.«

»Was?«, fuhr Elisa sie an. Ihr Tonfall war in den letzten Jahren herrischer geworden, zumindest, wenn sie nicht darum kämpfte, sich zu mäßigen. Sie ließ sich gerne nachsagen, willensstark und entschlossen zu sein, aber als hart wollte sie nicht gelten.

Annelie trat zu ihr. »Ich meine, du solltest dich nicht in Manuels Leben einmischen! Es ist doch seines, er ist alt genug zu wissen, was er tut.«

»Du hast dich damals auch in mein Leben eingemischt, als du mir Cornelius' Brief vorenthalten hast!«, begehrte Elisa auf.

»Eben darum weiß ich, wie falsch es ist! Elisa ... Elisa, ich kann mir bis heute nicht verzeihen, dass ich dein Lebensglück zerstört habe.« Sie trat noch näher und setzte sich ihr gegenüber.

»Aber das hast du nicht«, erklärte Elisa schnell. »Einst habe ich geglaubt, dass Cornelius und ich füreinander bestimmt wären. Doch wenn er mich wirklich geliebt hätte, warum hat er dann Greta geschwängert und sie geheiratet? Weißt du, Annelie, eigentlich muss ich dir dankbar sein, dass ich damals Lukas genommen habe.«

Elisa kniff die Lippen zusammen. Obwohl sie nie an Annelies Verschwiegenheit gezweifelt hatte, rührte sie nur ungern an dem Geheimnis, dass Manuel Cornelius' Sohn war und nicht der ihres Ehemannes. In den ersten Jahren nach seiner Geburt war sie vor Angst vergangen, jemand könne eine Ähnlichkeit wahrnehmen. Am liebsten hätte sie Manuel gar nicht unter die Leute gelassen, doch er war neugierig, suchte die Nähe der anderen und lachte jedes Mal glucksend, wenn er der gleichaltrigen Emilia begegnete. Irgendwann musste sie sich wenigstens keine Sorgen mehr machen, dass jemand die Wahrheit herausfinden würde. Manuel kam mit dem ungebärdigen, rotbraunen Haar ganz nach ihr – wohingegen Emilia die blonden, feinen Strähnen der Mutter geerbt hatte. Weder das eine noch das andere Kind hatte etwas mit Cornelius gemein.

»Ganz gleich, was zwischen dir und Cornelius vorgefallen ist«, sagte Annelie, »mit Manuel und Emilia hat es nichts zu tun.«

»Natürlich hat es das! Weißt du, was Manuel mir gerade gesagt hat? Dass er Emilia liebt! Und dass er sie heiraten will!«

Annelie verzog ihre Stirn sorgenvoll. »Er weiß nicht, dass er Cornelius' Sohn ist. Kein Wunder, dass er …«

»Ich werde es ihm einfach verbieten«, unterbrach Elisa sie scharf. »Vor allem ist er nämlich *mein* Sohn!«

»Aber er hat seinen eigenen Kopf!«

»Pah!«, stieß Elisa aus. »Er hat doch keine Ahnung vom Leben. Er hat nie gehungert wie seine Brüder.«

»Und das willst du ihm zum Vorwurf machen?«

»Gott bewahre! Aber er sollte dankbar sein, dass es uns so gut geht! Er soll es nicht für selbstverständlich hinnehmen, dass der Boden so fruchtbar ist und schon seit zwanzig Jahren kein Düngemittel braucht und dass das Gras so saftig ist, um das Milchvieh vorzüglich zu nähren!«

»Es geht hier nicht um seine Dankbarkeit«, entgegnete Annelie. »Manuel ist sich gewiss im Klaren, was wir geleistet haben. Aber das hat nichts mit seiner Liebe für Emilia zu tun. Das Band zwischen ihnen ist eng. Du kannst es nicht einfach zerschneiden, ohne zu erklären, was dich antreibt und warum!«

»Ich will es nicht zerschneiden!«, wehrte sich Elisa. »Sie können sich meinetwegen so nahestehen wie Geschwister. Weil sie das sind, auch wenn sie es nicht wissen! Aber sie können unmöglich Mann und Frau werden.«

»Ja«, sagte Annelie, »ja, ich weiß das. Aber die beiden wissen es eben nicht. Ich verstehe, dass du ihnen die Wahrheit nicht anvertrauen willst. Doch schlichte Verbote werden nicht helfen. Du … du solltest wenigstens mit Cornelius reden.«

Elisa wollte rüde zu einer Entgegnung ansetzen, doch dann biss sie sich auf die Lippen. Sie blickte auf ihre erdigen Hände, dann verstohlen zur Kleidertruhe. Jenes Kleid, das sie damals auf dem Heuboden getragen hatte, war darin aufbewahrt. Nie wieder hatte sie es seitdem angezogen, hatte nur hin und wieder die Truhe geöffnet und daran gerochen.

Mittlerweile war weder der Duft von Heu noch von ihr, noch von Cornelius daran haften geblieben, aber wenn sie es danach wieder in der Truhe verschloss, hatte sie das Gefühl, sämtliche Türen zur Vergangenheit mühelos abriegeln zu können.

»Ich … ich kann es ihm nicht sagen«, brach es aus ihr hervor.

Annelie seufzte. »Du musst ihm nicht gleich alles anvertrauen«, meinte sie. »Aber du solltest herausfinden, was er darüber denkt, dass Manuel um Emilia wirbt.«

Elisa wandte den Kopf ab. Sie wusste, dass Annelie recht hatte, doch der Trotz hielt sie davon ab, ihr zuzustimmen – jener Trotz, der den Schmerz all die Jahre im Zaum halten konnte.

»Ich werde darüber nachdenken, ob ich mit ihm rede … und worüber«, war das einzige Zugeständnis, das sie sich abringen konnte.

37. Kapitel

Drei Tage später ging Elisa am sanft gekräuselten Llanquihue-See auf und ab. Der Anblick des Osorno gab ihr nach all den Jahren immer noch Kraft; der weiße Kegel, mal stolz in die Sonne gereckt, mal geheimnisvoll hinter dichten Wolken und Nebelschwaden verborgen, schien unberührt von all dem Treiben der kleinen Menschenkinder, die sich inzwischen zahlreich am Ufer des Sees angesiedelt hatten.

Bis vor fünf Jahren waren regelmäßig Schiffe weiterer Kolonisten gekommen, dann war ihr Strom plötzlich abgerissen. Die meisten der Ansässigen quittierten das mit Erleichterung. So froh am Anfang alle gewesen waren, Landsleute zu treffen – irgendwann wurde das Land knapp, und außerdem war man der steten Streitigkeiten überdrüssig, die wegen der unterschiedlichen Religion ausgebrochen waren. Mittlerweile lebten die Konfessionen strikt getrennt: Puerto Octay war der Ort der Katholiken, Frutillar der der Protestanten. In Puerto Varas war der Westen katholisch und der Osten protestantisch. Fast alle waren mit dieser Lösung zufrieden – nur die westfälischen Ordensmänner nicht, die von Ort zu Ort zogen, um zu predigen. So gut wie nie stießen sie auf offene Ohren, wurden vielmehr meist mit Steinen verjagt, aber sie gaben es nicht auf, die Protestanten bekehren zu wollen.

Wenn Elisa davon hörte, war sie froh, dass sie fernab der Städte lebte und von diesem Kleinkrieg verschont blieb, obwohl er hin und wieder auch ihre Siedlung erreichte.

So forderte Magdalena schon seit Jahren, dass sie eine eigene Kirche bauen sollten, doch noch ehe sie überhaupt genügend Freiwillige gefunden hatten, die das Vorhaben mit Material und Arbeitskraft unterstützen wollten, erließ Chiles Regierung ein Verbot, wonach die Protestanten zwar ihren Glauben leben, ihre Kirchen aber keine eigenen Kirchtürme haben dürften. Nur wenigen war bis jetzt an diesem Gotteshaus gelegen, nun waren sie jedoch alle empört über diese Einmischung.

Magdalena schlug vor, dass man den Turm – so wie man es im Städtchen Osorno aus Trotz entschieden hatte – einfach auf die Schule bauen sollte, was wiederum Jule gegen sie aufgebracht hatte. »Das fehlt mir noch, dass aus meiner Schule ein Bethaus wird!«

Am Ende war es ruhig um das geplante Gotteshaus geworden – zumindest hatte Elisa schon lange niemanden darüber reden gehört.

Wollte Jule auch aus ihrer Schule keine Kirche machen, so hatte sie einen Teil davon zu einer Bibliothek umfunktioniert, die sie bei jedem Besuch in Valdivia reicher bestücken konnte.

Ausgerechnet Christine Steiner las von allen am meisten – allerdings heimlich. Vor Jule wollte sie ihre Gier nach Büchern nicht eingestehen; vielmehr musste Annelie bei dieser vorstellig werden und sie für sie ausleihen.

Elisa lächelte bei dem Gedanken daran, doch ihr Lächeln erlosch rasch wieder, als sie sich vom Osorno abwandte.

Es war nicht der rechte Augenblick, hier zu stehen und sentimental zu werden, schalt sie sich – nicht jetzt, da sie sich endlich aufgerafft hatte, zu Cornelius zu gehen. Annelie hatte sie seit jenem Abend nicht weiter dazu gedrängt, aber ihre Worte hatten ihre Wirkung nicht verfehlt. Eine Weile hatte Elisa es aufgeschoben, doch nun stapfte sie entschlossen zum einstigen Haus der Mielhahn-Geschwister, in dem nun die Suckows lebten.

Jeder Schritt, den sie tat, fühlte sich verboten an, als überträte sie unerlaubt eine unsichtbare Grenze. Sie hatte es all die Jahre vermieden, dem Grundstück zu nahe zu kommen – und beim Anblick von Gretas Haus wusste sie auch augenblicklich, dass sie gut daran getan hatte. Ein Gedanke stieg in ihr hoch, eigentlich so tief vergraben, dass sie manchmal vermeint hatte, er wäre längst verrottet, und nun doch entgegen aller aufgesetzten Gleichgültigkeit und verbissenem Trotz so schmerzhaft, so vertraut, als wäre sie jeden Tag damit eingeschlafen und jeden Morgen damit aufgewacht: Warum Greta? Warum hatte Cornelius ausgerechnet Greta geheiratet?

Sie hielt inne und konnte trotz aller Entschlossenheit nicht mehr weitergehen. Schwer ging ihr Atem, ihr Herzschlag dröhnte in ihrem Kopf.

Wie dumm zu glauben, sie könne einfach hierherkommen und ein nüchternes Gespräch suchen, als ließe sich das, was ihr das Leben vergällt hatte, vor der Grundgrenze der Suckows zurücklassen!

Sie drehte sich um, um rasch wieder zu gehen, als plötzlich eine Stimme ertönte. Elisa seufzte. Als größte Herausforderung war ihr erschienen, Cornelius unter die Augen zu treten – nun erkannte sie, dass es nicht der Gedanke an ihn war, der sie in die Flucht schlug, sondern die Möglichkeit, ihr zu begegnen.

»Was machst du hier, Elisa?«

Sie musste sich regelrecht zwingen, sich erneut umzudrehen.

Es ist doch nur Greta, redete sie sich mit aller Macht ein, nur die kleine, stumme, ängstliche Greta vom Schiff …

Greta stand an die zehn Schritte von ihr entfernt – und sah grauenhaft aus.

Elisa konnte sich nicht daran erinnern, wann sie ihr das letzte Mal begegnet war. Nur selten war Greta in der Nähe der Siedler aufgetaucht, und stets hatte Elisa ihre Augen gesenkt, um sie nicht ansehen zu müssen.

Nun konnte sie gar nicht anders, als sie anzustarren und entsetzt festzustellen, wie stark sie sich verändert hatte. Greta war zwar klein und zart wie eh und je, das Haar dünn und weiß, dennoch hatte sie nichts mit dem kleinen Mädchen von einst gemein. Sie glich vielmehr einer Greisin, als wäre auf ihre Kindheit sofort das hohe Alter gefolgt. Der Blick ihrer rötlich schimmernden Augen war kalt und leer, das bleiche Gesicht von Furchen und Runzeln übersät. Sie hielt den Kopf geduckt – vielleicht ein Zeichen von Vorsicht, vielleicht Folge eines Buckels, der ihren Körper grässlich verbog. Verlottert war die Kleidung; nicht nur viel zu klein und viel zu kurz wie früher, sondern obendrein zerrissen und fleckig. Seit Ewigkeiten hatte sie sich das Haar weder gebürstet noch geflochten. Schütter war es an den Schläfen geworden, was ihren Kopf noch länglicher erscheinen ließ. Sie verharrte reglos, während Elisa sie musterte und um ein freundliches Lächeln kämpfte. Greta und sie waren sich zwar immer aus dem Weg gegangen, offene Feindseligkeit hatte aber nie geherrscht.

»Guten Tag, Greta«, rief sie ihr entgegen. »Ich ... ich muss mit Cornelius reden.« Sie hatte es forsch sagen wollen, musste jedoch unwillkürlich stammeln und verachtete sich dafür. Ungewollt klang sie wie eine Bittstellerin, die auf Gretas Gnade angewiesen war. Greta stütze ihre Hände in die Hüfte und blickte hoheitsvoll auf Elisa herab.

»Worüber?«, fragte sie gedehnt.

Elisa schoss Röte ins Gesicht. Ausgerechnet das schwächliche Kind von einst, mit den aufgerissenen Augen und dem Lächeln zur Unzeit, verfügte über Cornelius!

»Das geht dich nichts an.« Diesmal zitterte ihre Stimme nicht, sondern klang scharf.

»Tatsächlich nicht?«, fragte Greta. »Er ist mein Mann. Und er ist nicht hier. Er ist auf einer seiner Handelsreisen.«

Elisa wollte sie nicht länger auf sich herabsehen lassen, sondern den Abstand zu Greta überbrücken, doch in der Hast verfingen sich ihre Füße im Unterwuchs aus Quila und Myrten. Anderswo war der Boden längst davon befreit, hier aber hatte die Erde wohl schon seit Jahren keine Hacke mehr gesehen. Elisa kämpfte um das Gleichgewicht und fiel doch auf den Boden. Dornen bohrten sich in die Haut ihrer Hände und Unterschenkel.

Was für ein verwahrloster Ort!, fluchte sie innerlich.

Kurz blieb sie liegen, dann ließ ein Laut sie aufschrecken – ein ebenso spöttischer wie bösartiger und unheimlicher Laut. Greta kicherte.

Elisa starrte sie verständnislos an. In den eben noch leeren, kalten Augen leuchtete es auf.

»Warum lachst du über mich, Greta?«, entfuhr es ihr. »Warum dieser Hohn? Ich habe dir nie etwas Böses getan. Im Gegenteil: Einst auf dem Schiff habe ich dir geholfen, dir und deinem Bruder. Und ich hätte es wieder getan, wenn ihr beide euch nicht so abgeschottet hättet. Ein jeder von uns wäre für euch da gewesen!«

»Von wegen!«, zischte Greta. Ihr Kichern erstarb. »Ihr habt uns gemieden! Höflich gelächelt habt ihr, wenn wir in der Nähe waren, aber sobald wir euch den Rücken zugewandt haben, habt ihr über uns getuschelt. Du hast dich doch nie dafür interessiert, wie es mir wirklich ging. Du hattest auch keine Ahnung, wie krank Viktor in Wirklichkeit war und wie verrückt.«

Elisa hatte sich aufgerappelt. Nun überbrückte Greta den Abstand zwischen ihnen von sich aus. Als sie vor Elisa zu stehen kam, flackerte ihr Blick, und sie wirkte selbst so krank und verrückt, wie sie es dem Bruder nachsagte.

»Wusstest du eigentlich, dass Viktor unseren Vater getötet hat?«, fuhr sie raunend fort. »Dass noch Blut an seinen Händen klebte, als wir euch durch den Urwald gefolgt sind? Ihr habt doch nicht ernsthaft geglaubt, dass Lambert Mielhahn seine Kinder einfach gehen lassen würde! Nein, um mit euch fliehen zu können, hat Viktor eine Axt genommen und immer wieder auf den Schädel unseres Vaters eingedroschen. Ich stand die ganze Zeit daneben. Er hätte es ohne mich nicht gekonnt. ›Tu es!‹, habe ich ihm gesagt. Und er hat es getan. Viktor hat meist getan, was ich ihm sagte. Er hat gar nicht hinsehen können, als die Knochen brachen, das Blut spritzte und die weißliche Masse des Gehirns hervortrat. Aber ich, ich habe hingesehen. Ich sehe es vor mir, als hätte es sich eben erst zugetragen.«

Ihre Worte gingen in Gelächter unter.

Elisa starrte sie entsetzt an. Ein kalter Schauder überlief ihren Rücken. Sie wusste nicht, was schlimmer war – dass Greta die Wahrheit sagte oder sich die Geschichte nur ausgedacht hatte, um sie zu quälen. Sie wusste nur, dass sie sich nie zuvor vor einem Menschen derart gefürchtet hatte. »Wenn Cornelius nicht hier ist, dann gehe ich wieder«, sagte sie hastig. Sie wandte sich ab und stieg vorsichtig über das Gestrüpp, um nicht ein weiteres Mal hinzufallen.

»Du bist doch nicht grundlos hier«, hielt Greta sie plötzlich auf. Sie klang nicht länger belustigt, vielmehr nüchtern. »Ich nehme an, es hat mit Emilia und Manuel zu tun.«

Elisa blieb zögernd stehen, obwohl alles in ihr danach drängte, zu fliehen. Sie atmete tief ein, ehe sie Gretas Blick suchte. Kein Wahnsinn tanzte mehr darin, nur Strenge. »Also, was stört dich an meiner Tochter?«

Greta als Emilias Mutter zu betrachten machte es für Elisa leichter. Auch wenn sie Emilias Nähe scheute, so wusste sie, dass diese ein liebes, wohlerzogenes Mädchen war, ein wenig ungebärdig zwar und nicht über alle Maßen fleißig, aber zu Mensch und Tier freundlich. Dies konnte nicht nur Cornelius' oder Annelies Werk gewesen sein, sagte sie sich – auch Greta musste etwas dazu beigetragen haben.

»Mich stört ganz gewiss nichts an deiner Tochter«, sagte Elisa schnell. »Emilia ist ein liebes Mädchen … wirklich. Ich finde nur, dass sie und Manuel zu viel Zeit miteinander verbringen.«

Gretas Augen wurden schmal. »Ist meine Tochter etwa zu schäbig für deinen Sohn?«

»Greta!«, rief Elisa empört. »Wie kommst du nur darauf! Das habe ich nie gesagt!«

»Das stimmt«, murmelte Greta. »Dass sie zu schäbig ist, hast du nie gesagt. Wie solltest du auch? Emilia verhält sich wie eine von euch. Und genau das hat euch immer zutiefst erstaunt, nicht wahr? Dass ich so ein Kind gebären und großziehen konnte! Auf mich habt ihr hinabgesehen, aber auf Emilia niemals.«

»Ich will doch nur …«, setzte Elisa an.

»Du willst nur, dass die beiden nicht so viel Zeit miteinander verbringen, das sagtest du bereits. Ich frage mich nur: Wenn es nicht an Emilia liegt, dem lieben Mädchen, an wem liegt es dann? Vielleicht an deinem … Bastard?«

Elisa zuckte zusammen. Das Wort traf sie wie eine Ohrfeige. Kurz glaubte sie, Greta habe nur nach der erstbesten Beleidigung gesucht, um Manuel schlechtzumachen, doch das wissende Lächeln, das ihren Mund verzog, bekundete, dass sie ganz genau wusste, was sie sagte.

»Ja«, bekräftigte sie ihre Worte kalt, noch ehe Elisa ihren

Schrecken überwunden hatte. »Dein Manuel ist nichts weiter als ein Bastard!«

Elisa starrte sie fassungslos an. »Was redest du denn da?«

»Dachtest du etwa, ich weiß es nicht? Dachtest du, ich sei das dumme, kleine Mädchen von einst und habe keine Augen im Kopf? Oh, ich habe Augen im Kopf, und ich habe immer viel gesehen … viel mehr als ihr allesamt. Man wird feinfühlig, wenn man mit einem Vater lebt, der jederzeit zuschlägt, und mit einem Bruder, der seinen Verstand verloren hat. Ich war mir sehr wohl bewusst, dass Cornelius mich nur deshalb geheiratet hat, weil du ihn weggeschickt hast.« Sie kaute vermeintlich nachdenklich auf den Lippen. »Natürlich habe ich mir überlegt, warum das wohl so war. Ja, warum hast du freiwillig auf ihn verzichtet, nachdem du endlich Lukas Steiner los warst? Du hast Cornelius doch immer für dich haben wollen, all die Jahre – und dann ganz plötzlich nicht mehr? Nein, nein, das war unmöglich. Also ist etwas zwischen euch vorgefallen, etwas, das es euch schwergemacht hat, euch jemals wieder offen in die Augen zu sehen, etwas, was dich ihn hat verfluchen lassen. Erst an jenem Frühlingstag, als ich dir sagte, er würde mich heiraten, bist du plötzlich angekrochen gekommen. Du hast Versöhnung gesucht, und ich weiß auch, warum. Weil du sein Kind unter deinem Herzen getragen hast. Leider bist du zu spät gekommen … viel zu spät.«

»Schluss jetzt!«, schrie Elisa. Ihre Stimme war brüchig und rauh. »Hör auf mit diesem Unsinn!«

»Es ist kein Unsinn, das weißt du so gut wie ich. Du redest dir seitdem ein, dass du ihn hassen würdest, aber insgeheim glaubst du immer noch, dass er dir viel mehr zusteht als mir. Du denkst, dass ich ihn gar nicht verdient habe!«

»Hör auf!«, rief Elisa wieder, zerrissen von Wut und Scham,

Ohnmacht und Furcht. »Ich bin nicht wegen Cornelius gekommen, sondern wegen Manuel und Emilia.«

Greta trat auf sie zu. Wirr fiel ihr das dünne Haar ums Gesicht. »Es ist mir ganz gleich, Elisa, was du willst. Bleibt mir nur alle fern ... mir und Cornelius und Emilia. Ja, bleibt uns fern! Dann können wir alle glücklich leben.«

Noch näher trat Greta auf sie zu. Als Elisa ihren säuerlichen Atem roch, überlief sie ein Zittern. Sie ahnte, dass es am besten wäre, wortlos zu gehen, aber sie konnte ihre Gefühle nicht im Zaum halten. Wenn Greta schon die Wahrheit über sie wusste, so konnte sie sich nicht verkneifen, auch ihr eine solche vorzuhalten.

»Ich weiß nicht, wie du es geschafft hast, Cornelius für dich zu gewinnen«, zischte sie. »Aber eins weiß ich: Es hat dich nicht glücklich gemacht. Schau dich doch an! Wenn du glücklich wärst, würdest du nicht in Fetzen herumlaufen! Du sorgst nicht für dich selbst, weil du ihn zwingen willst, es für dich zu tun. Doch offenbar tut er das schon lange nicht mehr. Anscheinend ist jedes warme Gefühl, das er je für dich gehegt hat, verkümmert. Du wärst keine so verbitterte, alte Frau, wenn er dich lieben würde – so wie er ... so wie er ...«

So wie er mich geliebt hat, wollte sie sagen. Sie konnte es nicht. Vielleicht, weil es anmaßend und schäbig war, diesen Triumph auszuspielen, da sie sich doch selbst in diesem Augenblick wie eine alte, verbitterte Frau fühlte, die zu sein sie Greta vorwarf. Vielleicht, weil sie zu oft daran gezweifelt hatte.

»Hau ab!« Greta ballte ihre Hände zu Fäusten. Gelblich traten die Knochen hervor. »Hau ab!«

»Oh, glaub nicht, dass ich jemals wieder freiwillig hierherkomme!«, rief Elisa. »Aber du musst etwas dafür tun: Sorg dafür, dass deine Tochter meinem Sohn fernbleibt.«

Sie drehte sich um, ohne die Antwort abzuwarten. Keinen Augenblick länger hielt sie Gretas Anblick aus; keinen Augenblick länger hielt sie sich selbst aus, so giftig, so mitleidslos wie sie sich gebärdete, so gefangen in Gefühlen, stark wie einst, doch ein düsteres Zerrbild von dem, was früher Wohligkeit und Wärme verheißen hatte.

Sie lief vor Greta davon und auch vor sich selbst. Als sie endlich den eigenen Grund erreicht hatte und kraftlos in die Knie sank, waren Ärger und Entsetzen über Greta verschwunden und nichts anderes geblieben als unendliche Trauer. Um Greta. Um sich selbst. Um Cornelius.

Emilia konnte nicht hören, was die beiden Frauen besprachen, aber sie erkannte deutlich, dass sie stritten. Laut geöffnet waren ihre Münder – sie schrien aufeinander ein. Das Gesicht ihrer Mutter war verzerrt, und das machte ihr Angst. Schon als kleines Kind hatte Emilia gelernt, stets auf der Hut vor ihr zu sein. Manchmal war Greta eine nüchterne und besonnene Mutter, die sie versorgte. Manchmal war sie eine Fremde, die entweder durch sie hindurchstarrte oder sie behandelte, als sei sie ihr lästig. Und manchmal war sie einfach nur bösartig: Sie schlug zwar nie zu, kniff sie jedoch oft grundlos, zog sie an den Haaren und wies ihr gerade die Aufgaben zu, die ihr unangenehm waren.

Emilia hatte längst aufgehört, sich ihr zu widersetzen. Am besten kam sie mit Greta zurecht, wenn sie ihre Launen stillschweigend über sich ergehen ließ.

Eben drehte sich Elisa Steiner um und stapfte fort. Emilia sah nicht, mit welcher Miene die Mutter ihr nachblickte, nur, dass Greta eine Weile steif stehen blieb, ehe sie wieder zum Haus ging. Emilia trat rasch vom Fenster zurück.

Worüber hatten die Frauen wohl nur gestritten?

Emilia wusste oft nicht, was sie von ihrer Mutter halten sollte, aber aus Elisa wurde sie auch nicht schlau.

Die anderen begegneten ihr stets ehrfürchtig – vor allem die Jungen. Schließlich wurde ihnen Elisa immer als leuchtendes Vorbild vorgehalten: Sie war tüchtig, kräftig, ausdauernd, und sie machte keine unnötigen Worte. Von ihr gelobt zu werden galt als höchste Auszeichnung – noch mehr als ein Zuspruch von Jule. Jule war zwar ihre Lehrerin und man hatte ihr respektvoll zu begegnen, aber hinter ihrem Rücken wurde oft über sie getuschelt und gespottet. Bei Elisa war das undenkbar. Keiner verlor je ein schlechtes Wort über sie; alle buhlten um ihre Gunst. Einzig die Suckows mieden sie, Greta, Cornelius und auch sie selbst. Nach außen hin gab sie vor, keinerlei Wert auf Elisas Meinung zu legen. Insgeheim allerdings beneidete sie Manuel um eine Mutter, die von allen geschätzt wurde und die nicht so unberechenbar war wie die ihre – genauso, wie er sie oft um ihren Vater beneidete.

Die Tür flog auf. Emilia senkte ihren Kopf tief über eine Schürze, die sie zu flicken vorgab. Sie hoffte, dass die Mutter über sie hinwegblicken würde, doch diese trat zu ihr und blieb mit verschränkten Armen vor ihr stehen.

Vorsichtig blickte Emilia auf – und erschrak. Manchmal wirkte Gretas Blick eigentümlich erloschen, dann wieder lag ein kalter Glanz darin. Doch heute flackerte er auf eine so unheimliche Weise, als wäre sie nicht ganz bei Sinnen.

»Mutter?«

»Hast du uns belauscht?«, zischte Greta.

»Wen?«, gab sich Emilia verständnislos.

Greta glaubte die Lüge nicht. »Du wirst keine Zeit mehr mit ihm verbringen«, beschied sie ihr knapp, ohne zu erklären, dass sie Manuel meinte und warum Emilia ihn nicht mehr sehen durfte.

Ruckartig wandte sie sich ab, doch nun, da sie ihrem Blick nicht länger ausgesetzt war, erwachte in Emilia Widerstand. Sie warf die Schürze beiseite und sprang auf. »Aber Manuel und ich ... wir wollen heiraten!«

Die Worte sprudelten aus ihr hervor, ohne dass sie darüber nachdachte, und kaum hatte sie sie gesagt, erkannte sie, dass es ein Fehler gewesen war. Angst überkam sie, als Greta sich wieder umwandte und nach ihrem Arm fasste.

»Mit diesem Pack gibst du dich ab?«

Der Griff tat weh, und Emilia schrie unwillkürlich auf. Doch zu ihrer Furcht gesellte sich Wut – Wut, dass ihr die Mutter den Umgang mit Manuel verbieten wollte, und vor allem auch darüber, dass man nie vernünftig mit ihr reden konnte. »Pack?«, rief sie. »Die von Grabergs und die Steiners sind die angesehensten Familien hier!«

»Von wegen! Sie sind an allem schuld!«

Greta schrie nicht, und dennoch hallte die heisere Stimme unangenehm in Emilias Ohren nach. Sie versuchte, ihr den Arm zu entziehen, aber Greta ließ nicht los.

»Woran denn, Mutter? Woran sind sie schuld?«

»Sie haben uns verraten, mich und meinen Bruder Viktor! Einfach zurückgelassen hätten sie uns. Und Cornelius ... dein Vater ... Es wäre viel leichter, wenn er nicht ...«

Sie brach ab; Emilia hatte keine Ahnung, was sie sagen wollte, und obwohl Greta manchmal von ihm erzählt hatte, wusste sie auch nicht, was es mit ihrem Onkel Viktor auf sich hatte und worin der Verrat lag, den Greta den anderen Siedlern vorwarf. Sie hatte keine Zeit, es zu ergründen. Gretas Griff wurde fester, dann zerrte sie sie ruckartig hoch zu ihrem Zimmer.

»Mutter! Du tust mir weh!«

Greta schleuderte sie in den Raum. »Ich werde ihn dir austreiben! Ich werde dir Manuel Steiner austreiben!«

»Mutter, du bist ja von Sinnen!«

»Und ich werde auch Cornelius Elisa austreiben! Ja, genau das werde ich tun!«

Emilia rieb sich die schmerzenden Knochen. Jedes Widerwort blieb ihr im Hals stecken.

»Mutter …«

Plötzlich lächelte Greta. »Du stehst auf ihrer Seite, ich weiß es genau. Du willst mit ihnen zusammen sein – viel lieber als mit mir. Aber das lasse ich nicht zu! Du gehörst mir! Cornelius gehört mir!«

Emilia senkte den Blick und schlug die Hände vor ihrem Gesicht zusammen, als würde sie das vor der Mutter und ihren sonderlichen Worten schützen. Sie sah nicht, wie Greta die Tür zuwarf, hörte nur, wie sie den Schlüssel umdrehte und ihre Schritte sich langsam entfernten.

Sie hatte sie einfach eingesperrt.

38. Kapitel

*E*lisa sah Manuel kaum ins Gesicht, als sie ihm den Befehl erteilte.

»Du musst nach Osorno gehen«, sagte sie knapp.

In den letzten Tagen war er meist herumgelungert, anstatt zu arbeiten, und auch jetzt blieb er seelenruhig sitzen und kaute an einem Grashalm.

»So«, erwiderte er gedehnt, »muss ich das?«

Seit ihrem Streit im Kuhstall lag ein trotziges Funkeln in seinen Augen, wann immer sie zusammentrafen. Elisa versuchte, es einfach zu ignorieren und sich gar nicht erst auf eine Auseinandersetzung einzulassen, obwohl sie das eine große Überwindung kostete. Sie goss frisches Wasser in große Holzkübel, in denen sich bereits ein Teil der Butter befand. Aus einem weiteren Teil klopfte sie die Feuchtigkeit, damit die Butter nicht ranzig wurde, und formte daraus einen Zopf, um auch diesen in den Holzkübel zu legen und zu übergießen.

»Ja«, sagte sie schlicht. »Du musst nach Osorno gehen und dort Butter verkaufen.«

Schon in den Anfangsjahren hatten sie mit Butter gehandelt, und seitdem sie fast ganz auf die Viehwirtschaft umgestiegen waren, bezogen sie daraus den größten Teil des Einkommens. Milch war nicht leicht zu transportieren, denn sie wurde schnell sauer, aber mit Butter belieferten sie viele Orte.

»Und wenn ich keine Lust habe?«, fragte Manuel abermals gedehnt.

Auch Lu und Leo taten nicht immer, was sie sagte, aber sie hätten sich nie so offen widersetzt.

»Du pochst doch ständig darauf, dass du mehr Verantwortung übernehmen darfst! Du hast dich immer beschwert, dass ich Lu und Leo mit der Butter schicke – niemals dich! Und jetzt willst du dich mir verweigern?«

Manuel erhob sich langsam. Ungehalten stieß er mit dem Fuß gegen den halbrunden Holzbehälter, in dem Elisa in den letzten Stunden den Rahm in Buttermilch und Butter getrennt hatte. Zu diesem Zweck musste man an einer Kurbel drehen, an der längliche Holzstücke befestigt waren, die in den Behälter reichten.

»Du schickst mich nicht fort, um mir mehr Verantwortung zu übertragen. Du schickst mich fort, weil du mich von Emilia fernhalten willst, nicht wahr?«

Manuel nuschelte die Worte. Erst nachdem sie gesagt waren, spuckte er den Grashalm aus.

Elisa ließ den Butterzopf los und stützte ihre Hände auf die Hüften ab, ungeachtet dessen, dass sie fettig waren.

»Mein Gott, jetzt stell dich nicht so an!«, rief sie empört. »Lu und Leo haben zu tun, sonst würden sie gehen!«

Manuel schüttelte den Kopf. Elisa befürchtete schon, er würde wieder von Emilia zu reden beginnen, doch stattdessen fragte er: »Weißt du eigentlich, Mutter, wie die Leute in Osorno von uns reden?«

»Was interessiert mich das?«

»Sie machen sich über uns lustig, so wie in allen größeren Orten auch. Die Seedeutschen heißen wir dort, nein warte, sie sagen Laguna-Deutsche, weil See auf Spanisch Laguna heißt. Sie blicken auf uns herab, weil wir so arm sind. Einfache Bauern nur, ohne Manieren und ohne Geld. Ja, für Pack halten sie uns.«

Elisa trat auf ihn zu und nahm sein Gesicht zwischen ihre Hände. Sie scheute seinen trotzigen Blick nicht länger, sondern hielt ihm stand. »Hör mir gut zu, mein Sohn«, zischte sie. »Ich habe mein Leben lang hart gearbeitet, ich habe Opfer gebracht, und ich habe viel verloren, weiß Gott, viel zu viel. Ich habe mir das eigene Brot vom Mund abgespart, damit meine Kinder genug zu essen hatten. Und du, Manuel, du bist in einer Zeit geboren, da das Schlimmste schon hinter uns lag. Du bist nicht verhungert wie dein älterer Bruder Ricardo! Du wurdest nie von Krämpfen wach gehalten, weil dein Magen leer war! Also wag es nicht, das, was wir haben, was wir errungen und erkämpft haben, schlechtzumachen, wag es nicht!«

Kurz breitete sich Verlegenheit auf seinem Gesicht aus. Dann entzog er sich ihr unwirsch. »Nicht ich mache es schlecht, sondern die Menschen in Osorno«, entgegnete er wütend. »Dort leben keine Bauern, sondern Handwerker. Sie haben Brennereien und Mühlen errichtet, und sie sind damit reich geworden.«

»Nun gut«, sagte Elisa und wandte sich ab. »Wenn du kein Bauer sein willst, dann eben ein Händler. Also nimm die Butter, geh und bring genügend Geld zurück!«

Manuel sprang auf sie zu. »Du nimmst mich nicht ernst, Mutter!«, rief er anklagend. »Dir ist völlig gleichgültig, was ich mir vom Leben wünsche!«

»Das ist nicht wahr!«

»Und ob es wahr ist! Du wirst nicht erlauben, dass ich Emilia heirate, nicht wahr?«

Sie rang mit den Händen. »Manuel, du bist so jung. Ich will dir nichts verbieten, ich will nur, dass ihr wartet. Und vielleicht hast du auch recht, wenn du … wenn du dir ein ganz anderes Leben wünschst, als du es hier haben kannst, und wenn du mehr von der Welt sehen willst. Ich habe mir überlegt, dass du vielleicht in Valdivia ein Handwerk erlernen könntest. Unseren Hof werden ohnehin mal deine älteren Brüder übernehmen.«

»So also hast du dir das gedacht«, knurrte er. »Du schickst mich fort, damit Emilia und ich getrennt sind.«

»Herrgott, was willst du eigentlich? Du beklagst dich über das Leben hier, und schlage ich vor, dass du fortgehst, bist du auch nicht zufrieden!«

»Weil du mich gängeln willst! Weil du mir ständig vorschreibst, was ich zu tun habe! Weil du mir nur so viel Freiheit zugestehst, wie sie dir zupasskommt!«

Er trat mit dem Fuß gegen das Butterfass, dass es knirschte.

»Du wagst es, so mit mir zu reden?« Elisa funkelte ihn an. »Manuel, willst du dich wirklich gegen deine Familie stellen?«

»Gegen welche Familie denn?«, hielt er dagegen. »Großmutter Christine ist alt und redet ständig von vergangenen Zeiten, Großvater Jakob ist seit Jahren tot. Meinen Vater habe ich nie gekannt. Meinen Onkel Fritz auch nicht, und Onkel Poldi ... Du glaubst doch nicht ernsthaft, dass er mir verbieten würde, Emilia zu heiraten? Die eigenen Töchter könnten ihm nicht gleichgültiger sein! Tante Katherl ist schwachsinnig, und Tante Magdalena ist alles gleich, solange sie nur beten kann. Und Großmutter Annelie hätte gewiss nichts gegen eine Hochzeit einzuwenden, weil sie dann ein Festmahl kochen könnte!«

Elisa seufzte; es war sinnlos, noch länger mit ihm zu streiten. »Wir reden später darüber«, beschied sie ihm knapp. »Einstweilen will ich nichts mehr davon hören. Tu einfach, was ich dir gesagt habe.«

Sie erwartete Widerstand, doch Manuel bückte sich wortlos

nach einem der Butterfässer. Er ging, ohne sich zu verabschieden.

Emilia gab es auf, an die Tür zu klopfen. Zunächst hatte sie geschrien, aber als ihre Stimme heiser wurde, hatte sie die Fäuste sprechen lassen. Die taten ihr nun weh; Holzsplitter hatten sich in ihre Hand gebohrt.

Am Anfang hatte Emilia gehofft, sie würde sie nur für einige Stunden einsperren, doch schließlich war ein ganzer Tag daraus geworden, dann ein zweiter und ein dritter – und zuletzt hatte sie erkannt, dass ihre Mutter sie für lange Zeit gefangen halten würde.

Zuerst hatte die Panik sie auf und ab laufen lassen, dann hatte sie sich wie gelähmt gefühlt.

Der Raum schien immer kleiner zu werden und die Luft knapper, obwohl sie den Kopf durchs Fenster stecken konnte.

Irgendwann war Greta gekommen, um ihr zu essen zu bringen.

Emilia hatte hochgeblickt und kurz mit dem Gedanken gespielt, einfach an ihr vorbeizustürmen. Aber auch wenn Greta zart wirkte – allein die Vorstellung, sich mit ihr anzulegen, schürte nur neuerliche Angst.

»Bitte, Mutter …«, hatte sie angesetzt.

»Mein Bruder Viktor wollte mich am liebsten auch einsperren.«

Es war das Einzige, was sie sagte, ehe sie die Tür wieder zusperrte, und Emilia wusste die Worte nicht zu deuten. Viktor war scheinbar verrückt gewesen, und erstmals fragte sie sich, ob für Greta das Gleiche galt.

Ach, wenn nur ihr Vater hier wäre! Niemals würde er zulassen, dass die Mutter sie hier gefangen hielt! Aber Cornelius war so oft unterwegs. Er erklärte ihr, dass das so sein müsse, schließlich würde er Handel treiben. Zunächst war es nur Holz gewesen, später waren andere Güter dazugekommen – welche es waren, wusste sie nicht genau. Insgeheim fragte sie sich jedoch, ob er nicht länger weg blieb als nötig und ob ihn wirklich geschäftliche Angelegenheiten trieben oder nicht vielmehr Reiselust. Im letzten Sommer hatte er mehrere Wochen lang das Gebiet der Anden erforscht.

Emilia mochte seine Reiseschilderungen, aber der finstere Blick, den ihre Mutter ihm zuwarf, wenn er von seinen Eindrücken sprach, ängstigte sie. Einmal hatte sie mit angehört, wie Greta ihm offen vorwarf, er würde doch nur reisen, um ihre Gesellschaft zu meiden.

Das konnte Emilia ihm gut nachfühlen. Sie haderte jedoch damit, dass ihr Vater nicht nur die Mutter regelmäßig verließ, sondern auch sie. Warum ließ er sie einfach mit ihr zurück? Wenn sein Widerwille gegen Greta so groß war – warum hatte er sie dann überhaupt geheiratet und ein Kind mit ihr gezeugt?

Emilia stiegen Tränen hoch, doch ehe sie ihr über die Augen kullerten, hörte sie ein Geräusch.

Kam es von der Tür? War ihre Mutter zurückgekehrt, um sie endlich freizulassen?

Als sie ihr Ohr an die Tür presste, war von dort nichts zu hören. Das Geräusch erklang ein zweites Mal, und diesmal erkannte sie, aus welcher Richtung es kam. Ein dumpfer Gegenstand schlug gegen den Holzbalken neben ihrem Fenster. Rasch stürmte sie dorthin und spähte nach unten. Sie hatte nicht bemerkt, dass die Sonne längst untergegangen war. So trübe war das Licht, dass sie nicht mehr sah als einen Schatten. Dennoch wusste sie sofort, wer das war.

»Manuel!«

Er hatte die Hand erhoben, um weitere Steinchen zu werfen, nun ließ er sie sinken.

»Emilia!«

Immer noch war sie den Tränen nahe, aber jetzt vor Erleichterung. »Meine Mutter hat mich eingesperrt! Ich glaube, sie hat den Verstand verloren!«

Er nickte grimmig. »Meine auch.« Nach einer Weile, da sie sich nur anstarrten, rief er zu ihr hoch: »Kannst du irgendwie herunterklettern?«

»Bist du verrückt?«

»Pack alles zusammen, was du hast, und wirf es mir zu. Danach werde ich dich auffangen.«

Trotz aller Skepsis, ob ihm das gelingen würde, gehorchte sie ihm. Nach den vielen einsamen Stunden war ihr Geist wie ausgehöhlt. Sie war erleichtert, dass sie keine eigenen Entscheidungen treffen musste, sondern dass jemand da war, der ihr sagte, was sie tun musste. Als sie sich wenig später wieder aus dem Fenster beugte, war die Angst, in diesem engen Raum zu vermodern, viel größer als die Angst, in die Tiefe zu springen.

Sie warf erst ihr Bündel mit den Habseligkeiten hinunter, dann wuchtete sie den Oberkörper aus dem Fenster. Kurz befürchtete sie, vornüberzukippen und sich beim Aufprall das Genick zu brechen. Sie wich zurück und schob stattdessen ihre Beine über das Fensterbrett.

Das Holz knackte. Kam es von der Stube unten? Hatte ihre Mutter sie gehört?

Doch als sie angestrengt lauschte, blieb es still.

»Ich fang dich auf!«, versprach Manuel wieder.

Sie hatte keine Ahnung, wie er das bewerkstelligen würde, aber sie hielt die Luft an, presste die Augen zusammen, damit sie nicht sah, wie tief sie springen würde, und ließ sich einfach fallen. Ein Schrei ertönte – entrang er sich ihrer Kehle oder seiner? –, dann fiel sie auf etwas Weiches.

Manuels Atem ging stockend. Offenbar unterdrückte er mit aller Macht einen Schmerzenslaut. Ihr selbst brummte der Kopf, und eine Weile lagen sie beide regungslos im Dunkeln. Keiner wagte, als Erstes aufzustehen, doch schließlich ließ das Brummen in ihrem Kopf nach, und sie erhob sich vorsichtig. Alle Knochen waren noch heil.

»Und jetzt?«, fragte sie.

Auch Manuel sprang auf. »Und jetzt gehen wir von hier fort!«, rief er entschlossen. »Ich habe genug von diesem schrecklichen Ort. Ich will endlich leben … richtig leben! Ich will reich werden!«

Emilia war sein Trachten nach Geld immer fremd gewesen. Doch sein Bedürfnis, von hier zu fliehen, verstand sie gut.

»Aber wohin?«, wandte sie ein. »Wohin sollen wir denn gehen?«

»Egal wohin!«, rief er trotzig.

»Ich kann nicht gehen, ohne mich von meinem Vater zu verabschieden!«

»Wie oft hat er dich denn mit deiner Mutter allein gelassen? Emilia«, er trat zu ihr, umfasste ihr Gesicht und sah ihr fest in die Augen. »Emilia, wir lieben uns doch, wir wollen zusammenbleiben, wir wollen heiraten, aber hier geht das nicht. Hier lässt man uns nicht.«

Er zog sie ein paar Schritte mit sich, und sie wehrte sich nicht.

»Wir müssen fort von hier!«, rief er eindringlich.

»Also gut«, seufzte sie.

Sie warf einen letzten Blick auf das Haus. Die Stube war still und finster geblieben, ihre Mutter hatte nichts von der Flucht bemerkt. Das Heim wirkte nicht behaglich, sondern bedrohlich, und die Angst, Greta jemals wieder vor die Augen treten zu müssen, war viel größer als die Angst vor der fremden, weiten Welt.

»Also gut«, wiederholte sie und hob das Bündel mit ihren Habseligkeiten auf. »Lass uns gehen!«

»Wie konntest du das tun? Wie konntest du nur?«

Cornelius konnte nicht fassen, was er soeben erfahren hatte. Über Jahre war er Elisa, wenn überhaupt, nur mit gesenktem Blick begegnet. Nun starrte er sie wutentbrannt an.

»Wie konntest du das tun?«

»Ich habe gar nichts getan!«, erwiderte Elisa, die nicht minder verärgert schien. »Deine Tochter war es doch, die ihm diese Flausen in den Kopf gesetzt hat.«

Er war gerade erst zurückgekehrt und fühlte sich noch erschöpft von der Reise. Er kam aus El Arrayán, einem kleinen Ort, der einige Meilen südlich von Puerto Montt lag. Es war der Hauptsägeplatz des Gebiets, von wo aus das Holz über den Pèrez-Rosales-Pass nach Argentinien oder zum Hafen von Puerto Varas geliefert wurde. Cornelius hatte den Transport dorthin überwacht, desgleichen eine Lieferung landwirtschaftlicher Güter, die von Puerto Varas nach Osorno gebracht werden sollten.

Holz hatte zu den ersten Gütern gehört, mit denen er gehandelt hatte. Später waren weitere Waren hinzugekommen, und mittlerweile gehörte er zu den Lieferanten für Schlachtereien, von Leimsiedereien, Seifenfabriken, Küfereien, Ölmühlen und Schreinereien.

In den ersten Jahren hatte ihn weniger die Lust am Handel getrieben als der Wunsch, sich sein Geld mit einer Arbeit zu verdienen, die ihn immer wieder von der Siedlung und von Greta wegführte. Mit der Zeit hatte sich jedoch herausgestellt, dass er es erstaunlich gut konnte und auch mochte: zu feilschen, zu handeln, vor allem aber auch gute Qualität zu garantieren. Es hatte sich herumgesprochen, dass er verlässlich war und Termine einhielt, dass er die Waren sorgsam überwachte und faire Preise machte. Insbesondere Letzteres war keine Selbstverständlichkeit, bezahlte man hierzulande lieber mit Naturalien wie Branntwein und Alerce-Brettern als mit Geld, was manchem Wucherer erlaubte, sich zu bereichern. Cornelius hingegen legte Wert auf klare Vorgaben und Verlässlichkeit; nicht minder wichtig als ein ordentliches Einkommen war ihm sein guter Ruf. Auf dieser letzten Reise hatte er erneut ein paar wertvolle Kontakte geknüpft, doch sein Stolz darauf hatte nicht lange gewährt. Bei seiner Heimkehr hatte ihn Greta mit einem Schwall wütender Worte erwartet. Es hatte eine Weile gedauert, bis er begriff, dass sie nicht den üblichen Zorn hegte – er sei zu wenig da, würde sich nicht ausreichend um sie kümmern, hätte nur Augen für seine Tochter, nicht für sie –, sondern dass etwas Schreckliches passiert war. Emilia war spurlos verschwunden. Gemeinsam mit Manuel.

Noch ehe er es richtig erfassen konnte, bedachte sie ihn mit schlimmsten Schimpfwörtern. Zunächst hatten ihre Flüche Elisa gegolten, dann Manuel, aber zuletzt schien es ihr die größte Befriedigung zu sein, ihm die Schuld an allem zu geben.

Weil er ja nicht da gewesen wäre. Weil er sich nicht genügend um sie scheren würde. Weil ihm mittlerweile wohl auch die Tochter gleichgültig wäre.

Anstatt die altbekannten Vorwürfe weiterhin über sich ergehen zu lassen, hatte Cornelius sie einfach stehen gelassen, um mit Elisa zu reden – und war vom Regen in die Traufe geraten.

Er traf sie beunruhigt an, doch bei seinem Anblick wandelten sich ihre Sorgen augenblicklich in Wut. Sie sprang auf und erging sich in einer ähnlichen Tirade wie Greta. Diese stellte sich zwar als etwas ausführlicher heraus – immerhin begriff er jetzt, dass Manuel und Emilia zu heiraten beabsichtigt hatten, damit aber auf massiven Protest ihrer Mütter gestoßen waren –, doch am Ende mündeten ihre Worte in ähnlicher Anklage: dass er daran Schuld trüge. Dass er sich nicht ausreichend um Emilia gekümmert hätte.

Nachdem Elisa endlich geendet und Atem geschöpft hatte, wirkte sie müde und ausgelaugt. Manuels Verschwinden musste ihr mehr als nur eine schlaflose Nacht beschert haben – das sah er an den dunklen Ringen unter ihren Augen und dem aufgelösten Haar.

Doch er fühlte sich selbst zu erschöpft, um ihr aufgewühltes Gemüt zu besänftigen.

So zornig wie sie ihn anstarrte, konnte er Manuel und Emilia durchaus verstehen. Kein Wunder, dass die beiden geflohen waren, wenn Elisa und Greta so unbeherrscht mit ihnen geschimpft hatten wie eben auf ihn.

»Wie konntest du das tun?«, entfuhr es ihm. »Wie konntest du nur?«

»Ich?«, gab sie zurück. »Ich soll etwa daran schuld sein?«

»Du und Greta – ihr hättet vernünftig mit den beiden reden müssen. Stattdessen bekriegt ihr euch und …«

»Mit Greta vernünftig reden!«, unterbrach sie ihn böse. »Du hast keine Ahnung, was du da verlangst. Greta hat …«

»Um Greta geht es jetzt nicht. Es geht um Emilia und Manuel. Und wenn ich es richtig verstehe, dann haben sie nichts weiter verbrochen, als sich ineinander zu verlieben. Na und? Sie wollen heiraten, was ist schlimm daran? Warum konntet ihr beiden ihnen das Glück nicht gönnen?«

Noch während er die Worte aussprach, wusste er, wie ungerecht sie waren. Weder hatte Elisa es verdient, mit Greta auf eine Stufe gestellt zu werden – schließlich hatte diese Emilia tagelang eingesperrt. Noch kannte er Elisas Gründe, gegen die Heirat der beiden zu sein. Vielleicht waren es ganz vernünftige, womöglich, dass Manuel und Emilia zu jung, zu unerfahren wären, um eine solch weitreichende Entscheidung zu treffen. Aber Cornelius fühlte sich zu zermürbt von der Reise, den Vorwürfen und der Sorge um seine Tochter, um Vernunft walten zu lassen, und ehe er seine harschen Worte zurücknehmen konnte, fuhr Elisa ihn schrill an: »So ist es also! Du denkst, dass ich eine missmutige, verhärmte Frau bin, die nur darauf wartet, den jungen Menschen ihr Glück zu rauben – aus Neid und aus Verbitterung.«

»Vor allem denke ich, dass du sie regelrecht zur Flucht getrieben hast.«

»Dann solltest du auch überlegen, welchen Anteil deine liebe Frau Greta daran trägt. Sie war nicht begeistert von der Vorstellung, die Schwiegermutter meines Sohnes zu werden, um es freundlich auszudrücken.«

Cornelius seufzte. Plötzlich fühlte er keine Wut mehr, sondern einfach nur Überdruss. Er ertrug den zänkischen Tonfall, der in ihrer Stimme lag, nicht. Er glich dem von Greta, mit dem sie ihn jahrelang verfolgt hatte. Anfangs hatte sie sich viel Mühe gegeben, ihm ein behagliches Heim zu bereiten. Sie hatte ihn bekocht und umsorgt und hatte versucht, Emilia eine gute Mutter zu sein. Für all das war er auch dankbar, er hatte sie oft genug dafür gelobt. Doch leider war ihr das zu wenig gewesen. Anstatt sich mit freundlichen Worten zu begnügen und sich damit zufriedenzugeben, dass er die Ehre von ihr, dem toten Bruder und der Tochter wahrte, hatte sie nachdrücklich seine Nähe eingefordert. Er konnte sich noch überwinden, sie zu umarmen und zu streicheln, weil er glaubte, sie suchte Trost. Aber als sie ihre Rechte als Ehefrau geltend machte und sich eines Tages einfach zu ihm ins Bett legte, hatte er sie rüde abgewiesen und ihr mehr als nur ein Mal zu verstehen gegeben, dass sie nur nach außen hin Mann und Frau wären, nie aber in den eigenen vier Wänden.

Sie hatte sich nicht abfinden können, sondern jahrelang darum gekämpft, das zu ändern. Am Ende war er von diesem steten Kampf ausgelaugt und Greta verbittert.

»Was ist?«, schrie Elisa, als er nichts sagte. »Hat es dir die Sprache verschlagen?«

Das verdiene ich nicht, dachte er. Ich habe nichts Schlimmes getan. Ich habe Greta in ihrer größten Not geholfen. Und ich habe Elisa doch nur … geliebt.

»Wenn du mich anschreist, machst du die Sache nicht besser!«, erklärte er grimmig.

»Ach ja?« Sie funkelte ihn an. »Und was soll ich deiner Meinung nach tun?«

Er ahnte, dass es besser wäre, darüber in Ruhe nachzudenken, doch die Spannung zwischen ihnen war zu groß. »Warum hast du nicht vorher darüber nachgedacht, was du mit deinem Verbot anrichtest?«

»Mein Gott«, zischte sie. »Mein Gott, du hast ja keine Ahnung!«

»Ahnung wovon?«

Ihr Blick flackerte, unruhig kaute sie auf ihren Lippen, als wolle sie etwas sagen. »Du hast kein Recht, mir Vorwürfe zu machen«, setzte sie schließlich etwas gemäßigter hinzu. »Du nicht. Du warst nicht hier. Und nun machst du dir nicht einmal die Mühe, mich zu verstehen.«

»So, so«, entgegnete er und erschrak über die Bitterkeit, die in

665

seiner Stimme lag. »Ich dachte, genau das dürfte ich nicht! Über dich nachdenken, mit dir sprechen, ja, dir überhaupt nahekommen! Du hast mich aus deinem Leben vertrieben – und jetzt willst du, dass ich mir über dich den Kopf zerbreche? Du hast verlangt, dass ich mich von dir fernhalte – und jetzt wirfst du mir vor, dass ich nicht weiß, was in dir vorgeht? Elisa, was immer du wolltest, habe ich getan, und ich …«

»Getan, was ich wollte?«, schrie sie. »Ich wollte, dass du gehst, nicht, dass du Greta heiratest!«

Eine bitterböse Entgegnung lag ihm bereits auf den Lippen, aber er konnte sich gerade noch beherrschen, sie auszusprechen.

Nein, nein, nein!, dachte er verzweifelt. So sollte es nicht zwischen ihnen sein! So durfte es nicht sein!

Sie starrten sich an, kamen zur Besinnung, schienen beide entsetzt über so viel Gift, das sie ausspien.

Cornelius seufzte. In den letzten Jahren hatte er das Gefühl gehabt, halbwegs gut leben zu können, nicht wirklich glücklich und erfüllt, aber doch in Frieden. Nun fragte er sich, wie er auch nur einen Tag mit dem Wissen überstehen hatte können, dass Elisa ihn derart hasste.

Und das musste sie doch – würde sie ihn sonst so anschreien?

Nun, immerhin schrie sie jetzt nicht mehr, sondern wandte sich ab, ging auf und ab. Ihr Gesichtsausdruck war nicht mehr wütend, eher trotzig und erinnerte ihn an die Elisa von einst, die ihn mit ihrer Willensstärke und Spontaneität mitgerissen und bezaubert hatte.

»Elisa …«, sagte er leise.

Wieder schien sie mit etwas zu ringen. Etwas lag ihr auf den Lippen, das fühlte er genau, aber sie sprach es nicht aus, und als sie sich ihm endlich wieder zuwandte, war ihr Gesicht zur ausdruckslosen Maske erstarrt.

»Wir ... wir müssen die beiden zurückholen«, erklärte sie schlicht.

»Ja«, sagte er leise, »ja, das müssen wir.«

39. Kapitel

*E*milia konnte sich nicht erinnern, jemals so erschöpft gewesen zu sein. Sie kämpfte verbissen darum, es sich nicht anmerken zu lassen, aber oft war sie den Tränen nahe. Den ganzen Tag auf den Beinen zu sein war sie gewohnt, und auch das Reiten fiel ihr nicht schwer, obwohl es unbequem war, da sie gemeinsam nur ein Pferd, nämlich das von Manuel, hatten. Doch die vielen fremden Menschen, denen sie im Laufe der Reise begegneten, setzten ihr zu.

Ihr Leben lang war sie meist nur von vertrauten Gesichtern umgeben gewesen. Selten waren Fremde zu ihrer Siedlung gekommen, und wenn ihr Vater sie manchmal nach Osorno oder Valdivia mitgenommen hatte, hatte dieses zweifellos große Abenteuer stets nur wenige Stunden gewährt. In den darauffolgenden Tagen hatte sie pausenlos darüber geredet, um der vielen Eindrücke Herr zu werden. Doch nun prasselten viel zu viele auf sie ein, um darüber zu sprechen, und diesmal war auch ihr Vater nicht dabei, der überall Menschen kannte und ihre Sprache verstand.

Jule und Christine hatten oft gestritten, ob die Kinder Spanisch lernen sollten oder nicht; Christine hatte sich der fremden Sprache stets verweigert, Jule dagegen hatte sich selbst etliche Brocken beigebracht und sie auch die Kinder gelehrt. Dieser Teil des Unterrichts hatte Emilia eigentlich immer Spaß gemacht – vor allem, weil sie sich mit diesem Wissen über die Älteren lustig machen konnten. An einem verregneten Tag war sie mit Manuel zu Andreas Glöckner gegangen und hatte laut verkündet: »Hace tiempo mucho male« – woraufhin, zu ihrer beider Vergnügen, Andreas Glöckner schnaubte: »Muscheln mahlen, das fehlte noch.«

Wenn sie nun freilich Spanier begegneten, so verstanden sie kaum mehr als »sí« oder »bueno« und schließlich noch ein drittes, ziemlich böses Wort. Es traf sie an einem Abend, da sie in einer Herberge unterkommen wollten, die von einem Ehepaar bewirtet wurde: Der Mann trug einen bunten Poncho, blickte gutmütig drein und hatte eine Pfeife zwischen seinen bläulichen Lippen stecken. Der Blick der Frau jedoch blieb giftig, selbst, als Manuel seinen Geldbeutel zückte, und das Einzige, was sie zischte, ehe sie ihnen die Tür wies, war: »Huinca«.

Emilia wusste, dass mit dem Wort nicht nur Weiße und Fremde, sondern – wenn Chilenen es verächtlich ausspuckten – Betrüger gemeint waren.

Derart behandelt zu werden und schließlich im Pferdestall nächtigen zu müssen, hatte sie tief getroffen. Es war auf dem ersten Teil der Wegstrecke passiert, kurz nach Valdivia, und schon dort hatte sie das Gefühl gehabt, endlos unterwegs und völlig erschöpft zu sein. Dabei wusste sie, dass es noch viel, viel länger dauern würde, bis sie Valparaíso erreichten – jene große Stadt nicht weit von Santiago entfernt, deren Hafen in den letzten Jahren zum bedeutendsten Südamerikas geworden war, weil von dort das Kupfer aus dem Norden exportiert wurde.

Zumindest hatte Manuel das behauptet. Er hatte auch gesagt, dass ihnen von Valparaíso aus die Welt offenstünde: Regelmäßig fuhren Schiffe voller Holz nach Peru. Ebenso leicht ließe sich von dort Atacama und Antofagasta erreichen, wo Salpeter abgebaut wurde, aus dem man Handelsdünger und Dynamit herstellte. »Stell dir vor!«, hatte er gerufen und dabei begeistert geklungen. »In der Salpeterwüste fällt oft sieben Jahre lang kein Regen!«

In der Heimat hatten Emilia solche Geschichten fasziniert – nun setzte ihr allein die Vorstellung von einem solch heißen, trockenen, öden Land zu.

»Aber ich will nicht in die Wüste! Ich will nach Deutschland!«, rief sie trotzig.

»Das entscheiden wir, wenn wir erst in Valparaíso sind«, beschwichtigte Manuel sie. »Es gibt dort auch Schiffe, die nach Hamburg und Bremen fahren.«

Fortan schwiegen sie über ihre Zukunftspläne. Zu Emilias Erleichterung hatten sie auf dem größten Teil der Wegstrecke Begleiter. Nicht lange nach Valdivia stießen sie auf eine Familie, die Manuel kannte – Händler aus dem Seengebiet, die Erzeugnisse der dortigen Bauern, Schlächtereien und Brauereien nach Valparaíso führten: Fleisch, Bier, Getreide, desgleichen einige Ladungen Holz. Sie schlossen sich ihnen an, und Emilia hörte sie stundenlang von den wichtigen Absatzgebieten in Nordchile faseln, doch irgendwann stellte sie sich einfach taub.

Wenn wir nur endlich Valparaíso erreichten, dachte sie, und dann nach Deutschland weiterführen …

Sie wusste, dass die Reise, die ihre Eltern einst von Europa nach Südamerika geführt hatte, monatelang gedauert hatte – und dennoch: in ihrer Phantasie lag Deutschland direkt hinter Valparaíso, und in Deutschland gab es alles im Überfluss. Jeder würde ihre Sprache verstehen. Man würde sie nicht neugierig anstarren und verächtlich Huinca nennen, sondern sie als Landsmännin willkommen heißen. Und dann, dann würde sie ihre Haare auch nicht mehr zu festen Zöpfen flechten müssen, sondern sie könnte weiche Locken eindrehen. Sie wusste zwar nicht, wie die Frauen in Deutschland ihre Haare trugen, aber sie war sich sicher, dass sie elegantere Frisuren hatten als hier.

Sie flüchtete sich in solche Träume, um den Anstrengungen standzuhalten, und dann, nach endlosen Tagen und Wochen, hatten sie es geschafft.

Valparaíso war, so viel stand fest, kein Paradies wie Deutschland. So schön die größeren Handelshäuser der reichen Unternehmer anzusehen waren, so hässlich waren die klein und schief gebauten aus Holz und Luftziegel, wo die ärmeren Leute lebten. Manuel hatte behauptet, dass man die Stadt »Perle des Pazifiks« nannte, doch Emilia fand es weniger berauschend als vielmehr anstrengend, sich durch die Gassen zu wühlen – entweder steil bergauf oder bergab, weil die Stadt auf insgesamt fünfundvierzig Hügeln errichtet worden war. Durch die meisten schoben sich Menschenmassen – reiche Bürger mit Zylinder und Frack ebenso wie Arme mit nackten Füßen und Lumpen. Edle Droschken und modern anmutende Kutschen fuhren direkt neben Maultiergespannen und Ochsenkarren.

Manuel achtete weder auf die Häuser noch auf die Menschen, sondern deutete wild auf den Ozean. Mehrmals hatten sie ihn auf der Reise blau schimmern gesehen, waren ihm aber niemals so nahe gekommen wie jetzt.

»Mein Gott, das Meer!«, schrie er ein ums andere Mal. »Hör nur, wie es rauscht! Als würden sich tausend Stimmen vereinigen!«

Die weiße Gischt, in der die Sonne badete, war so grell, dass sie in den Augen weh tat. Vögel flogen kreischend über dem Wasser hinweg. Was Manuel begeisterte, erschreckte Emilia zutiefst. Angestrengt starrte sie auf den Horizont, aber in der Ferne verschmolz das blaue Meer mit dem nicht minder blauen Himmel. Kein fernes Hoffnungsland verhieß der Ozean, nur Fremde, Weite, Grenzenlosigkeit.

Je länger sie auf das Meer schaute, desto verlorener fühlte sie sich, und sein Tosen, das Manuel so begeisterte, klang in ihren Ohren wie Hohngelächter. Sie dachte wehmütig an den Llanquihue-See, an schlechten Tagen gewiss manchmal abgründig grau, doch immer begrenzt von Land – vertrautem Land, auf dem vertraute Menschen lebten.

Sie merkte kaum, wie sich die mitreisende Familie von ihnen verabschiedete und Manuel irgendwo das Pferd anband, wie er sie in das Gewirr der Gassen zog und sie schließlich bis zum Hafen gelangten. Der Ozean toste hier nicht mehr, sondern war von Mauern und Stegen bezähmt; die braune Brühe roch salzig und faulig, und Emilia musste unwillkürlich würgen.

In welcher Form es sich auch zeigte – das Meer war für sie Feindesland, stand es doch zwischen ihr und Deutschland.

»Und jetzt?«, fragte sie verzweifelt.

»Wir könnten auch nach Amerika gehen und dort Goldgräber werden!«

Das Stimmengewirr und die hektische Betriebsamkeit verstörten Manuel nicht, sondern ließen ihn aufblühen und in den nächsten Stunden die irrwitzigsten Pläne aushecken. Begeistert deutete er auf die etwa hundert Schiffe mit Flaggen aus aller Welt. Geradezu winzig wirkten dazwischen die Fischerkähne. Nicht weit von ihnen wurden gerade aus einem solchen Meeraale und Seebarsche entladen, und als der Geruch Emilia in die Nase stieg, musste sie abermals würgen. Rasch wandte sie sich ab und suchte Trost im Anblick der Berge mit den verschneiten Gipfeln, die im Landesinneren aufragten.

Manuel wurde indes nicht müde, all die Länder aufzuzählen, aus denen die Schiffe kamen, und sich ein aufregendes Leben dort vorzustellen.

Schließlich setzte sich Emilia kraftlos auf den Boden. Sie stellte ihre Ledertasche mit ihren wenigen Habseligkeiten ab. »Ich bin müde, ich will nirgendwo hin – und wenn, dann nur nach Deutschland.«

Manuel kniete sich zu ihr. Sein durchdringender Schweißgeruch hüllte sie wie eine dicke Wolke ein.

Wir stinken, dachte Emilia verdrießlich, aber noch mehr stinkt dieses Meer.

»Lass doch das Schicksal über unsere Zukunft entscheiden!«, rief er begeistert.

»Was meinst du?«

»Pass auf! Wir werfen einfach eine Münze. Hier habe ich einen Centavo. Wenn er auf den Kopf fällt, gehen wir Richtung Norden, wenn er auf die Zahl fällt, nehmen wir ein Schiff Richtung Süden.«

Emilia runzelte die Stirn. Lieber wäre sie noch hundert Tage geritten, als auf diesem bedrohlichen Wasser zu reisen. Allerdings – auch der Weg nach Deutschland führte über das Meer.

Ob das Geld, das Manuel sich mit seinen Baumrinden verdient hatte, wohl für eine Schiffspassage nach Hamburg reichte? Emilia hatte keine Ahnung, wie viel dergleichen kostete, aber der Gedanke daran weckte wieder ihre Lebensgeister.

Sie erhob sich und sah zu, wie er die Münze warf. So hoch schleuderte er sie in die Luft, dass sie sich mehrmals um die eigene Achse drehte, ehe sie mit Klirren auf dem Boden landete. Nun doch neugierig geworden, stürzte Emilia auf sie zu, und beinahe stießen ihre Köpfe zusammen. Die Münze war allerdings nicht einfach liegen geblieben, sondern zwischen zwei Pflastersteinen stecken geblieben. Weder Kopf noch Zahl waren zu sehen.

»Na großartig!«, schimpfte Emilia.

Manuel wollte sie aufheben, doch sosehr er auch daran zog, der Centavo steckte fest.

»Na großartig!«, schimpfte Emilia erneut.

Während er sich weiter abmühte, blieb sie stehen und verschränkte ihre Arme vor der Brust.

War es ein böses Omen, dass das Schicksal nicht über ihre Zukunft entscheiden wollte?

Im nächsten Augenblick fand sie allerdings keine Zeit mehr, darüber nachzudenken. Sie stieß einen entsetzten Schrei aus. Als er vorhin die Münze geworfen hatte, hatte Manuel sein Bündel neben dem ihren auf den Boden sinken lassen. Dort lag es nun unbewacht – und hatte prompt zwei Männer angelockt. Als Emilia sie erblickte, hatten sie es bereits durchwühlt und Manuels Geldbeutel hervorgezogen.

»Halt!«, kreischte Emilia.

Die Männer pressten beide Beutel an sich, stoben davon und waren im Treiben verschwunden, ehe Manuel sich auch nur aufgerichtet hatte, um ihnen hinterherzujagen.

Emilia schrie nochmals auf, als Manuel in der Menge verschwand und sie nichts mehr von ihm sah. Doch noch größer als die Angst, ihn zu verlieren, war die Furcht, dass er die Männer einholte und versuchen würde, ihnen das Diebesgut abzunehmen. Immerhin waren es zwei, und sie sahen kräftig aus – allein würde er unmöglich gegen sie ankommen.

Sie stürmte ihm nach, rief seinen Namen und lief fast in einen Mann hinein. »¡Hola, monada!« Sie hörte noch, dass er anerkennend mit den Lippen schnalzte, beachtete ihn jedoch nicht weiter.

»Manuel, komm zurück!«

Endlich leuchtete in der Ferne sein rötlich-braunes Haar auf.

»Wirklich, ein schönes Mädchen!«, diesmal sprach der Mann, in den sie fast gerannt war und der ihr gefolgt war, auf

Deutsch mit ihr, aber sie drehte sich nicht nach ihm um – zu groß war die Erleichterung, dass Manuel nun stehen blieb und mit hängenden Schultern zurückkam. Seine Hände waren zu Fäusten geballt, und als er sie erreicht hatte, stampfte er auf.

»Verflucht!«

Sie stürzte auf ihn zu und umarmte ihn, aber er machte sich unwirsch von ihr los. »Gestohlen! Sie haben uns einfach alles gestohlen! Was machen wir denn jetzt?«

»Kann ich euch beiden vielleicht helfen?«

Der Fremde war zu ihnen getreten, und erstmals musterte Emilia ihn genauer. Er war klein und gedrungen, und obwohl sein Mund lächelte, wirkten die Augen kalt und höhnisch. Seine Kleidung war sauber, schien jedoch aus verschiedenen Teilen zusammengestückelt, die nicht zusammenpassten. Er machte eine dienernde Verbeugung, die Emilia nicht ganz ehrlich erschien.

Doch in ihrer Notsituation war ihr das gleich. »Wir sind eben erst in Valparaíso angekommen!«, brach es aus ihr hervor. »Wir kennen hier keine Menschenseele, und wir können auch kein Spanisch. Und nun hat man uns alles gestohlen … unsere Kleider … unseren Proviant … unser … Manuel, was ist mit dem Geld? Hast du noch …?«

Er packte sie grimmig am Arm. »Das geht diesen Señor nichts an!«, erklärte er scharf.

Emilia war den Tränen nahe. Noch nie hatte er sie so unsanft behandelt.

»Aber, aber …«, schaltete sich der Fremde wieder ein, und seine Stimme erschien Emilia viel freundlicher als die von Manuel. »Ich könnte euch …«

»Wir brauchen Ihre Hilfe nicht!«, unterbrach Manuel ihn scharf.

Dann packte er Emilia noch fester am Arm und zog sie mit sich. Sie folgte ihm nur widerstrebend und sah sich mehrmals nach dem Fremden um, doch kaum waren sie mit der Menschenmenge verschmolzen, war nichts mehr von ihm zu sehen.

»Manuel, dieser Mann wollte uns …«

Er antwortete erst, als sie eine etwas ruhigere Gasse erreicht hatten. Hier waren kaum Menschen unterwegs, der Boden fühlte sich klebrig an. Emilia sprang zur Seite, um einem zähflüssigen Rinnsal zu entgehen, das noch ranziger stank als das Meer. Seufzend blickte sie sich um. Auf den ersten Blick mochte die fremde Stadt noch faszinierend gewesen sein – hier nun wirkte alles trostlos und dreckig.

»Wir kennen diesen Mann doch nicht!«, sagte er.

»Wir kennen niemanden, Manuel, niemanden!«, rief sie. »Aber wir brauchen Hilfe! Wir können doch nicht allein … Wir sind doch noch nie allein …«

Die Tränen, die sie sich vorhin noch verbissen hatten, kullerten über ihre Wangen.

»Das wird schon«, tröstete er sie hilflos, »das wird schon, wenn wir erst mal …«

»Wie soll denn was werden? Viel zu überstürzt sind wir aufgebrochen, viel zu unüberlegt!«

»Ja, wärst du denn lieber zu Hause geblieben? Unmöglich war das doch! Dort hätten wir niemals …«

Er kam nicht weiter. Emilia hatte die Gestalten nicht kommen sehen, nur einen dunklen Schatten, der plötzlich auf Manuel zusauste. Kurz dachte sie, es sei ein Vogel, der sich auf ihn stürzte, doch dann traf eine Faust seine Schläfe, und er sackte auf die Knie.

»Manu…«

Sein Name blieb ihr in der Kehle stecken. Noch ehe sie einen

Schrei ausstoßen, gar um Hilfe rufen konnte, legte sich eine Hand um ihren Mund und brachte sie zum Schweigen. Ein anderer packte ihre Hände, dann ihre Füße. Sie versuchte, um sich zu schlagen, doch sie kam gegen den festen Griff nicht an.

Im gleichen Augenblick, da man sie gewaltsam wegtrug, wurde ihr ein Sack über den Kopf gestülpt.

Manuel lief bereits suchend durch die Straßen, ehe er wieder ganz bei Sinnen war und erfasst hatte, was geschehen war. So plötzlich war es schwarz um ihn geworden. Als er die Augen wieder aufgeschlagen hatte, war ihm sämiger Speichel über das Kinn gelaufen. Das Licht erschien ihm so grell wie vor dem Überfall, doch er war sich nicht sicher, ob nur wenige Augenblicke vergangen waren oder womöglich eine ganze Nacht und ein ganzer Tag. Sein Körper war steif, und er zitterte vor Kälte; vielleicht rührte das vom Schock, vielleicht aber auch davon, dass er stundenlang in der Gasse gelegen hatte. Das Frieren war das geringste Übel, denn von Emilia war weit und breit nichts zu sehen. Er rannte, rannte und rannte, obwohl sein Blick verschwommen war und ihm schwindelte. Er wusste nicht, welche Richtung er nehmen sollte, und lief dennoch weiter.

Emilia! Wo war Emilia? Was hatte man mit ihr gemacht?

Seine Gedanken waren viel lahmer als seine Beine; sie drehten sich im Kreis, ohne dass sie ihm verhießen, was er tun sollte. Offenbar lief er auch selbst im Kreis, denn nach einer Weile kehrte er in jene finstere, schmutzige Gasse zurück, in der er vorhin gelegen hatte. Nicht länger konnte er gegen den Schwindel ankämpfen. Er sackte auf die Knie, ließ den Kopf hängen und spürte, wie Tränen hochstiegen.

»Ach, Emilia«, schluchzte er.

Nie hatte er sich ähnlich hilflos und verloren gefühlt.

Als er endlich den Kopf wieder hob, hätte er nicht sagen können, wie viel Zeit vergangen war. Es schien inzwischen zu dämmern. Plötzlich beugte sich jemand über ihn. Im festen Glauben, dass jeder Fremde es nur darauf anlegen würde, ihn zu bestehlen oder niederzuschlagen, schrie er laut auf und fuchtelte wild mit den Armen. Doch dann erkannte er einen Mann, der viel zu alt und gebückt war, um eine Gefahr darzustellen. Außerdem lächelte er ihn freundlich an.

»¿Le puedo ayudar?«

In seinem kopflosen Zustand klang ihm keine der spanischen Silben vertraut.

Er antwortete unwillkürlich auf Deutsch; alles sprudelte förmlich aus ihm heraus: dass man ihn bestohlen hätte, gleich nach der Ankunft am Hafen, und dass ihnen ein Fremder gefolgt wäre, ihm und Emilia, und dass Emilia nun verschwunden sei, und er verletzt, und …

Der alte Mann hörte ruhig zu. Er unterbrach ihn nicht, und in seinen Zügen breitete sich keinerlei Verständnis aus, doch als Manuel die Luft zum Reden ausging, gab er ihm das Zeichen, ihm zu folgen. Manuel war zu durcheinander, um sich ihm zu widersetzen oder um zu überlegen, ob er das Richtige tat.

Sie gingen steil bergauf, und er musste sämtliche Kräfte, die er noch hatte, darauf verwenden, um einen Fuß vor den anderen zu setzen, ohne zu straucheln.

Er hob den Blick erst, nachdem sie ein Haus erreicht hatten. Als er es mustern wollte, zerstob das Bild in viele kleine Sternchen. Er griff sich an den schmerzenden Kopf, fühlte nun Blut über den Nacken tropfen. Dann wurde es wieder schwarz um ihn.

Als er wieder zu sich kam, lag er in einem Bett. Der Stoff des

Kissens fühlte sich hart an, war jedoch sauber. Verwirrt fuhr er hoch und konnte sich einen Augenblick lang nicht daran erinnern, wo er war und warum. Dann fiel ihm der freundliche Alte ein, doch dieser war verschwunden. Stattdessen standen drei andere Herren um sein Bett herum. Einer beugte sich über ihn und stellte fest, dass er das Bewusstsein wiedererlangt habe. Manuel brauchte eine Weile, um zu begreifen, dass der Mann auf Deutsch gesprochen hatte. Gellend schrie er auf, als der Mann – offenbar ein Arzt – seinen Nacken befühlte.

»Die Wunde muss gereinigt werden«, erklärte er.

Der Mann, der in der Nähe des Fensters stand, hob die Hand und gab ihm ein Zeichen, zu gehen. »Das hat noch eine Weile Zeit.«

Schließlich trat der Arzt zurück und verließ gemeinsam mit einem zweiten Mann den Raum, nur der dritte blieb beim Fenster stehen. Manuel sah sein Gesicht nicht, lediglich die schwarzen Umrisse seiner Gestalt.

»Wo … wo bin ich?«

»In der deutschen Gemeinschaft.«

Manuel musterte den Raum eingehender. Er war schmucklos und kahl, aber aus soliden Wänden gebaut.

Die deutsche Gemeinschaft in Valparaíso.

Fieberhaft versuchte er, sich alles ins Gedächtnis zu rufen, was er von der Stadt wusste. Seine Großmutter Christine hatte einmal erzählt, dass einer ihrer Söhne dort lebte – so wie viele andere deutsche Protestanten. Diese hätten zunächst den Gottesdienst der nordamerikanischen Gemeinde besucht, um dann aber ihre eigene zu gründen. Christine war darüber sehr erfreut gewesen, wohingegen Manuel nicht verstehen konnte, warum ihr das dermaßen wichtig war. Jetzt war ihm immer noch gleich, ob die Deutschen in Valparaíso gemeinsam beteten oder nicht und in welcher Sprache sie das taten. Nur, dass er hier in Sicherheit war, zählte – und dafür war er unendlich dankbar.

»Emilia …«, presste er hervor.

Er wollte aus dem Bett springen, doch der Mann trat vom Fenster weg und hielt ihn zurück. »Es scheint gerade noch einmal gut gegangen zu sein. Du bist nicht ernsthaft verletzt.«

»Aber Emilia … Emilia ist verschwunden!«

»Wer ist Emilia?«

»Emilia Suckow. Sie ist meine Verlobte.«

Jetzt konnte er erstmals das Gesicht des Mannes erkennen, doch als Tränen in seine Augen traten, verschwamm das Bild. Er schämte sich seiner Schwäche. Wie erbärmlich es war, wie ein Mädchen zu heulen!

Der Mann sah darüber hinweg.

»Wie heißt du, Junge?«

»Manuel … Immanuel Steiner.«

Er schloss die Augen, und plötzlich fühlte er, wie eine Hand zärtlich über sein Gesicht strich. Mein Gott, Emilia!, fuhr es ihm durch den Kopf. Nicht auszudenken, was mit ihr geschehen war! Er musste sie suchen, sie finden! Wie hatte er nur zulassen können, dass man sie auf offener Straße entführte!

Wieder stammelte er ihren Namen.

»Ich heiße auch Steiner«, sagte indes der Fremde. »Ich glaube, ich bin dein Onkel.«

Emilia hatte sich gewehrt, bis sämtliche Kräfte geschwunden waren. Schon als man sie forttrug, hatte sie wild um sich geschlagen – zunächst ein hoffnungsloses Unterfangen. Der einzige Erfolg, den sie nach einer Weile erzielte, war, dass der

Mann, der sie trug, sie wie einen Sack Kartoffeln fallen ließ. Sämtliche Glieder hatten geschmerzt, dennoch hatte sie sich schnell wieder aufgerappelt, um davonzustürzen. Weit war sie nicht gekommen, da griffen wieder unbarmherzige Hände nach ihr. Blind trat sie um sich, traf irgendein Schienbein – zumindest verhieß das ein wütender Schmerzenslaut –, doch ihr Triumph währte nicht lange. Prompt erhielt sie durch den Sack hindurch, den man ihr übergestülpt hatte, eine Ohrfeige, die sie zu Boden gehen ließ. Ihr Kopf dröhnte; warmes Blut floss über ihr Kinn. Ihr ganzes Gesicht tat so weh, dass sie nicht wusste, woher es kam – von einer aufgerissenen Lippe oder von der Nase.

»¡Puta!«, schrie der Mann.

Sie wusste nicht, was das Wort bedeutete, nur dass sämtliche Verachtung und Wut darin mitschwangen. Wieder war sie hochgezerrt worden, schließlich in ein Haus geraten, und dann war es über eine Treppe hochgegangen. Sie strampelte, bis sie keinen Atem mehr fand, wurde schließlich auf ein Bett geworfen, und ihre Hände wurden an einem Pfosten festgebunden. Jemand zog ihr den Sack vom Kopf. Sie sah an seinen geöffneten Lippen, dass der Mann, der sich über sie beugte, sie weiterhin wütend als Puta beschimpfte, doch sie hörte nicht ihn, sondern nur ein Rauschen. In ihrem Mund schmeckte es metallisch. Sie hätte so gern die wirren Haare aus dem Gesicht geschüttelt, aber sie klebten an Schläfen und Wangen fest.

Langsam ließ das Rauschen nach. Wild gingen Stimmen durcheinander – die des einen Mannes und die einiger weiterer. Sie redeten spanisch, aber sie glaubte, einzelne Worte zu verstehen. Immer wieder war von Schiffen die Rede.

Sollte sie auf ein solches verschleppt werden? Aber warum? Und dann, dann wurden Matrosen erwähnt.

Wieder folgten einige Worte, die sie nicht übersetzen konnte, aber nach weiteren Sätzen reifte langsam Begreifen.

Matrosen … ausgehungerte Männer … Pesos, muchos Pesos … für Frauen wie sie könnte man viel verlangen …

Das dreckige Lachen tat ihr in den Ohren weh.

Panisch riss sie an den Fesseln, woraufhin sich der harte Hanfstrick in ihre Handgelenke biss.

Sie war sich nun sicher, wohin sie geraten war. Eigentlich durfte sie gar nicht wissen, dass es solche Orte überhaupt gab. Ihre Mutter hatte ihr nie davon erzählt, ihr Vater auch nicht, aber Jule hatte dergleichen einmal erwähnt. Sie hatte den Töchtern der Siedler oft eingebleut, dass sich jede Frau am besten selbst durchbringen sollte. Zugleich hatte sie bedauert, dass es für Frauen leider kaum Möglichkeiten gebe, auf anständige Weise ihr Geld zu verdienen. Man gewähre ihnen kein eigenes Land, man ließe sie nicht studieren … nur fürs Bordell, ja fürs Bordell taugten sie.

Irgendeines der Kinder hatte daraufhin gefragt, was ein Bordell sei, und Jule hatte freimütig von Hamburg erzählt und von den Frauen, die sich dort an die Matrosen verkauften, wenn diese nach ihren langen Reisen endlich Landgang bekämen.

»Mein Gott!«, stöhnte Emilia.

Einer der Männer beugte sich grinsend über sie. Es war der, der Manuel und ihr am Hafen seine Hilfe angetragen hatte. Wahrscheinlich hatte er sie lange genug beobachtet, um herauszufinden, dass sie ganz allein unterwegs waren und dass folglich niemand da war, um sie jetzt zu suchen und sie zu befreien.

»Wehr dich nur, Mädchen«, sagte er auf Deutsch. »Aber du wirst schon noch mürbe werden, wenn erst der Hunger kommt!«

Hatte sie ihn richtig verstanden? War das der Plan – sie aus-
zuhungern, bis sie ihm zu Willen war, ihm und zahlreichen
anderen?

Emilia traten Tränen in die Augen, als abermals spöttisches
Gelächter folgte. Sie hatte das Gefühl, diesen Ton nie wieder
aus ihren Ohren verbannen zu können.

40. KAPITEL

*E*lisa war nie gerne geritten, doch nun musste sie so lange wie nie zuvor reiten. Sie fühlte sich in vertrauter Umgebung am wohlsten, doch nun musste sie diese so weit hinter sich lassen wie seit Ewigkeiten nicht mehr. Bis Valdivia kannte sie das Land, aber dahinter erwartete sie die Fremde. Sie hatte stets gewusst, dass Chile nahezu riesig war – schließlich konnte sie sich noch erinnern, wie lange sie einst an der Küste gesegelt waren, nachdem sie die Magellanstraße durchquert hatten –, aber dass sich nun Tag an Tag reihte, ohne dass sie das Ziel ihrer Reise erreichten, zermürbte sie.

Ich werde alt, ging es ihr durch den Kopf, und die fehlende Zähigkeit und Kraft ärgerten sie fast noch mehr als die Tatsache, dass sie die Reise überhaupt hatte antreten müssen.

Wer daran die Hauptschuld trug, konnte sie nicht wirklich entscheiden. Manchmal zürnte sie Manuel am meisten, dann Emilia, dann wiederum Cornelius.

Ihm war allerdings zu verdanken, dass sie überhaupt wussten, wohin Emilia und Manuel aufgebrochen waren. In Valdivia hatte er sämtliche Geschäftspartner befragt und schließlich von einem Handelszug nach Valparaíso erfahren, dem sich die beiden angeschlossen hatten.

So dankbar sie ihm dafür auch war – dass sie nun schon an die zwei Wochen stets zusammen waren, war für sie beide quälend.

Elisa begegnete ihm nach ihrem Streit wortkarg und stolz und konnte sich dennoch nicht verkneifen, ihn manchmal vorsichtig von der Seite zu mustern. Dass sie auf ihn angewiesen war, weil er die Route kannte und obendrein – ganz anders als sie – flüssig Spanisch mit den Chilenen sprach, beschämte sie. Und zugleich machte es sie traurig, dass sie ihn nicht einfach darum bitten konnte, mit ihr die fremde Sprache zu üben, ihr zu erzählen, wie und wo er es gelernt hatte, was er auf früheren Handelsreisen erlebt hatte und ob diese ihm Glück schenkten oder nur eine Möglichkeit der Flucht. Vor wem aber zu fliehen? Vor Greta? Oder gar vor ihr?

Sie verschanzte sich hinter Schweigen und fühlte sich darin eingesperrt, immer beengter, immer luftleerer, immer unglücklicher. Einzig das Land in seiner wilden Schönheit konnte sie vor trüben Gedanken bewahren. Je weiter sie in den Norden kamen, desto drückender wurde die Hitze. Die Wälder standen nicht ganz so satt und dicht wie im Seengebiet, doch fruchtbar war das Gebiet auch hier: Sie passierten mit Obstbäumen bepflanzte Täler, sanfte, von Weinbergen bedeckte Hügel, sich golden im Wind wiegende Felder mit Weizen und Mais. Die Küsten waren schroff, die Kordilleren in der Ferne spitz und weiß.

»Geht es?«, fragte Cornelius eines Tages unvermittelt, als sie sich zum wiederholten Male den Schweiß von der Stirn wischte. Sie blickte hoch, verwirrt, dass er so unerwartet den Bannkreis, der zwischen ihnen lag, überschritt, und irgendwie gerührt, dass ihre erste Regung nicht war, sich stolz und zornig jegliche Anteilnahme zu verbitten, sondern Erleichterung. Erleichterung, dass er sich um ihr Wohl sorgte. Und Erleichterung, dass sie sich darüber noch freuen konnte.

Zeigen wollte sie ihm dies allerdings nicht. Rasch senkte sie den Kopf.

»Natürlich geht es«, erklärte sie knapp, und bevor er noch einmal nachfragen konnte, wechselte sie das Thema. »Wenn wir in Valparaíso ankommen – wohin sollen wir uns dann wenden?«

Sie fühlte weiterhin seinen prüfenden Blick, aber sie verbat es sich, ihn zu erwidern.

»An Fritz natürlich!«, rief er entschieden.

»An Fritz?«, entfuhr es ihr, und diesmal konnte sie nicht verhindern, ihn entgeistert anzusehen. »Du hast Kontakt zu Fritz? Zu Fritz Steiner? Warum hast du mir das nie erzählt?«

Er seufzte. »Wann haben wir das letzte Mal miteinander geredet?«

Vor Jahren, ging es ihr durch den Kopf, und diese Einsicht gab ihr einen schmerzlichen Stich. Jahre ist es her ... so viele Jahre ... so sinnlose, leere Jahre ...

Wieder verkniff sie es sich, ihren Gefühlen nachzugeben.

»Aber Christine«, fuhr sie ihn an, »Christine hätte ein Recht darauf gehabt, es zu wissen ...«

»Wie kommst du nur darauf, sie wüsste nicht, dass Fritz und ich einander schreiben? Ich habe ihr sämtliche Briefe zu lesen gegeben. Und natürlich hat er auch ihr geschrieben!«

»Aber sie hat nie darüber gesprochen!«, entfuhr es ihr, um sich gleich darauf zu berichtigen: »Nicht mit mir zumindest.«

Erneut fühlte sie einen schmerzhaften Stich, weil sie das Gefühl hatte, ausgeschlossen worden zu sein. Oder, was nicht minder bitter war, sich ausgesperrt zu haben.

»Nicht mit mir«, wiederholte sie, und diesmal klang es trotzig.

»Weil du sie wahrscheinlich nie danach gefragt hast. Vielleicht solltest du den Menschen mehr Fragen stellen, anstatt voreilige Schlüsse zu ziehen«, entgegnete Cornelius, und seine Stimme klang ungewohnt scharf.

Sie wollte nicht nach den Gründen seines Ärgers bohren. Vermeintlich gleichmütig fragte sie, was aus Fritz geworden sei und wie er in Valparaíso lebe, und nach einem kurzen Zögern begann er, ihr ebenso gleichmütig zu antworten.

Elisa konnte sich vage daran erinnern, dass Fritz einst ihre Siedlung verlassen hatte, um in Carlos Anwandters Apotheke in Valdivia zu arbeiten. Nun erfuhr sie, dass diese Apotheke bald in regen Geschäftskontakten mit einigen deutschen Apotheken in Valparaíso stand, unter anderem der Farmacia Petersen, die 1846 – noch als Farmacia Inglesa – von einem französischen Arzt und einem italienischen Ingenieur gegründet und schließlich von dem Deutschen Aquinas Ried übernommen worden war. Fritz hatte auf einer Reise nach Valparaíso diesen Mann kennengelernt, sich mit ihm noch besser verstanden als mit Carlos Anwandter – Aquinas Ried war um einiges experimentierfreudiger, führte unter anderem Digitalis als Therapeutikum ein –, und schließlich war er bei ihm geblieben, zunächst als eine Art Lehrling, später als Gesellschafter.

»Die Briefe, die er damals schrieb, waren die glücklichsten«, erzählte Cornelius, »aber leider währte dieses Leben nicht lange. 1866 hat Rieds Apotheke eine Sprengladung der Spanier abbekommen, du weißt, im kurzen Spanisch-Südamerikanischen Krieg, der 1865 ausgebrochen ist.«

Elisa nickte, obwohl sie, genau genommen, keine Ahnung davon hatte. »Und dann? Was ist dann passiert?«

»Die Apotheke ist abgebrannt. Aquinas Ried hat eine neue gegründet, aber wenig später ist er gestorben. Fritz hat sie übernommen, doch da er kein Arzt wie Ried ist, war er nicht so ganz erfolgreich.«

»Kann er denn davon leben?«

»Ich weiß nur, dass er mittlerweile Gesellschafter der deutschen Zeitung ist, die vor zehn Jahren das erste Mal in Valparaíso erschienen ist. Er schreibt regelmäßig Artikel für sie und hat mir ganz stolz ein Exemplar geschickt.«

»So ist er also glücklich geworden in der Fremde.« Sie schämte sich insgeheim, dass sie kaum Gedanken an ihn verschwendet hatte. Aber nachdem Fritz ihre Siedlung verlassen hatte, war die dunkelste Zeit in ihrem Leben angebrochen und hatte alles andere so bedeutungslos erscheinen lassen.

Cornelius zuckte mit den Schultern. »Ja, ich glaube, dass er glücklich ist. Er hat nie geheiratet, aber er gehört wohl zu den Menschen, die sich selbst genügen, so wie Jule.«

»Nun ja«, murmelte Elisa. »Vielleicht ist das sogar am besten … sich selbst zu genügen.«

Er sah sie an, so offen, so forsch wie schon seit Ewigkeiten nicht mehr. Versuchte er, in ihrem Gesicht zu lesen? Nach Spuren des Kummers, weil sie weder gemeinsam glücklich geworden waren noch ohne einander?

Rasch senkte sie ihren Blick – und fortan schwiegen sie wieder.

»Du weißt doch, wo sie sind! Du weißt es!«

Poldi blickte müde hoch. Greta war wie eine Naturgewalt über ihn hereingebrochen. Grußlos war sie in sein Haus gestürmt und ließ sich nun schon seit Stunden nicht zum Gehen bewegen. »Warum sollte ich es wissen?«, fragte er zum wiederholten Male.

Zuerst war er erschrocken gewesen, als sie plötzlich in die Stube geplatzt war; dann hatte er sich zunehmend unbehaglich gefühlt; mittlerweile war er vor allem gereizt.

Den anderen erging es wohl ähnlich. Resa wandte sich nicht direkt an Greta, sondern forderte ihn zunehmend angespannt auf, endlich etwas zu tun. Barbara hatte anfangs besänftigend auf Greta eingeredet, jedoch damit aufgehört, nachdem sie sich keifende, wutentbrannte Beschimpfungen hatte anhören müssen. Und seine Töchter kicherten oder tuschelten unentwegt, was Poldi mit der Zeit genauso zusetzte wie Gretas Gekreisch.

»Jetzt geh doch endlich!«, stöhnte er.

»Ich gehe erst, wenn du mir sagst, wo Elisa und Cornelius sind!«

»Wie oft soll ich es denn noch beteuern? Ich habe keine Ahnung! Glaubst du denn, Elisa fragt mich um Erlaubnis, ehe sie etwas tut?«

»Du und Elisa ... ihr wart doch auch auf dem Schiff unzertrennlich.« Ein kaltes Glimmen trat in Gretas Blick. Poldi gruselte es. Sie war ihm immer schon zuwider gewesen, doch nie so unheimlich wie jetzt.

»Auf dem Schiff?«, fragte er verständnislos. »Greta, das ist Ewigkeiten her! Wir waren damals noch Kinder!«

Doch sie schien jedes Gefühl für Zeit und Raum verloren zu haben. »Sag es mir!«, kreischte sie über seinen Einwand hinweg. »Sag mir, wo Emilia, Cornelius und Elisa sind!«

Plötzlich begnügte sie sich nicht mehr mit ihren schrillen Worten, sondern ging mit erhobenen Händen auf ihn los. Gerade noch rechtzeitig konnte er sie festhalten, damit sie ihm nicht das Gesicht zerkratzte. Seine Töchter schrien auf.

Poldi verspürte Ekel, Gretas Leib so dicht an seinem zu spüren. Ihre dünnen Haare waren aufgelöst und kitzelten sein Gesicht, ihr Kleid war fleckig und roch nach Schweiß. Barsch stieß er sie von sich.

»Geh, Greta!« Er verlor endgültig jegliche Beherrschung. »Hau endlich ab!«

»Wo sind sie?«, hielt sie dagegen.

Sie drehten sich im Kreis. Er drang einfach nicht zu ihr durch.

»Selbst wenn ich es wüsste«, presste er hervor, »so würde ich es dir ganz gewiss nicht sagen.«

Ein triumphierendes Lächeln trat auf ihre Lippen, als hätte sie nun endlich seine Lüge entlarvt. »Wusst' ich's doch, dass sie es dir erzählt hat. Du magst mich für verrückt halten, wie alle anderen auch, aber ich durchschaue die Menschen! Ich durchschaue sie!«

Abermals ging sie mit erhobenen Händen auf ihn los, und wieder konnte er sie nur mühsam zurückhalten, ihn zu kratzen. Am liebsten hätte er sie gepackt und eigenhändig zurück in ihr Haus geschleift. Es war Barbara, die ihn aufhielt, als er sie energisch von sich stieß und Greta taumelte. »So tu ihr doch keine Gewalt an!«, schrie sie entsetzt.

»Was soll ich denn sonst mit ihr tun? Willst du sie bei uns leben lassen, bis Elisa zurückkehrt?«, rief Poldi.

»Redet nicht über mich, als wäre ich nicht hier!«, kreischte Greta. »Ich weiß, dass ihr das getan habt. Ihr habt über uns getuschelt, über mich und Viktor und später über mich und Cornelius, aber ...«

Poldi riss endgültig der Geduldsfaden. »Da du schon von Cornelius sprichst, frage ich mich eins: Durchschaust du ihn auch so gut wie alle anderen Menschen? Wenn es so wäre, Greta, hättest du längst eingesehen, dass du ihn nicht verdient hast. Ich weiß nicht, warum er dich genommen hat. Aber ich weiß, dass er Elisa hätte heiraten sollen. Dann wäre er glücklich geworden.«

Greta funkelte ihn an. »Er ist glücklich mit mir.«

»Ha!«, lachte Poldi. »Und warum weißt du dann nicht, wo er ist? Warum ist er dann wohl mit Elisa fortgegangen?«

»Du ...« Erstmals gingen ihr die Worte aus, allerdings nicht die Kraft. Zum nunmehr dritten Mal sprang sie ihn an wie eine wilde Katze, und diesmal gelang es ihm nicht, sie rechtzeitig an den Handgelenken zu packen. Ihre Fingernägel fuhren über seine Wangen und hinterließen blutige Kratzer.

»Du verdammtes Miststück!«, schrie er auf. Er hörte weder

auf Barbara, die ihn zu beschwichtigen versuchte, noch auf Resa, die ihre Hand auf seinen Arm legte, noch auf die jammernden Töchter. Er hob seine Faust, schlug Greta ins Gesicht, und noch ehe er da Klatschen hörte, empfand er tiefe Befriedigung.

Ich hätte nicht so lange damit warten sollen, schoss es ihm durch den Kopf.

Greta schwankte und stieß hart gegen die Wand. Zu Fall aber kam sie nicht. Ihr Körper versteifte sich; ihr eben noch flackernder Blick wurde starr und ausdruckslos.

»Und jetzt verschwinde!«, brüllte Poldi, bevor sie etwas sagen konnte. »Wie gut kann ich nun verstehen, warum dein Vater dich und deinen Bruder so oft verprügelt hat! Ich schwör's dir: Ich werde dich nochmals schlagen, wenn du nicht endlich abhaust!«

Seine Finger hatten rote Spuren auf ihrer bleichen Haut hinterlassen.

Bevor Greta sich rühren konnte, stellte sich Barbara schützend vor sie. »Poldi, du kannst doch keine Frau schlagen!«, rief sie entsetzt.

Er hätte ihr gerne bewiesen, dass er es sogar ein zweites Mal tun konnte, aber da hatte sich Greta schon umgedreht und ging hinaus. Zumindest hoffte er das. Bei der Tür blieb sie leider in ausreichendem Abstand zu ihm stehen.

»Hör auf, zu heucheln!«, zischte sie Barbara zu. »Gib nicht vor, du würdest dich für mich einsetzen! Du verachtest mich doch auch. Allesamt sitzt ihr auf dem hohen Ross und blickt auf mich hinab. Dabei habt gerade ihr beide, du und Poldi, es am allerwenigsten verdient.« Sie machte eine Pause, starrte erst Barbara an, dann Poldi, schließlich Resa.

Das Rot von Poldis Fingerabdruck verflüchtigte sich. Greta lächelte triumphierend. »Sag, Resa«, setzte sie an, nicht länger schrill keifend oder gefährlich raunend, sondern mit der freundlichsten Stimme, zu der sie fähig war, »sag, Resa, weißt du eigentlich, was dein Mann und deine Mutter hinter deinem Rücken treiben?«

Poldi zuckte zusammen. Barbara erbleichte. »Greta …«

»Weißt du, dass sie sich seit vielen Jahren heimlich im Wald treffen … auf einer ganz bestimmten Lichtung …?«

»Greta, halt den Mund! Du hast keine Ahnung …«

»Und weißt du, dass sie sich dort wie die Tiere wälzen, keuchend und stöhnend und voller Gier?«

Erstmals verstummten die drei Töchter. Sämtliches Kichern und Kreischen blieb ihnen im Hals stecken.

Greta wandte sich von Resa ab und starrte zuerst Poldi, dann Barbara an.

»Ich habe euch gesehen«, erzählte sie genüsslich. »Mehr als nur ein Mal. Es war manchmal ganz lustig zu sehen, wie ihr gehurt habt. Nur irgendwann wurde es langweilig. Sonderlich schön ist ein Mensch nicht anzusehen, wenn die Lust sein Gesicht verzerrt.«

Poldi ballte seine Hände zu Fäusten, aber er konnte sich nicht rühren. Konnte Greta nicht hinauswerfen. Konnte sie nicht zum wiederholten Male schlagen. Konnte vor allem keinen Blick auf Resa werfen.

»Ha!«, lachte Greta ihn an. »Du magst mich für verrückt halten, aber du, Leopold Steiner, du bist so viel verderbter und schlechter als ich. Du bist ein elender Ehebrecher. Mit der eigenen Schwiegermutter hast du deine Frau hintergangen! Ha! Ha!«

Sie lachte, immer lauter, immer schriller, sie konnte gar nicht mehr aufhören damit.

Barbara stürzte auf sie zu, scheinbar gewillt, sie nun selbst zu schlagen. Nie hatte Poldi sie so aufgewühlt gesehen. Er selbst fühlte sämtliches Blut in seine Füße sacken, als alles zusammenbrach – das ganze sorgsam aufgebaute Lügengebäude.

Ehe Barbara Greta erreichte, trat Resa dazwischen und riss ihre Mutter zurück.

»Lass sie in Ruhe!«, sagte sie mit eiskalter Stimme.

Poldi wagte es noch immer nicht, seine Frau anzusehen. Der Mund war ihm trocken geworden.

»Resa«, flüsterte Barbara an seiner statt.

»Sag nichts, Mutter. Ich habe es immer geahnt.«

Ihre Stimme zitterte nicht; kein Schluchzen begleitete ihre Worte. Sie klang so hart und kalt, dass Poldi unwillkürlich ein Schauder überrann. Wortlos ließ Resa Barbara los, ging zu einer der Truhen und öffnete sie. Dann beugte sie sich darüber und nahm einige Kleider und Blusen heraus.

Poldi ertrug ihren Anblick nicht und noch weniger den von Barbara, die wie zur Salzsäule erstarrt dastand, mit bebenden Lippen und wässrigen Augen.

Greta dagegen hörte nicht zu lachen auf.

»Du …du …!«, fuhr Poldi sie an. »Warum musst du immer Zerstörung bringen?«

Das Lachen von Greta wurde abgehackter. »Ha!«, machte sie. »Ha!«

Dann wandte sie sich mit breitem Grinsen ab und ging, ohne sich noch einmal umzudrehen.

Nachdem sie verschwunden war, wurde es so still, dass Poldi vermeinte, jeden Herzschlag zu hören. Seine drei Töchter klammerten sich verwirrt aneinander. Er selbst stand so starr wie Barbara. Nur Resa räumte seelenruhig und scheinbar ungerührt die Truhe aus.

»Was tust du denn da?«, brachte Barbara schließlich hervor.

»Ich packe«, erklärte Resa knapp, ohne sich umzudrehen. »Ich gehe.«

Da löste sich Barbara aus ihrer Starre. »Nein, nein, das tust du nicht.«

Plötzlich sah sie alt aus. Ihre Augen hatten sämtliches warme Funkeln verloren. Ihre sonst federnden Schritte, bei denen sie die Hüften schwang, fielen steif aus. Einst hatte sie Poldi gesagt, dass sie nicht leben könnte, ohne zu singen und ohne zu lachen. Doch wann, fragte er sich in diesem Augenblick, wann hatten sie in den letzten Jahren schon gemeinsam gelacht und gesungen? Alles hatte immer so schnell, so gehetzt passieren müssen, alles so heimlich – und nun zeigte sich, dass alle Heimlichkeit umsonst gewesen war.

Barbara hatte stets jünger, lebendiger und fröhlicher gewirkt als die eigene Tochter, die in den ersten Jahren etwas dümmlich, später verhärmt in die Welt glotzte. Doch nun waren Resas Bewegungen wendig und entschlossen – Barbaras Schritte, die sie auf sie zumachte, dagegen die einer Greisin.

»Nein«, sagte Barbara wieder. »Du musst nicht gehen. Wenn jemand geht, bin ich es. Ich hätte es schon lange tun sollen. Ich ziehe zu Jule.«

Als sie endlich in Valparaíso ankamen, überließ Elisa Cornelius die Führung, zutiefst dankbar, dass sie sich nicht allein zurechtfinden musste. Wenn sie später an die Stadt zurückdachte, konnte sie sich an wenig erinnern – nur an den durchdringenden Geruch von Hafen und Meer und dass es entweder steil bergauf oder bergab ging. Sie fand, dass man den Ort weniger als eine Stadt, sondern vielmehr als ein Labyrinth bezeichnen müsse – so kompliziert war das Geflecht der Straßen, Gassen und Viertel.

Cornelius war neugierig auf die großen Handelshäuser – einige von ihnen in deutscher, die meisten aber in englischer Hand –, und er erzählte von riesigen Lagerhallen, wo Metalle,

Wolle vom Schaf oder vom Alpaka, Getreide und Leder aufbewahrt wurden. Mit Rücksicht auf sie verzichtete er jedoch, danach Ausschau zu halten, sondern suchte lieber nach einem Gasthaus, wo sie zu Mittag essen konnten.

Sie bekamen zähes, viel zu lang gekochtes Rindfleisch mit wässrig schmeckendem Gemüse serviert. Wenn Elisa nicht so hungrig gewesen wäre, hätte sie keinen Bissen heruntergebracht. Der Wirt war geschwätzig und blieb lange an ihrem Tisch stehen. Nachdem sich herausgestellt hatte, dass sie Deutsche waren, behauptete er stolz, auch von dort zu kommen, obwohl er kein einziges Wort dieser Sprache verstand. Stattdessen vermischte er russische, englische und italienische Sätze – alles Nationalitäten, die in Valparaíso lebten und dort kleine Gemeinschaften bildeten.

War es auch schwer, sich mit ihm zu verständigen, so wurde er immerhin hellhörig, als Cornelius nach Fritz Steiner fragte. Er schien ihn gut zu kennen, nannte ihn allerdings Federico statt Fritz, und Steiner klang aus seinem Mund unfreiwillig komisch.

Cornelius fragte nach dem Weg zu ihm, doch der Wirt, immer noch anbiedernd die Zähne bleckend, meinte stolz, dass Señor Steiner häufig bei ihm Gast sei und er ihm gerne einen Boten schicke – unter Landsleuten sei solche Hilfeleistung doch selbstverständlich.

Elisa zweifelte, dass Fritz sich solch grässliche Mahlzeiten freiwillig antun würde, und einmal mehr, dass sie Landsleute waren, aber sie blieb trotzdem gerne im Gasthof sitzen.

Lange warteten sie; manchmal ging die Tür auf, doch es war nie Fritz Steiner, der erschien. Zunächst war Elisa einfach nur froh, sich auszuruhen; mit der Zeit fühlte sie sich jedoch immer unbehaglicher in ihren staubigen, verschwitzten Kleidern.

»Sollen wir nicht lieber …«, setzte sie zögerlich an.

»Lass uns noch ein bisschen warten«, sagte er.

Sie hob den Kopf; Cornelius' Blick war auf sie gerichtet, nachdenklich, sorgenvoll, auch ein wenig traurig.

»Du denkst an die Kinder, nicht wahr?«, murmelte sie. »Ob es ihnen gut geht, ob sie wohlbehalten hier angekommen sind. Nun, jetzt sind wir hier und bald können wir …«

»Es tut mir leid«, unterbrach er sie. »Es tut mir so leid.«

»Was?«

»Dass ich dir Vorwürfe gemacht habe. Dass ich dir die Schuld gegeben habe für Emilias Verschwinden.«

Sie senkte den Kopf und erinnerte sich an den Tag, da nicht er ihr, sondern sie ihm Vorwürfe gemacht hatte, bitterste, bösartigste Vorwürfe – wegen Lukas' Tod und wegen der Schuld, die sie auf sich geladen hatten. Sie kaute auf den Lippen und wollte etwas sagen, doch in diesem Augenblick öffnete sich erneut die Tür.

»Elisa! Cornelius!«

Fritz Steiner war kaum wiederzuerkennen. Er trug einen Schnauzer, einen schwarzen eleganten Frack, war viel fülliger geworden, und der harte, strenge, misslaunische Zug war aus seinem Gesicht verschwunden. Dennoch war sein Blick sorgenvoll – und noch ehe sie sich zur Begrüßung um den Hals fielen, begriff Elisa auch, warum. Mit einem Aufschrei stellte sie fest, dass Manuel an seiner Seite war, aber von Emilia fehlte jede Spur.

Emilia lauschte auf das Schnarchen der Spanierin. Mittlerweile wusste sie, dass diese immer gleich nach dem Essen einschlief. Mit einer großen Schüssel Eintopf hatte sie sich direkt vor Emilia gesetzt, so dass der kräftige Geruch nach Kräutern und Lammfleisch verführerisch in ihre Nase stieg. Dann hatte sie alles ganz allein aufgegessen, während Emilias Magen vor Hunger knurrte.

»Kannst gern davon haben«, spottete die Spanierin rülpsend, »wenn du dich nicht mehr so störrisch zeigst.«

Die ersten Male hatte Emilia ihr wütend beim Essen zugesehen und an den Fesseln gezerrt, doch mittlerweile wusste sie, dass dies sinnlos war. Wut und Ohnmacht verschleierten nur ihren Blick. Sie durfte nicht nachgeben, sondern musste möglichst nüchtern beobachten, was um sie herum geschah. Mit der Zeit hatte sie herausgefunden, dass die Spanierin nicht nur dazu bestimmt worden war, über sie zu wachen und sie gefügig zu stimmen, sondern dass sie ziemlich träge war, weder Ehrgeiz noch Eile erkennen ließ und die Aufgabe lieber nutzte, um sich satt zu essen und genügend Schlaf zu bekommen. Sie schnarchte, dass die Wände wackelten, und Emilia war erleichtert darüber. So musste sie nicht auf die anderen Laute lauschen, die von den Räumen unter und neben ihr kamen. Manchmal ertönten Gesang und Gitarrenspiel, manchmal Girren und Lachen, manchmal Gekreisch und Weinen. Die Spanierin war die einzige Frau, die sie zu Gesicht bekommen hatte, seit die Männer sie hierher verschleppt hatten, und doch war sie sich sicher, dass sie von jungen Mädchen umgeben war, die ihr Geschick teilten, die arm und heimatlos in die Fänge der Männer geraten waren, schließlich dem Hunger nachgegeben hatten und alles taten, was diese wollten.

Emilia wusste nicht, wie lange sie noch die Qualen aushalten konnte. Von Stunde zu Stunde fühlte sie, wie ihr Körper schwächer wurde. Wenigstens war ihr Geist noch nicht ähnlich kraftlos. Sie hatte einen Plan ausgeheckt, sich zu befreien, und jetzt – sie ballte ihre Hände zu Fäusten, als sie die schnarchende Frau anstarrte – würde sie ihn umsetzen.

Es gab nur einen Grund, warum man ihre Fessel bislang gelöst hatte – nämlich wenn sie sich erleichtern musste. »Ich muss mal«, hatte sie vorhin darum der Frau erklärt, als diese schmatzend vor ihr saß.

»Gibst du endlich nach?«, hatte sie lauernd gefragt.

»Nein«, hatte sie stur erklärt, um zu wiederholen: »Ich muss mal.«

Das war eine Lüge; sie hatte zu lange nicht gegessen und getrunken, um Wasser zu lassen. Doch ehe die Frau sie losband, hatte sie sich stundenlang abgemüht, einen Holzsplitter aus dem Bett zu ziehen, an das sie gebunden war. Sie hatte sich ihre Finger wund gerieben und sich manchen Splitter eingezogen, aber als Lohn hielt sie nun einen kleinen Span in der Hand. Als die Frau sie später wieder festband, hatte sie den Span unbemerkt zwischen die Fessel und ihr Handgelenk geschoben.

Und jetzt schlief die Spanierin tief und fest.

Emilia beobachtete sie eine Weile, und als sie sicher war, dass nichts sie aufschrecken lassen würde, drückte sie gegen den Holzspan, und prompt flutschte dieser heraus.

»Na also!«, dachte sie triumphierend, als sie fühlte, dass ihr Plan aufging. Die Fessel saß nun viel lockerer. Blut strömte in ihre Finger und ließ sie kribbeln. Sie machte mit ihren Handgelenken kreisende Bewegungen, so lange, bis sie zuerst die eine Hand, dann die andere aus dem Strick gewunden hatte. Kurz rieb sie sich die schmerzende Stelle, dann erhob sie sich leise, um ihre Fußfesseln zu lösen.

Der Kopf der Spanierin war auf die Brust gesackt, ein sämiger Speichelfaden troff ihr über das Kinn.

Nachdem sie sich von den Fesseln befreit hatte, eilte Emilia zum Fenster und spähte durch die Ritzen der Fensterläden. Schummriges Licht hüllte sie ein. Von unten kamen Männerstimmen, Gegröle, Gekreisch und Musik.

Langsam, ganz langsam öffnete sie die Läden und bemühte sich, das Quietschen auf den Rhythmus des Schnarchens abzustimmen. Immer wieder warf sie unruhige Blicke hinter sich, doch schließlich stand der Laden sperrangelweit offen, und die Frau rührte sich immer noch nicht. Sie spähte hinab und fuhr erschaudernd zurück. Dieser Raum lag höher als gedacht, und sie hatte immer Angst vor der Tiefe gehabt. Als Greta sie damals eingesperrt hatte, hätte sie nie ohne Manuels Zuspruch und Hilfe zu fliehen gewagt. Aber dann entdeckte sie vor dem Fenster einen schmalen Vorsprung. Sie könnte auf diesen klettern, überlegte sie, sich vorsichtig hinhocken, sich schließlich daran festhalten und sich vorsichtig herunterlassen. Dann müsste sie nicht sonderlich tief springen.

Emilia schluckte rauh; ihr Magen zog sich schmerzhaft zusammen – nicht nur vor Furcht, sondern auch vor Hunger. Doch gerade das gab ihr Kraft und Mut. Sie warf einen letzten Blick auf die schlafende Frau, dann steckte sie den Kopf durch das Fenster.

Wenig später fühlte sie, wie Blut über ihr Schienbein tropfte. Als sie die Wunde betastete, brannte sie so heftig, dass sie aufschrie. Doch sie erkannte rasch, dass dieser Schmerz sie nicht aufhalten würde. Die Verletzung war gottlob die einzige Blessur, die ihr der Sprung aus dem Fenster eingebracht hatte. Sämtliche Knochen waren heil geblieben, sie konnte mühelos auftreten.

Sie drehte sich ein letztes Mal um, huschte dann durch den Hof. Sie hatte gedacht, dass diese Spelunke aus nur einem Haus bestand – doch nun erkannte sie, dass es viele kleine waren, die man windschief aneinandergebaut hatte. Mehrmals glaubte sie, endlich die rettende Straße erreicht zu haben, aber immer mündete ihr Weg aufs Neue in einer Sackgasse. Der Boden war glitschig, einmal stieß sie gegen einen harten Gegenstand, der achtlos weggeworfen worden war. Der neuerliche Schmerz trieb ihr Tränen in die Augen, doch es gelang ihr, einen Schmerzenslaut zu unterdrücken. Das Scheppern des Gegenstandes konnte sie allerdings nicht verhindern.

»He! Wohin läufst du?« Die Stimme traf sie unvermittelt. Und sie stammte nicht von der schnarchenden Frau, sondern von einem Mann.

Emilia rannte los. Dort hinten – war da nicht ein trüber Lichtschein, Laternen verheißend und auch die rettende Straße?

»Das Mädchen! Das Mädchen haut ab!«

Sie rannte schneller, kam dem Licht immer näher. Sie würden es doch nicht wagen, sie auf offener Straße festzuhalten, diese Schatten, die sich plötzlich hinter ihr auf dem Hof zusammenrotteten und binnen weniger Augenblicke ihre Verfolgung aufnahmen?

Sie hastete weiter, erreichte endlich die Straße und blickte hektisch in die eine und die andere Richtung. Jenseits des schummrigen Lichts der Laterne erwartete sie nur Finsternis.

Die Stimmen der Männer kamen näher. Ganz dicht waren sie ihr auf den Fersen. Emilia war noch nicht aus dem Lichtschein der Laterne getreten, als sie sie von allen Seiten einzukreisen begannen.

41. Kapitel

Kathi Steiner roch an ihren Händen. Der Duft von frischem Brot haftete daran – und den liebte sie. Weitaus weniger liebte sie die Mühen, die es kostete, um es zu backen. Die letzten Tage waren mit nichts anderem gefüllt gewesen als damit: Zuerst wurde Mehl in große, hölzerne Tröge geschüttet, dann wurde der Vorteig bereitet – aus dem Rückstand vom letzten Teig, der mit Hefe langsam zur Gärung kam, dann mit lauwarmem Wasser und Milch verrührt und dem Mehl zugesetzt wurde. Während der Backtrog mit Leinen zugedeckt blieb, folgte eine letzte Verschnaufpause, ehe am nächsten Tag in der Früh das Kneten begann. Kathi hatte Rückenschmerzen, wenn sie nur daran dachte. Ihre Hände waren rot und rissig vom Salz, das sie zwischendurch einstreute. Wenigstens, und das hatte die Arbeit etwas angenehmer gemacht, hatte es so viel zu bereden gegeben.

Dass die Großmutter das gemeinsame Haus verlassen hatte. Dass die Mutter nicht mehr mit dem Vater sprach. Dass der Vater laut verkündet hatte, er würde der geschwätzigen Greta das Maul stopfen. Und dass Jule ganz trocken eingeworfen hatte, dass Greta viel wäre, geschwätzig jedoch nicht. Schließlich hätten nicht ellenlange Reden, sondern ein schlichter boshafter Satz genügt, ihrer aller Frieden zu stören. Nach ihrem Auftritt im Haus der Glöckners war Greta zu den Steiners gegangen, um dort knapp zu verkünden, dass Poldi es mit Barbara triebe.

Kathi war über Gretas Worte zutiefst erschüttert gewesen.

Zugleich waren die Streitigkeiten, das Tuscheln, der Hohn und die Vermutungen, in die sich nun alle ergingen, höchst aufregend. Bei Langeweile fiel die Arbeit ungleich schwerer, so aber gab es jede Menge Ablenkung.

Dass die Mutter zwischendurch weinte, tat ihr natürlich leid. Dass aber die Großmutter nun schon seit Tagen vergebens mit ihr zu reden versuchte und stundenlang vor ihrem Haus auf und ab ging, war so faszinierend, dass Frida und sie gestern das Brot falsch portioniert hatten. Fast doppelt so groß wie sonst waren die Laibe geworden, die sie vor dem Backen in Strohschüsseln ruhen ließen, dann mit einem Gänseflügel befeuchteten und mit einem Span einritzten und schließlich in den Ofen schoben.

Außerdem war ihnen das Brot verbrannt, weil sie angespannt einen Streit belauscht hatten, der zwischen ihrem Vater und der Großmutter entbrannt war. Poldi meinte, es sei sinnlos, mit Resa zu reden, auch ihn würde sie mit Schweigen bestrafen. Woraufhin Barbara meinte, dass das kein Wunder sei, er ihr aber nicht zu sagen habe, was sie nun tun solle oder nicht.

Als sie die Laibe endlich aus dem Ofen zogen, meinte Jule, dass sie verkohlt seien und darum ungenießbar. Christine Steiner dagegen sagte streng, dass sie nur ein bisschen angebrannt seien und nichts, was satt machte, jemals weggeworfen werden dürfe.

Alsbald stritten die beiden Alten, wie sie es so oft taten, zunächst eine Weile über das Brot, dann wieder über das eine beherrschende Thema: Wie lange wohl betrog Poldi seine Frau mit der eigenen Schwiegermutter? Würde Resa den beiden jemals verzeihen? Würde sie Poldi aus dem Haus werfen?

»Einen schönen Sohn hast du!«, höhnte Jule – nicht wirklich bösartig, eher belustigt.

Und Christine gab schnippisch zurück: »Wenn, so hat ihn Barbara verführt.«

»Nun, dann wirst du ja etwas Gutes daran finden, dass ich meine Töchter einst im Stich gelassen habe«, meinte Jule. »So kann ich mich wenigstens nicht an meinen Schwiegersöhnen vergreifen.«

»Über so etwas macht man keine Scherze«, zischte Christine.

»Ich scherze nicht«, gab Jule zurück. »Das Leben ist kein Scherz, sondern bitterer Ernst. Ein jeder versucht, das Richtige zu tun, und manchmal wird doch das Falsche daraus. Und manchmal muss man wiederum einfach das Falsche tun, weil es für einen selbst das Richtige ist.«

Danach hatte sich Christine auf die Brust geschlagen und die Verrohung der Sitten beklagt.

Die Mädchen hatten die restlichen Laibe aus dem Ofen geholt und sich überlegt, ob sie nach Hause gehen oder die Heimstatt besser meiden sollten. Immer noch versuchte Barbara vergebens, mit ihrer Mutter zu reden – und immer noch versuchte Poldi, ihr ebenso vergebens begreiflich zu machen, dass dies keinen Erfolg versprach.

So hatten sich die drei Mädchen lieber in die Wiese gesetzt, die Füße in den See baumeln lassen und schließlich einen Plan ausgeheckt.

Kathi roch erneut an ihren Händen und ließ sie schließlich sinken. Genau dieser Plan hatte sie hierhergetrieben – und überforderte sie nun. Der Geruch nach frischem Brot war vertraut und heimelig, und solange sie die Hände vor das Gesicht gehalten hatte, hatte sie keine Angst gehabt. Jetzt aber wurde ihr mulmig zumute, obwohl sie vorhin noch am lautesten getönt hatte, dass sie durchaus wagen würde, was sich Frida und Theres nur im Geiste ausmalten.

»Ja, ich tu's!«, hatte sie erklärt, während sich die anderen beiden kichernd und schreiend sträubten.

Also hatte sie sich allein auf den Weg gemacht, gar nicht so sehr, um die Schwestern zu beeindrucken als vielmehr Jacobo. Der war zwar gar nicht dabei gewesen, aber sicher würde er es erfahren: dass sie zu Greta gehen und sie zur Rede stellen wollte, weil sie für so viel Zwist in ihrer Familie gesorgt hatte. Und dass sie die verrückte Alte in die Schranken weisen würde, weil niemand anderer es tat.

Greta in die Schranken zu weisen war eigentlich undenkbar! Dies bedeutete schließlich, ihr ins Gesicht zu sehen, mit ihr zu sprechen, vor allem aber: mit ihr allein zu sein. Kathi konnte sich nicht daran erinnern, dass sie oder ihre Schwestern das jemals gewagt hätten. Wenn Cornelius und Emilia in ihrer Nähe waren, war Greta halbwegs umgänglich, aber ohne die beiden war es eine regelrechte Mutprobe, ihr nahe zu kommen.

Sie sei eine Hexe und eine Verrückte hatte ihnen Poldi früher oft erzählt, und diese Worte kamen Kathi wieder in den Sinn, als sie nun näher an das Mielhahn-Haus herantrat. Wenn ihre Schwestern vorhin nicht gelästert hätten, dass sie es niemals wagen würde, Greta zu besuchen, und sie nun alles daransetzen wollte, ihnen das Gegenteil zu beweisen, hätte sie schon viel früher gekniffen. Jetzt aber reichte nicht einmal der Gedanke an künftigen Triumph, um die letzten Schritte zu tun.

Sie blieb stehen, überlegte, ob Greta tatsächlich verrückt war und was es bedeutete. Ihre Tante Katherl, nach der sie benannt war, war schließlich auch verrückt. Sie konnte keinen einzigen Satz sagen und lachte meist. Dennoch hatten Kathi und ihre Schwestern nie Angst vor ihr gehabt – vielmehr war es immer amüsant gewesen, sich über sie lustig zu machen und ihr Streiche zu spielen, die das Katherl gutmütig hinnahm.

Greta war vielleicht nicht ganz so verrückt, denn immerhin konnte sie reden, aber gutmütig war sie auf keinen Fall.

Es hieß, dass sie den Haushalt ebenso vernachlässige wie sich selbst, und Kathi konnte sich nun mit eigenen Augen überzeugen, dass die Gerüchte nicht grundlos entstanden waren. Kein Rauch kam aus dem Kamin. Kein Holz war sorgfältig an der Hauswand aufgeschichtet. Verwaist wirkte das Haus – und unheimlich.

Kathi trat zurück. Eigentlich musste sie Greta ja gar nicht zur Rede stellen, ging ihr durch den Kopf. Wer könnte ihr schon das Gegenteil beweisen, wenn sie später einfach behauptete, sie hätte es getan?

Ja, das war eine gute Idee! Sie könnte erzählen, dass sie geklopft und Gretas Namen gerufen hatte, ihr schließlich gegenübergestanden war und sie beschimpft hatte.

Kathi wich noch mehr zurück. Ob sie wenigstens hinters Haus spähen sollte?

Sie wahrte Abstand zum Eingang, stapfte aber so lange durchs kniehohe Gras, bis sie das Haus von der anderen Seite betrachten konnte. Die Stille schmerzte in ihren Ohren. Nichts hörte sie außer die eigenen Schritte und ihren aufgeregten Atem.

Wie Emilia es hier nur aushielt?

Aber Emilia hielt es ja nicht aus. Sonst wäre sie nicht geflohen, sie und Manuel, die nun schon seit mehr als drei Wochen …

Ein entsetzter Aufschrei löste sich aus Kathis Kehle.

Bis eben hatte ihre größte Angst der Möglichkeit gegolten, dass Greta, die Hexe und die Verrückte, leibhaftig vor ihr stehen würde, doch nun sah sie etwas viel Furchterregenderes.

Gegen eine wutentbrannte Greta hatte sie sich gewappnet – dieser Anblick aber traf sie ganz unerwartet: Greta lag dort. Völlig leblos. Gleich hinter dem Haus.

Kathi blieb vor Schreck erstarrt stehen. Sie hatte die Hände vor ihren Mund geschlagen. Eigentlich sollte sie zu ihr eilen, nachsehen, ob sie ihr noch irgendwie helfen konnte.

Doch der schreckliche Anblick trieb sie in die Flucht.

Greta lag mit dem Gesicht auf dem Boden. Eine Blutlache hatte sich um ihren Kopf ausgebreitet.

Wild gingen die Stimmen von Fritz und Manuel, Cornelius und Elisa durcheinander. Fritz hatte sie in sein Haus geführt, doch kaum waren sie angekommen, redeten sie schon aufeinander ein – Fritz halbwegs besonnen, Cornelius zutiefst besorgt, Elisa ungeduldig und Manuel entweder trotzig oder panisch.

Losgebrochen war der Streit, als Cornelius Manuel wütend zur Rede stellte: Warum hatte er nicht ausreichend auf Emilia achtgegeben? Wie hatte er es nur zulassen können, dass sie voneinander getrennt worden waren?

Elisa dachte insgeheim dasselbe, stellte sich jedoch schützend vor ihren Sohn und fauchte Cornelius an, er solle keine voreiligen Schlüsse ziehen. Manuel wiederum meinte, dass im Moment nicht zähle, wer an der Lage schuld sei, sondern dass sie so schnell wie möglich nach Emilia suchen sollten. Woraufhin Fritz ihn gerade noch festhielt, ehe er nach draußen stürzen konnte, und zu bedenken gab, dass Kopf- und Planlosigkeit nichts brächten.

»Wir müssen genau überlegen ...«

»Sollen wir hier etwa in aller Ruhe beisammensitzen?«, fuhr Manuel ihn an. »Nicht auszudenken, was Emilia geschehen ist!«

»Ein wenig mehr Denken hätte euch auch früher nicht geschadet!«, warf Cornelius streng ein.

Manuel achtete nicht auf ihn. »Jeden Stein drehe ich um in dieser Stadt, um Emilia wiederzufinden.«

»Der Stadt, in die du sie geführt hast!«, rief Cornelius.

»Was er gewiss nicht gegen den Willen deiner Tochter getan hat!«, schaltete Elisa sich ein. »Du warst es, der nicht ausreichend auf sie achtgegeben hat.«

Cornelius fuhr zu ihr herum. »So wie du auf deinen Sohn achtgegeben hast, ja?«

»Junge Männer sind so. Aber wohlerzogene Mädchen …«

»Von wegen! Als ich in Manuels Alter war, wäre mir nie dergleichen eingefallen!«

»Als du in Manuels Alter warst, bist du am Rockzipfel deines Onkels gehangen und hast dir von ihm vorschreiben lassen, wie du dein Leben zu führen hast!«

Rote Flecken erschienen auf Cornelius' Wangen. »Und was war so schlimm daran, Verantwortung zu übernehmen? Verantwortung, die dein Sohn offenbar nicht kennt?«

»Cornelius! Elisa!«, rief Fritz ungeduldig dazwischen.

Elisa hörte nicht auf ihn. Die Sorge um Emilia ließ sie sämtliche Fassung verlieren. »Natürlich übernimmt Manuel Verantwortung. Für ihn ist Emilia das Wichtigste! Für dich war ich das nie! Zuerst kam dein Onkel, und dann kam Greta, und dann …«

»Nenn die beiden doch nicht in einem Atemzug! Als ich meinen Onkel verlassen habe und zu dir gekommen bin, warst du es, die gerade einen anderen geheiratet hat!«

»Und soll ich dir etwas sagen? Es war die beste Entscheidung meines Lebens.«

»Cornelius! Elisa!«, rief Fritz erneut dazwischen.

Immer noch hörten sie nicht auf ihn.

»Wenn es deine beste Entscheidung war, dann frage ich mich, warum du später ...«

»Sprich es nicht aus! Wag es nicht, es auszusprechen!«

»Richtig, ich vergaß! Wenn du nicht weiterweißt, vergräbst du dich im eisigen Schweigen und verkriechst dich in die Arbeit. Kein Wunder, dass dein Sohn vor dir davongelaufen ist.«

»Und warum ist deine Tochter dann auch gegangen? Ach nein, richtig! Sie ist nicht vor dir geflohen, sondern vor deinem verrückten Weib! Und vor dem läufst du selbst schon seit Jahren davon!«

»Greta geht dich gar nichts an!«

»Cornelius! Elisa!« Fritz' Stimme klang wie ein Peitschenschlag. Beide fuhren sie nun gleichzeitig zu ihm herum. Seine grimmige Miene erinnerte an den alten Fritz.

»Merkt ihr denn gar nicht, was ihr mit eurem Gekeife anrichtet?«

»Was ...«

Elisa blieben die Worte im Hals stecken, als sie sich umsah – und nirgendwo Manuel erblickte.

»Was ...was ...«, stammelte sie, während Röte in ihr Gesicht schoss.

»Wo ist er hin?«, fragte Cornelius, eher verlegen als erbost.

»Er ist eben gegangen, und diesmal konnte ich ihn nicht aufhalten! Er hatte genug von eurem Streit. Und ich kann's ihm nicht verdenken.«

Missbilligend schüttelte Fritz den Kopf. Cornelius dagegen stürzte zur Tür. »Verdammt, er sollte doch nicht ... ich muss sofort ...«

»Du musst erst mal gar nichts!«

Fritz stellte sich ihm in den Weg und hob befehlend die Arme. »Ihr beide seid ja völlig von Sinnen!«, erklärte er streng. »Ich werde Manuel zurückholen, ich allein, und dann überlegen wir gemeinsam, was zu tun ist. Ihr ruht euch erst mal aus und kommt wieder zu euch! Es ist ja nicht auszuhalten, euch zu-zuhören, und ...«

Er brachte den Satz nicht zu Ende, sondern schüttelte aber-mals missbilligend den Kopf. Ohne ihre Zustimmung abzu-warten, nahm er seinen Mantel und lief hinaus. Er drehte sich nicht einmal mehr um.

Kaum allein gelassen, standen Elisa und Cornelius wie erstarrt da. Zuerst hielten sie ihre Köpfe gesenkt wie gemaßregelte Kinder, dann warfen sie sich finstere Blicke zu, prüfend, wie der jeweils andere Fritz' Standpauke aufnehmen würde. Elisa belauerte Cornelius regelrecht. Würde er Fritz folgen, so wür-de nichts sie aufhalten, ihm ebenfalls nachzustürmen, doch da er sich dessen Befehl fügte, fiel auch ihr nichts anderes zu tun ein. Ärger und Zorn hatten sie laut und kampfeslustig gemacht; die Niedergeschlagenheit, die darauf folgte, und die Sorge um Emilia und Manuel quälten sie.

Schweigen senkte sich über sie, und je länger es währte, desto größer wurde ihre Anspannung.

Erneut sahen sie sich an, nicht länger tadelnd oder misstrau-isch, sondern vorsichtig, als müssten sie die Begegnung ihrer Blicke sorgfältig dosieren und könnten unmöglich zu viel Nähe standhalten. Doch je länger sie sich anstarrten, desto vertrauter wurden Elisa die Gefühle in Cornelius' Miene. Die eigenen schienen sich darin zu spiegeln – Ohnmacht und Furcht, aber auch Kummer, nicht um die Kinder, sondern um sie selbst.

Die Kehle wurde ihr eng.

Lass Emilia heil zurückkommen. Lass Manuel nichts gesche-hen, betete sie insgeheim, und plötzlich setzte sie eine Bitte hinzu, die sie sich stets verkniffen hatte: Lass mich nicht länger in Feindschaft mit Cornelius leben. Ich will nicht mit ihm streiten. Ich will ihn nicht hassen.

Sie rieb ihre Hände unruhig aneinander.

»Warum?«, klagte sie. »Warum ist das nur passiert? Warum sind sie einfach gegangen, ohne etwas zu sagen?«

»Weil sie keinen anderen Ausweg wussten.«

Seine Stimme klang verzagt. Erst jetzt ging ihr auf, wie dicht sie beisammenstanden. So nahe war er ihr seit Ewigkeiten nicht gekommen. Sie konnte seinen Atem fühlen, sehen, wie faltig seine Haut geworden war, wie das Braun seiner Haare verblichen war – und witterte hinter allen Spuren, die die Zeit hinterlassen hatte, doch den alten Cornelius … den stets etwas melancholischen, aber zugleich feinfühligen, vertrauensvollen … ehrlichen … entschlossenen …

Über Jahre hatte sie nur das Schlechte in ihm gesehen. Doch in diesem Augenblick war es plötzlich so leicht, sämtliche seiner guten Eigenschaften aufzuzählen.

»Ganz gleich, wer von den beiden diesen Plan ausgeheckt hat«, fuhr er fort, »in jedem Fall steht fest, dass Manuel und Emilia sich lieben. Ach, Elisa, du hättest ihnen nicht verbieten sollen …«

»Aber nicht ich bin es, die es ihnen verboten hat!«, fiel sie ihm verzweifelt ins Wort, noch ehe sie darüber nachdenken konnte.

»Wer denn sonst?«, fragte er verwirrt.

Sie senkte den Blick, um das alte Geheimnis hartnäckig zu bewahren, doch obwohl sie schwieg, konnte sie nicht verhindern, dass Tränen aus ihren Augen perlten und ihre Schultern verräterisch zuckten. Sie fühlte, wie er noch näher an sie herantrat, vorsichtig seine Hand auf ihre Schultern legte. Sie glaubte, jeden seiner feingliedrigen Finger einzeln zu spüren. Sie kämpfte darum, sich abrupt von ihm zu lösen und ihn zurückzuweisen, aber sie war nicht stark genug. Sämtliche Kräfte waren aufgebraucht. Nichts mehr war übrig, um ihn zu hassen, ihn zu verfluchen, sich ihm zu entziehen. Nichts war auch übrig, um sich selbst begreiflich zu machen, warum sie das in den letzten Jahren so beharrlich getan hatte.

»Er ist doch dein Sohn!«, brach es aus ihr heraus. »Manuel ist dein Sohn, nicht der von Lukas! Verstehst du nun, warum die beiden nicht zusammen sein dürfen? Sie sind Geschwister! Wie hätte ich es denn zulassen sollen?«

Ihre Schultern zuckten noch heftiger. Sie weinte, weinte, bis sie keine Tränen mehr hatte, bis sie zu erschöpft war, um aufrecht zu stehen, bis sie ihren Kopf gegen seine Brust sinken ließ. Seine Hände, eben noch vorsichtig tastend, streichelten zitternd über ihr Haar, dann über ihren Rücken.

»Mein Gott«, murmelte er. »Mein Gott!«

Wie hatte sie leben können, fragte sie sich, wie hatte sie leben können, ohne von ihm umarmt zu werden …

Ewig schien es zu währen, dass sie so dicht an ihn gepresst stand, seinen Geruch einatmete, seinen Herzschlag fühlte, doch als sie sich von ihm löste, war es viel zu kurz gewesen.

»Die beiden sind Geschwister«, wiederholte sie stammelnd. »Die beiden …«

Hatte auch er geweint? Seine Augen glänzten feucht, und seine Stimme klang gepresst, als er den Kopf schüttelte und sagte: »Nein, Elisa, nein, das sind sie nicht.«

»Aber …«

Er trat zurück; plötzlich musste sie frösteln, weil sein Körper den ihren nicht länger wärmte. »Emilia ist nicht meine Tochter.«

»Aber …«

Sie schüttelte verständnislos den Kopf.

»Viktor.«

Es war nur dieser eine Name, mit dem er die Wahrheit bekundete – doch dieses eine Wort genügte, um zu verstehen, dieses eine Wort und das Schweigen, das ihm folgte, erfüllt von viel zu spätem Begreifen, viel zu später Einsicht und dem Kummer über so viel vergeudete Zeit. Erinnerungen stiegen hoch und verschwanden wieder im Dunkeln des Gedächtnisses, Erinnerungen an Greta, wie sie bleich und irgendwie triumphierend vor ihr gestanden war, wie sie trotzig verkündet hatte, dass Cornelius und sie heiraten würden.

Sie war vor Greta geflohen und hatte diese Worte einfach geglaubt, viel zu ausgelaugt nach Ricardos und Lukas' Tod, viel zu belastet von der Schuld, weil sie ausgerechnet in Cornelius' Armen Trost gesucht und gefunden hatte. Und als er später mit ihr reden, ihr die Wahrheit anvertrauen wollte, da hatte sie ihm erklärt, wie froh und erleichtert sie über seine und Gretas Hochzeit sei – nun, da sie doch Lukas' Kind bekäme.

»Wenn ich nur geahnt hätte …«, stieß sie aus.

Er sagte nichts, öffnete nur wieder seine Arme, und sie sank hinein, um in all der Verwirrung, dem Entsetzen, dem Schmerz einen Moment der Stille zu finden, in der nichts zählte, außer, dass er da war und nichts zwischen ihnen stand.

Wieder wusste sie nicht, wie lange die Umarmung währte, ob für die Dauer eines Wimpernschlags oder gar eine Stunde. Dann plötzlich ertönte von draußen ein lautes Rufen.

»Kommt! Kommt schnell!«

Elisa blickte hoch. »Fritz!«, rief sie. »Das ist Fritz!«

Als sie nach draußen stürmten, lief Elisa förmlich in Fritz hinein. Eben noch hatte er aufgeregt gerufen – nun stand er seelenruhig da. Keinerlei Furcht spiegelte sich in seinem Gesicht; stattdessen umspielte ein breites Grinsen seinen Mund.

»Was … was …«, setzte Elisa an.

Schweigend deutete er hinter sich, und da erst erkannte Elisa die beiden Gestalten, die ihm gefolgt waren: Manuel, der Emilia stützte, sie ganz fest an sich presste und über ihr Gesicht streichelte. Und Emilia, die versuchte, sich von ihm loszumachen – umso energischer, als erste zaghafte Anläufe nicht fruchteten. »Lieber Himmel, ich kann allein gehen! Du musst mich nicht behandeln, als wäre ich schwer krank!«

Elisa und Cornelius stürzten auf die beiden zu. Endlich ließ Manuel Emilia los, und diese fiel in Cornelius' Arme, während Elisa ihren Sohn an sich zog und ängstlich nach möglichen Verletzungen Ausschau hielt. Seine Haare waren verstrubbelt, seine Hosen ziemlich dreckig, aber ansonsten schien alles an ihm heil.

»Was, um Himmels willen, ist passiert?«, fragte Elisa.

Cornelius hatte Emilia wieder losgelassen und war zu Manuel getreten. »Du hast sie gerettet. Du hast sie wirklich gerettet, aber …«

»Von wegen!«, unterbrach Emilia ihn wütend.

Manuel grinste verlegen. »Genau genommen, hat sie sich selbst gerettet. Sie hat nämlich …«

Er kam nicht weiter, denn Elisa schrie entsetzt auf. Ihr Blick war auf Emilias Hände gefallen, und erst jetzt sah sie, dass sie voller Blut waren.

»Mein Gott!«

Doch Emilia machte nicht den Eindruck, als leide sie an Schmerzen, sondern prustete los. »Keine Angst! Das ist nicht mein Blut!«

Was dann folgte, war ein einziges Stimmengewirr. Manuel und Emilia begannen gleichzeitig zu erzählen, was geschehen war. Sie fielen sich gegenseitig ins Wort, brachten die Abfolge der Ereignisse völlig durcheinander. Dann ging auch noch Fritz dazwischen und rief sie zur Ordnung, und schließlich Cornelius, der immer wieder beteuerte, wie erleichtert er sei.

Nach einer Weile hatte Elisa immer noch nicht begriffen, was geschehen war, nur, dass die beiden wohlauf waren, dass sie bei ihnen waren – und das reichte vorerst.

Schließlich ging den beiden vom schnellen Sprechen die Puste aus, und Fritz erzählte die Geschichte noch einmal ausführlich und für alle verständlich.

Demnach war es Emilia gelungen, aus einem Bordell zu fliehen, wohin man sie verschleppt hatte, doch man hatte es bemerkt und sie wieder zurückholen wollen. Manuel war zwar, von ihren lauten Hilferufen angelockt, rechtzeitig hinzugekommen, aber er konnte nur einen der Männer bezwingen. Die anderen dagegen hatten Emilia immer enger eingekreist und sie letztlich zu packen bekommen.

»Ich habe ganz lang stillgehalten«, rief Emilia dazwischen, »und so getan, als würde ich mich fügen. Und dann … dann habe ich einem der Männer ganz plötzlich das Gesicht zerkratzt. Er hat mich schreiend losgelassen.«

»Und die anderen haben das geduldet?«, fragte Elisa erstaunt.

»Ich hatte den ersten mittlerweile niedergeschlagen und konnte mich ins Gefecht stürzen!«, prahlte Manuel.

»Und ich habe mich weiterhin ordentlich gewehrt. Wenn ihr wüsstet, wohin ich einige getreten habe …« Emilia grinste.

»Schließlich habe ich geschrien, dass die Brigada de Policía längst informiert sei«, fügte Manuel hinzu, »und so haben sie endlich von uns abgelassen, und wir konnten davonlaufen.«

Elisa schüttelte den Kopf, als sie erkannte, dass die Sache auch böse hätte enden können. »Mein Gott!«

»Keine Angst, Mutter, es geht uns gut!«

Elisa konnte nichts mehr sagen, sondern zog ihn nur zitternd an sich. Als sie sein Gesicht genauer musterte, bemerkte sie eine Geschwulst an seinem Auge.

»Und dir ist wirklich nichts passiert?«

Auch Emilia, die eben noch spöttisch gelacht hatte, zitterten mit einem Mal die Beine.

»Es mag ja alles gut gegangen sein, aber ich bringe euch jetzt trotzdem zu einem Arzt«, verkündete Fritz. »Er soll euch gründlich anschauen.«

Die beiden widersprachen zunächst, doch es klang kleinlaut, und bald fügten sie sich.

»Ich komme mit!«, rief Elisa.

»Ich auch!«, sagte Cornelius.

Aber Fritz schüttelte den Kopf. »Ihr regt die beiden doch nur auf – und mich auch. Wenn ihr wirklich etwas Sinnvolles tun wollt, dann seht zu, dass etwas zu essen auf dem Tisch steht, wenn wir zurückkommen.«

Während Elisa das Mahl zubereitete, verstand sie erstmals, warum Annelie so gerne kochte. Ihr selbst war das immer eine lästige Arbeit gewesen, die sie meist der Stiefmutter überließ, doch nun war es das beste Mittel, sich abzulenken und die aufgewühlten Gefühle zu besänftigen.

Cornelius ging ihr zur Hand, doch sie tauschten sich nur mit Blicken aus, nicht mit Worten. Später war es an der Zeit, zu sprechen – jetzt galt es, einfach nur das Schweigen zu genießen, die Vertrautheit, die Entspannung, das Gefühl, da sämtlicher Hader, Feindseligkeit und Ohnmacht sich auflösten.

Auch als das Mahl zubereitet war und sie gemeinsam aßen – Fritz war mit den beiden Kindern noch nicht zurück und sie waren hungrig –, schwiegen sie immer noch.

Wie Mann und Frau sitzen wir zusammen, dachte Elisa, als sie sich vorstellte, welches Bild sie wohl boten – ein Bild, wie es hätte sein können ... wie es nie gewesen war ... durch wessen

Schuld aber? Gretas Schuld? Viktors Schuld? Ihre eigene oder die von Cornelius? Und was noch wichtig schien: Konnte das, was in der Vergangenheit nicht möglich gewesen war, in Zukunft sein?

Cornelius blickte hoch, nachdem er seinen Teller leer gegessen hatte: »Die Wahrheit ... niemand darf die Wahrheit je erfahren.«

Elisa nickte. Nur zu gut verstand sie seine Sorge um Emilia. Unmöglich durfte sie wissen, dass sie aus Inzest und Vergewaltigung hervorgegangen war.

»Wir können nicht zusammen sein«, setzte er leise hinzu. »Emilia würde es nicht verstehen, und ...«

»Und auch wegen Greta ist es unmöglich, nicht wahr?«, unterbrach Elisa ihn leise. »Du fühlst dich ihr immer noch verpflichtet.«

Cornelius schüttelte zögernd den Kopf. »Ich ... ich ertrage es nicht mehr bei ihr. In den letzten Jahren bin ich nur wegen Emilia immer wieder zurückgekehrt. Und dennoch ... wir beide ... du und ich ... das ist unmöglich. Es darf nie auch nur der geringste Verdacht entstehen, dass Manuel mein Sohn ist. Denn dann würde Emilia entweder ihren Liebsten verlieren, oder ich müsste ihr sagen, dass ich nicht ihr Vater bin. Das geht nicht, verstehst du das?«

Elisa starrte auf ihre Hände. »Und was sollen wir tun?«, fragte sie.

Plötzlich standen sie beide gleichzeitig auf, blieben eine Weile starr voreinander stehen, dann bewegten sie sich aufeinander zu, so selbstverständlich, als hätte es nie die Jahre der Entfremdung gegeben. Ihre Hände trafen sich, dann ihre Münder; schließlich pressten sie ihre Leiber dicht aneinander.

Sämtliche Worte, die bekundeten, dass es unmöglich war, sich zu lieben, mochten vernünftig sein, aber die alte Sehnsucht konnten sie nicht bezwingen. Diese nahm sich einfach ihr Recht, trieb sie zusammen, und als sie sich küssten, schmeckten, hielten, fragte sich Elisa, wie sie ohne ihn weiterleben konnte.

»Niemand darf je die Wahrheit erfahren«, murmelte sie erstickt. »Aber wir kennen sie nun. Und das ist das Einzige, was zählt.«

»Zumindest in diesem Augenblick«, fügte er hinzu.

Eine Weile hielten sie sich nur, dann sahen sie sich an, versanken in den Augen des anderen. Elisa hob ihre Hand und streichelte über sein Gesicht. Seine Haut fühlte sich ledriger an – wahrscheinlich auch die ihre. Auch sonst hatte sich viel verändert, seit sie sich das letzte Mal berührt hatten. Sämtliche Bewegungen fielen etwas steifer aus, ihr eigener Leib war nicht ausgezehrt wie damals nach dem Hungerwinter, sondern runder, aber auch schlaffer. Ihre Hände waren rauh, glichen ein wenig roten Krallen, wie sie befand, doch er zog sie nun an sich, küsste jeden Finger einzeln. Und dann zählte nur mehr das, was sich nicht verändert hatte: das Wissen, dass man zwar auch ohne den anderen leben konnte, nur nicht so vollkommen, nicht in sich ruhend, nicht im Gleichgewicht.

Kurz durchzuckte Elisa der Gedanke, dass Fritz mit den Kindern zurückkommen könnte – doch das, was sich während der vielen Jahre angestaut hatte, war stärker, lauter und begieriger. Sie gingen in den Nebenraum, wo Fritz ihnen ein Lager für die Nacht bereitet hatte. Mit einem Aufstöhnen sanken sie dort nieder, zogen sich die Kleidung vom Leib. Wieder hielten sie sich einer Weile nur, umklammerten sich dann immer fester, verschmolzen schließlich.

Ein Zittern erfasste Elisas Leib, heftiger als Furcht oder Kälte oder Schrecken es jemals beschwören könnte; zunächst war es fast unmöglich zu ertragen, dann löste es sich in Wärme auf, kehrte als sanftes Beben zurück, gemäßigter, aber lustvoller. Ihr Leib bäumte sich auf, fiel schließlich ermattet zurück. Sie schluchzte vor Glück. Und sie schluchzte, weil sie keine Ahnung hatte, wie lang dieses Glück währen würde.

42. Kapitel

Der Arzt hatte Manuels und Emilias Verletzungen untersucht, doch keine schlimmeren Blessuren festgestellt. Als sie zurückkamen, waren sie vor allem hungrig – und anders als vorhin, als sie noch aufgeregt Emilias spektakuläre Flucht gerühmt hatten, schweigsam und kleinlaut.

Sie gaben es nicht zu, aber irgendwie wirkten sie erleichtert, dass ihr Abenteuer nun geendet hatte und sie in die Heimat zurückkehren würden.

Wenn Elisa Manuel anblickte, sah sie wenig von dem aufmüpfigen Sohn, der stets die Enge ihres Dorfs beklagte, sondern einen nachdenklichen jungen Mann, der schmerzhaft an seine eigenen Grenzen gestoßen war.

Wie lange diese Einsicht währen würde? Wann alte Unruhe wohl wieder erwachte?

Sie wusste es nicht, wusste nur, dass die Zuneigung und das Vertrauen der beiden zueinander echt und tief waren.

Trotz aller Sorgen freute sie sich für die beiden, dass es kein Hindernis mehr für eine Hochzeit gab. Den Gedanken daran, ob Emilia – als Kind von Inzest und darum womöglich nicht ganz gesund – vielleicht die falsche Frau für ihren geliebten Sohn sei, schob sie beiseite.

Aber was würde aus ihr und Cornelius nun werden?

Sie sah, dass auch er nachdenklich war, und er schien sichtlich erleichtert, als Fritz nach Quidel fragte.

»Ich habe vor fünf Jahren das letzte Mal von ihm gehört. Damals trieb er noch Handel mit Salz. Ich hoffe, es geht ihm gut. Aber sicher bin ich mir nicht.«

»Dieser verfluchte Saavedra!«, stieß Fritz aus.

Emilia hob erstmals den Kopf. »Wer ist Saavedra?« Im nächsten Augenblick errötete sie, als ginge ihr auf, dass sie sich mit solch einer Frage als ziemlich unwissend entblößte – sie, die sich noch vor wenigen Tagen zugetraut hatte, ein selbständiges Leben mit Manuel zu führen.

Elisa musste lächeln. So war sie einst auch gewesen, unbedarft und dennoch vorschnell, wenn es ums Reden oder Fragen ging. Sie musste daran denken, wie sie die englische Kreideküste mit Schnee verwechselt hatte und wie sie sich dafür geschämt hatten. Am Ende hatten sie dennoch beide gelacht – Cornelius und sie. Wehmut befiel sie, als sie sich und ihn auf dem Deck der Hermann III. stehen sah.

»Saavedra ist ein chilenischer General«, erklärte Cornelius. »Und er trachtet nun schon seit Jahrzehnten danach, die Mapuche immer weiter zurückzudrängen. Zunächst hat er nur einzelne Grenzposten in ihrem Land errichtet; dann hat er immer größere Gebiete besetzt und mit Spaniern besiedelt. Die Mapuche waren so verzweifelt, dass sie sogar einen König erkoren haben – nicht einen aus ihrem Volk, sondern einen französischen Abenteurer mit dem Namen Orélie-Antoine de Tounens. Er hat viele Jahre bei ihnen gelebt und ihnen versprochen, sich für ihre Rechte einzusetzen. Doch gegen Saavedra war er machtlos. Vor etwa zehn Jahren hat dieser einen regelrechten Vernichtungskrieg begonnen. Er hat die Männer systematisch ermorden lassen, die Frauen und Kinder geraubt. Kälte, Hunger und Epidemien taten ihr Übriges, um die Mapuche deutlich zu dezimieren.« Er schüttelte empört den Kopf.

»Ich hoffe so sehr, dass Quidel und die Seinen einen sicheren

Ort gefunden haben, wo sie in Frieden leben können«, sagte Fritz leise.

Sie waren alle betroffen und beendeten schweigend das Mahl.

Später erzählte Fritz von den vielen deutschen Ärzten, die nach der Gründung des deutschen Krankenhauses in Valparaíso eingetroffen waren und die sehr fortschrittlich dachten – schon 1840 erfolgte der erste Eingriff unter Narkose. Das Krankenhaus befände sich auf luftiger Anhöhe, und er wäre als Apotheker oft dort gewesen.

»Und nun arbeitest du gar nicht mehr als Apotheker, sondern nur mehr für die Zeitung?«, fragte Elisa. »Fehlt dir das gar nicht?«

»Ach was!«, rief er mit einem leichtfertigen Tonfall aus, den Elisa nicht an ihm kannte. »Zeit kommt und geht und mit ihr die Aufgaben.«

Emilia gähnte, und auch Manuel wirkte erschöpft, doch ehe Fritz aufstand und sie zu ihrer Schlafstatt führte, sprach er jenes ernste Wort mit ihnen, auf das Elisa und Cornelius an diesem Abend eigentlich hatten verzichten wollen.

»In der Welt kann nur bestehen, wer möglichst viel von dieser Welt weiß«, begann er mahnend. »Es ist nicht nur schlimm, was euch zugestoßen ist, sondern auch, dass ihr es gar nicht habt kommen sehen und euch ausreichend dagegen gewappnet habt.«

Emilia errötete, aber Manuel hob trotzig den Kopf. »Müssen junge Frauen denn damit rechnen, hier jederzeit in ein Bordell verschleppt zu werden?«

Fritz runzelte die Stirn. »Das vielleicht nicht. Aber was ihr nicht wisst: Seit Monaten befindet sich Chile im Krieg mit Peru. Bei euch am See wird man nicht viel davon merken, und auch Valparaíso blieb von den Kämpfen bis jetzt verschont –

aber an jeder Ecke rekrutiert die Armee Männer, und nicht immer sind es Freiwillige, die sie zusammentreiben.«

»Ein Krieg?«, fragte Emilia entsetzt.

»Er hat damit begonnen, dass Chile Antofagasta besetzte, obwohl das zu Bolivien gehört. Und Peru wiederum war ein Bündnispartner von Bolivien und hat eingegriffen«, erklärte Cornelius.

»Ungeachtet des Krieges«, fuhr Fritz streng fort, »in Valparaíso leben viele Arme. Vor einigen Jahren sind etliche Banken bankrottgegangen, und der Kupferexport ging stark zurück. Viele Chilenen fanden keine Arbeit mehr. Die einen sind ausgewandert. Andere haben sich zu Diebesbanden zusammengeschlossen. Die Welt ist wohl nirgendwo ein sicherer Ort, doch hier am allerwenigsten. Das solltet ihr wissen.«

Emilia war mittlerweile dunkelrot angelaufen, und selbst Manuel ließ den Kopf wieder sinken.

Fritz ersparte sich weitere Schelte und brachte die beiden ins Bett.

Elisa und Cornelius blieben mit ausreichendem Abstand sitzen. Eben noch hatte sie sich wohlig und entspannt gefühlt – nun überkam sie tiefe Hoffnungslosigkeit.

»Was … was wird nun?«, stammelte sie.

»Ich kann nicht zurückkehren«, brach es aus Cornelius hervor. »Ich kann es einfach nicht. Ich ertrage diese Verlogenheit nicht mehr … und Greta schon gar nicht. Vielleicht sollte ich nicht so denken, vielleicht bin ich es Emilia schuldig, den Frieden zu wahren. Aber Emilia ist fast erwachsen, und sie hat Manuel. Die beiden werden glücklich werden, und ich werde sie besuchen. Aber ich kann nicht mehr am See leben.«

»Wo willst du denn stattdessen leben?«, fragte Elisa mit erstickter Stimme. Sie verstand ihn ja so gut, erahnte erst jetzt, was es ihn gekostet haben musste, all die Jahre diese Lüge aufrechtzuerhalten und sich Gretas Launen auszusetzen – aber zugleich brach es ihr das Herz, wenn sie daran dachte, ohne ihn heimkehren zu müssen.

»Ich war doch in den letzten Jahren schon mehr Händler als Bauer, und ich war es so viel lieber. Ich kenne viele Menschen, ich habe Beziehungen. Vielleicht kann ich hier für das deutsche Handelshaus in Valparaíso arbeiten. Mit Fritz' Hilfe ...« Er brach ab. »Ich werde euch bis Valdivia begleiten, aber dann werde ich hierher zurückkehren. Natürlich werde ich für Emilia und Greta sorgen, ich werde regelmäßig nach ihnen sehen, aber nun, da Emilia heiraten wird, werde ich nicht mehr bei Greta leben.« Er machte eine kurze Pause. »Elisa«, sagte er plötzlich mit heiserer Stimme. »Elisa, bleib bei mir.«

Er fügte nichts hinzu, aber sie wusste, was er dachte: Bleib bei mir, denn sonst gibt es keine Möglichkeit für uns, zusammen zu sein.

Am See konnten sie ihrer Liebe nicht nachgeben, ohne Greta bloßzustellen und die Kinder ins Unglück zu stürzen.

Elisa seufzte. »Ich weiß nicht, ob ich es kann.« Sie sah auf ihre rauhen, furchigen Hände. »Cornelius, wir haben so viel gemeinsam durchgestanden, aber nicht alles ... nicht alles ... Als wir damals am Llanquihue-See angekommen waren, war sein Ufer fast noch unbewohnt. Wir haben uns dieses Land ertrotzt, mit jedem Atemzug, mit jedem Herzschlag, mit jeder Regung unserer Hände. Diese Heimat zu haben war mir immer ein Trost. Und nun soll ich in der Fremde leben, wie eine Verbannte? Nun soll ich die Meinen womöglich über die Gründe belügen, warum ich das tue? Ich weiß, als ich jung war, habe ich auch alles Vertraute hinter mir gelassen und bin ins Ungewisse aufgebrochen. Es hat sich gelohnt, trotz allem hat es sich gelohnt. Aber ich weiß nicht, ob ich es noch einmal kann. Sich ein Mal von allen Wurzeln loszureißen genügt doch für ein Leben. Ich bin alt. Ich bringe keine Kraft auf, es ein zweites Mal zu tun.«

Sie sprach immer schneller, immer eindringlicher, so, als gelte es, nicht nur ihn zu überzeugen, sondern vor allem sich selbst.

Cornelius ergriff ihre Hände und drückte sie.

»Still«, unterbrach er sie. »Still. Du musst nichts sagen. Es ist so viel geschehen heute, so viel ans Tageslicht gekommen. Wir müssen erst einmal unsere Gedanken sortieren. Ich werde euch drei nach Hause bringen und dann zu Fritz zurückkehren. Und alles andere wird sich später zeigen. Wir müssen nicht hier und heute eine Entscheidung treffen. Wir werden uns schreiben ... warten ...«

Elisa lachte, um nicht zu weinen. »Das haben wir uns schon einmal versprochen.«

Wieder stand vieles im Raum, ohne gesagt zu werden. Damals hatte es ihnen kein Glück gebracht. Damals hatten sie das Versprechen nicht halten können.

»Diesmal ist es anders«, murmelte er.

Sie sahen sich an, so durchdringend, als gelte es, möglichst viel vom Anblick des anderen aufzunehmen und in die Erinnerung einzubrennen, um später davon zu zehren. Mit einem Aufseufzen ließ Elisa ihren Kopf an seine Brust sinken.

»Diesmal ist es anders«, wiederholte sie seine Worte.

Jule wrang das Tuch aus. Augenblicklich färbte sich das Wasser in dem Eimer, der vor ihr stand, rot.

Annelie trat zu ihr und beugte sich über ihre Schultern. »Und wie steht es? Geht es ihr besser oder schlechter?«

Jule zuckte mit den Schultern. »Was ist schon besser oder

schlechter für eine wie Greta? Vielleicht wäre es am besten gewesen, sie wäre tot.«

»Sprich doch nicht so!«, rügte Annelie sie. »Die anderen wollen einfach nur wissen, ob sie überleben wird.«

Sie deutete hinaus, wo sich ein kleines Grüppchen gebildet hatte. Jacobo war dabei, und obwohl sie nun schon einige Tage zurücklag, rühmte er sich immer noch seiner Heldentat – einer Heldentat, die eigentlich gar keine war, wie Annelie befand. Schließlich hatte Kathi Steiner Greta in der Blutlache liegend gefunden. Ohne sie wäre sie wohl längst tot. Jacobo hatte nichts anderes getan, als sie unter Murren hierherzutragen, und das nur, weil Kathi zufällig als Erstes zu ihm gerannt war. Kaum war er das lästige Gewicht los, platzte er vor Stolz darüber, was er geleistet hatte.

Annelies Blick ging zu Christl, die neben dem Sohn stand. Hätte sie Jacobo bloß zu ein wenig mehr Bescheidenheit erzogen! Und Resa ihre Töchter zu ein wenig mehr Gelassenheit! Wie gackernde Hühner führten Frida und Theres sich auf – einzig Kathi war immer noch über ihren Fund geschockt und wirkte bleich und starr.

»Ja«, beantwortete Jule ihre Frage. »Ja, sie wird überleben. In den ersten Tagen war ich mir nicht sicher, ob ihre Knochen heil geblieben sind. Aber es war wohl wirklich nur eine Platzwunde – wenn auch riesig. Dass sie immer noch blutet, macht mir ein wenig Sorgen, aber das wird irgendwann aufhören. Gewiss wird ihr der Schädel noch über Wochen brummen, was wiederum bedeutet, dass sie noch mürrischer sein wird als sonst. Und noch unberechenbarer und verrückter. Wobei sich nicht genau sagen lässt, ob eine Steigerung möglich ist, denn Greta war immer schon unberechenbar und verrückt. Was wiederum zu der Frage führt, ob es nun gut oder schlecht für sie ist, dass der, der sie erschlagen wollte, dieses so stümperhaft durchgeführt hat.« Jule schüttelte empört den Kopf. »Mit einem Stück Holz! Obendrein dem einer Araukarie! Obwohl jeder weiß, wie weich die Rinde ist. Einen Stein hätte man nehmen müssen.«

»Wenn denn tatsächlich jemand versucht hat, sie zu töten!«

»Ja denkst du, dass ein Vogel den Ast ganz zufällig über ihrem Kopf hat fallen lassen? Irgendjemand ist auf sie losgegangen. Und ich glaube nicht, dass es ein Fremder war.«

Annelie zuckte mit den Schultern. »Was soll ich ihnen denn nun sagen?« Annelie deutete nach draußen.

»Sag ihnen, dass sie sich ihre falsche Anteilnahme sparen können. Und sag ihnen vor allem, dass sie sich endlich fortscheren soll. Ich ertrag's nicht, wenn so viele Menschen vor meinem Haus stehen, und das nun schon seit Tagen.«

Annelie warf einen vorsichtigen Blick auf Greta. Wenige Stunden nachdem Jacobo sie hierhergebracht hatte, war sie erstmals aufgewacht und hatte Jule blicklos angestarrt. Seither war sie mehrmals zu sich gekommen, doch immer nur für so kurze Zeit, dass sie essen, trinken und Wasser lassen konnte. Sie hatte sich gekrümmt und gestöhnt und keinerlei Erinnerung daran gehabt, wer sie heimtückisch niedergeschlagen hatte. Wahrscheinlich, so hatte Jule befunden, würde diese Erinnerung auch nicht wiederkehren.

Doch konnte Greta auch nichts zur Aufklärung des Verbrechens beitragen, so waren die Siedler damit beschäftigt, sich gegenseitig anzuklagen. Als Annelie nach draußen trat, war die Frage, wie es Greta ging und ob sie überleben würde, längst in den Hintergrund gerückt.

»Wenn ihr mich fragt«, murrte Christl, »dann war es Barbara.«

Annelie sah sich um. Seit Greta die Wahrheit über sie und Poldi verkündet hatte, mied Barbara die Gemeinschaft, doch heute stand sie mit gesenktem Kopf in der Nähe der anderen. Sie blickte kaum auf, als sie Christls Anklage hörte.

»Warum ich?«, fragte sie lediglich leise.

»Nun, weil es dir zuzutrauen wäre!«, keifte Christl. »Du bist eine ehrlose Hure, die Schande dieses Ortes …«

»Halt den Mund!«, fuhr Poldi sie an. Unruhig ging er auf und ab.

Bei seinem und Barbaras Anblick seufzte Annelie.

Warum hatte Greta das nur getan? Warum hatten wenige Worte genügt, um aus angesehenen Menschen binnen kurzer Zeit fahrige, bleiche, schuldbewusste Geschöpfe zu machen?

Sie wusste, dass sie Greta nicht die Schuld daran geben sollte – Barbara und Poldi waren es, die sich versündigt hatten und nun mit den Konsequenzen leben mussten. Dennoch: Als sie in die Gesichter der Umstehenden starrte, verloren und misstrauisch, vorwurfsvoll und angespannt, fragte sie sich, wann jemals wieder Frieden einkehren würde.

»Du sagst mir nicht, wann ich zu schweigen habe«, fuhr Christl ihren Bruder an. »Du hast dich von dieser alten Hexe verführen lassen, du …«

»Barbara hat Greta nicht erschlagen!«, schrie Poldi.

»Dann warst es also du? Tja, das wäre in der Tat auch möglich … Wer könnte ein größeres Interesse haben, sich zu rächen, als ihr beide?«

Annelie wollte vortreten und den Streit schlichten – vor allem um Christines Willen, die kraftlos auf eine Bank gesunken war und dem Gezänk ihrer beiden Kinder fassungslos lauschte. Vor wenigen Tagen noch hätte nichts und niemand sie davon abhalten können, sich lautstark einzumischen, aber seit Greta die Wahrheit über Barbara und Poldi ausposaunt hatte, schien sie wie in einem bösen Alptraum gefangen, aus dem sie sich nicht befreien konnte.

Ehe Annelie etwas sagen konnte, versuchte Magdalena, Frieden zu stiften: »Nun hört doch auf!«, rief sie. »Es ist schlimm genug, was geschehen ist ... was Greta widerfahren ist und was«, sie errötete, »und was Barbara und Poldi getan haben.«

»Und das geht dich gar nichts an! Niemanden geht es etwas an! Nur mich!« Annelie hatte Resa nicht kommen sehen und war erstaunt über die Festigkeit in deren Stimme. Seit Tagen hatte sie sich verkrochen, und niemand wusste zu sagen, wie sie es verkraftete, dass ihre Mutter und ihr Mann sie hintergangen hatten. Nun war ihr Blick kalt und ausdruckslos.

Annelie sah, dass Barbaras Lippen bebten, als sie die Tochter sah. Poldi hingegen trat unerwartet forsch auf seine Frau zu.

»Vielleicht warst du es«, meinte er. Er mied ihren Blick, aber seine Stimme war entschlossen. »Greta hat schließlich nicht nur mich und Barbara bloßgestellt, sondern auch dich!«

Annelie sah, wie Christine den Kopf schüttelte und Magdalena es ihr unwillkürlich gleichtat.

»Lass Resa aus dem Spiel!«, rief Barbara verzweifelt.

Resa indes funkelte Poldi an. »Du hast mich jahrelang hintergangen! Mit meiner eigenen Mutter!«, schrie sie. »Und jetzt wagst du es, mich obendrein eine Mörderin zu nennen?«

Rasch trat Annelie dazwischen. »Es geht hier um keinen Mord. Greta wird überleben. Und dann ... und dann ...«

Sie wusste nicht, was sie sagen sollte, aber Resa hörte ohnehin nicht auf sie. Sie warf Poldi einen letzten vernichtenden Blick zu, dann stapfte sie von dannen. Barbara kaute unruhig auf ihren Lippen.

»Ja«, bekräftigte Annelie und versuchte, zuversichtlicher zu klingen, als ihr zumute war. »Greta wird überleben. Es wird alles gut. Und deswegen, liebe Leute, ist es nun Zeit für euch, nach Hause zu gehen. Ihr könnt hier nichts tun.«

Niemand rührte sich. Magdalena hatte sich zu ihrer Mutter gesetzt. Poldi wirkte nicht länger trotzig, sondern hilflos – wohl, weil er nicht wusste, wohin er gehen sollte. Barbara ging es gleich. Einzig Christl verzichtete darauf, noch weiter auf die beiden einzuhacken, sondern trat zu Jacobo, um ihn mit sich zu ziehen, was wiederum Poldis Töchter vor die schwierige Entscheidung stellte, ob sie ihm folgen oder lieber nach ihrer Mutter sehen sollten.

»Greta lebt also«, knurrte Poldi. »Und wer freut sich darüber?«

Niemand, dachte Annelie.

Christl hatte nach wenigen Schritten innegehalten. »Seht doch!«, rief sie und deutete auf den See. »Zumindest sie wird sich freuen! Ihre Tochter!«

Annelie folgte ihrem Blick und sah ein Boot über den See kommen. Als sie erkannte, wer darin saß, seufzte sie erleichtert. Elisa kehrte mit Manuel und Emilia zurück.

Die Kleidung klebte an Elisas Haut. Die Rückreise war nicht ganz so anstrengend und so lange gewesen wie der Ritt dorthin – ein englischer Wollfrachter hatte sie von Valparaíso nach Corral mitgenommen. Dennoch waren genügend Strapazen zusammengekommen, um sämtliche trübe Gedanken an Cornelius zu vertreiben und einzig den Wunsch bestehen zu lassen, endlich heimzukehren.

Emilia und Manuel, obwohl so viel kräftiger, schien es ähnlich zu ergehen. Beide wirkten müde, auch wenn Manuel es nicht zeigen wollte. Beinahe trotzig kümmerte er sich um Emilia, fragte ständig, ob sie etwas brauche oder wolle, bis Emilia ihm schließlich ungeduldig über den Mund gefahren war und gemeint hatte, er solle sie nicht wie ein kleines, hilfloses Kind behandeln. Manuels Bemühungen hatte das keinen Abbruch getan. Mit aller Macht schien er beweisen zu wollen, dass er

gut auf sie aufpassen konnte – den Ereignissen in Valparaíso, da er als ihr Beschützer schmählich gescheitert war, zum
Trotz. Seine Fürsorglichkeit rührte Elisa – genauso wie Emilias Trachten, sich stark zu zeigen. Lange hatte sie darum gekämpft, keine Nähe zu ihr zuzulassen, doch seit sie die Wahrheit kannte, war es so leicht, dem Mädchen das Herz zu öffnen. In den letzten Tagen hatte sie so viele eigene Wesenszüge
in Emilia entdeckt: eine gewisse Unbeherrschtheit, die Entschlossenheit, das Leben anzupacken, und die Sturheit, sich
Schwäche und Unbehagen nicht anmerken zu lassen.

»Bald sind wir da«, versuchte Manuel, sie aufzumuntern,
»bald sind wir da.«

»Mir geht es gut!«, erklärte Emilia stolz, wohingegen Elisa
insgeheim einen Stoßseufzer ausstieß. Endlich ankommen.
Sich waschen und stärken. Sich …

Als ihr Blick auf ihre Siedlung fiel, erkannte sie allerdings
sofort, dass ans Ausruhen nicht zu denken war. Wieder seufzte sie, diesmal nicht erleichtert, sondern weil sie sich von
der Menschentraube, die sich am Seeufer versammelt hatte,
schlichtweg überfordert fühlte. Sie hatte so gehofft, unbemerkt anzukommen und die drängenden Fragen erst viel später zu beantworten! Doch als das Boot anlegte, stürmten alle
auf sie zu.

»Was ist denn hier los?«, fragte Manuel verwirrt. Emilia duckte unwillkürlich ihren Kopf.

Schon setzte Stimmengewirr ein. Fragen gingen durcheinander, wo sie gewesen seien, warum Manuel und Emilia die
Siedlung überhaupt verlassen hätten, und alsbald vermischten
sie sich mit aufgeregtem Getuschel, gar nicht vorstellen könnten sie sich, was hier passiert sei, Greta und Poldi und Barbara …

Elisa lauschte verwirrt und verstand kein Wort. Endlich löste sich Annelie aus der Menge, beugte sich zu ihr und flüsterte ihr etwas zu. Elisa begriff zunächst nicht, warum sie es nicht laut sagte; doch als ihr der Sinn der Worte aufging, erkannte sie, dass Annelie Emilia schonen und ihr erst später in Ruhe mitteilen wollte, was der Mutter widerfahren war.

Elisa wurde noch verwirrter. Greta war mit einem Stück Holz zusammengeschlagen worden? Sie hätte daran sterben können? Aber wer sollte dergleichen tun und warum?

»Es geht ihr gut, sie wird sich wieder erholen«, sagte Annelie. »Aber wo ... wo ist Cornelius?«

Das Getuschel erstarb. Obwohl Annelie immer noch mit gesenkter Stimme sprach, hatten alle ihre Frage gehört, und als Elisa sich umblickte, sah sie, wie gespannt die Siedler ihrer Antwort harrten.

Sie straffte den Rücken. »Er hat in Valparaíso zu tun. Er kommt vorerst nicht zurück«, bekundete sie knapp.

Entschlossen trat sie auf die Menschen zu, die nun endlich zurückwichen und ihr den Weg freigaben. Schweigen senkte sich über sie, nur Poldi lachte auf. »Hat er etwa sein verrücktes Weib verlassen?«, fragte er. »Das ist das Beste, was er tun konnte – auch wenn meine Mutter glauben wird, dass wir nun endgültig in Sodom und Gomorrha gelandet sind, wo Anstand und Sitten nichts gelten. Vor allem jetzt, nachdem Barbara und ich ...«

Seine Worte rissen ab, als Magdalena missbilligend den Kopf schüttelte.

»Nun kommt«, ging Annelie rasch dazwischen. »Ihr müsst etwas essen, ihr seht hungrig aus. Ihr solltet auch ...«

Sie verstummte. Aus den Augenwinkeln sah Elisa jemanden auf sich zustürzen, lautlos und unbemerkt von allen anderen. Sie sah weißen Stoff, der im Wind flatterte, dann hatte Greta sie schon am Arm gepackt. »Du Lügnerin!«, kreischte sie.

»Du Lügnerin! Natürlich kommt Cornelius zurück! Zurück zu mir!«

Jule kam Greta nachgeeilt. »Nun bleib doch liegen!«, rief sie streng. »Deinem Kopf wird's nicht besser gehen, wenn du als bleiches Nachtgespenst durch die Welt springst.«

Elisa starrte Greta entsetzt an. Ihre dünnen weißen Haare, zwischen denen an vielen Stellen blanke Kopfhaut klaffte, flogen wild durch die Luft – bezähmt nur von einem weißen Verband, den an einer Stelle ein dunkler Blutfleck besudelte. Sie trug nur ein dünnes Kleidchen, das vom Wind gehoben wurde und den Blick auf dürre, faltige und fleckige Beine preisgab.

»Du Lügnerin!«, zischte Greta wieder, und ihre Hände gruben sich schmerzhaft in Elisas Arm.

»Greta …«, stammelte diese.

»Mutter, was ist mit dir passiert?«, schrie Emilia entsetzt dazwischen.

Da endlich ließ Greta Elisa los, doch nur, um nun auf ihre Tochter zu stürzen. Ihr Blick flackerte. Jule schüttelte tadelnd den Kopf.

»Du Verräterin!«, schrie Greta heiser. »Davongelaufen bist du! Aber dir bring ich schon noch Gehorsam bei! Du kommst jetzt mit mir mit!«

»Greta …«, Elisas Stimme gewann an Festigkeit, als sie sich ihr in den Weg stellte. »Lass uns in Ruhe über alles reden. Und Emilia, bitte lass Emilia in Ruhe. Sie und Manuel werden heiraten, und …«

Greta drängte sich an ihr vorbei und hielt Emilia noch fester gepackt.

»Gleich platzt die Wunde auf«, warf Jule nüchtern ein.

»Mutter!«, rief Emilia klagend.

»Nie wirst du Manuel heiraten! Nicht, solange ich lebe!«

Elisa sah ein, dass sie unmöglich zu ihr durchdringen konnte, doch nun ging Manuel mit einem wütenden Aufschrei auf Greta los.

»Lass Emilia in Ruhe!«

»Nicht!« Eilig drängte sich Elisa dazwischen. »Nicht! Es hat jetzt keinen Sinn …«

Manuels Kiefer mahlten aufeinander. Es waren weniger Elisas Worte als Emilias flehentlicher Blick, der ihn dazu brachte, sich zurückzuhalten.

»Kommt mir nicht zu nahe!«, kreischte Greta, obwohl nun alle gebührenden Abstand wahrten. »Kommt mir nicht zu nahe!«

Jule verschränkte seelenruhig ihre Arme vor der Brust. »Gleich kippt sie wieder um«, sagte sie zu Annelie.

Greta hatte die Worte gehört, obwohl sie nicht sicher schien, wer sie gesagt hatte. Suchend schweifte ihr flackernder Blick über die Runde.

»Verfluchtes Pack!«, schrie sie. »Ich will nichts mit euch zu tun haben! Viktor hatte recht … er hatte so recht in seiner Meinung über euch! Verfluchtes Pack seid ihr, selbstsüchtig und gemein! Keiner von euch soll sich jemals wieder auf meinen Grund wagen. Und du, Emilia, du kommst jetzt mit!«

Emilia warf Manuel, der seine Hände zu Fäusten ballte, einen letzten beschwörenden Blick zu. Dann stolperte sie Greta hinterher, indes Manuel ihr hilflos nachstarrte.

»Sie wird ihr nichts tun«, versuchte Elisa, ihn zu trösten. »Emilia ist ihre Tochter. Sie wird sie höchstens einsperren, und …«

Greta ging so schnell, dass Emilia mehrmals ausrutschte und einmal sogar auf ihre Knie fiel.

»Verflucht!«, schrie Manuel.

»Bitte«, redete Elisa auf ihn ein. »Bitte, misch dich nicht ein! Lass mich das machen!«

»Aber …«

»Ich werde mit Greta reden! Ich versprech's dir! Aber du musst dich beruhigen!«

»Siehst du«, richtete sich Jule an Annelie. »Wie ich vorhin schon sagte: Ich weiß immer noch nicht, ob's nun gut oder schlecht für sie war, dass sie überlebt hat und wieder zu sich gekommen ist.«

43. KAPITEL

Greta stellte zufrieden fest, dass sich Emilia nicht als störrisch erwies – zumindest nicht in diesem Augenblick.

Ansonsten war sie natürlich oft störrisch. Sie wollte einfach nicht einsehen, dass das Leben leichter war, wenn man sich fügte und nicht aufbegehrte. Ja, man gewann keine Macht über andere Menschen, wenn man wild um sich schlug. Zumindest gegen Viktor hätte sie, Greta, nie etwas auszurichten vermocht, wenn sie nur ihre körperlichen Kräfte eingesetzt hätte. Mit Beißen, Kratzen, Kneifen hätte sie ihn niemals so quälen können wie mit ihrem Blick, ihrem Lächeln, ihren vernichtenden Worten. Sie hätte ihn niemals in den Tod treiben und für das bestrafen können, was er ihr angetan hatte.

Emilia ließ sich willenlos bis zum Haus zerren. Sie wehrte sich nicht, als Greta sie über die Schwelle schob, und auch dann nicht, als sie sie zwang, auf ihr Zimmer zu gehen. Unsanft stieß sie sie hinein.

»Mutter …«, sie klang leise und gefasst. »Bitte, Mutter …«

»Früher war alles gut«, fuhr Greta sie an. »Als ich mit Viktor allein hier lebte, da war alles noch gut.«

»Aber Vater … du hast doch Vater geliebt!«

»Wo ist er dann? Wo ist Cornelius?«, kreischte Greta.

Emilia zuckte die Schultern. Oft hatte Greta ihre Tochter angestarrt und vergebens nach Ähnlichkeiten gesucht. Emilias Haar war nicht ganz so hell wie ihres, die Haut nicht ganz so blass, die Augen nicht ganz so blau. Doch nun war ihr, als würde sie auf das Kind blicken, das sie einst selbst gewesen war – hilflos, auf sich allein gestellt, immer auf der Hut, was die Menschen sich wohl wieder ausdenken würden, um ihr das Leben noch schwerer zu machen.

So dankbar sie eben noch gewesen war, weil Emilia nicht aufbegehrte – so schwer ertrug Greta nun diesen Anblick. Laut schlug sie die Tür zu und sperrte sie ein.

Eine Weile lauschte sie, doch Emilia blieb stumm. Langsam schritt Greta nach unten, ihr war eiskalt. Eigentlich war ihr immer eiskalt, vielleicht lag das daran, dass sie so dünn war. Sie schritt zum Ofen und heizte ein: Schon als die ersten Flammen züngelten, legte sie viel mehr Holz nach, als nötig gewesen wären. Das Feuer loderte auf; sein Prasseln erinnerte sie jäh an den Brand auf dem Schiff. Damals war ihr nicht kalt gewesen. Damals war ihre Mutter gestorben.

Greta lächelte. Am Ende hatten sie alle bekommen, was sie verdienten. Die Mutter war verkohlt, dem Vater war das Gesicht zu Brei geschlagen worden, Viktor war mit blauer Zunge an einem Baum gehangen …

Gretas Lächeln erstarb, als sie ein Klopfen hörte. War Emilia womöglich doch zu dumm, um sich zu fügen? Aber das Klopfen kam nicht von oben, sondern von der Tür – und es war nicht Emilia, die sie in ihren Erinnerungen störte, sondern Elisa, die ihr gefolgt war.

»Was willst du hier?«, fuhr Greta sie an, kaum dass sie ihr geöffnet hatte.

»Bitte, Greta, ich will mit dir reden.«

Sie klang nicht flehentlich, eher höflich – und das setzte Greta zu. Wenn Elisa so besonnen sprach, konnte das nur bedeuten, dass sie sich ihrer Sache sicher fühlte.

»Cornelius gehört mir!«, schrie sie. »Du wirst ihn niemals kriegen!«

Mit Freude sah Greta, dass sich trotz anfänglicher Gefasstheit Entsetzen auf Elisas Gesicht ausbreitete. Ja, so waren die Menschen – ängstlich, betroffen und schockiert, sobald sie in die Abgründe eines anderen blickten. Sie selbst war nie darüber schockiert gewesen. Sie hatte sogar liebend gern in diesen Abgründen gestochert.

Elisa war zunächst zurückgewichen, doch nun trat sie entschlossen über die Schwelle.

»Komm mir nicht zu nahe!«, schrie Greta, um dann zu wiederholen: »Cornelius gehört mir!«

»Greta«, sagte Elisa leise. Sie sprach beschwörend zu ihr, als wäre sie ein kleines Kind. Ein kleines, dummes Kind. Aber das war sie nie gewesen – klein vielleicht, aber niemals dumm! Sie wusste immer, was in den Menschen vorging. Sie wusste auch, was nun in Elisa vorging. Elisa war gekommen, um ihr Cornelius wegzunehmen!

Und tatsächlich sagte sie, ja, wagte es zu sagen: »Ihr ward nie wirklich verheiratet, ihr beide. Ich kenne nun die Wahrheit. Cornelius hat dir damals geholfen, aber er hat dich nie geliebt. Greta, komm zu dir! Werde endlich vernünftig und lass deine Tochter gehen!«

Greta fühlte, wie ihre Kehle eng wurde. Aber sie durfte nicht weinen, nicht vor Elisa. »Und dann?«, schrie sie. »Dann sind alle glücklich? Dann ist die Welt wieder heil? Aber die Welt ist nicht heil! Die Welt wird niemals heil sein!«

»Greta …«

»Halt dein Maul! Halt endlich dein Maul!«

Das Prasseln des Feuers wurde immer lauter. Dichter Rauch stieg hoch, denn sie hatte den Ofen nicht geschlossen. Greta vermeinte zu ersticken, doch noch ehe ihre Kräfte schwanden, stürzte sie auf Elisa zu.

»Greta …«, sagte diese leise.

»Halt dein Maul!«

Mit beiden Händen umklammerte sie Elisas Hals. Bis auf Emilia war sie seit langem keinem Menschen mehr so nahe gekommen. Vor allem Cornelius nicht. Oh, wie hatte sie sich danach gesehnt, dass er sie streicheln und sie halten würde, doch er war ihr immer ausgewichen. Er mied sie. Er mied sie, weil er in Wahrheit Elisa liebte, diese verdammte Hure, diese Hexe!

Greta lachte, als sie mit beiden Händen zudrückte. Ihr Angriff war für Elisa unerwartet gekommen; zunächst schien sie ihn nicht ernst zu nehmen, sondern ließ ihn wehrlos über sich ergehen. Dann aber, als ihr die Luft knapp wurde, versuchte sie, Gretas Hände von ihrem Hals zu reißen. Es gelang ihr nicht. Mochte ihr Kopf auch so schmerzhaft dröhnen, als würde er gleich zerplatzen – Gretas Griff war unerbittlich.

Wieder lachte Greta. Das war das Gute daran, dass ein jeder sie für ein kleines, dummes Kind hielt: Man unterschätzte sie, glaubte sich vor ihr sicher.

»Greta …«

Elisa brachte keinen Ton mehr heraus, konnte nur die Silben ihres Namens formen. Die Augen quollen ihr aus dem Gesicht. Mit den Beinen trat sie um sich, um Greta zu treffen. Doch die war auf der Hut.

»Halt dein Maul!«, kreischte sie wieder, immer wieder. »Du wirst mir Cornelius nicht wegnehmen! Und Emilia auch nicht! Die beiden gehören mir! Die beiden sind doch das Einzige, was mir geblieben ist!«

Der Rauch verdunkelte das Bild vor ihr, doch dass Elisa irgendwann leblos wie ein Mehlsack an ihr hing, fühlte sie auch, ohne etwas sehen zu können.

Sie ließ sie los, Elisa brach zusammen.

Ja, dachte Greta zufrieden, jetzt hält sie endlich ihr Maul.

Jetzt würde sie ihr Cornelius nicht mehr wegnehmen.

Sie wusste nicht, wie lange sie vor der ohnmächtigen Elisa stand und auf sie herabstarrte. »Die Welt wird niemals heil«, murmelte sie immer wieder. »Die Welt wird niemals heil.«

»Mutter? Was ist los? Was ist geschehen?«

Erst jetzt hörte sie Emilias Rufe. So panisch wie ihre Stimme klang, schrie sie womöglich schon die ganze Zeit.

Greta rührte sich nicht.

»Die Welt wird niemals heil«, murmelte sie.

Doch einmal, fiel ihr ein, einmal war sie heil gewesen … damals, als Cornelius sie gefunden hatte, sie und den blutenden, ohnmächtigen Viktor, als er sie getröstet und Viktor getragen hatte, als er ihr die Hoffnung schenkte, es gäbe einen, der für sie da wäre und ihr helfen würde.

Nun, als wenig später das Schiff brannte, hatte er ihr nicht geholfen. Der Vater hatte Viktor und sie nach oben gezerrt, während die Mutter elendiglich verbrannte.

Gretas Gesicht verzerrte sich.

Flammen … überall waren Flammen gewesen …

Hitze stieg ihr ins Gesicht, sie hustete gegen den dichten Rauch an. Ja, überall waren Flammen gewesen … aber zu wenige … viel zu wenige … Sie reichten nicht, um alles niederzubrennen, alles auszumerzen.

Da nahm sie ein weiteres Holzscheit, hielt es in die Flammen, und kaum brannte es, warf sie es zu Boden.

Eine Weile fürchtete sie, das Flämmchen würde kraftlos verglühen, doch stattdessen wuchsen sie, wuchsen zu einem knisternden Meer an, das sich auf dem Boden ausbreitete und schließlich die Wände hochkletterte.

»Du musst mich retten, Cornelius«, flüsterte Greta grinsend. »Du musst mich retten.«

Elisa lag reglos am Boden.

Gut so, dachte Greta.

Emilia hämmerte an die Tür. »Was ist los, Mutter? Was ist dort unten los?«

»Es wird alles gut!«, murmelte Greta, und die flackernden Flammen spiegelten sich in ihrem kalten Blick. »Cornelius wird uns retten. Es wird alles gut ...«

Poldi lief ziellos durch den Wald. Manchmal blieb er stehen und scharrte nachdenklich in der Erde, als gäbe es dort etwas auszugraben, was ihn ablenken würde. Er wusste, dass auch die Arbeit das zustande bringen könnte, doch zu arbeiten hätte bedeutet, mit anderen Menschen zusammenzutreffen. Nach den letzten Stunden, in denen sie erst vor Jules Schule gewartet und dann Elisa, Emilia und Manuel empfangen hatten, hatte er vorerst genug davon.

Nach Hause konnte er auch nicht gehen – dort müsste er Resa begegnen. Hätte sie geweint, so hätte er sie vielleicht ertragen, hätte trotzig oder gereizt reagiert. Doch Resa wirkte kühl und gefasst.

Es machte ihm zu schaffen, dass er nicht wusste, ob sie ihre Beherrschung nur spielte oder tatsächlich nur wenig überrascht war, von ihm und Barbara zu erfahren. Und noch mehr machte ihm zu schaffen, dass er sich schuldig fühlte – zum ersten Mal seit langem.

Am Anfang seiner Ehe hatte er sich oft gefragt, wie er mit dem, was er Resa antat, leben konnte, aber sonderlich tief war diese Frage nie gegangen, hatte nie unerträglich schmerzhaft an ihm genagt. Irgendwann hatte er sich an seine Schuldgefühle gewöhnt und manchmal höchstens darum kämpfen müssen, sie Barbara auszureden.

Nun fühlte er sich schäbig, umso mehr, da er Resa vorgehalten hatte, Greta niedergeschlagen zu haben. Er wusste, dass das nicht stimmte. Er hatte zwar keine Ahnung, wer es getan hatte – aber Resa, so war er sich sicher, schied aus.

Ihr das sagen und sich entschuldigen konnte er allerdings nicht. Eigentlich konnte er gar nichts. Nicht arbeiten. Aber auch nicht allein sein. Seine Welt war ihm zu groß und gleichzeitig zu klein.

»Verfluchte Greta!«, rief er und fühlte sich noch schäbiger, weil er ihr die Schuld zuschob, anstatt sie selbst zu tragen. Er trat in die Erde; kleine Lehmbrocken flogen in die Luft. Er stellte sich vor, er würde auf sich selbst eintreten, würde sich unerbittlich bestrafen, um auf diese Weise wieder Frieden zu erlangen, und hob erneut den Fuß.

Doch plötzlich hielt er inne. Eben noch hatte ihn der würzige Geruch des Waldes eingehüllt – nun stieg ihm Rauch in die Nase. Für einen kurzen Moment war ihm dieser Geruch vertraut – erinnerte er doch an die Brandrodungen der ersten Jahre. Erst im zweiten Augenblick erfasste er die Bedrohung, die davon ausging, denn schließlich hatten sie seit Jahren nicht mehr brandgerodet.

Er lief aus dem Wald und hoffte zunächst, dass jemand lediglich zu viel geheizt hatte, doch als er die Rodungsgrenze erreichte, von der er die meisten Häuser der Siedlung überblicken konnte, schrie er entsetzt auf.

Sein erster Blick war zum Hof seiner Eltern gegangen, wo nichts Auffälliges zu sehen war. Der zweite aber richtete sich auf das Mielhahn-Haus – es wurde immer noch so genannt, obwohl Greta längst Suckow wie Cornelius hieß –, und nun erkannte er, woher die dichte Rauchwolke kam, die bereits bis zum Wald gezogen war.

»Mein Gott!«, stieß er aus.

Greta.

Sie hatte ihr Haus angezündet.

Keinen Augenblick kam ihm die Möglichkeit in den Sinn, dass es auch ein Unglück gewesen sein konnte.

Hilfesuchend blickte er in sämtliche Richtungen. Hatten die anderen den Rauch auch gerochen? Sollte er zum brennenden Haus laufen, um das Feuer einzudämmen, oder lieber zu den anderen Siedlern, um sie zu warnen?

Er rannte los, ohne eine Entscheidung gefällt zu haben.

»Es brennt!«, brüllte er aus vollem Hals. »Es brennt!«

Da entdeckte er Manuel am Seeweg.

»Manuel!« Der junge Mann schien ihn nicht zu bemerken. Poldi sah, dass er einen Eimer in den Händen trug, und erkannte sofort, dass der Versuch, mit so lächerlichen Mitteln das Feuer zu löschen, kläglich scheitern würde.

»Manuel!«, schrie er wieder. »Wissen die anderen schon Bescheid?«

Als er ihn endlich erreichte, sah der Junge ihn verstört an.

»Mutter …«, stammelte er. »Mutter wollte mit Greta reden. Und Emilia … Emilia ist doch auch dort.«

Er ließ Poldi stehen und stürmte weiter. Wieder drehte dieser sich unsicher um. Sollte er auf Hilfe warten? Aber wenn sie zu spät kam?

Schließlich war es die nackte Angst um Elisa, die ihn antrieb. Rasch hatte er Manuel eingeholt. Sie liefen so schnell, dass ihnen der Atem fehlte, um noch etwas sagen zu können. Dann hatten sie das Haus erreicht. Eine der Wände brannte bereits lichterloh, die anderen wirkten noch heil, aber gerade begannen die rötlichen Zungen am Dach zu lecken. Es würde nicht mehr lange dauern, und das Holzhaus stünde lichterloh in Flammen. Poldi wich unwillkürlich vor der Hitze zurück.

»Emilia!«, schrie Manuel.

Zunächst hörten sie nur Knistern und Knacken, und Poldi

hatte Angst, dass sie viel zu spät kamen. Dann aber rief eine leise Stimme. »Manuel, ich bin hier!«

Inmitten der dunklen Rauchschwaden sah Poldi etwas Weißes. Emilia hatte sich aus dem Fenster des oberen Stockwerks gebeugt und winkte ihnen verzweifelt zu.

»Sie hat mich eingesperrt! Ich kann nicht springen! Nicht ohne deine Hilfe!«

Manuel stürmte auf das Haus zu.

»Du musst springen! Du hast es doch schon einmal geschafft! Ich fange dich auf!«

Poldi achtete nicht länger auf die beiden, vertraute darauf, dass Manuel das Richtige tun würde, und lief zur Haustür. Energisch rüttelte er an dem Griff, um sie zu öffnen, doch der ließ sich nicht bewegen. Entweder hatte Greta das Haus versperrt oder die Tür klemmte.

Er stürzte zu einem der Fenster, lugte hindurch.

»Elisa!«, schrie er.

Zuerst sah er nichts, denn einer der Vorhänge hatte Feuer gefangen. Doch als er abriss und zu Boden fiel, erkannte er zwei Gestalten reglos und dicht nebeneinander am Boden liegen.

Elisa und Greta.

Waren sie tot?

Poldi riss sich sein Hemd vom Leib und hielt es sich vor die Nase. Ein zweites Mal stürmte er zur Tür, um diesmal wieder und wieder mit den Füßen dagegenzutreten. Zunächst war der Widerstand des Holzes zu stark. Dann endlich knarrte und krachte es, und die Tür flog auf. Funken stoben ihm entgegen. Er glaubte, vor Hitze fast ohnmächtig zu werden, und seine Augen tränten so stark, dass er nichts sah. Wieder wollte er Elisas Namen rufen, doch ihm fehlte die Luft dazu, Rauch verätzte seine Kehle.

Mühsam setzte er einen Fuß vor den anderen. Er vermied,

hoch zur Decke zu sehen, wo die Balken bereits lichterloh brannten. Nicht mehr lange, dann würden einer nach dem anderen durchbrechen und alle begraben, die nicht rechtzeitig fliehen konnte.

Hoffentlich war Emilia schon in Sicherheit …

Blind tastete er sich weiter vor, bis sein Fuß gegen ein Hindernis stieß. Er beugte sich hinab.

Elisa …

Ihre Haare waren etwas versengt, und um ihren Hals nahm er rote Male wahr, doch ihm war, als würde sich ihre Brust sachte heben und senken. Er bemühte sich, sie über seine Schultern zu heben, aber es gelang ihm nicht. Stattdessen entglitt ihm das Hemd, das er sich schützend vors Gesicht gehalten hatte, und noch mehr ätzender Rauch stieg in seine Kehle. Er wusste, dass er nicht mehr viele Atemzüge machen durfte, ehe er das Bewusstsein verlor – und er wusste auch, dass er zu geschwächt war, um Elisa zu tragen. Mit letzter Kraft packte er sie darum unter den Achseln und zog sie hinaus.

Bei jedem Schritt wurde es heißer, und das Feuer prasselte immer lauter. Mit übermenschlicher Anstrengung erreichte er endlich die Türschwelle, stolperte darüber und zog Elisa hinterher. Dann konnte er nicht mehr und sackte auf die Knie.

Schatten tauchten neben ihm auf, und er glaubte schon, dass die Wände zusammenbrechen würden. Doch es waren Manuel und Emilia, die ihn und Elisa rasch vom brennenden Haus wegzerrten – keinen Augenblick zu früh, denn im nächsten Moment stürzten mit lautem Krachen die Dachbalken in sich zusammen.

Poldi hustete sich die Seele aus dem Leib und barg seinen Kopf im hohen Gras, um sich vor Splitter, Asche und Rauch zu schützen. Als er sich endlich wieder aufrichten konnte, sah er, dass Manuel sich über Elisa beugte, zuerst an ihr rüttelte, dann sachte auf ihr Gesicht schlug.

»Mutter!«, rief er. »Mutter!«

Weinend und zitternd stand Emilia neben ihm.

»Mutter, nun sag doch etwas …«

Da endlich ging ein Ruck durch Elisas Gestalt. Ein röchelnder Ton ertönte. Mühsam kämpfte sie sich hoch.

»Manuel … was … was …«

Poldi wollte zu ihr eilen, doch Emilia stellte sich ihm in den Weg. »Und was ist mit meiner Mutter?«, fragte sie heiser.

Poldi schüttelte düster den Kopf. »Es tut mir leid«, jedes Wort tat ihm in der Kehle weh. »Es tut mir so leid. Ich konnte sie nicht retten.«

Die Tränen zogen Schlieren in Emilias Gesicht, doch sie verbiss sich weitere und presste ihre Lippen aufeinander. Ihre Miene wurde starr.

Elisa war mit Manuels Hilfe aufgestanden. »Was ist passiert?«, fragte sie ein ums andere Mal. »Was ist denn nur passiert?«

Sie drehte sich um und stieß einen entsetzten Schrei aus, als sie sah, was sie nun alle sahen: Das Feuer hatte den Schuppen neben Gretas Haus erreicht und war von dort auf einige Bäume übergesprungen. Munter fraß es sich durchs trockene Gehölz. Wenn sie es nicht eindämmten, würde bald das ganze Seeufer in Flammen stehen.

44. KAPITEL

*D*ie Rauchschwaden, die eben noch dicht über dem Boden geschwebt waren, zogen nun, einige Stunden nachdem das Feuer ausgebrochen war, langsam höher und verflüchtigten sich etwas. Der beißende Geruch lag zwar immer noch quälend in der Luft, aber Elisa konnte endlich mehr von der Umgebung sehen als nur ihre eigenen Hände. Erst jetzt nahm sie die Stille wahr, die sich über sie alle gesenkt hatte.

Erschöpft ließ sie sich zu Boden fallen. Nach dem Lärm war die Stille fast unerträglich – nach dem Schreien, dem Knirschen, dem Gerenne, dem Heulen, schließlich dem Prasseln der Flammen, dem bedrohlichsten Geräusch.

Dieses war endgültig verstummt, doch Stimmen, wenn auch nicht mehr so aufgeregte und panische wie vorhin, waren nach einer Weile des Schweigens weiterhin zu hören. Eine Schar Männer legte eben am Ufer an. Sie stellten sich als Mitglieder jenes Feuerwehrsvereins vor, den Carlos Anwandter schon vor fast dreißig Jahren gegründet hatte. Beim großen Brand von Valdivia im Jahr 1859 hatten sie wichtige Dienste geleistet – hier nun kamen sie zu spät.

»Das Feuer ist gelöscht!«, rief irgendjemand ihnen zu. »Hat zwar manch Schaden angerichtet, aber das Schlimmste konnten wir verhindern.«

Elisa legte den Kopf ins Gras und blickte gen Himmel. Die Kehle schmerzte; sie wusste nicht, ob das vom Rauch kam oder von Gretas unbarmherzigem Griff. Bilder stiegen vor ihr auf – kurz und grell wie Blitze: vom Feuer, wie es den Wald erfasst hatte. Von sich selbst, wie sie den letzten Schwindel abschüttelte und zu ihrem Haus rannte. Von ihren drei Söhnen, die eimerweise Wasser schleppten, um entweder das Feuer im Wald einzudämmen oder die Häuser nass zu spritzen, damit die Funken nicht auf sie überspringen konnten.

Zunächst hatte alles danach ausgesehen, dass sie den Kampf gegen die Flammen verlieren würden. Der Ostwind hatte die Funken sehr weit getragen und sie schließlich aufs Dach der Schule herabregnen lassen. Annelie, Jule und Christine kämpften erbittert um das Haus. Schließlich war ein Teil des Dachgebälks eingestürzt, aber das restliche Gebäude blieb verschont. Ob Jule bei dem Gestank allerdings bald wieder darin leben oder gar Kinder unterrichten konnte, war ungewiss.

Elisa schloss die Augen. Ihre Handflächen brannten. Sie hatte so viele Eimer geschleppt, dass sich Blasen gebildet hatten. Irgendwann war sie mit einem Eimer direkt in Poldi hineingelaufen, der reglos am Ufer des Sees gestanden hatte.

»Was stehst du hier herum?«, fuhr sie ihn an. »Warum hilfst du nicht?«

Erst jetzt ging ihr auf, wie ungerecht es gewesen war, ihn derart anzufahren, da er sie aus den Flammen gerettet hatte. Und erst jetzt wusste sie auch, warum er dermaßen schreckerstarrt dort gestanden hatte. Das Haus der Glöckners war als eines der wenigen abgebrannt, und er hatte dabei hilflos zusehen müssen.

Schließlich hatte er sich aus der Starre gelöst – nicht weil Elisa auf ihn einschrie, sondern die heulenden Töchter. Elisa hätte die drei Mädchen und Jacobo am liebsten verfluchen wollen, weil sie nicht beim Löschen halfen, sondern wie aufgescheuchtes Federvieh durch die Gegend liefen. Doch als Poldi Frida am Arm packte, erklärte sich, was sie derart aus der Fassung brachte.

»Mutter!«, schrie Frida. »Mutter wollte in den Hühnerstall gehen … die Hühner retten …«

Poldi rannte los, und Elisa folgte ihm. Die Flammen hatten bereits eine breite Schneise in den Wald geschlagen, aber der Wind ließ endlich nach. Nicht nur die Schule war gerettet, sondern auch das Haus der von Grabergs und der Steiners. Das Haus der Glöckners aber brannte weiterhin lichterloh – und knapp dahinter der Hühnerstall.

»Resa!«, brüllte Poldi.

Der Hühnerstall war niedrig, jedoch langgezogen.

»Resa!«, schrie Poldi wieder.

In diesem Augenblick brach das Dach ein. Wie rote Blitze umtanzte das Feuer das schwarze Holz. Als Poldi darauf zustürzen wollte, hielt Elisa ihn fest. »Es ist zu spät!«, schrie sie. »Du kannst nichts mehr für sie tun!«

Er wehrte sich gegen ihren Griff, und eine Weile rangen sie miteinander. Obwohl eigentlich der Stärkere, lähmte die Furcht um seine Frau Poldi so sehr, dass Elisa ihn im Zaum halten konnten. Und als ihre Kräfte zu schwinden drohten, da ließ plötzlich sein Widerstand nach – nicht, weil er eingesehen hatte, dass es zu gefährlich war, dem Hühnerstall zu nahe zu kommen, sondern weil Resa neben ihnen auftauchte. Ihre Haare waren etwas versengt, aber ansonsten war sie wohlauf. In den Händen hielt sie zwei gackernde Hühner.

Elisa seufzte, Poldi hingegen schrie auf vor Erleichterung.

»Was schreist du so?«, fragte Resa leise. Ihr Blick war starr und ausdruckslos auf das Feuer gerichtet.

»Mein Gott, Resa, ich dachte, du wärst da drinnen!«

Ein kühles Lächeln verzerrte Resas Mund. »Wenn ich tot wäre, könntest du doch endlich meine Mutter heiraten!«

»Sag so etwas nicht!«, rief Poldi entsetzt.

»Aber das ist es doch, was du willst.«

»Resa …«

Elisa hatte Poldi losgelassen. Was immer die beiden zu bereden hatten – sie war hier fehl am Platz. Sie wankte zum
See, ließ sich dort niederfallen, und hier lag sie so lange, bis
Schwindel und Übelkeit nachließen und die Söhne zu ihr eilten, um nach ihr zu sehen.

Über Tage blieb an ihnen allen der unerträgliche Gestank
nach Rauch haften. An Elisas Hals hatten sich dort, wo Greta
sie gewürgt hatte, rote Male gebildet. Sie färbten sich erst
blau, dann gelb, dann verblassten sie.

Wenig wurde in dieser Zeit gesprochen. Kein Triumph, dass
sie das Schlimmste vermieden hatten, breitete sich in den Gesichtern aus, nur Erschöpfung und Entsetzen darüber, wie
knapp sie einer Katastrophe entgangen waren.

Still verlief auch Gretas Begräbnis. Aus den Ruinen ihres
Hauses war etwas geborgen worden, was man für den Leichnam hielt. Ob er es tatsächlich war, bezweifelte Elisa, aber wie
alle anderen sprach sie es nicht aus.

Nachdem Poldi sich von dem Schrecken erholt hatte, dass
Resa verbrannt sein könnte, erwachte alte Wut auf Greta, und
er wollte ihr das Begräbnis verweigern. »Sie trägt doch die
Schuld an allem, sie allein! Diese böse Hexe!«

Elisa packte ihn am Arm. »Sei still jetzt!«

»Du könntest tot sein – ihretwegen!«

»Vielleicht hat Greta nicht verdient, dass man ihr die letzte
Ehre erweist, aber in jedem Fall hat es Emilia verdient, dass
sie sich in Würde von ihrer Mutter verabschieden kann.«

Da erst verstummte Poldi.

Emilia gab sich tapfer. Mit starrer Miene stand sie vor dem
Grab. Sie wehrte Manuel ab, als er sie stützen wollte, und
blieb auch dann noch am Grab stehen, nachdem es längst zu-

geschüttet war. Elisa schickte Manuel fort und beobachtete das Mädchen selbst aus gebührendem Abstand. Erst als es finster wurde, trat sie zu ihr, raunte ihr ins Ohr, dass sie nun endlich gehen sollten, und zog sie sanft mit sich.

Emilia wehrte sich nicht, aber endlich brach sie in Tränen aus.

»Ich habe sie nie verstanden … Ich habe nie verstanden, was sie wollte! Manchmal dachte ich, sie liebt meinen Vater, aber dann hat sie ihn wieder abscheulich beschimpft. Manchmal dachte ich, sie liebt mich, doch dann hat sie mich an den Haaren gerissen oder mich gekniffen. Ich wusste nie, was ich falsch gemacht habe.«

»Wahrscheinlich wusste sie es selbst nicht. Wahrscheinlich wollte sie dir eine gute Mutter sein, so wie Cornelius eine gute Frau. Aber sie konnte es eben nicht … nicht immer.«

»Sie war krank, oder?« Emilia starrte sie an. Ihre Tränen waren versiegt. »Und wenn ich auch krank bin? Wenn ich es im Blut habe?«

»Ach, Emilia«, Elisa strich ihr über das Gesicht und wischte die Tränen fort. »Du bist eine starke, tapfere, junge Frau. Das hast du in Valparaíso bewiesen, als du dich von diesen schrecklichen Männern befreit hast. Ja, vielleicht war Greta krank, aber sie war nicht durch und durch böse.«

»Sie wollte dich töten!«

Elisa seufzte. Eigentlich hatte sie sich gewünscht, dass Emilia nichts von dem Vorfall erfuhr, aber offenbar hatte Poldi seinen Mund nicht gehalten. »Greta hatte eine schlimme Kindheit. Ihr Vater hat ihren Bruder misshandelt, und ihre Mutter hat die beiden nie vor ihm geschützt. Sie war immer auf sich allein gestellt. Und in einem hatte sie wohl recht: Wir alle haben uns zu wenig um sie und Viktor gekümmert. All das hat sie zu dem gemacht, was sie war. Unter anderen Umständen wäre sie vielleicht eine fröhliche, tüchtige, feinfühlige Frau geworden. Du solltest keine Angst haben, etwas mit ihr gemein zu haben. Du solltest vielmehr das, was in ihr verkümmert ist, leben, Emilia!«

Das Mädchen senkte seinen Blick. »Und nun?«, fragte sie. »Was passiert nun?«

»Wir müssen alle nach vorne schauen. Du wirst Manuel heiraten und ...«

Genau in dem Augenblick, da sein Name fiel, kam er auf sie zugerannt. Seine Hast war befremdlich, da in diesen Tagen alles unter der erstickenden Rauchwolke begraben lag.

Zunächst dachte Elisa, dass seine Sorgen Emilia galten. Doch als er näher kam, sah sie den tief betroffenen Ausdruck seines Gesichts.

»Schnell! Kommt schnell!«, schrie er.

»Was ist passiert?« Beide Frauen waren zusammengezuckt.

»Jule ... Jule ist zusammengebrochen! Sie hat doch so für die Schule gekämpft – offenbar ist das zu viel für sie gewesen. Annelie sagt, dass es schlecht um sie steht.«

Alle Siedler hatten sich vor dem Haus der von Grabergs versammelt, wohin man Jule nach ihrem Zusammenbruch gebracht hatte. Auch in weiter entfernte Ortschaften hatte sich herumgesprochen, wie schlecht es ihr ging, und bis zum Abend kamen immer mehr Besucher. Annelie trat mehrmals vor die Tür, um immer nur einige wenige hereinzulassen. Denn Jule, kraftlos, bleich und sichtbar um Atem ringend, war noch stark genug, zu verkünden, dass sie zu viele Menschen gleichzeitig unmöglich ertragen würde, das hätte sie nie gekonnt, warum solle sie ausgerechnet in ihrer Todesstunde ein anderer Mensch werden. Außerdem, so setzte sie mürrisch hinzu, verachte sie die Heuchelei, zu der sich alle zwangen, kaum ging es mit einem Menschen zu Ende.

»Aber du stirbst doch nicht!«, schrie Annelie auf.

»Hör zu heulen auf!«, fuhr Jule sie an. »Der Mensch wird geboren. Der Mensch stirbt. Ich habe ein gutes Leben gehabt.« Sie keuchte. »Na ja, es war vielleicht nicht immer gut«, berichtigte sie sich. »Aber es war immer meines, und das ist das Wichtigste.«

Kopfschüttelnd richtete sie sich an Annelie. »Ich hab schon länger gefühlt, dass mein Herz nicht mehr recht schlagen mag. Ich war also darauf vorbereitet. Es gibt keinen Grund zum Flennen.«

Annelies Weinen erstarb, doch an ihrer Stelle war es nun Christine Steiner, die schluchzte. Sie war es gewesen, die Jule gefunden hatte, nicht weit von der Schule entfernt.

Trotz ihres rasselnden Atems war Jule stark genug, die weinende Christine anzuherrschen: »Jetzt fang du nicht auch noch an!«

Mehrmals hatte sie sich mit schmerzverzerrtem Gesicht an die Brust gegriffen, doch zugeben, welche Qualen sie litt, wollte sie nicht.

»Was soll ich nur ohne dich machen?«, rief Christine verzweifelt. »Wir gehören doch zusammen! Irgendwie …«

Es war ohne Zweifel das Netteste, was sie jemals zu Jule gesagt hatte. Diese antwortete nicht. Als die Tür aufging und Elisa mit Manuel hineinstürmte, verdrehte sie die Augen.

»Hab ich nicht gesagt, dass ich so viele Menschen auf einmal nicht ertragen kann?«

Barbara, die bisher schweigend an ihrem Krankenbett gestanden hatte, trat zu ihr. »Aber wir wollen uns doch von dir verabschieden.«

»Meinetwegen«, schnaubte Jule. »Aber bevor ihr euch schwülstige Reden zusammenreimt, lasst mich noch kurz allein … und zwar mit Annelie. Ich habe etwas mit ihr zu beschwatzen.«

Annelie blickte verwundert auf Jule, doch die anderen gehorchten dem Wunsch der Sterbenden sofort. Als Christine Steiner das Haus verließ, warf sie einen letzten wehmütigen Blick auf die Frau, von der sie stets behauptet hatte, dass sie ihre größte Feindin wäre, obwohl sie sie wohl insgeheim als wichtigste und langjährigste Gefährtin ansah, und schluchzte erneut auf.

Annelie sah Jule sorgenvoll an. Binnen weniger Augenblicke wirkte ihr Gesicht noch bleicher und eingefallener, und der Atem ging noch rasselnder.

Doch so störrisch, wie sie sich im Leben erwies, zeigte sie sich auch im Sterben. Zwar gelang es ihr nicht, sich aufzurichten; vielmehr ließ sie sich sofort wieder mit schmerzverzerrtem Gesicht fallen, aber sie fragte mit üblich schroffer Stimme, die sämtliche Gefühle verbarg: »Sind endlich alle draußen? Dieses Geheule ist ja nicht auszuhalten!«

Annelie schluckte schwer. »Warum wolltest du mit mir allein bleiben?«, fragte sie und konnte nicht verhindern, dass ihr die Kehle immer enger wurde.

»Werd nicht sentimental«, fauchte Jule sie an, wenngleich ihr Blick sich ebenfalls etwas verschleierte. »Glaub nicht, ich tat's, weil du mir von allen am nächsten standest. Ich habe euch alle irgendwie ertragen müssen – auch dich. Allein konnte ich hier nun mal nicht überleben.«

Annelie hörte über die Kränkung hinweg, setzte sich auf die Bettkante und ergriff Jules Hand. Kurz schien es, als würde die sie ihr sofort wieder entziehen, aber dann drückte sie sie fest.

Annelie versuchte ein Lächeln. »Ich habe viel von dir gelernt«, sagte sie leise. »Vor allem, dass es oft ausreicht, sich selbst zu haben, um glücklich zu werden ...«

»Wie ich schon sagte – keine Sentimentalitäten!«, unterbrach

Jule sie ruppig. »Deswegen wollte ich auch nicht mit dir allein sein.«

»Aber …«

»Ich möchte dir vielmehr eine Frage stellen: Warst du es?«

Annelies Lächeln erstarb. Verwundert riss sie ihre Augen auf. »Was war ich?«

Obwohl das Atmen ihr schwerfiel, stieß Jule einen Laut aus, der wie ein Kichern klang. »Ich will wissen, ob du Greta eins übergezogen hast?«

Annelie starrte verlegen auf ihre Hände, ehe sie sich fing und ein entrüstetes »Wie kommst du nur darauf?« ausstieß.

Wieder ertönte das Kichern. »Also warst du's!«, stellte Jule zufrieden fest. »Weißt du, ich habe die ganze Zeit darüber nachgedacht …«

»Jule!«

»Ja doch, ich weiß, du hast es nicht geplant … hast eigentlich nur mit ihr reden wollen. Aber dann hat sich diese Hexe vor dir aufgebaut und dir erklärt, dass Cornelius immer ihr gehören wird, niemals Elisa; dass sich Elisa zum Teufel scheren solle und sie, solange Greta lebte, niemals ihr Glück finden würde. Und da ist dein Temperament mit dir durchgegangen. Wahrscheinlich dachtest du, du wärst es Elisa schuldig …«

Ihre Worte gingen in heftiges Husten über. Mühsam schöpfte Jule nach Atem.

Annelie stützte hilfsbereit ihren Kopf. »Du sollst dich nicht aufregen!«, rief sie streng.

Jule hustete ein letztes Mal, dann sank sie auf das Kissen zurück. Ihre Stirn war von kaltem Schweiß bedeckt. »Ich rege mich nicht auf«, erklärte sie knapp. »Ich wollte nur die Bestätigung für das, was ich vermutet habe.«

»Ich hab's aber nicht zugegeben.«

»Musst du auch nicht.« Stille senkte sich für kurze Zeit über sie, in der nur Jules Atemzüge zu hören waren. »Ich hab dir gar nicht zugetraut, dass du so stark bist«, presste sie heiser hervor. »Ich hab dir eigentlich nie viel zugetraut. Aber du hast dich anständig gemausert.«

Annelie schüttelte den Kopf. »Du sprichst ja im Fieber!«

»Ich habe kein Fieber, nur ein schwaches Herz! Tja, auch wenn du aussiehst, als wärst du eines dieser Weibsbilder, die vom Leben verzärtelt werden wollen, anstatt es selbst kräftig anzufassen, könntest du meine Tochter sein.«

Sie drückte ein letztes Mal Annelies Hand, um sie dann loszulassen. Annelie stiegen Tränen in die Augen, und sie wandte ihr Gesicht ab, damit Jule sie nicht sehen konnte. Nie hatte Jule ihr deutlicher zu verstehen gegeben, dass sie sie aufrichtig mochte.

»Deine leiblichen Töchter«, setzte Annelie an, »hast du oft an sie gedacht? Hast du es jemals bereut, dass du sie einfach zurückgelassen hast?«

Jule drehte ihren Kopf zur Seite. Eine dünne, graue Strähne fiel ihr ins Gesicht. »Es war nicht so, dass ich sie nicht liebte. Ich konnte eben nicht viel mit ihnen anfangen. Und mit meinem Mann noch weniger. Als ich damals ging – weißt du: Ich tat das für mich … nicht gegen sie. Es kam zwar dasselbe dabei raus, aber ich hoffe inständig, dass sie glücklich geworden sind. Oder vielmehr hoffe ich, dass sie dasselbe sagen können wie ich: dass sie ihr Leben gelebt haben, nur das ihre.«

Ihre Worte kamen immer langsamer, am Ende erstarb ihre Stimme. Sie schloss die Augen, und als Annelie ihr die graue Strähne aus dem Gesicht strich, schien Jule es gar nicht mehr zu bemerken.

Annelie wusste nicht, wie lange sie an Jules Bett saß. Zeit wurde unwichtig; das Gemurmel von draußen drang nicht länger bis zu ihren Ohren. Sie bemerkte nicht einmal, wie die Däm-

merung ihre Fäden spann und das letzte Tageslicht verschluckte. Alles in ihr war darauf ausgerichtet, Jules Atemzüge zu be-
lauschen, die immer langsamer wurden, immer leiser – und
schließlich endgültig verstummten.

45. Kapitel

Innerhalb weniger Tage fand ein zweites Begräbnis statt, doch dieses verlief ganz anders als das von Greta. Der Rauch hing immer noch beißend über ihnen – der Wind vom See hatte ihn in all der Zeit nicht vertreiben können –, aber die Menschen standen nicht verlegen, stumm und insgeheim erleichtert vor dem offenen Grab. Stattdessen zeigte man echte Trauer und hielt viele Reden. Gerade die Jüngeren unter ihnen hatten zwar immer Angst vor Jules schroffer Art gehabt. Doch dem tiefen Respekt vor ihr hatte das nichts anhaben können – Respekt vor einer Frau, die zu den ersten Siedlern gehört hatte, die manche Krankheit und Verletzung hatte heilen können und die schließlich inmitten der Wildnis eine Schule gegründet hatte.

Ohne Zweifel war sie eine merkwürdige Frau gewesen, die so ganz anders lebte und sprach und sich verhielt, als man es erwartete, aber Jule war eben Jule – nicht nur Stütze, sondern Säule ihrer Gemeinschaft, und ihr Fehlen riss eine Lücke, die so schnell niemand füllen würde.

Beim anschließenden Mahl sprach Christine lobende Worte über die Frau, mit der sie ein Leben lang gestritten hatte und deren Tod sie doch über Nacht hatte altern lassen. Ihre Stimme zitterte hörbar, und mehrmals musste sie abbrechen, weil Schluchzen ihre Worte unterbrach, doch als Annelie ihr andeuten wollte, dass sie genug gesagt habe, so fuhr sie ihr so schroff, wie es bislang nur Jule getan hatte, über den Mund und verlangte, die Rede zu Ende zu führen.

Als Poldi seine Mutter musterte, überkam ihn Rührung. Sosehr sie unter Jules Tod litt – morgen, dessen war er sich sicher, würde sie ihren Rücken straffen, ihr Kinn hochrecken und weitermachen, so wie sie es immer getan hatte. Nach dem Unfall des Vaters, nach Lukas' Tod, nach Fritz' Weggang aus dem Dorf. Ja, auch damit, dass er, ihr Jüngster, in Unehre gefallen war, würde sie fertig werden. In den letzten Jahren hatte sie an Kraft verloren, vielleicht auch an Lebensfreude – aber nie hatte sie es an Willen fehlen lassen, die eigene Würde zu wahren und ähnlich selbstbewusst wie Jule durchs Leben zu gehen.

Poldi seufzte, unsicher, ob auch er das konnte – mit jenen misstrauischen, spöttischen, herablassenden Blicken fertig zu werden, die ihn trafen. Auch Barbara bekam diese zu spüren. Sie hatte es sich nicht nehmen lassen, zu Jules Beerdigung zu kommen, doch vor dem Leichenschmaus huschte sie unauffällig weg. Obwohl Poldi der Magen knurrte, verging ihm augenblicklich der Appetit. Er eilte ihr nach, und es war ihm gleich, ob es jemand sah.

Was soll's, dachte er, unser Ruf ist ohnehin ruiniert …

Barbara ging in Richtung des Waldes, ohne sich umzudrehen – einen Weg, den sie so oft gegangen war: bis vor kurzem, um sich heimlich mit ihm zu treffen, jetzt, um allein zu sein. Kurz zögerte er, ihr zu folgen und sie zu stören, doch als sie sich der Rodungsgrenze näherte, rannte er ihr nach.

»Barbara!«

Sie stapfte weiter, als hätte sie ihn nicht gehört. Er holte sie ein. »Barbara! Wir müssen miteinander reden.«

Endlich hielt sie inne. »Worüber?«

Sie blickte ihn an, und der Ausdruck ihres Gesichts erschreckte ihn. Ihre braunen Augen glänzten nicht, sondern waren wie erstorben. Anstelle der Grübchen, die ihn stets bezaubert hatten, gruben sich tiefe Falten in die Wangen. Ihre Bewegungen waren noch rege wie einst; ihre Haare noch kräftig und ohne weiße Strähnen. Und obwohl sie nicht alt wirkte – so alt wie seine Mutter oder wie Jule –, war sie dennoch gebrochen.

»Wir müssen darüber reden, wie es weitergeht.« Seine Stimme klang zaghaft.

»Rede lieber mit Resa darüber.«

»Als ich ihr sagte, dass ich unser Haus wieder aufbauen werde, hat sie verkündet, dass sie es nie betreten wird.«

»Und wo will sie stattdessen leben?«

»Christl hat ihr Unterschlupf geboten.« Er zog verdrießlich die Stirn in Falten. Ausgerechnet Christl!

Barbara nickte jedoch zustimmend. »Das ist gut. Das Leben wird für sie weitergehen … irgendwie.«

Sie wandte sich ab. Der durchdringende Geruch der Araukarien stieg ihm in die Nase. Solange er lebte, würde dieser Geruch für ihn immer Barbaras Geruch sein, der Geruch ihrer Liebe, der Geruch ihrer Lust. Vielleicht war nie wirklich genug Liebe da gewesen, sondern immer nur Lust.

»Und wie geht es mit uns weiter?«, fragte er.

Er wusste nicht, was er erhoffte – eine Versöhnung mit Barbara, eine Versöhnung mit Resa oder einfach nur die Kraft, damit zu leben, dass beides ausblieb.

»Ich habe all die Jahre auf Kosten meiner Tochter gelebt.«

»Wir konnten doch nicht anders …«

»Natürlich hätten wir anders gekonnt!«, fuhr sie ihm über den Mund. »Aber wir wollten es nicht!« Sie machte eine kurze Pause, dann fuhr sie gemäßigter fort. »Vielleicht hätte es uns zerstört, dagegen anzukämpfen, zumindest am Anfang … Doch später … später hätte es Gelegenheiten gegeben, es zu beenden. Nach Taddäus' Tod …« Gedankenverloren hielt sie inne. »Aber nun, Poldi, nun ist es endgültig vorbei.«

Er widersprach ihr nicht. »Du wirkst todunglücklich.«

»Das bin ich auch. Aber mach dir keine Sorgen. Irgendwann werde ich wieder singen. Irgendwann werde ich wieder lachen. Jedoch nicht mit dir. Nie wieder mit dir.«

Er senkte den Kopf und war zu seinem Erstaunen nicht nur tief betroffen, sondern auch erleichtert. Alles, was sie sagte, tat weh – aber er wusste, dass sie recht hatte, und er war dankbar, dass sie es aussprach. Er selbst hätte diesen Entschluss nicht so entschieden fällen können.

»Was willst du tun? Wo wirst du leben?«, fragte er nach einer Weile.

»Ich werde Jules Schule übernehmen. Es ist ihr Vermächtnis – und ich werde es mit Annelies Hilfe wahren. Anfangs wird es nicht leicht werden. Man wird mich anstarren wie eine Aussätzige. Aber auch Jule wurde oft verachtet – und ist doch entschlossen ihren Weg gegangen. Ich hoffe, ich bin nur halb so stark wie sie.«

Sie wandte sich endgültig ab, dann ging sie tiefer in den Wald hinein. Poldi folgte ihr nicht, sondern sah ihr traurig nach, bis sie im grünen Dickicht verschwunden war.

Eine Weile stand Elisa steif vor Gretas und Cornelius' zerstörtem Haus. Das Dach war völlig abgebrannt und in sich zusammengebrochen, die Grundmauern jedoch nur verkohlt. Endlich zwang sie sich, trotz des beißenden Gestanks, in den Trümmern nach etwas zu stöbern, was man noch gebrauchen konnte – Geschirr oder Werkzeug. Sie benutzte einen großen Holzstab, um in der Asche zu wühlen, und war schon nach kurzer Zeit schwarz vor Ruß.

Für Emilia, schwor sie sich durchzuhalten, ich tu's für Emilia.

Das Mädchen war gestern Abend völlig verzweifelt gewesen.

Nicht nur der Tod der Mutter setzte ihr zu, sondern auch die verspätete Einsicht, dass sie keinerlei Besitz mehr hatte, nur das, was sie am eigenen Leibe trug. Elisa hatte ihr Kleider gegeben, doch das hatte ihr nicht genügt. Sie hatte verkündet, in den Trümmern des Hauses nach Überbleibseln suchen zu wollen, doch sie hatte so verzagt dabei gewirkt, dass Elisa schließlich beschlossen hatte, es an ihrer Stelle zu tun.

Nach einer Weile fand sie unter einem schwarzen Haufen Scherben einen einzigen heilen Teller. Sie hob ihn hoch und starrte ihn an. Dieses Haus war in ihren Gedanken stets das von Greta gewesen; nun grübelte sie darüber nach, dass auch Cornelius viele Jahre seines Lebens hier verbracht hatte und dass nicht nur Emilia fast sämtliche Andenken verloren hatte, sondern auch er.

Plötzlich konnte sie nicht weitermachen. Den Teller an sich gepresst, stiefelte sie durch die mancherorts noch glosenden Trümmer und sackte ein gutes Stück von der Ruine entfernt auf der Wiese nieder. Bis jetzt war es ihr gelungen, sämtliche Gedanken an Cornelius zu vermeiden, doch nun wurde ihre Sehnsucht nach ihm übermächtig. Als sie sich umblickte, litt sie nicht nur daran, dass er nicht hier war, sondern dass er keine Spuren hinterlassen hatte und nichts mehr an ihn erinnerte.

Er selbst würde dem Heim mit Greta wahrscheinlich keine Träne nachweinen; die Siedlung am Llanquihue-See war immer mehr ihre Welt gewesen als seine, aber wenn er schon nicht trauern würde, so tat sie es umso mehr – nicht nur um das Haus, sondern weil es nichts Gemeinsames gab, was sie sich aufgebaut hatten. Gewiss, Manuel verband sie und die Liebe zueinander, aber eben nicht die Liebe zu diesem Land. Diese hatte er nie geteilt und würde es auch nicht mehr tun. Wenn sie an einstige glückliche Stunden dachte, so sah sie sie beide nicht einträchtig am Llanquihue-See stehen, sondern auf dem Schiff – ein unsteter Ort inmitten des riesigen Ozeans, voller Gefahren und Herausforderungen, zugleich voller Hoffnungen und Erwartungen in die Zukunft. Ein Ort, wo noch nichts besiegelt war, sondern so vieles offen. Ja, mit Cornelius war sie unterwegs gewesen – hier angekommen war sie jedoch ganz allein, und diese Heimat, die ihr so viel Halt gegeben hatte, fühlte sich ohne ihn plötzlich leer an.

Tränen perlten über ihr Gesicht und zogen Schlieren durch die Rußschicht. Als sie Schritte hörte, wischte sie sie hastig fort, wodurch sich ihr Gesicht noch schwärzer färbte.

Annelie war ihr gefolgt.

»Hast du etwas gefunden?«, fragte sie und schaute schließlich skeptisch auf den einen heilen Teller. »Nun ja«, sie musterte die Trümmer, »man kann hier wieder ein Haus aufbauen, wenn der Gestank erst einmal verzogen ist. Manuel und Emilia sollten hier leben, und …«

Eigentlich war Elisa entschlossen gewesen, sich ihren Schmerz nicht anmerken zu lassen, doch nun vermeinte sie, daran ersticken zu müssen, wenn sie mit niemandem darüber sprach.

»Aber Cornelius wird nicht hier leben«, brach es aus ihr heraus. »Emilia hat ihm geschrieben. Bald wird ihn in Valparaíso die Nachricht erreichen, was geschehen ist, und er wird zurückkehren, aber gewiss nur für kurze Zeit … Immer wieder nur für kurze Zeit …«

Annelie trat zu ihr. »Jetzt, da Greta tot ist …«

Elisa seufzte. Sie hatte Cornelius versprochen, dass die Wahrheit nicht ans Licht kommen durfte, aber Annelie, die schließlich auch wusste, dass Manuel sein Sohn war, hatte sie von Emilias wahrer Herkunft erzählt.

»Gretas Tod ändert viel, jedoch nicht alles«, sagte Elisa leise. »Cornelius wird Gretas Ruf wahren wollen. Nie wird er verraten, warum er sie wirklich geheiratet hat. Und nie wird er sich zu Manuel bekennen. Um Emilias willen. Ich kann mir keine Zukunft für uns vorstellen … nicht hier, wo wir uns dem Geschwätz und den Verdächtigungen der Menschen aussetzen und wo er nie wirklich ein Zuhause gefunden hat.«

»Dann musst du von hier fortgehen«, sagte Annelie schlicht.

»Aber das ist meine Heimat!«

»Du kannst auch anderswo eine finden … mit ihm.«

Elisa schüttelte den Kopf. »Dieser Ort war mir immer so wichtig!«, rief sie. »Ich habe so um unseren Besitz gekämpft. Gerade erst vor ein paar Tagen, als alles abzubrennen drohte, da habe ich das Haus, das Lukas einst für uns errichtet hat, mit aller Kraft geschützt!«

»Gerade deswegen«, murmelte Annelie. »Gerade deswegen kannst du doch nun gehen! Weil du genug gekämpft hast! Weil du ausreichend bewiesen hast, wie tüchtig du bist!«

»Denkst du etwa, dass es das ist, was mich stets angetrieben hat? Meinem Vater zu beweisen, dass ich als Tochter so viel zähle wie ein Sohn? Obwohl er so lange tot ist?«

»Nein«, sagte Annelie rasch, »nein, das allein war es nicht. Ich glaube, das eigene Land, das du beackerst, auf dem du gesät und geerntet hast und das später dein Vieh nährte, hat dir immer Kraft gegeben. Die Kraft, ohne Cornelius zu leben. Aber diese Kraft, Elisa, brauchst du doch nicht mehr. Es gibt keinen Kummer mehr, den du betäuben musst. Du brauchst keinen Trost mehr für den unerträglichen Verzicht.«

Elisa machte sich los und ging ein paar Schritte fort. Sie wollte nicht, dass Annelie ihr Gesicht sah, während ihre Worte auf sie wirkten. Sie bückte sich, begann abermals, im Boden zu wühlen, diesmal nicht, um nach etwas Brauchbarem zu suchen, sondern gedankenverloren. Es hatte ihr stets gutgetan, unter ihren Händen die satte Erde zu fühlen. Nun griff sie allerdings nicht in Erde, sondern in Asche.

Konnte es ein noch deutlicheres Zeichen dafür geben, dass dies hier nicht mehr ihre Welt war?

»Ich bin doch alt«, sagte sie leise. »Ich bin schon so alt.«

Annelie lächelte. »Nicht zu alt. Immer noch jung genug, um zu lieben und geliebt zu werden. Immer noch jung genug, um glücklich zu sein. Greta hätte dich fast umgebracht. Dass du überlebt hast – sieh es als Neuanfang!«

Elisa blickte nicht länger auf das verbrannte Haus, sondern auf den See und den Osorno. Die Luft war diesig, seine weiße Spitze hob sich kaum vom Himmel ab.

»Irgendjemand muss die Trümmer von hier fortschaffen«, sagte sie leise.

»Ja«, meinte Annelie, »ja …«

Elisa entfernte sich von der Ruine. Bis vor kurzem wäre sie die Erste gewesen, die mit angepackt hätte, um hier wieder ein Haus zu errichten. Doch plötzlich wusste sie, dass sie diesmal nicht dabei helfen würde.

Sie sprach in den nächsten Wochen mit niemandem über ihre Entscheidung. Nur Annelie vertraute sie an, dass sie nicht bleiben würde, sondern nur auf Cornelius wartete, um gemeinsam eine Zukunft fernab des Llanquihue-Sees zu planen.

So glücklich Annelie darüber war und so inbrünstig sie sie in diesem Beschluss bekräftigte – eines bereitete ihr dennoch Sorge. »Ich weiß, dass ihr euch nicht vor aller Welt zueinander bekennen könnt, aber willst du nicht wenigstens deinen Söhnen erzählen, was du vorhast?«

»Aber gerade Manuel kann ich mich nicht anvertrauen!«

»Wie willst du ihnen denn erklären, dass du plötzlich deine Heimat verlässt?«

»Fritz«, erklärte Elisa entschieden. »Fritz wird ... Er muss uns helfen! Ich werde unsere Viehzucht an Lu und Leo übergeben. Und dann werde ich erzählen, dass mir die Meerluft in Valparaíso gut bekommen hat und ich eine Weile dort leben will ...«

Annelie sah sie skeptisch an. »Keiner wird dir glauben, dass du ernsthaft krank bist und der Meerluft bedarfst.«

»Aber dass ich alt werde – das kann man mir nicht in Abrede stellen. Wird man einer wie mir, die sich ein Leben lang abgerackert hat, zum Vorwurf machen, dass sie einen ruhigen Lebensabend verbringen will? Und darum die Arbeit und die Verantwortung an die Kinder abgibt, die sie geboren hat?«

»Und Cornelius?«

»Cornelius war hin und wieder hier ... und dann wieder

wochenlang fort. Man ist an sein unstetes Händlerleben gewöhnt, man wird es nicht hinterfragen. Wir werden später nicht gemeinsam von hier aufbrechen, sondern erst anderswo zusammentreffen. Aber irgendwie wird es gehen.«

»Irgendwie wird es gehen«, echote Annelie. »Und die Hochzeit von Manuel und Emilia?«, konnte sie die Einwände doch nicht lassen. »Willst du nicht so lange bleiben?«

»So schnell werden sie diese nicht feiern. Zumindest habe ich Emilia und Manuel schon lange nicht mehr darüber reden gehört. Die beiden sind noch immer zutiefst verstört über das, was ihnen in Valparaíso zugestoßen ist. Und Emilia muss erst verkraften, dass Greta tot ist. Wir haben Sommer. Lass den Herbst und Winter kommen – und im nächsten Frühling sehen wir weiter. Sie sind doch noch so jung. Sie haben alle Zeit der Welt.«

Am Ende schwieg Annelie und drückte sie nur fest an sich.

Obwohl das Leben nach dem Brand und Jules Tod langsam wieder in alltäglichen Bahnen verlief, schottete sich Elisa in den nächsten Tagen immer mehr ab. Sie verrichtete nur die notwendigsten Arbeiten, ansonsten floh sie oft aus der Siedlung und suchte sich stille Plätzchen, wo sie in Ruhe nachdenken und innerlich Abschied nehmen konnte. Fast immer war sie dort ungestört – ein einziges Mal kam ihr jemand nach, als sie die Siedlung verließ, und rief ihren Namen.

Sie drehte sich um und sah Poldi. Bei dem Brand waren viele seiner Haare versengt worden und seitdem nicht ordentlich nachgewachsen. Struppig wie die Stacheln eines Igels standen einzelne Strähnen vom Kopf ab. Er hätte lustig ausgesehen, wenn sein Gesicht nicht diesen verzagten Ausdruck gehabt hätte.

»Was machst du denn hier so allein? Man sieht dich ja kaum noch!«, rief er tadelnd.

Sie starrte ihn eine Weile wortlos an. Bis jetzt hatte sie ihre Pläne gut zu verheimlichen gewusst – doch ihn, das wusste sie plötzlich, konnte sie nicht anlügen.

»Ich gehe fort«, sagte sie knapp. »Jetzt noch nicht. Aber bald ... Bald werde ich die Siedlung verlassen.«

In seinen Zügen breitete sich Verstehen aus. Er stellte keine Fragen nach dem Wo und Warum und mit Wem.

Schweigend ging er an ihrer Seite, und als sie schließlich innehielt, blieb er dicht neben ihr stehen.

»Du hast dich also entschieden, Elisa. Du liebst Cornelius.«

Nur zögerlich kamen Poldi die Worte über die Lippen. Sie ließen sich auf einer kleinen Anhöhe nieder, von der aus man den ganzen Llanquihue-See überblicken konnte.

Elisa strich sich das Haar aus dem Gesicht. Sie fühlte, dass Poldi sie von der Seite betrachtete, aber sie erwiderte seinen Blick nicht, sondern starrte hinaus auf den See.

Wie ein riesiges Fünfeck lag er vor ihnen: inmitten saftig grüner Wiesen und Gärten, goldgelber Ackerstreifen und dunkler Wälder, an deren sumpfigen Rändern die roten Copihue-Blumen erblühten.

»Wir haben so viel erreicht«, sagte sie leise. »Wir haben einen so langen Weg zurückgelegt.«

»Weißt du noch ... damals im Hamburger Hafen, als wir beide ...« Poldi brachte den Satz nicht zu Ende, sondern kicherte los.

Sie nickte. »Wir haben viel zu selten innegehalten, zurückgesehen, der Vergangenheit gedacht.«

Sie seufzte wehmütig.

Zarte Schleier des Seenebels stiegen auf, umhüllten den Fuß des Osornos, nicht jedoch seinen Gipfel. Dieser ragte aus dem Dunst hervor, als würde er über der Welt schweben. Immer tiefer fielen die Sonnenstrahlen; dunkel und abgründig färbte sich das eben noch türkis schimmernde Wasser des Sees, grau seine eben noch glitzernde Gischt. Nur der Gipfel des Osornos badete satt im Licht und strahlte rötlich auf, als blute er.

»Du hast dich tatsächlich entschieden«, sagte Poldi wieder, und nach einer Weile fügte er hinzu: »Wenn es in meinem Leben so viel Klarheit geben würde wie in deinem – wie dankbar und froh wäre ich darüber! Du liebst Cornelius, nicht wahr? Du hast ihn immer geliebt.«

»Ja«, erwiderte Elisa leise. »Ja, ich liebe ihn. Und ich weiß jetzt endlich, was ich tun muss.«

Er nickte. »Es ist das Richtige«, sagte er nicht ohne Wehmut. »Es ist gut, dass du fortgehst, um mit Cornelius zu leben. Wenn ich nur wüsste, was für mich richtig wäre! Wie soll ich denn je wieder glücklich werden nach alldem, was geschehen ist?«

»Ach, Poldi …« Sie erwiderte sein Lächeln. Aus seinem wehmütigen Ausdruck wurde plötzlich ein verschmitzter. Kurz konnte sie den frechen Knaben von einst hinter den Zügen des erwachsenen Mannes erahnen.

»Stell dir vor, Elisa«, kicherte er, »wenn du einst nicht Lukas, sondern mich zum Mann genommen hättest! Hätten wir nicht auch vorzüglich zusammengepasst?«

Sie lachte, doch da wurde er bereits wieder ernst.

»Elisa, ich weiß, wie es ist, einen Menschen zu lieben – und ihn doch nie ganz zu haben … Werde glücklich mit deinem Cornelius, und vergiss uns … vergiss mich nicht ganz, ja?«

»Wie könnte ich dich vergessen?« Kurz überkam sie das Bedürfnis, über sein strubbeliges Haar zu streichen, wie sie es einst manchmal getan hatte, als er noch ein Kind gewesen war. Sie unterließ es, aber sie strich zögerlich über seine Schultern, als sie fragte: »Und du? Was wird aus dir?«

Er zuckte mit den Schultern. »Lass etwas Zeit ins Land ziehen, dann werden die Menschen vielleicht den Skandal vergessen. Und ich werde irgendetwas finden, an das ich mein Herz hängen kann.« Er versuchte, unbekümmert zu klingen, hoffnungsfroh, doch ihr entging nicht, dass sein Lächeln seine Augen nicht erreichten und in ihnen ein tiefer Kummer stand – über eigene Fehler und über Versäumnisse –, der wohl nie wieder daraus schwinden würde.

»Ich wünsche dir, dass du … zufrieden bist«, murmelte sie knapp.

Sie erhoben sich und drückten sich inniglich. Als er sie schließlich allein zurückließ, blickte Elisa nicht länger auf den See oder den Osorno. Der endgültige Abschied stand noch bevor – aber in ihren Gedanken hatte sie die vertraute Gegend schon verlassen.

»Ich warte auf dich, Cornelius«, murmelte sie. »Ich warte auf dich, und dann gehe ich mit dir – ganz gleich wohin. Ich gehöre zu dir, ich bleibe bei dir … Was immer wir tun, was immer wir entscheiden, wir werden zusammen sein.«

Plötzlich konnte sie keinen Augenblick mehr ruhig stehen. Sie begann zu laufen, schneller, immer schneller. Nichts kündigte seine Ankunft an, aber sie wusste tief in ihrem Herzen, dass er auf dem Weg zu ihr war und dass sie ihn noch an diesem Abend wieder in die Arme schließen würde.

PERSONENVERZEICHNIS

Die von Grabergs
Richard und Annelie
Elisa

Die Steiners
Jakob und Christine
Fritz, Lukas, Poldi, Christl, Lenerl, Katherl

Die Suckows
Pastor Zacharias
Cornelius

Die Mielhahns
Lambert und Emma
Viktor, Greta

Die Glöckners
Barbara und Taddäus
Andreas, Resa

Juliane – genannt Jule – Eiderstett

Die Webers
Konrad
Moritz, Gotthard

Die nachfolgende Generation

Lu, Leo, Ricardo, die Söhne von Elisa und Lukas Steiner

Manuel, der Sohn von Elisa und Cornelius Suckow

Emilia, die Tochter von Greta und Viktor Mielhahn

Frida, Kathi, Theres, die Töchter von Resa und Poldi Steiner

Jacobo, der Sohn von Christl und Andreas Glöckner

Ureinwohner Chiles
Antiman (von der Insel Chiloé)
Quidel (Mapuche)

HISTORISCHE ANMERKUNG

Die europäische Auswanderung im 19. Jahrhundert stellt möglicherweise die größte Umsiedlungsbewegung in der Geschichte der Menschheit dar. Groben Schätzungen zufolge verließen damals über 50 Millionen Menschen Europa, um in der Neuen Welt ihr Glück zu suchen; ca. 5 Millionen von ihnen stammten aus dem Gebiet des deutschen Reiches. Eine Minderheit, nämlich etwa 20 000, zog es in eines der südlichsten Länder der Welt: Sie reisten zwischen 1846 und 1914 nach Chile.

Dass die chilenische Regierung systematisch erfahrene Bauern und Handwerker als Einwanderer anwerben ließ, um das bis dahin weitgehend menschenleere südchilenische Seengebiet zu bevölkern und quasi einen Puffer zum Land der Mapuche zu schaffen, war für diese Siedler oder »Kolonisten«, wie sie sich selbst nannten, eine große Chance – für viele die einzige ihres Lebens, eigenes Land zu erhalten und dieses zu bewirtschaften. Im Gegenzug galt es jedoch enorme Herausforderungen zu bewältigen, da sie in diesen entlegenen und weitflächig vom Regenwald bedeckten Gebieten keinerlei Infrastruktur vorfanden. Die eigentlich zugesagte Unterstützung der chilenischen Regierung blieb zunächst an vielen Orten aus. Dennoch gelang es ihnen, nicht nur enorm viel Land urbar zu machen, sondern darüber hinaus, viele florierende Wirtschaftsunternehmen zu gründen.

Spuren von den deutschen Siedlern sind – gerade um den Llanquihue-See – bis heute zu finden: von der typisch deutschen Bauweise der Häuser, nämlich mit Giebeldach, den vielen Vereinen, die die deutsche Sprache am Leben zu erhalten versuchen, bis hin zur Schwarzwälderkirschtorte, die in vielen Restaurants angeboten wird.

Dass sich die deutsche Kultur hier sehr lange erhalten hat, liegt nicht zuletzt an einer Besonderheit des Einwanderungslandes Chiles: Während anderswo – z.B. in Nordamerika – ein ungleich schnellerer Assimilierungsprozess einsetzte, lebten die deutschen Siedler inmitten des Urwalds fernab der übrigen Zivilisation in einer eigenen Kolonie, also in einer Art »Klein-Deutschland vor exotischer Kulisse«, das sich chilenischen Einflüssen erst nach und nach öffnete.

Die Lebensleistung dieser Generationen, die erst nach langen von Tod und Not geprägten Jahren ihr Brot verdienten, ist oft ideologisch überhöht worden – nicht nur von manchem Nachfahren, sondern vor allem in der Zeit des Nationalsozialismus, wo die Siedlungen zum Werk des deutschen Übermenschen, der selbst im Nichts eine Zivilisation schafft, hochstilisiert wurden. Solche einseitige Verherrlichung ist ebenso undifferenziert wie realitätsfern und ignoriert überdies die traurige Tatsache, dass die Besiedlung mancher Gebiete auf Kosten der Ureinwohner Chiles vonstattenging.

Ungeachtet dessen ist es dennoch legitim, diesen deutschen Einwanderern Respekt zu zollen: für die Energie und Schaffenskraft, die sie in den Anfangsjahren an den Tag legten, ebenso wie für den oft sehr positiven Einfluss, den einige ihrer Abkömmlinge später auf die chilenische Gesellschaft, Wirtschaft und Politik nahmen.

Während einer mehrwöchigen Chile-Reise, die mich auch zum Llanquihue-See geführt hat, habe ich vor einigen Jahren zum ersten Mal von diesen deutschen Siedlungen gehört. Auch wenn einstiger Urwald an vielen Stellen längst bezähmt ist – vor der Kulisse dieses schönen, wilden, urwüchsigen Landes kann man sich gut vorstellen, welche Prüfungen die Einwanderer zu bestehen hatten und wie ungemein stolz sie gewesen sein mussten, diese bewältigt zu haben. Die Faszination für dieses Thema hat mich seitdem nicht losgelassen und ist nach ausführlicher Recherche schließlich im vorliegenden Roman gemündet.

Meine Protagonisten sind allesamt fiktiv; einzelne Personen, die am Rande erwähnt werden – so z.B. Carlos Anwandter, Vicente Pérez Rosales, Franz Geisse u.v.a.m. –, sind jedoch historisch verbürgt. Überdies war es mir sehr wichtig, mich bei der Schilderung ihres Alltags und dessen Tücken sehr stark an Zeugnissen der ersten Einwanderer zu orientieren und somit ein möglichst authentisches Bild zu entwerfen. Teilweise fast wörtlich habe ich Zitate aus Briefen, Tagebüchern und Lebensberichten übernommen, die von den vielen Beschwernissen Kunde geben, aber auch berechtigten Stolz ausdrücken, diese überwinden zu können.

Ein Zitat ist mir bei der Sichtung von diversem Recherchematerial besonders gut in Erinnerung geblieben. Es beschreibt die Situation der Einwanderer sehr trefflich, weil das rauhe Leben nicht – wie anderswo im Rückblick – verherrlicht wird, sondern ein hohes Maß an Realismus, Pragmatismus, aber auch starker Wille durchklingt.

Am Ende des Buchs will ich darum diesen Aquinas Ried sprechen lassen:

»Hier ist das Land von Milch und Honig nicht. Im Schweiße des Angesichts muss man sich sein Brot erweben. Man hat jedoch den Trost, dass man es erwerben kann. Aus Tropfen entsteht der Bach, aus Bächen wächst der Strom. Hand ans Werk – der Segen wird nicht fehlen.«

Nun, der Segen ist am Ende auch für Elisa und Cornelius nicht ausgeblieben. Wie es hingegen mit Emilia und Manuel, den Nachfahren der anderen Siedler und des Mapuche Quidel, weitergeht – das will ich Ihnen gerne in meinem nächsten Buch erzählen.

ANA VELOSO

Das Mädchen am Rio Paraíso

Roman

Südbrasilien, 1826: Am Ufer des Rio Paraíso findet der Gaucho Raúl Almeida ein schwerverletztes Mädchen. Als sie erwacht, weiß sie weder, wo sie sich befindet noch wer sie ist – und sie versteht seine Sprache nicht. Raúl vermutet, dass sie eine Deutsche aus einem der Einwandererdörfer sein könnte. Dort wurde ein Mann umgebracht, und dessen Frau ist seitdem verschwunden. In Raúl regt sich ein schrecklicher Verdacht ... Wer ist die schöne Fremde wirklich?

Knaur Taschenbuch Verlag